Historia

**Memorias
y Biografías**

LA REINA JUANA
Gobierno, piedad y dinastía

BETHANY ARAM

LA REINA JUANA
Gobierno, piedad y dinastía

Traducción de Susana Jákfalvi
Revisión científica de Santiago Cantera Montenegro

Marcial Pons
HISTORIA
2001

Ilustración de la cubierta: Colin de Coter, «La Vierge médiatrice, Jeanne la Folle et sa suite». Musée du Louvre. Photo RMN-Gérard Blot.

© Bethany Aram
© MARCIAL PONS, EDICIONES DE HISTORIA, S.A.
 San Sotero, 6 - 28037 MADRID
 ☎ 91 304 33 03
 ISBN: 84-95379-31-7
 Depósito legal: M. 47.141-2001
 Diseño de la cubierta: Manuel Estrada. Diseño Gráfico
 Impresión: Closas-Orcoyen, S.L.
 Poligono Igarsa. Paracuellos de Jarama (Madrid)
 MADRID,2001

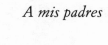

A mis padres

ÍNDICE

PRÓLOGO

Preguntadle a cualquier joven «¿Quién es la reina más famosa en la historia de España?» y la respuesta probablemente será «Juana "la Loca"». El interés por la reina como persona histórica se intensificó a mediados del siglo XIX, después de la publicación de una serie de documentos (la mayoría de ellos procedentes del Archivo General de Simancas) relativos a las cuatro décadas que Juana pasó en un palacio adyacente al convento de Santa Clara en Tordesillas. En cambio, pocas fuentes nuevas han aparecido impresas en los últimos cien años —esto, sin embargo, no ha impedido la publicación de una avalancha de nuevas biografías, casi todas basadas en el mismo repertorio restringido de datos.

El presente estudio, por el contrario, representa el fruto de diez años de continua investigación, en 55 colecciones diferentes de manuscritos, de una brillante y joven investigadora norteamericana que actualmente vive y enseña en España. Los archivos y bibliotecas consultados por Bethany Aram no están exclusivamente en España; también ha estudiado documentos en otros siete países —Bélgica, Francia, Alemania, Gran Bretaña, Italia, Portugal y Estados Unidos— escritos en nueve lenguas (castellano, catalán, holandés, inglés, francés, alemán, italiano, latín y portugués). Tomados en conjunto, transforman por completo nuestro entendimiento de la reina y de su mundo.

La perspectiva internacional, uno de los rasgos más originales de este libro, es esencial para un correcto entendimiento de Juana, ya que la reina fue una figura de rango internacional. Viajó de una punta a otra de Francia, visitó Inglaterra dos veces y residió en los Países Bajos durante seis años (1496-1501 y 1504-1506). Llegó a ser reina no sólo de Nápoles y Sicilia sino también de Aragón y Castilla. Durante su vida, sus dos hijos reinaron en Alemania, Bohemia, Hungría, los Países Bajos y Milán, mientras que sus cuatro hijas llegaron a ser reinas de Francia, Hungría, Portugal y Dinamarca.

Aunque la mayoría de los estudios sobre la reina se centran en los años posteriores a 1506, durante los cuales Juana reinó pero no gobernó, Bethany Aram usa documentos de los archivos del Vaticano y de Lille, no consultados anteriormente por los biógrafos de Juana, para iluminar también los seis años que pasó en los Países Bajos. Estos años proporcionan importantes detalles sobre sus gustos y sobre su casa, así como sobre su piedad ejemplar (por ejemplo, su cercana relación con los conventos de *las Franciscanas* de observancia de Bruselas y Brujas y su personal intervención en asegurar una reliquia de Santa Leocadia para Toledo, su ciudad natal).

La lectura crítica de Bethany Aram de las nuevas y viejas fuentes sobre el período en que la reina residió en España también proporciona materiales nuevos y apasionantes. Sobre todo, sugiere que la decisión de la reina de «recogerse» cerca de las Clarisas de Tordesillas estableció un precedente seguido por varios de sus descendientes. Su hijo mayor Carlos abdicó y se retiró a un palacio conectado con el monasterio de Yuste en 1556; en el mismo año, dos de sus hijas, María de Hungría y Leonor de Francia, también entraron en conventos en España. Su nieto, Felipe II, incluyó un palacio en el complejo monástico de El Escorial, donde pasó la mayoría de los veranos durante las últimas tres décadas de su vida. Las dos hermanas de Felipe, María y Juana, también pasaron los últimos años de sus vidas «recogidas» en un convento de Clarisas.

La vida y carrera de Juana de Austria, la nieta y tocaya de la reina, ofrece un paralelo particularmente cercano e interesante. Nacida en 1535, sus padres decidieron desde muy temprano que se casaría con su primo, el príncipe Juan de Portugal, lo cual ella hizo «por poderes» en enero de 1552. Tres meses más tarde, Francisco de Borja cambió su vida. Borja, pariente suyo (Fernando de Aragón era su bisabuelo) y anteriormente duque de Gandía, ya había servido a la familia de Juana durante tres décadas. De niño fue a Tordesillas para proporcionar compañía a la hija menor de la reina Juana, Catalina, entre 1522 y 1525, y a partir de entonces sirvió a Carlos V y a su esposa Isabel de Portugal como cortesano y ministro antes de renunciar a todos los bienes materiales y hacerse jesuita. En la Semana Santa de 1552, el padre Francisco visitó Toro, donde Juana aún residía, y la dirigió en un intenso curso de «ejercicios espirituales» durante dos horas por la mañana y otras dos por la tarde. Después de esto, la joven princesa dejó de jugar a las cartas, a las que había sido muy aficionada, y no leyó más «libros profanos». En lugar de ellos, un inventario de sus bienes cuando abandonó Toro para ir a Lisboa en octubre de 1552 hace referencia a numerosas obras de devoción personal, todas especialmente encuadernadas para ella[1].

En agosto de 1553, Borja visitó a Catalina, ahora reina de Portugal, y una vez más se reunió con Juana dedicándole uno de los tratados espirituales que escribió mientras estaba en Lisboa. Cinco meses más tarde murió el príncipe Juan y poco después Juana dio a luz al hijo póstumo de ambos. Casi inmediatamente tomó votos en la Orden Franciscana —tal vez como una manera de impedir que su padre planeara otro matrimonio (la princesa aún no había cumplido los veinte años)— y en mayo de 1554 aceptó regresar a Castilla y servir como regenta mientras su hermano Felipe se marchaba al norte de Europa (primero para contraer matrimonio con la reina María de Inglaterra y después para relevar a Carlos V en el gobierno de la monarquía).

La princesa viajó directamente a Tordesillas para ver a su abuela y citó a Francisco de Borja, quien entonces vivía a unos kilómetros en la residencia de la Compañía de Jesús en Simancas, para que se reuniera con ella allí. En dos días, el 9 y 10 de junio de 1554, la princesa persuadió a Borja para que fuera su director espiritual y para que le permitiera reemplazar sus votos de franciscana por los de jesuita (dos peticiones que generaron una animada correspondencia entre Borja e Ignacio de Loyola —nuestra única fuente sobre este tema—). En abril de 1555 Borja regresó a Tordesi-

---

[1] José MARTÍNEZ MILLÁN, «Familia real y grupos políticos: la princesa doña Juana de Austria (1535-73)», en MARTÍNEZ MILLÁN (dir.), *La corte de Felipe II*, Madrid, 1994, pp. 73-105; en la p. 78, nombra varios títulos —incluyendo algunos escritos por Constantino de la Fuente, ¡cuya detención por herejía siete años más tarde presidiría Juana! Sobre el impacto de la visita de Borja a Toro en abril de 1552, véase Cándido DE DALMASES, *Padre Francisco de Borja*, Madrid, 1983, pp. 95-96.

llas para ayudar a la reina en su última agonía (véase la página 271 más abajo). Al mes siguiente, cuando regresaba de Tordesillas después de la muerte de su abuela, la princesa Juana se detuvo por una noche en la residencia jesuítica de Simancas y se hospedó en la misma habitación donde Borja se había alojado.

A partir de entonces, doña Juana siguió escrupulosamente las normas de vida de jesuita, siendo tratada dentro de la Compañía, por su propio deseo, como un miembro más de ella; tan severo sistema de vida, seguido también por sus servidores, impresionaba profundamente a todo el que pasaba por la corte, pues, como los propios jesuitas reconocían, ésta se parecía más a un convento del que irradiaba una determinada religiosidad que al centro de donde emanaba el poder.

La princesa Juana y muchos de sus consejeros trabajaron intensamente para incrementar la influencia de la Orden en España[2].

Borja también sugirió que la princesa debía fundar un convento, y en 1554 Juana le compró a su padre la casa donde ella había nacido (y donde su hermana mayor María había sido bautizada), y la convirtió en el monasterio de las Descalzas Reales. Borja le aconsejó que invitase a monjas del convento de Santa Clara en Gandía, su pueblo natal, por ser la primera comunidad que había introducido en España una estricta observancia de la primitiva regla de Santa Clara. La primera abadesa de las Descalzas fue la hermana de Borja[3].

Cuando Felipe II regresó a España en septiembre de 1559, liberando a la princesa de sus deberes políticos, ella empezó a ir a las Descalzas a hacer «retiros». Éstos aumentaron en duración hasta

---

[2] José MARTÍNEZ MILLÁN y Carlos J. DE CARLOS MORALES, *Felipe II (1527-1598). La configuración de la monarquía hispana*, Salamanca, 1998, pp. 60-61. Sobre su deseo de tomar los votos de jesuita, que Borja examinó con Loyola de forma pesimista (llamando a la princesa «Mateo Sánchez»), véase DALMASES, *Francisco de Borja*, pp. 118-121. En su «diario espiritual», con fecha de 1564, Borja anotó el 10 de junio como el décimo aniversario del día en que se convirtió en el consejero espiritual de la princesa. Véase también la página 259, nota 36, más adelante, para otras conexiones importantes y previamente desconocidas entre Borja y los Habsburgo.

[3] María Leticia SÁNCHEZ HERNÁNDEZ, *Patronato regio y órdenes religiosas femeninas en el Madrid de los Austrias: Descalzas Reales, Encarnación y Santa Isabel*, Madrid, 1997, pp. 27-33.

que, después de 1570, hizo del convento su residencia permanente, con la excepción de visitas esporádicas a El Escorial. Mantuvo, sin embargo, su contacto con Borja, ahora General de la Orden Jesuita. Por ejemplo, en 1571, durante su último viaje a España, Borja visitó a las Descalzas «muchas vezes» y, poco antes de su muerte en Roma al año siguiente, la princesa y el General de los Jesuitas mantuvieron una correspondencia sobre un «asunto de conciencia» tan secreto que ya es imposible identificarlo con certeza. Mientras Juana estaba agonizando en 1573, exactamente como su abuela y tocaya la reina Juana, pidió que la vistieran y enterraran con el hábito de San Francisco[4]. Diez años después, la hermana mayor de la princesa, María, regresó a España de Alemania, donde había sido emperatriz, y tomó residencia en las Descalzas Reales. Allí se interesó atentamente por la política que siguieron Felipe II, y más tarde Felipe III, en especial en lo referente a Alemania; pero también mantuvo una austeridad piadosa que impresionó a todos aquellos que entraron en contacto con ella hasta su muerte en 1606[5].

Tan cercanos paralelismos familiares con el comportamiento de la reina Juana son significativos, porque sugieren que ella —como sus dos nietas— siguieron un camino religioso bien conocido en los Países Bajos y en España a comienzos de la época moderna: el «recogimiento». El término tenía muchos significa-

---

[4] Francisca, la nieta de Borja, en ese momento una monja en el convento, recordaba las frecuentes visitas de éste a las Descalzas en 1571 durante su testimonio posterior en el proceso de su beatificación: DALMASES, *Francisco de Borja*, pp. 233-234. Sobre el intercambio «muy secreto» entre Juana y Borja en 1572, véase Enrique GARCÍA HERNÁN, *La acción diplomática de Francisco de Borja al servicio del Pontificado, 1571-1572,* Valencia, 2000, pp. 371-372. El autor especula sobre la posibilidad de que trataran acerca de la liberación por parte de la princesa de sus votos de jesuita para que pudiera casarse con el duque de Anjou, el futuro rey Enrique III de Francia. Para el testamento de Juana, que incluía importantes detalles no sólo acerca de la disposición de su colección de reliquias, sino también sobre su devoción a San Francisco, véase Fernando CHECA CREMADES, *Felipe II: Mecenas de las Artes,* Madrid, 1993, página 480, nota 293. El mejor estudio sobre la princesa sigue siendo Marcel BATAILLON, «Jeanne d'Autriche, princesse de Portugal», en su *Études sur le Portugal au temps de l'humanisme,* Coimbra, 1952, pp. 257-283.

[5] Para el retiro monástico de María y su influencia en Felipe III, véase Magdalena SÁNCHEZ, *The Empress, the Queen and the Nun. Women and power at the Court of Philip III of Spain,* Baltimore, 1998. Para su participación en la política de Felipe II, véase Geoffrey PARKER, *La Gran Estrategia de Felipe II,* Madrid, 1998, p. 364.

dos en el siglo XVI, desde el de creación de un «espacio» interior para la piedad personal y de reclusión impuesta de «mujeres públicas», hasta el de aislamiento voluntario en claustros de mujeres abandonadas o viudas ansiosas por preservar su «honor» y «vergüenza». Bethany Aram argumenta que muchas de las prácticas de la reina en Tordesillas —ayuno, austeridad en la vestimenta, silencio, soledad y vigilias— ejemplificaban la «recogida» ideal. Descubrió también que Francisco de Osuna, el más importante protagonista del «recogimiento» en la España del Renacimiento, atribuía estas virtudes a Juana en su popular manual ascético *Tercer abecedario espiritual* (página 288, más adelante)[6].

Todo esto seguramente sorprenderá a los lectores, porque algunos de los parientes de la reina y sus seguidores sistemáticamente desvirtuaban precisamente estos aspectos de «recogida» del comportamiento de Juana. Los veían como anormales (como efectivamente lo eran en un miembro *reinante* de la familia real) y procuraron retratar a la reina como incompetente, loca, e incluso poseída por el Demonio. ¿Por qué? Debemos recordar que, primero su marido Felipe, después su padre Fernando, y finalmente su hijo Carlos, todos tenían buenas razones para desacreditar a Juana y hacer que la declararan incapaz de gobernar. Debido a que los reinos de Castilla, Aragón, Nápoles y Sicilia la habían reconocido anteriormente como su soberana legítima, ellos sólo podían ejercer autoridad soberana si eliminaban los derechos de Juana. Todavía en 1555, algunos ministros de Carlos V temían que si el emperador abdicaba de sus títulos antes de la muerte de Juana, su hijo menor Fernando podía reclamar la sucesión en algunos de ellos[7].

No hubieran necesitado preocuparse: Juana siempre se había esforzado por preservar los derechos de su hijo mayor. Después de

---

[6] Véase la brillante reconstrucción que hizo Nancy E. VAN DEUSEN de los cambios de significado de los términos «recogimiento» y «recogida» a comienzos de la Edad Moderna en *Between the Sacred and the Worldly: Recogimiento in Colonial Lima*, Stanford, 2002, cap. 1. Para más ejemplos del comportamiento de Juana como «recogida», véanse las páginas 28-29, 97-98, 178, 184-185, 187, 215, 216, 256-257, 276 y 286-295, más adelante.

[7] Véase la carta de Ruy Gómez de Silva a Francisco de Eraso, 15 de mayo de 1555, citada en la página 277, más adelante.

la muerte de su marido en 1506, insistió en que su cuerpo fuese enterrado en Granada, y se negó a que lo enterraran en absoluto hasta que obtuviera lo que quería. Esto no sólo le aseguraba que no podía ser obligada a casarse otra vez, sino también conservaba el
derecho de su hijo Carlos a la sucesión española —algo que su padre Fernando de Aragón repetidas veces intentó minar—. Bethany
Aram revela la historia del «apego necrofílico» de Juana al cadáver
de Felipe, asiduamente propagada por su padre y sus partidarios,
como una estrategia política. Asimismo expone los esfuerzos de los
Comuneros de Castilla en 1520-1521 por manipular a su «reina propietaria» para que ejerciera su poder real y por lo tanto, en efecto,
desheredar a Carlos, y muestra que la reina trataba a los Comuneros con un talento considerable, ni ofendiéndolos ni aceptando sus
demandas. Para bien o para mal, los Austrias ganaron y mantuvieron el control de Castilla, en gran parte, gracias al firme apoyo de la
reina a la que muchos historiadores han desestimado como Juana
«la Loca».

A lo largo de este libro, Bethany Aram proporciona detalles
sobre las relaciones de la reina con sus acompañantes y consejeros eclesiásticos, con sus sirvientes, con sus guardianes y con su
familia en los Países Bajos y en España. La autora ilumina, clari-
fica y explica todos los aspectos de la larga vida de Juana a partir
de la impresionate y amplia variedad de fuentes que ha reunido
en todos los rincones del mundo occidental.

La prueba de un gran libro de historia es que explica un problema importante del pasado tan detalladamente que no será necesario ningún examen adicional durante una generación o más.
Desde mi punto de vista, este libro supera la prueba de manera
airosa. Los lectores que deseen comprender a Juana y cómo sus
contemporáneos consiguieron gobernar a la reina no debieran
buscar más. Todo lo que necesitan saber está en estas páginas.

Geoffrey PARKER

PREÁMBULO

En las paredes opuestas de una habitación central del Casón del Buen Retiro, dos pinturas de tema histórico del siglo XIX evocan el problemático legado de la reina Isabel la Católica (1451-1504) y de su sucesora, la reina Juana de Castilla (1479-1555). En *Doña Isabel la Católica dictando su testamento* (1864), Eduardo Rosales ha retratado a la reina de mayor edad en su lecho de muerte; muestra sólo su cabeza sobresaliendo de entre las mantas y un blanco y alto cuello. Rodeada de su marido, su escribano, su confesor y algunos nobles, en el acto de dictar su testamento la reina Isabel escribió su voluntad para los reinos eternos que sobrevivirían a su cuerpo mortal[1]. Frente a la pintura de Rosales está la famosa *Doña Juana «la Loca»* de Francisco Pradilla (1877), que tiene como protagonista a la hija de Isabel, Juana, al lado del ataúd de su esposo, Felipe «el Hermoso». Con respecto a las dos pinturas, los críticos han observado una semejanza entre el cuadro de *Doña Isabel* de Rosales y el de *Doña Juana* de Pradilla[2]. En el segundo y más famoso de los dos, de composición romántica, el oscuro ataúd de Felipe con el escudo de armas de los Austrias adquiere dramatismo al lado de la reina viuda, claramente embarazada, en medio de un paisaje violento. El ataúd, que señala la prematura muerte de Felipe, también evoca el destino paralelo de

---

[1] En su día, representaciones de la reina Isabel como éstas servían para reivindicar los derechos de otra monarca, Isabel II. Carlos REYERO, *La pintura de historia en España. Esplendor de un género en el siglo XIX*, Madrid, Ediciones Cátedra, 1989, pp. 142, 181. Véase también Carlos REYERO, *Imagen histórica de España (1850-1900)*, Madrid, Espasa-Calpe, 1987, p. 238. José Luis DÍEZ, *La pintura de historia del siglo XIX en España*, Madrid, Museo del Prado, 1992, p. 85.

[2] José Luis DÍEZ, *La pintura de historia*, p. 310.

tres anteriores herederos al trono de Castilla y Aragón. En este sentido, la pérdida personal de la reina Juana incorpora la tragedia de sus desconsolados reinos.

Para los observadores actuales, estas poderosas pinturas del siglo XIX tienden a borrar una realidad del siglo XVI, la cual merece consideración en sus propios términos. Teniendo como objetivo recuperar el mundo histórico de Juana, el presente trabajo explora la naturaleza de la autoridad real y la transición al reinado de los Austrias en los comienzos de la España moderna. Sin considerar a Juana ni una heroína ni una víctima, nuestro retrato representa sus luchas con individuos ansiosos de dominarla tanto a ella como a sus reinos.

El trabajo de investigación que se ha llevado a cabo para este libro ha recibido apoyo del Programa de Cooperación Cultural entre el Ministerio de Cultura de España y las Universidades de Estados Unidos (1994-1995); el Singleton Travel Fund (1997); la Belgian-American Educational Foundation (1997); y la Comisión Fulbright (1998). Entre las numerosas personas que han contribuido a este proyecto, debemos plena gratitud al personal de los Archives du Département du Nord en Lille y del Archivo General de Simancas. En particular, Isabel Aguirre Landa y Agustín Carreras Zamora han facilitado varios años de investigación. Estamos especialmente agradecidos al personal de la Biblioteca Nacional en Madrid, de los Archives Générales du Royaume en Bruselas y de otros muchos archivos y bibliotecas. Asimismo extendemos nuestro reconocimiento a Santiago Cantera Montenegro, Susana Jákfalvi, Lautaro Leiva, Javier Moreno Luzón, Carlos Pascual, Adrián Reigosa y Juan José Rodríguez, cuyos esfuerzos han hecho este libro una realidad.

El trabajo se ha visto beneficiado por los consejos de muchos investigadores, incluidos, entre otros, James S. Amelang, Fernando Bouza Álvarez, Georgina Dopico Black, Antonio Feros, Peggy Liss, Sabine MacCormack, Sara T. Nalle, José Manuel Nieto Soria, Joseph Pérez, María del Pilar Rábade Obradó, Peer Schmidt, Eddy Stols y Lee Palmer Wandel. Miguel Ángel Ladero Quesada y María Isabel del Val Valdivieso también nos han proporcionado una ayuda inestimable; mientras que Ángel Casals i Martínez, Jean Marie Cauchies, David Lagomarsino y Nancy Elena Van

Deusen han compartido generosamente sus trabajos inéditos. Amanda Wunder y Judd Stitzel nos han proporcionado útiles comentarios sobre los capítulos II y VI respectivamente. Posteriormente el Excmo. señor marqués de Casasola ha hecho una lectura aguda del trabajo entero.

En la Universidad Johns Hopkins, Orest Ranum ha guiado pacientemente nuestros estudios sobre el pensamiento constitucional de la temprana Edad Moderna. También, amablemente, hizo una crítica a los capítulos iniciales. Debemos agradecer en particular a los miembros del tribunal de doctorado, David A. Bell, Rita Costa Gomes, Richard L. Kagan, infatigable director de la tesis doctoral, Henry Maguire, y Stephen G. Nichols el habernos proporcionado sus sensatas sugerencias y su increíble pericia.

Desde 1993 este trabajo se ha visto inmensamente benificiado por los consecuentes consejos y el continuo estímulo de Geoffrey Parker, quien ha comentado tanto capítulos individuales como el texto en su totalidad. Finalmente, agradecemos a Dorothy y John Aram su indispensable apoyo emocional, financiero, tecnológico y editorial. Complementando sus esfuerzos, mi marido me ha sacado del mundo de Juana de vez en cuando.

NOTA ACLARATORIA

Debemos advertir al lector que la autora utiliza con frecuencia la expresión «reina propietaria», basándose en el uso de este término que se hacía en la Corona de Castilla en la Baja Edad Media, y por ello no hemos querido cambiarlo por la forma «reina titular», que actualmente podríamos entender mejor. Por lo tanto, cuando la autora habla de «reina propietaria», no lo hace refiriéndose a una concepción patrimonial de los reinos —como una propiedad titular del rey o de la reina— más habitual en la Alta Edad Media.

INTRODUCCIÓN

Aunque tema de numerosas biografías, Juana «la Loca» sigue siendo poco comprendida. En 1868 Gustav A. Bergenroth despertó el interés histórico por la reina Juana y provocó una tormenta de controversias al retratarla como desleal o extremadamente indiferente a la Iglesia Católica. Sosteniendo que el padre y el hijo de Juana habían impedido que ella reinase, Bergenroth describió la locura de la reina como «la piedra fundamental del edificio político de Fernando y de Carlos, el cual se hubiera derrumbado de inmediato, si se hubiera permitido que ella ejerciera su derecho hereditario»[1]. Bergenroth convirtió la locura de Juana en un tema confesional, y permaneció de esa manera para sus adversarios. Entre aquellos que se apresuraron a desmentir a Bergenroth, el investigador belga Louis Prosper Gachard criticó las interpetaciones que hizo el autor alemán de los documentos de archivo[2] e hizo hincapié en la reconciliación final de Juana con Dios[3]. Otro notable his-

---

[1] G.A. BERGENROTH (ed.), *Letters, Despatches, and State Papers Relating to the Negotiations Between England and Spain, Supplement to Volumes I and II,* London, Longmans, Green, Reader and Dyer, 1868, p. xxv.

[2] Hay una colección de los artículos de L.P. Gachard en la prensa popular con muchas de sus notas sobre el tema en los Archivos Générales du Royaume à Bruxelles (desde ahora AGRB), Fonds Gachard 615. Véase también Louis Prosper GACHARD, «Sur la question de Jeanne la Folle», *Académie Royale de Belgique, Extr. des Bulletins,* 2ème série, t. XXVII, n.º 5, 1869; «Sur Jeanne la folle et la publication de M. Bergenroth», *Académie Royale de Belgique, Extr. des Bulletins,* 2ème série, t. XXVIII, n.ᵒˢ 9 et 10, 1869.

[3] Louis Prosper GACHARD, «Jeanne la Folle et S. François de Borja» y «Les derniers moments de Jeanne la Folle», *Bulletins de l'Académie Royale des Sciences, des Lettres et des Beaux-Arts de Belgique,* 2ème série, t. XXIX, Bruxelles, M. Hayez, 1870, pp. 290-323, 389-409.

toriador de su tiempo, Antonio Rodríguez Villa, encontró que las representaciones de Juana como hereje y alienada eran igualmente erróneas. Argumentando que Juana no podía ser considerada loca en el «sentido general y propio de esta palabra», Rodríguez Villa la declaró simplemente devota de Felipe «el Hermoso»[4]. Con el mismo espíritu, Constantin R. von Höfler comenzó su biografía de Juana de 1885 con una referencia a Dido, la reina fenicia que, consumida de pasión, se quitó la vida después de perder a Eneas[5].

Las obras pictóricas inspiradas durante el movimiento romántico popularizaron aún más la presunta *locura de amor* de Juana. Lorenzo Valles retrató a la reina junto al lecho de muerte de su marido (1866) incluso antes de que Francisco Pradilla pintara a Juana al lado del ataúd de Felipe (1877)[6]. El pintor originario de Tournai, Louis Gallait (1810-1887), representó a Juana con la mirada fija en la imagen de su marido muerto, mientras un cetro caído yacía junto a ellos[7]. Una ópera en cuatro actos, *Doña Juana «la Loca»* (1848), y una obra de teatro, *Locura de amor* (1890), de Manuel Tamayo y Baus consolidaron aún más la leyenda de la eterna pasión matrimonial de Juana[8].

Mientras que los artistas y escritores del siglo XIX hacían resaltar el apego de Juana por el fallecido Felipe, los autores del siglo XX aplicaron el diagnóstico de moda de su propia época. En 1930 y 1942, Ludwig Pfandl y Nicomedes Sanz y Ruiz de la Peña afirmaron que Juana y otros miembros de su familia sufrían de esquizofrenia[9]. Escribiendo en la misma tradición, en 1969 la in-

---

[4] Antonio RODRÍGUEZ VILLA, *La Reina Doña Juana «la Loca»: Estudio Histórico,* Madrid, Librería de M. Murillo, 1892, pp. 407, 410. Del mismo autor, véase también *Bosquejo Biográfico de la Reina Doña Juana,* Madrid, Sucesores de Rivadeneyra, 1874.

[5] Constantin R. v. HÖFLER, *Donna Juana, Königin von Leon, Castilien und Granada,* Vienna, 1885, p. 1.

[6] Museo del Prado, Casón del Buen Retiro, *Catálogo de las Pinturas del Siglo XIX,* Madrid, 1985, pp. 207-208, 253-254.

[7] Louis GALLAIT, «Jeanne la Folle», *Musée des beaux-arts à Tournai.*

[8] Manuel TAMAYO Y BAUS, *Doña Juana «la Loca»: Ópera en cuatro actos,* letra de Ernesto Palermi, tomado del drama de Manuel Tamayo y Baus, *Locura de Amor,* con música de Emilio Serrano, Madrid, Viuda e Hija de Fuentenebra, 1890.

[9] Ludwig PFANDL, *Juana «la Loca»: Su vida, su tiempo, su culpa,* traducción de Felipe Villaverde, Madrid, Espasa-Calpe, 1945, orig. 1930, p. 107. Nicomedes SANZ y RUIZ DE LA PEÑA, *Doña Juana I de Castilla, la reina que enloqueció de amor,* Madrid, Biblioteca Nueva, 1942, p. 256.

vestigadora americana Amarie Dénnis atribuyó las pruebas de la racionalidad de Juana a unos esporádicos «momentos de lucidez»[10] —un diagnóstico que el historiador del arte Miguel Ángel Zalama ha afirmado recientemente, junto con el de esquizofrenia—[11]. Tentado por una interpretación de sentido opuesto pero igualmente presentista, el historiador inglés Michael Prawdin buscó razones modernas para explicar todas las acciones de Juana[12]. En tiempos muy recientes, se ha retratado a Juana simplemente como una víctima de maquinaciones políticas: Juana *la Desventurada*, como la ha calificado Manuel Fernández Álvarez[13]. Otros estudios se han inclinado a combinar realidad y ficción[14].

Hasta el momento la historiografía sobre Juana no parece ser concluyente y proporciona pocas ideas sobre el evidente fracaso o rechazo de la reina a ejercer la autoridad real. Aunque Bergenroth, Gachard y Rodríguez Villa han publicado muchos documentos pertinentes, han dejado algunas fuentes importantes sin explorar. Más allá de la necesidad de incluir dichos materiales nuevos, el presente estudio incorpora los frutos de las recientes investigaciones acerca de cuatro temas: el pensamiento constitucional español, la problemática de la soberanía femenina, las estructuras de las casas principescas y las interpretaciones culturales de la locura. Tomaremos en cuenta los adelantos en cada una de estas áreas como teorías contra las que someter a prueba nuestros datos conforme vayamos reconstruyendo los diferentes períodos de la vida de Juana. La argumentación, aunque a menudo toma forma narrativa, continuamente trata estos temas teóricos.

El primer campo de la investigación académica actual trata del supuesto excepcionalismo español —concretamente si el pen-

---

[10] Amarie DÉNNIS, *Seek the Darkness: The Story of Juana «la Loca»*, Madrid, Sucesores de Rivadeneyra, 1969.

[11] Miguel Ángel ZALAMA, *Vida cotidiana y arte en el palacio de la Reina Juana I en Tordesillas,* Valladolid, Universidad de Valladolid, 2000, esp. 540-546.

[12] Michael PRAWDIN, *Juana «la Loca»*, traducción anónima, Barcelona, Editorial Juventud, 1953, orig. 1938.

[13] Manuel FERNÁNDEZ ÁLVAREZ, *Juana «la Loca», 1479-1555,* Palencia, Diputación Provincial, 1994, p. 62. Isabel ALTAYÓ y Paloma NOGUÉS, *Juana I,* Madrid, Sílex, 1985, p. 11.

[14] Para la biografía más reciente que incorpora episodios ficticios, véase José Luis OLAIZOLA, *Juana «la Loca»*, Barcelona, Editorial Planeta, 1996.

samiento constitucional de la Castilla de fines de la Edad Media se debe considerar o no parte de una norma europea—. Hasta la fecha, el concepto de «los dos cuerpos del rey» ha sido examinado principalmente en la Inglaterra y Francia renacentistas. En un estudio fundamental de 1957, Ernst H. Kantorowicz detalló la importancia de esta teoría política para la monarquía inglesa. Al mismo tiempo que describía «el cambio progresivo de un reinado centrado en Cristo a un gobierno centrado en las leyes y los hombres»[15], Kantorowicz exploró la naturaleza de la doble persona del soberano inglés. Según Kantorowicz, los dos cuerpos del rey, unidos durante su reinado y separados en el momento de su fallecimiento, comprendían tanto identidades individuales como colectivas. Mientras que el cuerpo personal del rey podía sufrir enfermedad o muerte, su cuerpo místico nunca moría. Este ser inmortal y político correspondía a la *dignitas* real así como a la corporación del reino. Aunque Kantorowicz encontró que la idea de los dos cuerpos del rey estaba más extendida en Inglaterra que en cualquier otro sitio, su continuador, Ralph Giesey, reveló que la teoría funcionaba en las ceremonias fúnebres de los reyes de Francia[16].

Ya en 1973, José Antonio Maravall puso de relieve la creencia central en un cuerpo místico unificador a lo largo de la historia de la cultura occidental y en concreto en la Baja Edad Media española. Maravall rastreó el desarrollo de la idea en la jurisprudencia ibérica con referencia a textos específicos, en particular el de *Las Siete Partidas*[17]. Aparentemente desconocedor de la contribución de Maravall, en 1984 Teófilo Ruiz sacó a luz el espectro del excepcionalismo español cuando afirmó que el mo-

---

[15] Janos M. BAK, «Introduction: Coronation Studies, Past, Present, and Future», *Coronations: Medieval and Early Modern Monarchic Ritual,* Berkeley, University of California Press, 1989, p. 6.

[16] Ernst H. KANTOROWICZ, *The King's Two Bodies: A Study in Mediaeval Political Theology,* Princeton, NJ, Princeton University Press, 1957. Ralph E. GIESEY, *The Royal Funeral Ceremony in Renaissance France,* Geneva, Libraire E. Droz, 1960. Véase también Ralph E. GIESEY, *Cérémonial et Puissance Souveraine: France, XVè-XVIIè siècles,* Paris, Armand Colin, 1987, esp. 9-19.

[17] José Antonio MARAVALL, *Estudios de Historia del Pensamiento Español*, Madrid, Ediciones Cultura Hispánica, 1973, I, pp. 105-110, 133-136, 191-212. Estamos agradecidos a Jim Amelang por recomendarnos este trabajo.

narca de Castilla sólo encarnaba la autoridad personal, no la corporativa ni la mística[18]. En estudios posteriores, José Manuel Nieto Soria ha refutado esa afirmación al señalar los componentes místicos y corporativos de la soberanía expresada en la propaganda real de fines de la Edad Media, incluyendo entradas, juramentos y funerales reales[19]. Además, Nieto Soria ha examinado el desplazamiento que se ha producido desde el concepto de *rey oculto* (que destacaba el cuerpo corporativo) hasta el de *rey exhibido* (que resaltaba el cuerpo personal) a finales de la Castilla medieval[20]. Abundando en tales ideas, en la presente investigación sugerimos que el aislamiento de Juana y las ausencias de Carlos V de España favorecieron el regreso hacia el concepto de *rey oculto* cuando los Austrias sucedieron a los Trastámara. Tal vez Juana haya facilitado algunos y resistido a otros aspectos de este cambio de comienzos del siglo XVI hacia una monarquía más corporativa. Como ejercer la autoridad real normalmente implicaba la conjunción de personas individuales y corporativas, la situación de Juana como reina propietaria que nunca gobernó proporciona una oportunidad ideal para detectar las dos personas reales, habitualmente sólo distinguibles a la muerte del soberano.

Al sancionar la autoridad delegada, es posible que la idea de los dos cuerpos del rey también haya proporcionado una base para lo que J.H. Elliott ha identificado como la «monarquía compuesta» —la posesión (o incorporación) por un único soberano

---

[18] Teófilo F. RUIZ, «Une Royauté sans sacre. La monarchie castillane du Bas Moyen Age», *Annales E.S.C.*, 39, 1984, pp. 429-453. Del mismo autor, véase también «L'image du pouvoir à travers les sceaux de la monarchie castillane», *Génesis medieval del Estado Moderno: Castilla y Navarrra (1250-1370)*, Valladolid, Ámbito Ediciones, 1987, pp. 217-227.

[19] José Manuel NIETO SORIA, *Fundamentos Ideológicos del Poder Real en Castilla (Siglos XIII-XVI)*, Madrid, Ediciones de la Universidad Complutense, 1988, pp. 227-228, 246; *Ceremonias de la realeza: Propaganda y legitimación en la Castilla Trastámara*, Madrid, Editorial Nerea, 1993, pp. 20-21, 72, 171-172, 218 (nota 16), 229 (nota 45). Sobre el punto de vista de que los soberanos de Castilla del siglo XIV no habían sido ungidos, véase Peter LINEHAN, *History and the Historians of Medieval Spain*, Oxford, Clarendon Press, 1993, pp. 440-442.

[20] José Manuel NIETO SORIA, «Del rey oculto al rey exhibido: Un síntoma de las transformaciones políticas en la Castilla bajomedieval», *Medievalismo* 2:2, 1992, pp. 5-27.

de distintas y múltiples coronas[21]—. Idealmente, en la teoría medieval, el cuerpo corporativo de un reino contenía el cuerpo personal de su monarca. En el caso de la reina Juana y, con el tiempo, en el de su hijo Carlos, una separación entre sus cuerpos individuales y corporativos ha podido permitir que otros individuos gobernaran en su nombre. La diferencia entre el ser personal y el ser institucional de Juana a partir de su subida al trono en 1504 parece haber determinado las descripciones de su «locura», al igual que las percepciones de su religiosidad. Extendiendo el análisis de las dos personas del monarca a los comienzos del período de los Austrias, este estudio señala los aspectos ambiguos, conflictivos, de la autoridad real. También pone a prueba afirmaciones sobre la excepcionalidad de Castilla en otro sentido, al iluminar los contactos y experiencias paneuropeos de Juana.

Uno de los libros que pertenecía a Juana, tambien citado por Maravall y Nieto Soria, la *Glosa Castellana del Regimiento de Príncipes* (c. 1344) de Juan García de Castrojeriz[22], revela un profundo entendimiento de la fuerza cohesiva de los cuerpos místicos en la vida política[23]. García de Castrojeriz explicaba que el príncipe servía de cabeza de sus reinos, junto con hombres sabios que actuaban como sus ojos, jueces como sus oídos, abogados como su lengua y boca, caballeros como sus manos y campesinos como sus pies[24]. Según García de Castrojeriz, el príncipe debe sucesivamente gobernarse a sí mismo, su casa y sus reinos. El gobierno de sí mismo implicaba controlar las propias pasiones y practicar la moderación. Gobernar la casa, una comunidad de personas en vez de una estructura física, significaba dirigir a la mujer, los hijos y los sirvientes. Para describir la tarea de gobernar una ciudad o un reino, García de Castrojeriz adoptó un con-

---

[21] J.H. ELLIOTT, «A Europe of Composite Monarchies», *Past & Present,* noviembre de 1992, pp. 48-71.

[22] José Antonio MARAVALL, *Estudios de Historia del Pensamiento Español,* I, pp. 83, 198.

[23] José Antonio MARAVALL, *Estudios de Historia del Pensamiento Español,* I, p. 199.

[24] *Glosa Castellana al "Regimiento de Príncipes" de Egidio Romano.* Juan Beneyto Pérez (ed.), Madrid, Instituto de Estudios Políticos, 1947, I, p. 28.

cepto corporativo de la *Política* (IV, V) y la *Retórica* (I) de Aristóteles, quien describía el cuerpo humano del soberano como un microcosmos en relación con el macrocosmos de sus reinos. Según García de Castrojeriz, la «salud del reyno e de la cibdad» se basaba en la obediencia al rey, la «vida e salud del reyno»[25].

Debido, en parte, a una dependencia común de Aristóteles, los pensadores ibéricos que precedieron a García de Castrojeriz también desarollaron las bases de la teoría de los dos cuerpos del soberano. Se ha entendido la incorporación de la comunidad de fieles en la persona de un rey como una característica innovadora del pensamiento de Isidoro de Sevilla[26]. *Las Siete Partidas* describían la persona individual del monarca como custodiada y aconsejada, hasta gobernada, por sus oficiales[27]. En términos corporativos, el soberano representaba el corazón y la cabeza de sus reinos:

Ca así como por los sentidos de la cabeza se mandan todos los miembros del cuerpo, otrosí todos los del regno se mandan e se guían por el seso del rey, e por eso es llamado cabeza del pueblo. Otrosí como el corazón está en medio del cuerpo para dar vida igualmente a todos los miembros dél, así puso Dios al rey en medio del pueblo para dar igualdat e justicia a todos comunalmente porque puedan vivir en paz...[28]

De esta manera, *Las Siete Partidas* retrataban el cuerpo personal del monarca dentro del cuerpo corporativo de sus reinos.

En el Aragón del siglo XIV, el rey Pedro el Ceremonioso extendió el concepto bicorporal comparando su corte con el cuerpo humano y después con la corporación mística de sus reinos. Al emitir ordenanzas comprehensivas para su casa en 1344, Pedro declaró:

---

[25] *Glosa Castellana al "Regimiento de Príncipes" de Egidio Romano*, III, pp. 275-276.

[26] Marc REYDELLET, *La Royauté dans la littérature latine de Sidoine Apollinaire à Isidore de Séville,* Rome, École française de Rome, 1981, pp. 591-593. Agradecemos a Peggy Liss el habernos recomendado este libro.

[27] Alfonso X, *Las Siete Partidas del rey Alfonso el Sabio,* Madrid, La Real Academia de Historia, 1807, Partida II, título xiii, ley 25.

[28] *Las Siete Partidas*, Partida II, título xiii, ley 26.

La variedad de oficios que se distribuyen noble y bellamente entre diversas personas en el gobierno representa un bello cuerpo, y la manera del gobierno es agradable cuando la variedad de los oficios está distribuida entre muchas personas, a semejanza del cuerpo humano, en el cual a la variedad de los miembros se le asignan diversos oficios, resultando en una elegante belleza de todo el cuerpo[29].

Mientras comparaba su corte con el cuerpo humano, el rey Pedro modeló su propio comportamiento siguiendo el de Cristo. Sostenía que el rey, como el Salvador, distribuiría «diversas mercedes» entre la multitud, mientras seguía siendo «el verdadero regidor y señor»[30]. Identificando la casa real con él mismo así como con su reino, el rey Pedro también describía la casa donde dirigía las ceremonias que conectaban al soberano mortal con una inmortal *dignitas*[31].

La presencia de una persona real dual en textos jurídicos y legales claves plantea, sin embargo, numerosas preguntas. ¿Era el doble cuerpo del soberano algo más que una figura retórica? ¿Puede un estudioso tomar las metáforas corporales de una forma demasiado literal? O, mejor, ¿el desliz entre las interpretaciones literales y metafóricas facilita una hermenéutica apropiada para finales del siglo XV y comienzos del siglo XVI? Y lo que es más crucial para el presente estudio, ¿cómo se aplicaba una doctrina elaborada para soberanos nativos de sexo masculino a una consorte extranjera o a una reina propietaria?

Los soberanos de Castilla y Aragón, sostenemos, invocaron «los dos cuerpos del rey» en declaraciones y ceremonias conforme a las tradiciones y exigencias políticas. Sus alegaciones para ejercer una autoridad sancionada por Dios parecen haber dependido de una fluidez entre los modos materiales y metafóricos de comprensión. Los aspirantes a soberanos, incluso la reina Juana y

---

[29] «Ordenacions fetes per lo molt alt senyor en Pere Terç rey Daragon sobre lo regiment de tots los officials de la sua cort», *Colección de Documentos Inéditos del Archivo General de la Corona de Aragón*, Próspero DE BOFANULL Y MASCARÓ (ed.), Barcelona, Monfort, 1850, V, p. 8. Agradecemos a Rita Costa Gomes el habernos recomendado esta fuente.

[30] «Ordenacions...» V, pp. 8-9.

[31] «Ordenacions...» V, pp. 13, 27, 168-171, 184, 267, 268.

la emperatriz Isabel, esposa de Carlos V, se apropiaron de símbolos regios y buscaron destacar su continuidad en la *dignitas* inmortal que Isabel la Católica había ocupado. Juana se enfrentó a desafíos particularmente formidables.

Con algunas notables excepciones, el concepto de los dos cuerpos del rey reflejaba una preferencia de finales del Medioevo y comienzos de la Edad Moderna por una autoridad masculina. Fundándose en dicho concepto corporativo de la comunidad política, el escritor catalán Francesc Eiximenis describía «cómo los malos gobernantes destruyen el bien público» (c. 1383):

> [El cuerpo político] afeminado y débil es regido por mujeres y por otra gente semejante a ellas o peor, que no tienen vergüenza ni determinación ni virtud en sus asuntos o se preocupan de cosas inútiles[32].

En vez de gobernar por derecho propio, las reinas idealmente obtenían alianzas y aseguraban la continuidad corporativa produciendo herederos masculinos legítimos. La regulación del cuerpo personal de una reina, en especial su sexualidad, era esencial para el bienestar de un reino.

En Francia y, hasta cierto punto, en Aragón, la Ley Sálica supuestamente excluía a las mujeres de heredar el trono o incluso de transmitir el derecho de sucesión. De hecho, el escritor del siglo XVI Claude de Seyssel elogiaba esta costumbre que impidió que Francia cayera bajo «el poder de un extranjero»[33]. Los contemporáneos de Seyssel compartían «la idea general de que una esposa, por definición, estaba subordinada a la autoridad de su marido, y su propia autoridad dependía de la de él»[34]. De ahí el peligro de que una reina se casara con un extranjero que, subvirtiendo las leyes y costumbres de las tierras de la esposa, favore-

---

[32] Francesc EIXIMENIS, *Regiment de la Cosa Pública*, Daniel DE MOLINS DE REI (ed.), Barcelona, Editorial Barcino, 1927, p. 80.

[33] Claude DE SEYSSEL, *The Monarchy of France*, traducido por J.H. Hexter, New Haven, Yale University Press, 1981, pp. 48-49.

[34] Judith M. RICHARDS, «"To Promote a Woman to Beare Rule": Talking of Queens in Mid-Tudor England», *The Sixteenth Century Journal* XXVIII/1, 1997, p. 105.

ciera las de su propio país[35]. La transición al gobierno de los Austrias en Castilla, efectuada mediante la boda de Juana con Felipe de Borgoña en 1496 y su posterior maternidad, ilustraba precisamente tales riesgos.

Soberanas que llegaron a gobernar, incluso Isabel de Castilla e Isabel Tudor, parecen haber dado importancia a su parte corporativa masculina más que a su identidad femenina. La reina Isabel, muchas veces elogiada como una «mujer varonil»[36], buscó ser aclamada por su «corazón de hombre, vestido de mujer»[37]. Isabel Tudor empleó una estrategia similar. Como ha demostrado Carole Levin, la «reina virgen» resolvió el conflicto entre la feminidad y el acto de reinar sosteniendo que su cuerpo femenino individual contenía un cuerpo político propio de rey[38]. Soberanas que se identificaban algunas veces como hombres[39] ilustran lo que Louise Olga Fradenburg ha calificado como «plasticidad de género en el terreno de la soberanía»[40]. Según Ian Maclean, en virtud de su nacimiento, una princesa podía ser considerada de género masculino[41]. Si soberanas con éxito, como Isabel la Católica e Isabel Tudor, lograron trascender su género, es posible que otras, como Juana, hayan podido personificar estereotipos femeninos. La debilidad política de éstas últimas se asociaba a una condición personal «natural».

Aunque haya sido la base para poder afirmar la autoridad real, la idea de los dos cuerpos de un soberano podría también li-

---

[35] RICHARDS, «To Promote a Woman to Beare Rule», p. 106.

[36] Bibliothèque Nationale (Paris), Manuscrit Espagnol 143, fols. 44-48v, El cardenal Francisco Jiménez de Cisneros al rey Carlos, sin fecha [1517]. *Epistolario de Pedro Mártir de Anglería*, José LÓPEZ DE TORO (ed. y trad.), Madrid, Imprenta Góngora, 1953, tomo IX, Epist. 253.

[37] Juan DE LUCENA, *Opúsculos literarios de los siglos XIV a XVI*, Sociedad de Bibliófilos españoles, citado en Félix DE LLANOS Y TORRIGLIA, *Una consejera de Estado: Doña Beatriz Galindo «La Latina»*, Madrid, Editorial Reus, 1920, pp. 28-30.

[38] Carole LEVIN, *«The Heart and Stomach of a King»: Elizabeth I and the Politics of Sex and Power*, Philadelphia, University of Pennsylvania Press, 1994, pp. 121-123.

[39] Carole LEVIN, *«The Heart and Stomach of a King»*, p. 123.

[40] Louise Olga FRADENBURG, «Rethinking Queenship» en *Women and Sovereignty*, Louise Olga FRADENBURG (ed.), Edinburg, Edinburg University Press, 1992, (ed.), p. 4.

[41] Ian MACLEAN, *The Renaissance Notion of Woman*, Cambridge, Cambridge University Press, 1980, p. 62.

mitar a una soberana propietaria mujer. Marie Axton ha argumentado que los abogados isabelinos desarrollaron y popularizaron la teoría de los dos cuerpos del rey para poder restringir los poderes de una reina virgen[42]. Es posible que otras reinas se hayan encontrado con circunstancias particulares que les han impedido ejercer un poder político. En un artículo provocativo, Charles T. Wood ha examinado la pérdida de autoridad política en Inglaterra de Isabel de York después de su boda con Enrique Tudor. Según Wood, al aliarse con la legítima heredera al trono inglés, Enrique Tudor usurpó la soberanía que le correspondía a ella. Presagiando la experiencia histórica de la reina Juana, Wood explica:

> El reinado de Isabel de York nos enseña más lecciones acerca de las mujeres y la soberanía, lecciones que sugieren que si una mujer quería tener influencia y ejercer un legítimo poder, entonces era mucho mejor no tener ningún legítimo derecho a ellos. Tales derechos eran peligrosos y una clara amenaza a la hegemonía masculina. Pocos hombres podían haberlos aceptado cómodamente, menos que nadie un hombre cuyos propios derechos eran tan dudosos como aquéllos de Enrique Tudor[43].

La sugerencia de Wood de que a una reina de la temprana Edad Moderna con derechos incuestionables al trono podía impedírsele ejercer autoridad práctica desde luego parece cierta para el caso de Juana. Ni Isabel de Castilla ni Isabel Tudor tenían un derecho hereditario tan claro como el que tenían Juana de Castilla o Isabel de York. Oportunamente, Isabel de Castilla obligó a su sobrina, Juana «la Beltraneja», a entrar en un convento de clarisas, e Isabel Tudor encarceló a su prima, María Estuardo, durante veinte años[44].

---

[42] Marie AXTON, *The Queen's Two Bodies: Drama and the Elizabethan Succession*, London, The Royal Historical Society, 1977.

[43] Charles T. WOOD, «The First Two Queens Elizabeth, 1464-1503» en *Women and Sovereignty*, Louise Olga FRADENBURG (ed.), Edinburg, Edinburg University Press, 1992, p. 129.

[44] Antonia FRASER, *Maria Estuardo, 1542-1587*, Aníbal Leal (trad.), Madrid, Vergara, 1995.

Una mirada al método de gobernar a Juana de Castilla muestra la importancia política de su casa real, en correspondencia
con recientes trabajos sobre otros soberanos. En los últimos diez
años las cortes de príncipes han atraído considerablemente la
atención de los investigadores. Para el Portugal, Milán y Borgoña
de fines de la Edad Media, Rita Costa Gomes, Gregory Lubkin y
Monique Sommé han presentado una integración de servicio personal y administración conciliar[45]. El papel de las casas de los soberanos a comienzos de la época moderna, sin embargo, sigue
siendo motivo de debate. Para la Inglaterra de los Tudor, Christopher Coleman y David Starkey ya han puesto a prueba un
«supuesto eclipse» del gobierno de la casa, por mucho tiempo
asociado con el desarrollo de la administración burocrática moderna[46]. Desde la negociación de bodas hasta la incitación a la
rebelión, los miembros de la casa de Juana tuvieron papeles
críticos en los acontecimientos políticos de su tiempo. Simultáneamente, utilizaban sus posiciones en la casa de la reina para
aumentar su propia autoridad, aun a costa de Juana. Al tratar los
acontecimientos políticos al mismo tiempo que los trabajos diarios de la casa, esperamos iluminar la interdependencia de estos
dominios.

La experiencia de Juana puede también ayudar a clarificar la
borrosa distinción entre una casa y una corte. C. A. J. Armstrong
ha afirmado correctamente que las casas contenían oficiales que
habían sido nombrados, mientras que las cortes incluían a los visitantes bienvenidos así como a los inoportunos y molestos[47]. En
otra formulacion, Ronald G. Asch y Adolf M. Birke han pro-

---

[45] Rita COSTA GOMES, *A Corte dos Reis de Portugal no final da idade Média*, Linda-a-Velha, Difusão Editorial, 1995. Gregory LUBKIN, *A Renaissance Court: Milan
under Galeazzo Maria Sforza*, Berkeley, University of California Press, 1994. Monique SOMMÉ, *Isabelle de Portugal, Duchesse de Bourgogne, Une Femme au Pouvoir au
Quinzieme Siècle*, Villeneuve d'Ascq, Presses Universitaires du Septentrion, 1998.

[46] *Revolution Reassessed: Revisions in the History of Tudor Government and
Administration*, Christopher COLEMAN y David STARKEY (eds.), Oxford, Clarendon
Press, 1986, pp. 6, 58. *The English Court from the Wars of the Roses to the Civil War*,
David Starkey (ed.), New York, Longman, 1987, pp. 7-9.

[47] C. A. J. ARMSTRONG, «The Golden Age of Burgundy: Dukes that Outdid
Kings», en *The Courts of Europe: Politics, Patronage and Royalty, 1400-1800*, A. G.
DICKENS (ed.), London, Thames & Hudson, 1977, p. 58.

puesto que: «La casa puede existir y operar en ausencia del sobe-rano, pero una corte sólo existe donde un príncipe *holds court*»[48]. Haciendo resaltar la dificultad de separar *casa* y *corte* en la Espa-ña de Felipe II, M. J. Rodríguez Salgado ha identificado la exis-tencia de la «autoridad residual» del monarca como «requisito de una corte»[49]. En los Países Bajos, la casa borgoñona de Juana comprendía una parte de la corte de Felipe de Borgoña. Muchos de los sirvientes que cuidaban de la persona física de Juana de-bían sus cargos a Felipe y, en consecuencia, buscaban proteger sus intereses en vez de los de Juana. Incluso cuando estaban separa-dos físicamente de la casa de Juana, Felipe y sus consejeros conti-nuaron dirigiéndola. Después de la muerte de Felipe, el padre de Juana, Fernando, y su hijo, Carlos, sucesivamente intentaron con-trolar la casa de la reina. Así, en el caso de Juana, las cortes de Borgoña y Castilla parecen haberse convertido en centros de au-toridad que dirigían una casa que circunscribía la esfera de acción de la reina. Juana tuvo varias casas, pero nunca una corte propia.

Desde los primeros años de Juana en la corte de los Reyes Ca-tólicos, sus sirvientes debían principal lealtad a otros miembros de la familia real. La boda de Juana con el archiduque Felipe «el Hermoso» (1478-1506) literalmente la separó de los reinos de sus padres. Desde la boda de Juana en 1496 hasta la muerte de su ma-rido en 1506, Felipe y sus consejeros dirigieron la casa de Juana. Su incapacidad para ganarse la lealtad principal de sus sirvientes constituía la esencia de la incapacidad de Juana para gobernar —un problema que surgió dentro de su casa antes de su sucesión o de su «locura»—. Las tácitas delegaciones de autoridad de Jua-na a otros miembros de la familia real tomaron una forma con-creta en la casa de Tordesillas, la cual Fernando el Católico, pa-dre de Juana, estableció para su hija en 1509. Formando una semipermeable barrera entre Juana y el mundo exterior, los miembros de su casa controlaban el acceso a la reina.

---

[48] *Princes, Patronage & the Nobility: The Court at the Beginning of the Modern Age c. 1450-1650*, Ronald G. ASCH y Adolf M. BIRKE (eds.), London, Oxford University Press, 1991, p. 9.

[49] M. J. RODRÍGUEZ-SALGADO, «The Court of Philip II of Spain», en *Princes, Patronage & the Nobility*, p. 207.

La conexión etimológica entre la palabra *corte* y Cortes (la asamblea representativa de Castilla y León) revela la naturaleza común que existe entre ambos cuerpos corporativos, que, en teoría por lo menos, representaban al reino entero[50]. Este estudio trata de demostrar que la casa de Juana, sirviendo al reino así como a la reina, regulaba la relación entre ellos. Según los intereses de sus patrones —sucesivamente Isabel, Felipe, Fernando, y Carlos— los miembros de la casa de Juana representaban a la reina ante el mundo, y al mundo ante la reina. Los historiadores, así como los contemporáneos de Juana, obtenemos información sobre ella principalmente a través de su casa.

Debido a que una gran cantidad de los datos disponibles sobre Juana parece parcial y mediatizada, el presente estudio propone evitar la tentación de condenar a la reina como «loca» o defenderla como «sana». Con este objetivo se incorporan las investigaciones que consideran la locura más bien como una categoría discursiva construida socialmente, y no como una condición objetiva transhistórica. Empezando con la *Histoire de la folie à l'âge classique* (1965) de Michel Foucault, numerosos estudios han sugerido que la definición y el tratamiento de la locura pueden revelar más sobre un momento histórico en particular que acerca de los mismos individuos «locos»[51]. Un reciente análisis de textos jurídicos tardomedievales ha encontrado que las personas consideradas dementes (*demens*) habían ofendido normas básicas de sus familias y comunidades, y por ello proporciona reflexiones sobre esas normas[52]. Otro estudio sugiere que el testimonio de los individuos «locos» que se enfrentaban a los inquisidores en la

---

[50] «Corte» (del latín cors, cortis, o cohors, cohortis), *Diccionario de la Lengua Española*, Madrid, Real Academia, 1992, I, pp. 583, 584, definiciones 1 y 18. Véase también *Las Siete Partidas*, Partida II, título ix, leyes 27-28.

[51] Colin GORDON, «*Histoire de la folie*: an unknown book by Michel Foucault», en *Rewriting the history of madness: Studies in Foucault's "Histoire de la folie"*, Arthur STILL y Irving VELODY (eds.), New York, Routledge, 1992, p. 239.

[52] Annie SAUNIER, «"Hors de sens et de mémoire": une approche de la folie au travers de quelques actes judiciaires de la fin du XIIè à la fin du XIVè siècle», *Recueil de travaux d'Histoire médiévale offert à M. le Professeur Henri Dubois*, Philippe CONTAMINE *et al.* (eds.), Paris, Université de Paris-Sorbonne, 1993, p. 490.

Nueva España reflejaba los mayores conflictos sociales y religiosos de su tiempo[53].

Las problemáticas relaciones con Dios detectadas en la conducta de un «loco» llegaron a ser más serias en el caso de un gobernante propietario con derecho a gobernar «por la gracia de Dios». Dada la constante analogía entre personas individuales y corporativas —Juana y sus reinos— los contemporáneos de la reina afirmaban que sus pecados personales amenazaban la salud de sus reinos. Por el mismo principio transitivo, la reina podía encargarse de la penitencia o sufrir el justo castigo por las transgresiones cometidas dentro de sus reinos. En lugar de juzgar a Juana sana o insana, piadosa o herética, el presente estudio intenta interpretar las representaciones que nos quedan de su enfermedad. Un esfuerzo tal implica una atención particular a la manera en que los contemporáneos de Juana describieron su condición física, moral y espiritual.

Con respecto a los príncipes problemáticos en la Alemania del Renacimiento, H. C. Erik Midelfort ha propuesto una periodización de su tratamiento que no coincide del todo con la experiencia de Juana. Según Midelfort, los príncipes alemanes trastornados no fueron considerados enfermos y no se los sometió ni a terapias de humores (como restricciones dietarias) ni religiosas (como exorcismos) hasta mediados del siglo XVI, cuando «el príncipe en su persona física había llegado a ser esencial para la estructura de la autoridad». Las preocupaciones acerca de la salud de Juana sugieren que los príncipes tal vez fueron más importantes para la estructura de la autoridad a comienzos del siglo XVI en Castilla. Aunque las fuentes que primero mencionan la «enfermedad» de Juana datan de 1503, su tratamiento por médicos y exorcistas —que examinamos en los capítulos III al VI— fluctuaba con las circunstancias políticas. De este modo, la resistencia al reinado de los Austrias en Castilla desde 1516 hasta 1521 supuso intentos de «curar» a la reina. La atención posterior a la

---

[53] De veinticinco individuos examinados, dos eran mujeres y supuestamente habían caído en la *locura* en el momento de la muerte de sus maridos. María Cristina SACRISTÁN, *Locura e Inquisición en Nueva España, 1571-1760,* México, Fondo de Cultura Económica, 1992, pp. 29, 68-69, 71.

salud espiritual de Juana reflejaba los más grandes esfuerzos de
su hijo, Carlos V, y de su nieto, Felipe II, para promover el catolicismo en sus dominios. En efecto, la relación de la reina con
Dios estaba en el centro tanto de las consideraciones dinásticas
como de las terapéuticas. La formulación de Midelfort, de todos
modos, sigue siendo útil en tanto permite un cambio en las percepciones y las respuestas a los príncipes enfermos. El hecho de
que el caso de Juana no encaje en la periodización de Midelfort
invita a hacer más preguntas sobre el impacto de la centralización
política y el conflicto confesional, hecho que Midelfort no vincu-
la explícitamente con las preocupaciones sobre la salud de los
príncipes.

La contribución más importante de Midelfort al estudio histórico de la locura está quizá en ir más allá de las explicaciones
hereditarias y genéticas. Desde hace tiempo, los historiadores han
explicado la incompetencia de ciertos soberanos europeos por la
endogamia de sus familias, la cual acentuaría cualquier defecto
genético. Según esta interpretación, Juana heredó su «locura» de
su abuela materna, la reina Isabel de Portugal (c. 1432-1496), y
después la transmitió en dosis doble a sus bisnietos, don Carlos
(1545-1568) y Sebastián de Portugal (1557-1578)[54]. Sin embargo,
el comportamiento imprudente y ambicioso de don Carlos y Sebastián tiene muy poca semejanza con el devoto retiro de Isabel
y Juana.

Después de las respectivas muertes de sus maridos en 1454 y
1506, Isabel y Juana, supuestamente hundidas por la tristeza, se
refugiaron en la soledad[55]. Es probable que el retiro del mundo
de Isabel y Juana, una práctica común entre las viudas reales, se
base en precedentes de la época de los visigodos[56]. En el siglo XVI

---

[54] Geoffrey PARKER, *Felipe II*, Madrid, Alianza Editorial, 1991, orig. 1979,
p. 124.

[55] Alonso DE PALENCIA, *Crónica de Enrique IV*, Madrid, Atlas, 1973, Década I,
Libro iii, capítulo 2, fol. 62; Década I, Libro viii, capítulo 4, fol. 185. Francesc EI-
XIMENIS, *Carro de las Donas*, Valladolid, Juan de Villaquiran, 1542, capítulos 52 y
67. Esta traducción al castellano incorporó información posterior al texto original.

[56] Según la legislación conciliar, las viudas de reyes visigodos entraban en religión después de la muerte de sus maridos. Roger COLLINS, «Queens-Dowager and
Queens-Regent in Tenth-Century León and Navarre», en *Medieval Queenship*,
p. 84.

el enclaustramiento piadoso de este tipo, llamado *recogimiento,* llegó a ser cada vez más popular entre las mujeres[57]. En efecto, se pueden asociar muchas de las prácticas de la reina Juana después de la muerte de su madre en 1504 —ayuno, austeridad, silencio, soledad y vigilias— con este tipo de reclusión[58]. Por lo tanto, examinaremos el *recogimiento* de Juana como parte de una tendencia más que como una aberración.

Las nuevas perspectivas sobre corporaciones, cortes, género y locura son reveladoras y esclarecen el tema principal de regir a la Reina. En la intersección de estas preocupaciones hay una tensión entre agencia colectiva e individual. Mientras los sirvientes de Juana trabajaban en marginarla, nosotros hemos intentado mantener a la reina como el punto central de este estudio. El esfuerzo nos ha llevado a considerar que la autoridad real depende de los gobernados así como de aquel que gobierna, o más bien, por medio de una seductora inversión, de los súbditos que podían gobernar al monarca. Surge una lucha entre protagonistas individuales y colectivos —la casa de Juana, sus varios miembros y la reina misma—. En efecto, durante algunos momentos críticos es posible que la casa de Juana haya gobernado a la reina regulando su esfera de acción. De ahí que el acto de gobernar, en vez de ser un ejercicio de poder arbitrario, implicara la conformidad con una serie de tradiciones y expectativas. El presente trabajo explorará hasta qué punto Juana «la Loca» trastocó tales normas.

Aunque Juana nunca gobernó completamente su casa o sus reinos, ejerció cierta influencia sobre aquellos individuos que intentaron reinar en su nombre y sobre sus oficiales. La correspondencia política, las crónicas y la documentación real de la casa describen un proceso de negociaciones entre la reina y sus gobernadores. Estas fuentes también revelan conflictos sobre la ma-

---

[57] Nancy E. VAN DEUSEN, *Between the Sacred and the Worldly: Recogimiento in Colonial Lima,* cit. Nancy E. Van Deusen amablemente nos ha facilitado una copia del primer capítulo de este libro de próxima aparición.
[58] Francisco DE OSUNA, *Tercer abecedario espiritual,* Burgos, Juan de Junta, 1544, fols. 51-58. Francisco DE OSUNA, *Norte de los estados,* Burgos, Juan de Junta, 1550, fols. 148-149. Agradezco a Rafael Pérez el haberme facilitado este texto.

Bethany Aram

nera apropiada de regir a la reina, que la mayoría de los individuos definía de acuerdo con sus propias ambiciones personales y
políticas. Las zonas de una tensión particular incluían las de la
piedad, los movimientos y las posesiones de Juana, precisamente por su importancia para un soberano propietario. La contro-
versia sobre la capacidad de la reina para practicar la religión y
viajar, mientras retenía sus pertenencias, sugiere que estas actividades, entre otras, expresaban la relación entre Juana, como individuo, y sus reinos corporativos.

Cada capítulo de este estudio explora un tema relacionado
con la autoridad real y la doble persona del soberano. El matrimonio de 1469 de los padres de Juana, Isabel de Castilla y Fernando de Aragón, que posteriormente unió sus reinos, proporciona un punto de partida para interrogarnos sobre la relación
entre los cuerpos corporativos e individuales en Castilla y Aragón
en la época tardomedieval. Empezando con la reina Isabel, el Capítulo I hablará de los modelos de Juana para una apropiada conducta regia y femenina. Como la tercera de cinco hijos nacidos en
la corte itinerante de sus padres, Juana recibió educación en música y latín. Llegó a familiarizarse con los reinos de sus padres,
mientras se la iba preparando para una boda extranjera que la se-
pararía de ellos para siempre. En 1496 sus padres enviaron a Juana para que se casara con el duque Felipe de Borgoña, como el
componente menor de una alianza que también unió a su hermano, Juan, con la hermana de Felipe, Margarita de Austria.

El Capítulo II sugiere que los programas borgoñones y castellanos en pugna dejaron a Juana poco espacio para desarrollar,
mucho menos para llevar a cabo, sus propias prioridades. Después de llegar a los Países Bajos, la mayoría de la escolta de Juana regresó a Castilla con Margarita. Los miembros de la casa que
el archiduque Felipe eligió para su novia la gobernaron con tanto éxito que los padres de Juana pronto empezaron a cuestionar
su piedad y lealtad hacia los intereses paternos. Como la dote de
Juana nunca fue asignada en forma de rentas, ella siguió dependiendo de su marido para sus ingresos. A medida que Juana hacía concesiones políticas para complacer a los consejeros y súbditos de Felipe, corría el peligro de decepcionar a sus padres. Su
autoridad y, en efecto, su subsistencia, dependían de su relación

con Felipe. La documentación de la casa borgoñona de Juana, junto a informes más generales, ilustran la dinámica de esta dependencia.

Las exigencias contrarias sobre la persona física de Juana —su cuerpo natural y mortal— sólo aumentaron. La inesperada muerte de tres herederos a los reinos de sus padres dejó a Juana como su sucesora ya en el verano de 1500. Su ascenso al rango de *princesa*, confirmado por las Cortes de Toledo y Zaragoza en 1502, incrementó aún más las presiones sobre Juana. A causa de haber impuesto su propia voluntad y exigido una reunión con su marido en 1504, Juana contravino los deseos de sus padres y perdió acceso a la autoridad divinamente sancionada que ellos encarnaban. La casa borgoñona todavía la rodeaba. Las representaciones de Juana desde 1503 hasta 1506 —consignadas por Desiderius Erasmus, Antoine de Lalaing, Pedro Mártir de Anglería, Jean Molinet, Vicenzo Quirini y otros— variaban: desde casta hasta lujuriosa, desde majestuosa hasta degradante. Situándolas junto a los cambios políticos, el Capítulo III examinará estas imágenes según la visión que tenía el Renacimiento de las pasiones.

Después de la muerte de Felipe el 25 de septiembre de 1506, la imagen de la extrema devoción de Juana a su marido favoreció a su padre y a su hijo. El Capítulo IV explorará cómo el legendario apego de Juana al cuerpo de Felipe aseguró el gobierno de Castilla para Fernando y la sucesión para Carlos. Fernando y Juana difundieron una propaganda magistral para desanimar a sus pretendientes, incluso a Enrique VII de Inglaterra y al duque de Calabria. El asentamiento de Juana en Tordesillas, que Fernando supervisó en 1509, implicaba negociaciones con la reina y muchos de sus sirvientes anteriores. Dirigida por el partidario de Fernando, Mosén Luis Ferrer, la casa entonces reestructurada tenía como objetivo preservar la vida de Juana y la autoridad de su padre.

Las agitaciones en Tordesillas que siguieron a la muerte de Fernando en 1516 continuaron intermitentemente hasta 1521. Dentro de estas luchas, el Capítulo V va a destacar los intentos de identificar la persona de la reina con sus reinos. El nuevo gobernante de la casa de Juana, Bernardino de Sandoval y Rojas, marqués de Denia y conde de Lerma, marcó la imposición y restitución de la autoridad de los Austrias. Denia usó su posición como gobernador de Tordesillas para aumentar su influencia sobre el Consejo de Estado. Sus preocupaciones sobre la peste culminaron en el viaje de Juana a Tudela de Duero en 1534[59]. Gobernando los contactos de Juana con el mundo exterior, los Denia unieron sus fortunas a las de los Austrias.

Durante los últimos quince años de su vida, la relación de Juana con Dios recibió atención especial y profunda. El Capítulo VI examinará estas luchas posteriores para interpretar las fuerzas divinas y demoníacas que estaban funcionando dentro de la casa de Tordesillas. Su alejamiento de Dios había justificado desde hacía tiempo la exclusión del poder de Juana. La reforma protestante, sin embargo, hizo que su presunta falta de salud espiritual fuera cada vez más problemática. Aunque la reina insistiese acerca de su devoción católica, sólo con la muerte podría recuperar por completo el favor divino y reencontrarse con el cuerpo corporativo de sus reinos. Después de la muerte de Juana el 12 de abril de 1555, su casa siguió mediando la relación entre el cuerpo de la reina y el reino. Las posesiones y los sirvientes de Juana, transferidos a otros miembros de la familia real aun antes de su muerte, llevaban los derechos residuales de la autoridad legítima.

El ejercicio de la autoridad real dependía de la conjunción de las partes individuales y corporativas. Impidiendo que la persona de Juana manejara tal autoridad, Cortes, consejeros y miembros de su casa autorizaron e impusieron el alejamiento de la reina de sus reinos. Habiendo asumido los valores de su sociedad, Juana podía haber aceptado e incluso haber aprovechado esta situación. Sirviendo los intereses dinásticos desde sus años más tempranos, como reina, Juana aparentemente permitió que sus familiares gobernasen en su nombre. En lugar de revelar solamente un único cuerpo real, la separación de Juana del gobierno sugiere un concepto castellano de dos cuerpos lo suficientemente fuerte como para gobernar a una reina.

---

[59] Por las razones explicadas en el Capítulo V, mantenemos este año a pesar de que otro autor, examinando la documentación que recomendamos, da como fecha del viaje 1533. Miguel Ángel ZALAMA, *Vida Cotidiana y Arte*, pp. 270, 321-325.

Capítulo 1

DE ISABEL LA CATÓLICA A JUANA «LA LOCA»: LA EDUCACIÓN Y HERENCIA DE UNA INFANTA

Dos acontecimientos centrales en la historia política de la Castilla tardomedieval iluminan un concepto natural a los dos cuerpos del rey en el centro de la vida política. Tanto la ejecución en 1453 del condestable de Castilla, don Álvaro de Luna, como la destitución en efigie en 1465 del rey Enrique IV giraban alrededor de la cuestión de la doble persona del rey. En el primer caso, el rey Juan II consintió la muerte de su favorito, Álvaro de Luna, cuya influencia personal cayó víctima de una monarquía corporativa que el mismo condestable había fortalecido[1]. El privado, que desde hacía bastante tiempo llevaba reforzando la autoridad real, encontró, en consecuencia, que ya no podía gobernar al rey. Doce años más tarde, en la llamada farsa de Ávila, una banda de nobles y prelados destronó una efigie del sucesor de Juan, Enrique IV, otorgó las insignias reales (corona, cetro, espada y trono) al medio hermano de Enrique, Alfonso, y proclamó rey al niño de once años. El análisis de Angus MacKay de esta ceremonia destaca la transferencia constitucional de la eterna *dignitas* real de un rey mortal a otro[2].

Los críticos acontecimientos de 1453 y 1465 prepararon el

---

[1] Nicolas ROUND, *The Greatest Man Uncrowned: A Study of the Fall of Don Alvaro de Luna,* London, Tamesis Books Limited, 1986.

[2] Angus MACKAY, «Ritual and Propaganda in Fifteenth-Century Castile», *Past & Present* 107, mayo 1985, pp. 3-43, especialmente 17-21.

camino para la subida al trono de una soberana propietaria —la reina Isabel— en 1474. En efecto, demostrando ser muy mortal, el medio hermano de Enrique y hermano de Isabel, Alfonso, murió de una peste a los tres años de su aclamación. A diferencia de su hermano menor, Isabel se negó a dejar que los nobles la reconocieran como soberana propietaria mientras Enrique IV viviera[3]. Reforzando su todavía más cuestionable pretensión al trono, Isabel se posicionó astutamente para heredar Castilla y León después de la muerte de Enrique. Contra la voluntad de Enrique, Isabel se casó con Fernando de Aragón, el heredero varón más cercano al trono al que aspiraba, en 1469. A pesar de su brillante alianza, Isabel y Fernando tuvieron que enfrentarse a una larga guerra civil después de la muerte de Enrique para asegurar sus derechos al trono.

Con la paz apenas establecida en sus reinos, el 6 de noviembre de 1479, la reina Isabel dio a luz a Juana de Castilla, su segunda hija y la tercera de todos sus hijos. Aunque Isabel no esperaba que la recién nacida la sucediera como reina, anticipó un importante papel para esta niña promoviendo los intereses de su familia en una corte extranjera. Un juglar de aquella época celebró el nacimiento de Juana en Toledo:

ally nos enbía Dios la segunda
hija de nuestros reyes ynclitos,
con muchos dones suyos benditos
en quel tratado presente se funda.

Y diéronle el nonbre d'aquel glorioso
Juan, el que hizo Dios escoger
entre los onbres y en su naçer
fues'escogido por don copioso;

---

[3] Hispanic Society of America, Nueva York, ms. B 1484, Hernando PULGAR y Antonio NEBRIJA, *Chronica de los muy altos y esclarecidos reyes catholicos don Fernando y doña Ysabel*, 2v-3. Pulgar y Nebrija característicamente atribuyeron la decisión de Isabel de no asumir el trono a su entendimiento de la providencia divina. Otra versión de la misma crónica aparece impresa en *Crónicas de los Reyes de Castilla*, don Cayetano ROSELL (ed.), Madrid, Rivadeneyra, 1878, Biblioteca de Autores Españoles, III, pp. 242-524.

y a esta señora llámanle Juana,
que sólo por esta gran vocaçión
Dios le dará de su perfeçión
obtiman partem de genere umana[4].

Mediante su identificación con el santo patrón de su familia, la recién nacida se acercaba a la perfección. El nacimiento de otra hija probablemente decepcionó a Fernando e Isabel, quienes tenían la esperanza de un segundo hijo para asegurar la sucesión.

En el invierno que siguió al nacimiento de Juana, las Cortes de Castilla y León confirmaron a su hermano, Juan, como el heredero de su madre. Los nombres de los niños haciendo juego, que señalaban a Juan el Bautista y Juan el Evangelista como sus guardianes, asegurarían la continuidad del apelativo, incluso si uno de los niños no viviese hasta llegar a adulto, una posibilidad bastante factible en esa época de alta mortalidad infantil. Pese a la búsqueda de otro descendiente varón, Fernando e Isabel solamente concibieron más hijas —María, nacida en 1482, y Catalina en 1485—. En el caso de muerte prematura de Juan, la reina tendría que depender de su hija mayor, casada apropiadamente, para sucederla.

Explorando el impacto de dichas consideraciones dinásticas, este capítulo busca evaluar las experiencias formativas de Juana en vista de la lucha de su madre por gobernar Castilla y Aragón. Puesto que la reina educó a sus hijos con la misma resolución, tres consideraciones parecen ser particularmente relevantes en la instrucción de Juana durante sus primeros años: 1) La educación de la reina Isabel y sus aspiraciones para su hija, 2) la posición de Juana con respecto a sus hermanos y 3) las relaciones de Juana con los sirvientes de su madre, incluidos el dominico Andrés de Miranda y «la Latina», Beatriz Galindo. Las cuentas de la casa real ayudarán a iluminar estas consideraciones. En comparación con los textos literarios usados para complementarlos, esos do-

---

[4] «la mayor parte del género humano». *La Historiografía en Verso en la Época de los Reyes Católicos: Juan Barba y su "Consolatoria de* Castilla", Pedro M. CÁTEDRA (ed.), Salamanca, 1989, p. 221.

cumentos económicos parecen ser más fidedignos pero menos expresivos, pues muchas veces no explican con más detalles los atractivos trocitos de información que proporcionan.

Una abundante literatura sobre el modo de instruir a los príncipes renacentistas proporciona el trasfondo de este capítulo. Estos textos, desde Isidoro de Sevilla (m. 636)[5] hasta el *Regimiento de Príncipes* de Juan García de Castrojeriz (1344), hacen hincapié en la fuente divina de la autoridad real investida no sólo en el gobernante sino también en los gobernados[6]. Apuntan hacia la conducta cristiana del príncipe, inculcada desde joven, como la base de un buen regimiento. Al desarrollar una analogía entre el cuerpo personal del rey y sus reinos corporativos, el género que trata la educación de los príncipes sugiere preguntas implícitas sobre la idoneidad de una mujer como cabeza del reino. Este capítulo, entonces, considera un problema que Garret Mattingly planteó con respecto a la hermana de Juana, Catalina de Aragón, y a la educación de su hija, María Tudor: «¿Pero cómo, si el príncipe es mujer?»[7]. Al mismo tiempo, la presente discusión dará énfasis al hecho de que Juana no fue ni príncipe ni princesa, sino más bien una de las tres infantas menores sin ningún derecho directo al trono, durante los años más importantes de su formación. De hecho, ella fue la única de los descendientes legítimos de sus padres que dejó la corte sin el título de «príncipe» o «princesa». Juana, como Isabel, se enfrentaría a una diferencia entre su educación infantil y su consiguiente herencia.

LA DÉBIL PRETENSIÓN DE ISABEL AL TRONO

Isabel se abstuvo de asumir el título de «reina» en el momento de la muerte de su hermano Alfonso en 1468. El género de Isa-

---

[5] Marc REYDELLET, *La Royauté dans la littérature latine de Sidoine Apollinaire à Isidore de Séville*, especialmente 591-593.

[6] *Glosa Castellana al "Regimiento de Príncipes" de Egidio Romano*, Juan BENEYTO PÉREZ (ed.), tomos I-III.

[7] Garrett MATTINGLY, *Catherine of Aragon*, Boston, Little, Brown and Company, 1941, pp. 187-188. Mattingly proporciona un excelente análisis de la *Instrucción de la Mujer Christiana*, que Juan Luis Vives escribió para Catalina de Aragón.

bel, más que sus dieciséis años, la hacía una candidata menos adecuada para oponerse a Enrique IV. Conscientes de esta limitación, los oponentes a Enrique IV apoyaron a Isabel como su heredera, en lugar de la princesa Juana, la hija de Enrique, a la que consideraban ilegítima. Los últimos seis años de la vida de Enrique permitieron que Isabel y sus partidarios formularan una justificación a sus derechos como su sucesora.[8]

La defensa de los derechos de Isabel para heredar los reinos de Enrique incluía uno de los argumentos iniciales en favor de la educación femenina. El fraile agustino, Martín de Córdoba, dedicó su *Jardín de las nobles donzellas* a Isabel, después de la muerte de su hermano (julio de 1468) y antes de su boda (octubre de 1469), tratando de inspirarla a que estudiase para poder gobernar. Como declaró el fraile, compuso su tratado para refutar a los oponentes al gobierno femenino:

> Algunos, señora, menos entendidos e por ventura no sabientes las causas naturales e morales, ni revolviendo las crónicas de los pasados tiempos, avían a mal quando algún reyno, o otra policía viene a regimiento de mugeres, pero yo como abaxo diré: soy de contraria opinión[9].

Siguiendo a García de Castrojeriz, Martín de Córdoba enumeró la importancia de una sólida instrucción para poder gobernarse a sí mismo, su casa, y sus reinos. Citando a reinas cultas, diosas, y sibilas de la antigüedad, el fraile se sorprendía ante la falta de *exempla* contemporáneos, «Especialmente las letras, porque agora en este nuestro siglo las hembras no se dan al estudio de artes liberales e de otras ciencias, antes paresce como le[s] sea vedado»[10].

---

[8] Los cronistas de la época consideraron como características políticamente femineizantes de Enrique IV, entre otras, su preferencia por la ropa mora, la compañía de moros y judíos y unas costumbres alimenticias poco ortodoxas. William Thomas WALSH, *Isabel de España*, Alberto de Mestas (trad.), Burgos, Cultura Española, 1937, pp. 25, 29-32, 37. La asociación de Juana con sirvientas moras, aunque era un aspecto de su herencia cultural y dinástica, también resultó debilitante.

[9] Biblioteca Nacional (de ahora en adelante BN), Madrid, ms. R 9717, Martín DE CÓRDOBA, *Jardín de las nobles donzellas*, prohemio.

[10] Martín DE CÓRDOBA, *Jardín de las nobles donzellas*, libro III, capítulo i.

Pero, ¿cómo explicar esta lamentable falta de erudición femenina? Volviendo a *El libro de las antigüedades* del autor romano Marcus Terentius Varro, Martín de Córdoba recurre a una historia acerca del acto de dar nombre a Atenas. Según esta relación, Apolo informó al que se suponía rey de esa república que él podría nominar la ciudad con el nombre de Minerva o Neptuno. Una asamblea de todos los ciudadanos —que supuestamente incluía a mujeres— votó entonces para escoger a su patrón. Aunque los hombres favorecieron unánimemente a Neptuno, las mujeres, que apoyaban a Atenea, los superaron por un voto en total. El dios del mar, enfurecido, inundó la ciudad de agua, que sólo retiró una vez que los atenienses prometieron excluir a las mujeres de futuros consejos. Como las mujeres no podían formar un consejo, razonaba el fraile, no tenían ninguna necesidad de filosofía moral, de teología, o de otras ciencias. Observó, sin embargo, que la exclusión del consejo se refería sólo a mujeres comunes, y no a las ilustres, «como es nuestra señora la princesa». La ascendencia real de Isabel, argumentaba el agustino, la hacía excepcional entre todas las mujeres [11].

Entre las mujeres excepcionales, Córdoba comparó particularmente a la princesa Isabel con la Virgen María, a quien también consideraba hija de reyes. Para Córdoba, María redimió a la humanidad del pecado de su eterna antítesis, Eva. Si Dios creó a Eva en el paraíso, Él hizo de la Virgen el paraíso mismo [12]. Al mismo tiempo que la analogía de Córdoba entre María e Isabel ganaba fuerza, describía tres grados de la castidad femenina: pureza virginal, viudez honorable y fidelidad marital. Citando ejemplos de santas, el agustino animó a Isabel a proteger su virginidad [13]. Sin embargo, las ambiciones políticas de Isabel le dictaron otra elección.

---

[11] Martín DE CÓRDOBA, *Jardín de las nobles donzellas*, libro III, capítulo i. En contraste con autores reales franceses, los escritores aristocráticos borgoñones se unieron a Martín de Córdoba en la defensa de la sucesión femenina cuando estaba sancionada por la costumbre. Paul Henry SAENGER, *The Education of Burgundian Princes, 1435-1490,* Chicago, The University of Chicago, PhD Dissertation, 1972, pp. 106, 231-232.

[12] Martín DE CÓRDOBA, *Jardín de las nobles donzellas*, libro I, capítulo iii.

[13] Martín DE CÓRDOBA, *Jardín de las nobles donzellas*, libro III, capítulo iv-vii. Para otra interpretación, véase Elizabeth A. LEHFELDT, «Ruling Sexuality: The Political Legitimacy of Isabel of Castile», *Renaissance Quarterly* 53, 2000, pp. 36-37.

Fernando de Aragón demostró ser el marido que Isabel necesitaba para la primera de sus conquistas —la del trono mismo—[14]. En 1469, Fernando e Isabel se casaron secretamente usando la falsificación de una dispensa papal debido a su cercano parentesco. En octubre de 1470, nació su primer descendiente y fue bautizada Isabel. A la muerte de Enrique IV en 1474 su media hermana Isabel reclamó el título de reina de Castilla y León. Aprovechándose de la momentánea ausencia de Fernando de Castilla, Isabel se paseó por las calles de Segovia con la espada desnuda, que representaba la justicia, enarbolándola delante de ella. El gesto, que la proclamaba reina propietaria, ofendió a algunos súbditos, que encontraron inapropiado que una mujer se apoderara del símbolo masculino de la espada[15]. Las negociaciones sobre los respectivos poderes de Fernando e Isabel en Castilla y León se volvieron más tensas. Los partidarios de Fernando lo consideraron, como varón, el legítimo heredero, mientras que los seguidores de Isabel argumentaron que una mujer podía, en efecto, heredar esos reinos. Más aún, Isabel alegó que el sexo de su única hija hacía necesario en ese momento establecer un claro precedente para la sucesión femenina. Al final, según los testigos contemporáneos, Isabel insistió en su gran «conformidad» con Fernando[16].

El tema de la armonía perfecta entre Isabel y su marido se convirtió en el preferido entre sus cronistas. En cartas, sellos y monedas, Isabel y Fernando presentaban una imagen de unión: «porque si la necesidad apartaba las personas, el amor tenía

---

[14] Luis SUÁREZ FERNÁNDEZ, *Los Reyes Católicos: la conquista del trono,* Madrid, 1989.

[15] Alonso DE PALENCIA, *Crónica de Enrique IV,* Madrid, Biblioteca de Autores Españoles 258, 1975, III, p. 155.

[16] Hernando DEL PULGAR, *Crónica de los Señores Reyes Católicos don Fernando y doña Isabel de Castilla y de Aragon,* in *Crónicas de los Reyes de Castilla,* don Cayetano ROSELL (ed.), Madrid, Rivadeneyra, Biblioteca de Autores Españoles III, 1878, pp. 255-257. Los partidarios de Isabel podían citar (o inventar) otros antecedentes para la sucesión femenina. La *sala de los reyes* en el Alcázar de Segovia identifica a Isabel como la sexta reina propietaria en Castilla y León, aunque el grado hasta el que gobernaron sus predecesoras en sus propios nombres, sin maridos o hijos dominantes, permanece incierto. Bibliothèque Nationale, Paris, Manuscrit Espagnol 200, fol. 1, «Copia de los reyes de Castilla y León desde don Pelayo hasta doña Juana».

juntas las voluntades»[17]. Aunque Fernando continuaba engendrando hijos ilegítimos, la idea de la completa unidad con la reina contenía consecuencias especiales para la conducta sexual de Isabel:

En las ausencias del Rey, hasta ahora siempre durmió en un dormitorio común de algunas jóvenes y doncellas de su casa. Ahora lo hace en compañía de sus hijas y otras honestas mujeres para no dar pie a que la maledicencia pueda manchar la reputación de su fidelidad conyugal[18].

Según una relación posterior, Fernando no sólo compartía los reinos de Isabel, sino también todas sus virtudes:

Fueron Rey é Reina juntos por Dios escogidos, por el ayuntados, que juntamente así ayuntados reinaron e gobernaron treinta años, y aunque en cuerpos dos, en voluntad e unión eran uno solo[19].

Los monarcas afirmaron aún más su elección providencial al ejercer la justicia como sancionada divinamente.

De las tres virtudes que Isabel necesitaba para gobernar —justicia, liberalidad y afabilidad—, fray Martín de Córdoba recalcó el papel de la justicia en la concepción orgánica o corporativa de los reinos de Isabel. Un reino, según el fraile, funcionaba como un cuerpo, con el monarca como su «cabeza» y la justicia como su «espíritu». Él comentó:

Fue dispuesto que el reyno fuese como un cuerpo: e su cabeça fuese el rey; e la justicia es el ánima del reyno. Pues como la vida desciende de la cabeça e se derrama por todo el cuerpo, así la justicia ha de descender del príncipe e correr por todo el reyno pa[ra] dar vida a todos los miembros del reyno. Donde, como el cuerpo sin cabeça es muerto, así el reyno sin príncipe, e como el cuerpo aunque tenga ca-

[17] PULGAR, *Crónica*, p. 256.
[18] Jerónimo MÜNZER, *Viaje por España* (1494), citado en Vicente RODRÍGUEZ VALENCIA, *Isabel la Católica en la opinión de Españoles y Extranjeros,* Valladolid, Instituto Isabel la Católica de Historia Eclesiástica, 1970, pp. 158-9.
[19] *Continuación de la crónica de Pulgar*, en *Crónicas de los Reyes de Castilla*, don Cayetano ROSELL (ed.), III, p. 523.

beça, si no tiene sentido, los miembros van disipados, así el reyno aunque tenga rey, si no entiende en execución de la justicia, es muerto y enterrado[20].

Mientras Isabel procuraba empuñar la espada de la justicia, surgió una interdependencia entre su persona individual y la corporación de sus reinos.

Como muchas de las relaciones de los cronistas, una historia potencialmente apócrifa sobre el ejercicio de la justicia de Isabel ilumina la relación transitiva entre el cuerpo de Isabel y el de sus reinos. Según Hernando de Pulgar, en 1480 surgió una disputa en la corte de la reina entre dos jóvenes nobles, el hijo mayor del almirante de Castilla, don Fadrique, y el Señor de Toral, Ramiro Núñez de Guzmán. A pesar de las órdenes de Isabel de abstenerse de actos violentos, tres hombres encapuchados hostigaron y golpearon a Núñez de Guzmán en la plaza pública. Haciendo uso de una de sus maniobras preferidas, la reina inmediatamente se dirigió a caballo hacia la fortaleza de Simancas, que pertenecía al almirante de Castilla en ese momento. Cuando el almirante alegó ignorancia sobre el paradero de su hijo, Isabel exigió que entregase las fortalezas de Simancas y Rioseco a la corona, en lugar de entregar al joven. El almirante sólo pudo obedecer. Al día siguiente, la reina guardó cama. Cuando se le preguntó acerca de su enfermedad, Isabel supuestamente declaró, "Duéleme este cuerpo de los palos que dió ayer don Fadrique contra mi seguro". De esta manera, la reina trazó una directa analogía entre el bienestar de su persona física y el de sus reinos. Aunque don Fadrique era primo del marido de Isabel, la reina se negó a devolver las fortalezas del almirante hasta que su hijo aceptase un justo castigo[21].

La supuesta unión perfecta de Isabel y Fernando no enmascaraba ni las diferencias entre los cónyuges ni los respectivos in-

---

[20] CÓRDOBA, *Jardín de las nobles donzellas*, libro II, capítulo x. Como una posible fuente para la discusión de Córdoba acerca de la justicia principesca y el uso de la metáfora corporal, véase Juan DE SALISBURY, *Policratus*, Miguel Ángel LADERO (ed.), Madrid, Editora Nacional, 1984, Libro IV, capítulos 8 y 10; Libro V, capítulos 2 y 6.

[21] PULGAR, *Crónica*, pp. 359-360.

tereses de sus reinos[22]. Debido a que la posibilidad de una sucesión femenina seguía siendo dudosa en Aragón, la unión de ese
reino con Castilla y León sólo se podía conseguir en la persona de
un heredero masculino, el príncipe Juan, nacido de Isabel y Fernando en 1478. El muy enfatizado amor de la reina por el príncipe Juan destacaba su potencial como fuerza unificadora en la familia así como en los reinos de Isabel. La *Adoración de los Reyes*
de Juan de Flandes, que retrata a la Virgen con el Niño —¿o a lo
mejor aparece Isabel la Católica entronizada con su hijo recién nacido?— incluye a Fernando al lado del rey moro, rindiendo homenaje a un salvador común[23]. Al destacar los lazos que la unían
a su marido, su hijo y sus reinos corporativos, Isabel parecía estar
determinada a superar su género y sus dudosos derechos al trono.

LA BÚSQUEDA DE LA UNIÓN ESPIRITUAL Y TERRITORIAL

El concepto de los reinos de Isabel y Fernando como un único cuerpo corporativo basado en el modelo de una comunidad
cristiana unida en el cuerpo de Cristo, como se puede apreciar en
Martín de Córdoba y Hernando de Pulgar, influyó profundamente en la política religiosa de los monarcas. Una vez asegurados en
el trono, Isabel y Fernando solicitaron al Papa Sixto IV tener el
derecho a nombrar inquisidores que arrancarían de raíz la herejía
en sus reinos, particularmente las costumbres judías entre los recién convertidos al cristianismo. Aunque varios eclesiásticos han
sido reconocidos por haber persuadido a Fernando e Isabel a que
pidieran una arma más fuerte contra la herejía[24], el papel del do-

---

[22] María Isabel DEL VAL VALDIVIESO, «La política exterior de la monarquía castellano-aragonesa en la época de los Reyes Católicos», *Investigaciones Históricas,*
Universidad de Valladolid, 1996, pp. 11-27.

[23] E. HAVERKAMP BERGMANN, «Juan de Flandes y los Reyes Católicos», *Archivo Español de Arte* 25, 1952, p. 246.

[24] Para el papel de Pedro González de Mendoza, Tomás de Torquemada, Gon-
zálo Jiménez de Cisneros, Alfonso de Espina y Alfonso de Oropesa, véase J. MESE-
GUER FERNÁNDEZ, «El período Fundacional (1478-1517): Los hechos», en *Historia de
la Inquisición en España y América*, Joaquín PÉREZ VILLANUEVA y Bartolomé ESCAN-
DELL BONET (eds.), Madrid, Biblioteca de Autores Cristianos, 1984, I, pp. 282, 286.

minico Andrés de Miranda, quien eventualmente llegó a ser el tutor personal de la hija de Isabel, Juana, nunca ha sido explorado. Pese a ser casi desconocido hoy en día, el tratado de Andrés de Miranda *Declaración de la herejía y otras cosas perteneçientes a esta materia* da una idea de la mente del instructor de Juana y de las preocupaciones de su tiempo. Escrito en castellano y nunca publicado, el texto de Miranda proporcionaba a la reina Isabel un método preciso, conforme al canon, para extirpar la herejía de sus reinos[25]. Basándose en una concepción corporativa de los reinos de Isabel, Miranda argumentó que los herejes reincidentes, si eran tolerados entre los buenos católicos, podrían infectar con creencias perniciosas a los fieles. Citando las instrucciones de San Jerónimo para separar la carne putrefacta de la buena, el caso de un cordero rabioso que infectó a un rebaño entero, y un solo relámpago que destruyó toda Alejandría, Miranda sostenía que la salud espiritual de la comunidad exigía la eliminación de los herejes individuales[26]. Admitía que el gobierno humano, derivado del gobierno divino y comenzado en él, debería permitir que los herejes adoptasen la fe poco a poco. No obstante, según el dominico, los individuos que se convirtieron al catolicismo, y después volvieron a las costumbres judías, cometieron un pecado aun mayor que los judíos que nunca habían aceptado la fe católica. De esta manera, surgió una contradicción en el pensamiento de Miranda entre la demanda de un cuerpo corporativo unificado y el reconocimiento de que la Inquisición no podía procesar a judíos que nunca se habían unido a la Iglesia[27].

Un dramático intento de resolver esta disyunción entre las corporaciones eclesiásticas y seculares —la expulsión de 1492— no pudo garantizar la unidad espiritual en los reinos de Fernan-

---

[25] Aunque sin fecha, el texto pertenece al momento intermedio entre las peticiones de una inquisición más fuerte en 1477 y su promulgación varios años más tarde. El tratado de Miranda también refleja el impacto del último movimiento herético a gran escala, el de los cátaros en el sur de Francia, perseguidos por el fundador de su Orden, Santo Domingo. Real Biblioteca de El Escorial, ms. a IV 15, Fray Andrés DE MIRANDA, *Declaración de la herejía y otras cosas perteneçientes a esta materia*, fol. 13.

[26] Andrés DE MIRANDA, *Declaración de la herejía*, fol. 3v, 6.

[27] Andrés DE MIRANDA, *Declaración de la herejía*, fol. 6.

do e Isabel. La «reconquista» por los monarcas del reino de Granada, desde 1482 hasta 1492, logró un cierto tipo de integridad territorial, mientras puso a miles de súbditos islámicos bajo su reinado. ¿Cómo pudieron dichos eventos dramáticos haber impactado a la segunda hija de Isabel y Fernando? Como miembro de su corte itinerante durante toda la guerra, Juana habría heredado la obligación de sus padres de continuar la «reconquista», incluso hasta la Tierra Santa[28].

La «reconquista» de Granada inspiró a Pedro Marcuello, alcalde de Calatorau, a componer un militante y profético *Cancionero* para la reina y su segunda hija. Después de ofrecer su trabajo a Isabel, Marcuello se dirigió a Juana:

> I os plega ser la servida
> con el tratado presente,
> infanta mucho conplida,
> de virtudes fornecida
> y en muy tierna hedat prudente;
> mucho seguís la luziente
> grande Reyna de Castilla
> qu[e] es de las virtudes fuente
> y d[e] esta conquista puente,
> de la bondat la caudilla.
>
> I porque soys afetada
> a la Madre de Jhesús
> glosé la salve trobada
> con lo al, porqu[e] enprentada
> en la mente traéys cruz
> y muy bien olláys pisadas
> de l[a] alta Reyna Ysabel
> vos con las otras aosadas
> y estáys mucho adotrinadas
> a servir a Hemanuel[29].

---

[28] Pedro MARCUELLO, *Cancionero*, José Manuel BLECUA (ed.), Zaragoza, Institución Fernando el Católico, 1987, p. 26 [f. 5v, l. 70-73].

[29] Pedro MARCUELLO, *Cancionero*, p. 168 [f. 75v, l. 21-30, 31-35].

De esta manera, Marcuello destacaba la importancia de la formación doctrinal de Juana. Si se desarrollaban debidamente, los principios religiosos heredados de Isabel permitirían a Juana seguir con el trabajo de su madre.

Sin embargo, Marcuello admitía que Juana, a diferencia de Isabel, estaba destinada a casarse en el extranjero. Aunque fuese perfecta, la unión entre los padres de Juana también había demostrado ser algo decepcionante. En los versos de Marcuello, el rey Fernando fue elogiado por su papel en la «reconquista» como el cónyuge de Isabel escogido por designio divino:

> digo: Dios vos ha aun[t]ado
> por enxalçar la su cruz
> a los dos en carne una,
> don Fernando muy gran Rey
> con la gran Reyna colu[m]na
> fuerte de fe y de consuna [de consuno]
> porque acrecentéys su ley[30].

¿Pero, por qué líderes tan inspirados habían sido bendecidos con un solo hijo varón? En el recurso de Marcuello a un diálogo entre Santiago y María, la Virgen declaraba que su Hijo les había mandado muchas hijas para poder pacificar sus reinos, ganando la fidelidad de hijos y tierras extranjeros[31]. La tarea de asegurar tales alianzas resultaría ser tan difícil para Juana como para cualquiera de sus hermanas.

Marcuello compuso su colección de canciones y oraciones en un intento de convencer a la reina Isabel y a Juana a que aceptaran a su hija, también llamada Isabel, en el servicio de la infanta. La reina, la infanta, Marcuello y su hija, Isabel, aparecen a lo largo de todo el manuscrito. De hecho, Marcuello presentó su petición a la reina Isabel, la gobernante suprema de la casa de Juana, así como a la misma Juana.

---

[30] Pedro MARCUELLO, *Cancionero*, p. 92 [f. 37v, l. 24-30].
[31] Pedro MARCUELLO, *Cancionero*, p. 313 [f. 148, l. 251-260].

LA EDUCACIÓN EN LA CORTE ITINERANTE

Decir que Juana tenía una casa propia, aunque es una afirmación cuestionable en cualquier momento de su vida, sería particularmente engañosa e incorrecta antes de 1496. Más bien, la reina Isabel seleccionó a miembros de su corte itinerante para que cuidaran a Juana y a los demás niños reales. Desde nuestra perspectiva, la infancia de Juana duró hasta su partida a los Países Bajos a la edad de dieciséis años. Durante esos primeros años, ella tuvo la oportunidad de cultivar unos pocos, sorprendentemente pocos, sirvientes leales. La formación de Juana no sólo incluía música y latín, conocimientos en los que sobresalía; también recibió instrucción en conducta religiosa y en la presentación decorosa de sí misma. Sobre todo, Juana aprendió que su persona física debería servir a los intereses corporativos de los reinos de sus padres. Cuidadosamente gobernada desde sus más tiernos años, Juana recibió una educación que la ayudaría y que, al mismo tiempo, sería un obstáculo para ella, como archiduquesa de Borgoña.

Un manual de instrucción femenina que estaba en la biblioteca de Juana, *Carro de las donas,* del franciscano de origen catalán Francesc Eiximenis, enfatizaba la necesidad de educar a las niñas con especial cuidado. Como Eiximenis creía que las buenas costumbres y las ideas morales se asimilaban a través de la leche materna, el humanista del siglo XIV animó a las mujeres nobles a que amamantasen a sus propios niños, o que, por lo menos, escogieran a las niñeras de sus hijas con precaución[32]. Eiximenis, además, les indicó a los padres que instruyeran a una hija en los preceptos del cristianismo «luego q[ue] sabe conocer qualquier cosa de seso». La joven debería aprender a hacer la señal de la cruz, a recitar el Padrenuestro y el Ave María, el Credo y la Salve Regina, arrodillándose frente a la imagen de Cristo o a la de su

---

[32] Francesc EIXIMENIS, *Carro de las donas,* traducción anónima, Valladolid, 1542, f. 15; *Lo Libre de les Dones,* Frank NACCARATO (ed.), Barcelona, Curial Edicions Catalanes, 1981, ms. orig. 1427, I, p. 28. Juana probablemente poseía una temprana versión manuscrita de este texto. Agradecemos a Sara T. Nalla la recomendación de esta fuente.

Madre. Eiximenis también aconsejó a los padres que mantuvieran a sus hijas apartadas de los musulmanes y los judíos, y que rechazaran cualquier tipo de comida que los que no eran cristianos les pudieran ofrecer. Según el franciscano, una hija debería acompañar a su madre a la iglesia con la cabeza cubierta, como ordenó San Pablo. Eiximenis añadía que la hija debería llevar siempre un rosario y dedicar una parte de cada día a la oración[33].

Eiximenis consideraba que a la edad de diez o doce años la hija era una doncella. Capaz de mostrar cierta discreción, ella también se sometía cada vez más a la disciplina[34]. La joven dama debía ayunar con sus padres en las vísperas de las fiestas principales, escogiendo las oraciones que estuvieran de acuerdo con sus devotas inclinaciones. También a los diez o doce años, ella podía empezar a comprender el misterio de la Sagrada Trinidad y escoger un santo patrón que intercediera por ella ante Dios. Para inspirar miedo y respeto en sus hijas, Eiximenis aconsejaba a los padres que no prescindieran del uso de la vara:

Castigen las e hieran las, y no por la cabeça mas en las espaldas con alguna verdasca. Porque dice Salomón que la verga es medicina para la locura de las niñas... y que no hablen sino poco quando fueren preguntadas... e que no jueguen con los niños ni tomen cosa que les den los muchachos. E manden las que no hablen a vozes ni se rían disolutamente. Y sean amonestadas que traygan los ojos baxos ni miren muy ahincadamente a alguno en la cara. Mas si alguno les habla respondan honestamente, y como ayan respondido abaxen los ojos en tierra aunque sea con su hermano o pariente[35].

Eiximenis explicaba que, mientras respetase a sus padres e incluso a sus hermanos, la hija con una buena educación debía aprender a supervisar a los sirvientes como preparación para gobernar su propia casa algún día. Sobre todo, el franciscano insis-

---

[33] EIXIMENIS, *Carro de las donas*, f. 16; *Lo Libre de les Dones*, I, p. 31.

[34] Eiximenis recomendaba cambiar la condescendencia por la disciplina a los doce años y no a los siete, como decían otros autores. Philippe ARIÈS, *Centuries of Childhood: A Social History of Family Life*, Robert Baldick (trad.), New York, Vintage Books, 1962.

[35] EIXIMENIS, *Carro de las donas*, f. 16; *Lo Libre de les Dones*, I, p. 32.

tía en que las jóvenes mujeres debían evitar la ociosidad. Eiximenis consideraba el tejer, coser y rezar sus ocupaciones apropiadas[36].

¿Hasta qué punto siguió la reina Isabel los preceptos de Eiximenis en la educación de sus propias hijas? Las cuentas de su tesorero, Gonzalo de Baeza, revelan que la reina escogía con cuidado y remuneraba con regularidad a los instructores de sus hijos. Las prohibiciones propias de su condición conjuntamente con la exigencia de herederos masculinos hacían poco probable que Isabel en persona amamantase a ninguno de sus descendientes. La nodriza de Juana, doña María de Santistevan, la sirvió hasta los seis años, momento en que fue a ocuparse de la hermana menor de Juana, María[37]. La nodriza y su sirviente, Catalina, recibieron una variedad de tejidos, desde paño de Londres hasta lino de Flandes, coral, lazos, broches, hilos, calzado, y, por supuesto, maravedíes (desde ahora mrs.), para ellas mismas y para las jóvenes infantas[38]. Aunque Juana perdió a su ama o niñera a la edad de seis años, recibió simultáneamente una aya o gobernadora, doña Teresa Manrique. Aparte de modelar el comportamiento apropiado y supervisar la conducta de Juana, doña Teresa Manrique les proporcionaba azúcar rosada a las jóvenes a su cargo en ocasiones especiales[39]. También, a los seis años, Juana empezó a dormir en una cama de madera, recibía servicio de mesa formal, y viajaba a lo grande sobre una plataforma elevada

---

[36] EIXIMENIS, *Lo Libre de les Dones*, I, pp. 33-38. Según la versión de 1542, se debía enseñar a las jóvenes a servir a sus familias. Siguiendo a Juan Luis Vives, el anónimo traductor sostenía que una joven mujer soltera también podía aprender gramática si mostraba capacidad para ello. EIXIMENIS, *Carro de las donas*, f. 16v-18. Vives había elogiado el manejo de Juana del latín, que llegó a dominar a los 17 años. Juan Luis VIVES, *Instrucción de la mujer cristiana,* Buenos Aires: Espasa-Calpe Argentina, S.A., 1948, pp. 22-23, 26-27.

[37] *Cuentas de Gonzalo de Baeza Tesorero de Isabel la Catolica*, Antonio DE LA TORRE y E. A. DE LA TORRE (eds.), Madrid, Consejo Superior de Investigaciones Científicas, 1955, I, p. 72.

[38] *Cuentas de Baeza*, I, pp. 24, 27, 29, 36, 44, 72, 73.

[39] *Cuentas de Baeza*, I, pp. 70, 151, 197; II, pp. 67, 70, 94, 236. En las cámaras de Juana, el azúcar también se usaba en conserva de miel y membrillo. *Cuentas de Baeza*, I, pp. 250, 428. Entradas individuales mencionan a Inés Suáres como el *ama* de Juana y a doña Teresa de Benavides, tal vez equivocándose en el apellido, como su *aya. Cuentas de Baeza*, I, pp. 322, 376.

que llevaban los peones[40]. Una serie de enfermedades ocurridas en ese mismo año llevaron a la reina Isabel a donar un total de 34 mil mrs. a los frailes de San Francisco de Carmona y al obispo de León, por oraciones en nombre de Juana[41].

De acuerdo con las recomendaciones de Eiximenis, Isabel enseñó a sus hijas piedad y caridad. Cuando la corte pasó por Córdoba a comienzos de 1485, la reina donó dos fardos de cera, cada uno igual al peso de una de sus hijas más pequeñas, a la patrona local, Santa María de la Fuente. En la iglesia de Santa María de la Fuente, bajo la orientación de su madre, cada una de las niñas, Juana de seis años y su hermana María de tres, ofreció un castellano (485 mrs.) a la santa[42]. Unos años después, Juana recibiría cierta suma para ofrendarla en el «monumento» tradicionalmente construido para la Semana Santa —una costumbre que ella continuaría a lo largo de su vida—[43].

Cuando tenía siete años, Juana empezó sus estudios con su *maestro,* el doctor Andrés de Miranda, del monasterio de Santo Domingo situado fuera de los muros de Burgos. Además de regalos especiales y ayudas para sus gastos, el profesor de Juana recibía 50.000 mrs. por año[44]. En 1490 y 1491, antes de que Catalina cumpliese los seis años y pudiese empezar sus estudios, María se unió a Juana en las clases con Miranda. El salario del dominico, no obstante, sólo se incrementó en 1495, cuando Juana asumió el título de archiduquesa de Austria[45]. Bajo Miranda, Juana

---

[40] *Cuentas de Baeza*, I, pp. 70, 108.
[41] *Cuentas de Baeza*, I, p. 108.
[42] *Cuentas de Baeza*, I, pp. 111, 114.
[43] El Viernes Santo de 1491, la *infanta* ofreció dos *ducados* (750 mrs.). Cuando tenía trece años, Juana recibió *una sarta de quentas de jaspe*, y, como su familia viajó a Barcelona, donó un ornamento para ropa que valía 3.000 mrs. al Monasterio de San Jerónimo de la Murta. Para su uso personal, Juana recibió cuatro imágenes de la Virgen. *Cuentas de Baeza*, I, pp. 249, 376; II, pp. 80, 95, 119.
[44] El profesor de Juana recibía el mismo salario que el tutor de su hermana mayor, Pedro de Ampudia, aunque la mitad de lo que recibía el profesor de su hermano, Diego de Deza. Antes, en 1487, Fernando e Isabel habían obtenido una bula de Inocencio VIII que les permitía elegir a los profesores de sus hijos, incluso sin el permiso de los superiores de dichos frailes. Antonio DE LA TORRE, «Maestros de los hijos de los Reyes Católicos», *Hispania* 63, 1956, pp. 256-266.
[45] *Cuentas de Baeza*, I, p. 364; II, p. 260.

recibió instrucción cristiana y entrenamiento en latín. Las cuentas de la casa proporcionan alguna indicación sobre el plan de estudios que siguieron. En su primer año de lecciones, la infanta recibió una caja para guardar cartas y un gran libro de horas, adornado con un candado de plata y páginas bordeadas de oro[46]. A los diez años, Juana no sólo poseía libros de oración impresos, sino también tenía su propia edición del *De Consolatione* de Boecio, una guía filosófica para la combinación de la fe y la razón[47]. La infanta probablemente podía leer en latín a la edad de catorce años, cuando recibió las ediciones latinas de *Vidas de Padres de la Iglesia* y de *Vidas de Santos*. Cuando estaba visitando la corte de la reina Isabel en el otoño de 1494, el viajero alemán Hieronymous Münster escuchó a Andrés de Miranda elogiar el talento de Juana para recitar y hasta componer versos en latín[48].

Además de la instrucción de Miranda, Juana puede haber recibido orientación de la tutora y amiga de la reina Isabel, Beatriz Galindo[49]. Los gastos de la infanta en 1487 incluían blusas, una falda y una cama para la distinguida latinista[50]. Como autora de comentarios sobre Aristóteles, así como de un libro de versos en latín[51], Galindo puede incluso haber inspirado a Juana a que in-

---

[46] *Cuentas de Baeza*, I, p. 151.

[47] *Cuentas de Baeza*, I, p. 300. BOECIO, *La consolación de la filosofía*, Madrid, Sarpe, 1985.

[48] Aunque Münster no tuvo tiempo para encontrarse con la *infanta,* sí pudo dirigir unas palabras en latín al príncipe Juan. Un problema con el labio inferior y la lengua supuestamente le impidió al príncipe responderle. Jerónimo MÜNZER, «Itinerarium sive peregrinatio per Hispaniam, Franciam et Alemaniam» en *Viajes de Extranjeros por España y Portugal,* J. GARCÍA MERCADAL (ed.), Madrid, 1952, pp. 406-7. El preceptor dominico había recibido anteriormente 10.000 mrs. para su guardarropa. *Cuentas de Baeza*, II, pp. 142, 153.

[49] La reina Isabel llamó a la latinista Beatriz Galindo a la corte y patrocinó su casamiento con el secretario real y capitán de artillería Francisco Ramírez de Madrid. Galindo se retiró a la vida conventual después de las muertes de su marido (1501) y de la reina Isabel (1504). Félix LLANOS Y TORRIGLIA, *Una consejera de Estado: Doña Beatriz Galindo «La Latina»,* Madrid, Editorial Reus, 1920, pp. 26-37.

[50] *Cuentas de Baeza*, I, p. 197. El estudio más reciente sobre «La Latina» ofrece poca información acerca de la corte de Isabel, más allá de notar que tanto Juana como Catalina superaron a su madre en el aprendizaje del latín. Cristina DE ARTEAGA, *Beatriz Galindo «La Latina»,* Madrid, Espasa-Calpe, 1975, p. 31.

[51] Manuel SERRANO Y SANZ, *Apuntes para una biblioteca de escritoras españolas*, Madrid, Sucesores de Rivadeneyra, 1903, I, p. 443.

tentara escribir sus propias poesías. Sin embargo, entre los 116 tomos que Juana acumularía durante su vida, sólo un volumen de Cicerón sugiere la más mínima inclinación humanista[52].

¿Era la educación del hermano de Juana, Juan, muy diferente? Alonso Ortiz, un canónigo de la Catedral de Toledo íntimamente vinculado a la corte real, compuso un tratado sobre la formación del príncipe que exponía gran parte de la filosofía educativa de Eiximenis[53]. Aunque reconocía las ventajas de un nacimiento bajo buena estrella y una adecuada composición humoral, Ortiz recomendó castigos tan pronto como Eiximenis: «La disciplina hace que el alma de los hombres se vuelva buena, o sea, impida que las almas caigan en la demencia»[54]. Siguiendo también a Eiximenis, Ortiz señalaba que las prácticas y la doctrina religiosas eran el fundamento de la educación inicial[55]. En otra de las semejanzas entre los hermanos, vemos que ambos estudiaron música —el príncipe a cantar como tenor y la infanta a tocar el clavicordio—[56]. Sin embargo, los libros y la música sólo constituían una dimensión de su educación.

Un componente decisivo de la formación de Juana suponía la instrucción de la forma apropiada de presentarse ante los demás. Las cuentas de Gonzalo de Baeza revelan que los gastos más grandes de la infanta comprendían, con gran diferencia, la compra y el adorno de telas y numerosos artículos de vestir. También como sus hermanos reales, Juana recibía los servicios del sastre Fernando de Torrijos y del zapatero Juan de Sahagún[57]. Desde muy pequeña, a los cinco años, la infanta poseía «verdugos» para dar la apariencia de tener caderas anchas; y empezó a llevar cofia

---

[52] AGS Contaduría Mayor de Cuentas (de aquí en adelante CMC), 1.ª época, leg. 1213, Inventario de la Reina Juana, 1555.

[53] Alonso ORTIZ, *Diálogo sobre la educación del Príncipe Don Juan, Hijo de los Reyes Católicos*, Giovanni María Bertini (trad.), Madrid, Studia Humanitatis, 1983. Ortiz usó del recurso ficcional de un diálogo entre la reina Isabel y el cardenal Pedro González de Mendoza.

[54] ORTIZ, *Diálogo sobre la educación del Príncipe Don Juan*, pp. 106-7.

[55] ORTIZ, *Diálogo sobre la educación del Príncipe Don Juan*, pp. 161-5.

[56] Gonçalo FERNÁNDEZ DE OVIEDO, *Libro de la Cámara Real del Prínçipe Don Juan e Offiçios de su Casa e Serviçio Ordinario*, Madrid, Sociedad de Bibliófilos Españoles, 1870, p. 182. Isabel ALTAYÓ y Paloma NOGUÉS, *Juana I: La reina cautiva*, pp. 22-23.

[57] *Cuentas de Baeza*, I, pp. 24, 112, 154

en su pelo ya a la edad de nueve años[58]. Desde los chalecos a medida a los sombreros de moda, Juana prefería particularmente el color carmesí, que hacía que el precio del artículo fuese más del doble[59]. Ya hacia 1488, la ropa y otras posesiones que Juana había acumulado necesitaban una caravana de mulas, apropiadamente guarnecidas, para llevar su equipaje[60]. El hecho de que un amable granjero le obsequiara a Juana unos conejos domesticados ese mismo año, no impidió que la infanta llevara puesta una capa forrada con la piel de 91 conejos, ni tampoco otra adornada con piel de gatos mientras crecía[61]. La presentación personal de Juana involucraba la exhibición de su persona dentro de un séquito de sirvientes bien vestidos. En la corte itinerante de la reina Isabel, la ropa no sólo ponía de relieve un cuerpo real, sino también al séquito a su alrededor[62]. Juana, sus hermanos y sus sirvientes formaban parte de una corte que pertenecía a la reina que los gobernaba a todos.

En comparación con su hermana y hermano mayores, Juana recibió una educación bastante modesta en rituales públicos. La reina Isabel y el rey Fernando dedicaron más atención a la formación ceremonial de sus primeros descendientes, Isabel y Juan. Durante la guerra de diez años que precedió a la toma de Granada en 1492, la reina muchas veces escogía a su hija mayor y a otras distinguidas damas para acompañarla en sus presentaciones públicas, mientras Juana y sus hermanas menores se quedaban en otros poblados[63]. La instrucción ceremonial de la joven Isabel culminó en unos festejos de quince días que celebraron sus desposorios con el príncipe de Portugal, Alfonso, en 1490. Durante estas celebraciones, la princesa y la reina asistieron a justas acompañadas de hasta setenta damas nobles exquisitamente vestidas[64].

---

[58] *Cuentas de Baeza*, I, pp. 24, 197.
[59] *Cuentas de Baeza*, I, pp. 248-9. Carmen BERNIS, *Trajes y Modas en la España de los Reyes Católicos*, Madrid, Instituto Diego Velázquez, 1978, I, p. 22.
[60] *Cuentas de Baeza*, I, pp. 250, 400.
[61] *Cuentas de Baeza*, I, pp. 249, 250; II, pp. 239, 296.
[62] Louis Marin ha identificado este tipo de séquito como el «cuerpo de poder» del soberano. Louis MARIN, *Le Portrait du Roy,* París, 1981.
[63] PULGAR, *Crónica*, pp. 426, 427, 437, 441, 499, 507.
[64] PULGAR, *Crónica*, pp. 505-506.

Juana apareció sólo momentáneamente, representando unas escenas en un pequeño teatro construido de sarga y postes en honor del compromiso de su hermana[65]. La partida de la princesa
Isabel a Portugal en 1490 permitió a Juana tomar el lugar de su
hermana al lado de la reina, hasta que la muerte del príncipe Alfonso precipitó el retorno de la joven Isabel a España tres meses
después[66]. El príncipe Juan, siempre en lugar preeminente, aparecía más a menudo con su padre. A finales de 1490, el rey Fernando armó caballero al príncipe, y le permitió que él, a su vez,
armara caballeros a otros señores. Como su hermana mayor, Juan
aprendió a honrar a los distinguidos nobles de su mismo sexo[67].
En contraste, las limitadas presentaciones públicas de Juana confirmaban su condición de improbable heredera en Castilla.

Aunque la instrucción militar de Juana se quedaba bastante
corta en relación con la de su hermano[68], se convirtió en una ex-
perta amazona. A la edad de diez años, las relaciones reales indican que Juana recibió una mula equipada con riendas, estribos y
silla de montar cubierta de seda y brocado[69]. La *guarniçion* de la
mula costó casi tanto como el vestido de la infanta[70]. Ambos, sin
duda, requirieron ser renovados después de una desgracia en las
afueras de Aranjuez en 1494. Según Gonzalo Fernández de Oviedo, mientras la corte itinerante atravesaba el río Tajo, la mula de
Juana perdió equilibrio y arrastró a la infanta con la corriente: «Y
aunque hera niña, con mucho ánimo, nadando la mula, se tubo, y
yva tan colorada como una rosa.» Juana se aferró a su silla de montar hasta que la reina Isabel mandó a un mozo de caballeriza para
rescatarla. Posteriormente, el rey Fernando ascendió al mozo a la
posición de repostero de plata y también le dio otras recompensas[71].

---

[65] *Cuentas de Baeza*, I, p. 377.

[66] PULGAR, *Crónica*, pp. 510-511.

[67] Ángel ALCALÁ y Jacobo SANZ, *Vida y Muerte del Príncipe Don Juan,* Valladolid, Junta de Castilla y León, 1999, pp. 38-40, 106. PULGAR, *Crónica*, p. 507.

[68] Sobre el tema de la instrucción militar de Juan, véase ALCALÁ y SANZ, *Vida y
Muerte del Príncipe Don Juan*, pp. 106-110, 121.

[69] *Cuentas de Baeza*, I, p. 249.

[70] AGS CMC primera época leg. 267, «Las cosas que Alonso de la Torre mercader dió en el Real sobre Granada por mandamiento de la Reyna...», 1491-1492.
Cuentas de Baeza, I, pp. 308, 400, 405; II, pp. 48, 106, 141, 149.

[71] Gonçalo FERNÁNDEZ DE OVIEDO, *Libro de la Cámara Real*, p. 97.

A lo largo de la educación de Juana, como jinete y otros entrenamientos, Fernando e Isabel mantuvieron su autoridad sobre los criados que se movían alrededor de sus hijas. Al escoger, recompensar y gobernar a los sirvientes de Juana, los monarcas limitaban la capacidad de Juana de ejercer su patrocinio y ganar partidarios personales. ¿Qué sirvientes, en el caso de que pudiera haber alguno, pudieron desarrollar lazos duraderos con Juana? Tan pronto como en 1485, las cuentas de Juana mencionan a tres «canarias de la infanta», o esclavas de las Islas Canarias, posiblemente guanches, que cuidaban de su persona[72]. Las cuentas de Baeza de vez en cuando catalogan los regalos que hizo la reina Isabel de tejido, vestidos, faldas, blusas, zapatos y capas para estas «esclavas»[73]. Una de ellas, llamada Catalina, recibió lino para una cama y lana para colchones en 1488[74]. Siete años más tarde, las cuentas de Baeza indican que el séquito de Juana incluía a cuatro *criadas*, de las cuales por lo menos tres habían sido anteriormente esclavas[75]. Cualesquiera que sean las razones de su aparente manumisión, estas mujeres, Juana, Inés, Anastasia y Catalina, se quedaron con Juana y demostraron mayor lealtad hacia ella que otros miembros de la corte de Isabel. En efecto, el hecho de que inicialmente carecieran de estado puede haber hecho a estas *criadas* más dependientes de Juana por el tipo de favores —normalmente no registrados— que ella podía proporcionar. A diferencia de estas criadas, la mayoría de los sirvientes que cuidaban de Juana debían sus posiciones a la reina Isabel.

En 1496, la reina nombró las casas oficiales para Juana y su hermano, Juan. Después del personal religioso (confesor, sacristán, limosnero, capellanes), cada niño recibió oficiales administrativos dirigidos por un *mayordomo mayor, camarero mayor, cavallerizo mayor*, contador y secretario. Al escoger los oficiales para servir a sus hijos, la reina Isabel puede haber contado con las directrices documentadas en *Las Siete Partidas* (c. 1369). Citando

---

[72] *Cuentas de Baeza*, I, pp. 111, 197.
[73] *Cuentas de Baeza*, I, pp. 197, 249, 299, 377, 378; II, p. 29.
[74] *Cuentas de Baeza*, I, p. 201.
[75] *Cuentas de Baeza*, II, pp. 142, 297.

las instrucciones de Aristóteles para Alejandro, *Las Siete Partidas*
explicaban el papel de los sirvientes reales mediante una analogía
entre el rey y su reino:

Así como el cielo y la tierra y las cosas que en ellos son hacen un
mundo que es llamado mayor, otrosí el cuerpo del hombre con todos
sus miembros hace otro que es dicho menor. Ca bien, así como en el
mundo mayor hay movimiento y entendimiento y obra y acordanza y
departimiento, otrosí lo ha el hombre según natura. Y de este mundo
menor, de que él tomó semejanza al hombre, [pseudo-Aristóteles] hizo
ende otra que asemejó al rey y al reino, en cuál guisa debe ser cada uno
ordenado, y mostró que así como Dios puso el entendimiento en la cabeza del hombre, que es sobre todo el cuerpo, y el más noble lugar, y
lo hizo como rey, y quiso que todos los sentidos y los miembros... le
obedeciesen y le sirviesen así como señor, y gobernasen el cuerpo y lo
amparasen así como a reino. Otrosí mostró que los oficiales y los principales deben servir y obedecer al rey como a señor, y amparar y mantener el reino como a su cuerpo, pues que por ellos se ha de guiar[76].

Según este texto, los oficiales domésticos servían al soberano
«para guarda, para mantenimiento y para gobierno de su cuerpo». En *Las Siete Partidas,* y probablemente para Isabel también,
gobernar a individuos reales incluía tareas tan importantes como
proporcionarles ropa, comida y bebida[77].

La casa que la reina Isabel le dio al príncipe Juan en 1496 sigue siendo más conocida que aquella que le asignó a Juana, gracias a la relación de uno de los mozos de cámara del príncipe.
Casi cincuenta años después de la muerte de Juan en 1497, su anterior criado, Gonzalo Fernández de Oviedo, idealizó la casa de
Juan como un grupo de oficiales que compartían la voluntad real.
De acuerdo con Fernández de Oviedo, el puesto de *camarero mayor,* que posiblemente él codiciaba en la casa del futuro Felipe II,
suponía una intimidad única con el príncipe. Fernández de Oviedo sostenía que el príncipe secretamente le confiaba una bolsa de
dinero al *camarero,* así sólo ellos dos sabían cómo se gastaba ese dinero. Después de que el príncipe se desvestía por las noches, el *ca-*

---

[76] *Las Siete Partidas*, Partida II, Título ix, ley 1.
[77] *Las Siete Partidas*, Partida II, Título ix, ley 1.

marero tenía derecho a quedarse con el cinturón que había ceñi-
do a la persona real ese día, o de concederlo a otra persona si así
lo deseara[78]. Siempre que el príncipe quería nuevas telas o ropa,
el *camarero* convocaba al sastre para comprar los artículos reque-
ridos y después los presentaba al príncipe para su aprobación.
Cuando estuviese escogiendo otras cosas —como palios, asientos
y libreas— el *camarero* no tenía ninguna necesidad de molestar al
príncipe: «Todo aquello se haze a voluntad del camarero, por que
ya él sabe la de su alteza e lo tiene consultado e mandado lo que
ha de hazer»[79]. Esta alianza ejemplar entre un soberano y su sirviente resultó estar muy lejos de la relación hostil de Juana con su
propio *camarero mayor* (tratada en los capítulos III y VI).

Juana tampoco cumpliría con las normas que la reina Isabel
estableció para la casa de su hermano. Según Fernández de Oviedo, el libre acceso del *camarero* al príncipe también le daba derecho a los zapatos y ropas que le sobraban a la persona real. Como
el príncipe normalmente encargaba dos pares nuevos de calzas
cada mes, además de por lo menos dos pares nuevos de pantu-
flos, zapatos y borzeguíes cada semana, el *camarero* obtenía todo
lo que el príncipe no usaba. Gorros, sombreros y otras ropas, después de que el príncipe Juan los hubiera usado tres veces, también
pertenecían aparentemente al *camarero*, aunque Fernández de
Oviedo sostenía que el príncipe podía otorgárselos a otros sirvientes y compensar al *camarero* en monedas o mercedes. Cuando la reina Isabel supo que su hijo no había estado distribuyendo
su ropa entre los sirvientes, supuestamente le ordenó que regala-
ra todos los artículos que había acumulado durante el último año.
Fernández de Oviedo explicaba que de esta manera la reina le enseñó a su hijo la virtud de la liberalidad. Al mostrar la ropa del
príncipe, los miembros de su casa se convertían visiblemente en
una extensión de la persona real[80]. Años más tarde, Juana prefería amontonar e incluso destruir sus ropas en vez de compartirlas
con sirvientes que ella encontraba indignos.

No sólo la ropa, sino también la comida, requería una cuida-

---

[78] FERNÁNDEZ DE OVIEDO, *Libro de la Cámara Real*, p. 30.
[79] FERNÁNDEZ DE OVIEDO, *Libro de la Cámara Real*, p. 31.
[80] FERNÁNDEZ DE OVIEDO, *Libro de la Cámara Real*, p. 60.

dosa distribución entre los miembros de la casa del príncipe. El principio de exceso calculado que gobernaba el vestuario de Juan también se aplicaba a su menú. Cualquier ave que Su Majestad no consumía volvía al *cocinero mayor*. Dos *vallesteros de maça* recibieron el lomo de un carnero asado o una gallina, además de sus sueldos, por entrar en el comedor con las armas reales antes que el *maestresala* y la comida. Encabezada por los *vallesteros de maça*, la presentación pública de las comidas colocaba al príncipe y a su casa en exhibición.

Como extensiones y protectores del cuerpo real, los sirvientes realizaban la *salva*, o sea el catar ceremonial, siempre que la comida o bebida del príncipe cambiaba de mano. La distribución del pan y del vino, invocando el sacramento de la comunión, también tenía un sitio prominente en estas ceremonias. El *panadero* emergía de la cocina con un gran plato de panecillos y bollos, y se comía uno de ellos delante del *repostero*. Cada uno de los médicos de Juan, parados detrás del príncipe y aconsejándole durante la comida, también recibiría un bollo[81]. Después de acercarse al príncipe con una copa de vino tapada, su *copero mayor* ejecutaría una reverencia, quitaría la tapa, y después pasaría la copa al «caballero que tiene la copa», quien probaría la bebida[82]. No sorprendentemente *Las Siete Partidas* se referían a las comidas de los príncipes como «governamiento assí como comer e bever»[83]. La etiqueta de comedor de Castilla destacaba ambas personas del rey: una, individual y mortal; otra, que abarcaba la casa y, por implicación, el reino entero. Los rituales del comer y el vestirse, como las ceremonias domésticas con las que se encontraría Juana en los Países Bajos, parecían diseñados para ilustrar las relaciones ideales entre los súbditos y sus soberanos.

El libro de Fernández de Oviedo también enumera a algunos empleados de la plantilla que Juana aparentemente compartía con Juan, siendo el más notable el capellán y compositor Juan de Anchieta[84]. Además, después de la muerte de Juan, Juana heredó

---

[81] FERNÁNDEZ DE OVIEDO, *Libro de la Cámara Real*, p. 180.
[82] FERNÁNDEZ DE OVIEDO, *Libro de la Cámara Real*, pp. 86, 106.
[83] *Las Siete Partidas*, Partida II, título IX, ley xi, p. 186.
[84] FERNÁNDEZ DE OVIEDO, *Libro de la Cámara Real*, pp. 117-118.

a unos cuantos de los anteriores sirvientes de su hermano, inclusive el *maestresala* Hernán Duque de Estrada, el *médico* Doctor Soto y el *camarero mayor* Pedro Núñez de Guzmán, quien sería después el *ayo* del segundo hijo de Juana, Fernando[85]. La continuidad familiar parecía crucial. Como *mayordomo mayor* de la casa del príncipe, don Gutierre de Cárdenas, *comendador mayor* de León, ordenaba pagar a sus miembros y solucionaba cualquier disputa que surgiese entre ellos. El hijo mayor del *comendador*, don Diego de Cárdenas, uno de los anteriores pajes, heredaría después el puesto de su padre en la casa de Tordesillas de Juana. La transmisión de tales cargos de hermano a hermana y de generación en generación ilustra la capacidad de la casa para servir tanto al príncipe mortal como a la dignidad real. La muerte de los herederos no impedía que el personal asegurara una continuidad en la casa real[86].

Aunque mucho menos detallado que la relación de Fernández de Oviedo, un memorial que describe la selección de los oficiales de Juana en 1496 sugiere que las conexiones y la experiencia en la corte contaban más para conseguir un puesto que las habilidades especializadas o que tener el favor de Juana. Después de nombrar a don Rodrigo Manrique, el segundo hijo del conde de Paredes, *mayordomo mayor* de la casa de Juana, la reina le concedió al hijo de Manrique la posición en la casa que él escogiese. Luego distribuyó los restantes puestos entre otros familiares de nobles y clientes[87]. El importante cargo de *camarero mayor* fue para Diego de Ribera, el cual anteriormente había servido a la joven Isabel, a los *infantes* portugueses e incluso a la misma reina[88]. El *repostero de camas* de Juana desde 1485, Martín de Moxica, obtuvo el puesto de *tesorero*[89]. De los seis mozos de espuelas que habían servido a Juana durante los primeros años de su educación, sólo Antón de

---

[85] FERNÁNDEZ DE OVIEDO, *Libro de la Cámara Real*, pp. 14, 16, 104, 180, 182.

[86] FERNÁNDEZ DE OVIEDO, *Libro de la Cámara Real*, pp. 6, 18.

[87] AGS Estado 26-164, «Memorial para oficiales de la casa de la Sra. Archiduquesa», [1496].

[88] *Cuentas de Baeza*, I, pp. 66, 69, 74, 75, 116, 117, 145, 159, 206, 259, 260, 304, 317, 326, 363, 385, 396.

[89] *Cuentas de Baeza*, I, p. 309; II, pp. 47, 95, 341.

Molina y Alonso Pacheco se quedaron con ella en 1496[90]. Según el cronista Lorenzo de Padilla, la reina Isabel «entendió en ordenar» aún más la casa de su hija y nombró a once damas nobles para acompañar a la archiduquesa[91]. La documentación existente no proporciona ninguna señal de que Juana hubiera tenido algún papel en la selección de los empleados de su casa[92].

A diferencia de Juana, su hermano empezó a hacerse cargo de su casa como preparación para gobernar sus futuros reinos. Antes de otorgarle a Juan sus propios sirvientes, la reina Isabel le dio al príncipe la posesión de la ciudad de Oviedo y otros territorios en Asturias, junto con los ingresos provenientes de los impuestos de esas áreas, y jurisdicción civil y criminal sobre ellas[93]. La reina también nombró a Juan presidente de su propio consejo, para que pudiera «aprender a ejercer justicia, que es la razón por la que Dios pone reyes y príncipes sobre la tierra»[94]. A la casa de Juana, por su parte, le faltaba un consejo o cualquier estructura equivalente. Le enseñó a obedecer más que a gobernar.

ESTRATEGIAS MATRIMONIALES

Tanto Juana como Juan recibieron sus casas como preludio a sus bodas. El príncipe Juan empezó a gobernar a sus sirvientes con la expectativa de gobernar a su mujer. En contraste, el límite

---

[90] *Cuentas de Baeza*, I, pp. 266, 298; II, pp. 121, 197, 199, 306, 313, 317.

[91] Según Padilla eran doña Beatriz de Tavara, condesa de Camino [Caminas], doña Ana de Viamonte [Beaumont], doña María de Villegas, doña María de Aragón, doña Blanca Manrique, doña María Manuel, doña María Manrique, doña Francisca de Ayala, doña Aldara de Portugal, doña Beatriz de Bobadilla y doña Ángela de Villanova. Lorenzo DE PADILLA, «Crónica de Felipe I llamado el Hermoso», *Colección de Documentos Inéditos para la Historia de España*, Miguel SALVÁ y Pedro SAINZ DE BARANDA (eds.), Madrid, Imprenta de la Viuda de Calero, 1846, VIII, pp. 35-36. Es posible que Padilla haya omitido un nombre, ya que un séquito normal generalmente constaba de doce damas.

[92] AGS Estado 26-164, «Memorial para oficiales de la casa de la sra archiduquesa», [1496].

[93] Ángel ALCALÁ y Jacobo SANZ, *Vida y muerte del Príncipe Don Juan*, pp. 121-126.

[94] FERNÁNDEZ DE OVIEDO, *Libro de la Cámara Real*, p. 117.

de la influencia doméstica de Juana dependería en gran parte de
su marido. Uno de los libros en la biblioteca de Juana, *Visión Delectable de la Filosofía y Artes Liberales*..., una alegoría en la cual
las Artes Liberales y las Virtudes iluminan progresivamente el
Entendimiento Humano, enseñaba al marido a regir a su mujer
de manera diferente que a sus sirvientes y su hijo. Si su mujer demostraba ser prudente, el marido debía encomendarle el gobierno de la casa y aceptar su consejo en muchas ocasiones[95]. De esta
manera Juana podía buscar en su marido una autoridad independiente de la de su madre.

Fernando e Isabel, como la mayoría de los soberanos de su
época, negociaron los matrimonios de sus hijos con el objeto de
asegurar sus objetivos diplomáticos y estratégicos. Educaron a
sus hijas para que representaran sus intereses en el extranjero,
conscientes de que las aptitudes de Juana en latín y su comprensión de la música le servirían en cualquier corte europea. En
1490, los monarcas enviaron a la hermana mayor de Juana, Isabel,
a casarse con el príncipe portugués y, a la muerte de su marido,
recibieron nuevamente a Isabel en su corte. Determinados a mantener la alianza portuguesa, pocos años después los soberanos católicos convencieron a la mayor de sus hijas a que se casara con el
nuevo rey portugués, Manuel[96].

Fernando e Isabel utilizaron a Juana para alcanzar semejantes
fines. En 1488 el Sacro Emperador Romano, Maximiliano de
Austria, buscó una alianza política con Fernando e Isabel y ofreció casarse con su hija mayor. Por esta fecha, sin embargo, los monarcas ya habían prometido Isabel a Portugal. Sin embargo, ansiosos por reforzar sus lazos con Maximiliano, Fernando e Isabel
ofrecieron a Juana para su hijo, Felipe de Borgoña, a cambio de
su hija, Margarita de Austria, como esposa para el príncipe Juan[97].

---

[95] Alfonso DE LA TORRE, «Visión Delectable de la Filosofía y Artes Liberales,
Metafísica y Filosofía Moral», *Curiosidades Bibliograficas*, Adolfo DE CASTRO (ed.),
Madrid, Biblioteca de Autores Españoles XXXVI, 1950, p. 395.
[96] *Continuación de la crónica de Pulgar*, pp. 520-521.
[97] En 1489 el rey de Escocia también solicitó a Juana como novia. Aunque la
reina Isabel recompensó generosamente a su mensajero, las negociaciones de boda
no prosperaron. AGS Patronato Real (de ahora en adelante PR), 52:91, «Sobre el
casamiento de la hija del Rey de España», sin fecha. *Cuentas de Baeza*, I, p. 282.

Esta doble alianza, esencialmente diseñada para limitar la expansión francesa, se apoyaba sobre la animosidad austríaca y española hacia los monarcas de la dinastía de los Valois[98]. Según los términos de los subsiguientes tratados, las dos novias sacrificarían las dotes normales de sus padres. En su lugar, Juana y Margarita debían recibir anualmente 20.000 *escudos* cada una, cantidad que se pagaría de las rentas recaudadas en los respectivos territorios de sus maridos[99]. Cediendo a los deseos de los reinos de sus padres, a Juana sólo le quedaba aceptar su rechazo a asumir la responsabilidad financiera de su persona.

Cualesquiera que hayan sido los pensamientos de Juana sobre sus esponsales con Felipe, un hecho se destaca: fue la única hija de Fernando e Isabel que se casó con un duque en vez de con un rey gobernante o un príncipe que estuviera esperando el trono. La idea de que Juana podría casarse por debajo de su rango se destacaba en una serie de versos escritos para celebrar la alianza. En un intento de elevar el estado de Felipe, el anónimo poeta le dio, como heredero de Maximiliano, el título de «Rey de los Romanos»[100]. El poeta afirmaba que, cuando los embajadores de Borgoña visitaron la corte[101], doña Juana apareció en su ventana:

do[nde] esta gente cortesana
se alegró por ser hermosa.

---

[98] Resistiendo las incursiones francesas en Flandes y Borgoña, Maximiliano ofreció ayudar a Fernando a recuperar la Cerdaña y el Rosellón. PULGAR, *Crónica de los Señores Reyes Católicos Don Fernando y Doña Isabel de Castilla*, p. 480. Lo curioso es que el heredero francés había considerado una boda no sólo con Margarita de Austria sino también con Juana, antes de que finalmente se casara con Ana de Bretaña. *Documentos sobre Relaciones Internacionales de los Reyes Católicos*, Antonio DE LA TORRE (ed.), Barcelona, CSIC, 1951, III: documento 25, 20 de marzo de 1491.

[99] AGS Estado I-ii n.º 360-363, «Minutas de casamientos del principe don Juan y de la infanta doña Juana». AGS PR 56:2, «Capitulaciones entre el emperador Maximiliano y los Reyes Católicos». AGS PR 56:3, Cartas de libre y quito de las dotes de madama Margarita y de la infanta Juana, 18 de noviembre de 1495.

[100] The Houghton Library, Harvard University, *Coplas fechas sobre el casamiento de la hija del rey de España*, Burgos, Frederich Biel, 1496.

[101] Uno de estos embajadores, Juan de Salazar, llevaba una carta credencial de Felipe y Margarita. Bibliothèque Nationale, Paris, Manuscrit Espagnol 318, n.º 59, Felipe y Margarita a Juan y Juana, 16 de diciembre de 1495.

La su vista animosa
tiene tanta claridad
como piedra virtuosa
qu[e] era clara relumbrosa
resplandeçe su beldad.
Ha su grand abelidad
era bien merecedora
de tener altividad
su alteza realidad
de ser más qu[e] emperadora.

Su alteza ataviada
- vos diré como la vi -
con una ropa colorada
d[e] escarlata muy preciada
aforrada en carmesí.
Ella trae un gran rubí
y otras piedras relumbrosas
qu[e] el claror que dan de sí
alumbrassen por aquí
a las noches tenebrosas[102].

Impresionado por la belleza resplandeciente de Juana, uno de los embajadores supuestamente pidió un retrato de la *infanta* para compartirlo con la gente de su tierra natal[103]. Aunque no identificado, el retrato en cuestión puede haberse parecido a uno que se atribuía a Michael Sittow, actualmente en la colección del Marqués de Santillana. En los versos citados más arriba, como en la pintura, Juana llevaba como marca suya el medallón de rubí suspendido de un simple lazo negro[104].

Las *Coplas* también intentaban realzar la posición de Juana poniendo de relieve sus virtudes monárquicas de clemencia y

---

[102] *Coplas fechas sobre el casamiento*, fol. 1-1v.
[103] *Coplas fechas sobre el casamiento*, fol. 1v. Isabel se esforzó en recompensar a estos embajadores con dos mulas y un caballo, que aliviarían su regreso por caminos difíciles. *Cuentas de Baeza*, II, p. 318.
[104] Louise ROBLOT-DELONDRE, *Portraits d'Infantes, XVIè siècle. Étude Iconographique*, Paris, Van Oest & Co., 1913, pp. 10-13, especialmente el dibujo 6.

magnanimidad. Dado el alto nivel de tensiones con Francia, explicaba el poeta, la reina Isabel preparó una impresionante armada para escoltar a su hija desde el puerto de Laredo hasta Flandes.[105] De acuerdo con el poeta, la flota de Juana supuestamente se encontró con los navíos enemigos fuera de la costa de La Rochelle:

Ya después que hizo vela
en la mar con sus varones
ven salir de la Rochela
mucha nao y caravela
con grand flota de Bretones,
mas sus falsas opiniones
por mal cabo los echaron
pues en fin de conclusiones
el armada d[e] Españones
la su flota les tomaron[106].

Aunque, según el poeta, los franceses merecían la muerte, Juana supuestamente convenció a sus caballeros de que fueran clementes y mandaran los prisioneros a Castilla. Este episodio aparentemente ficticio, que no aparece en ninguna otra fuente[107], sugiere un dramático cambio en la ideología castellana desde la guerra de Granada contra los moros. Los no creyentes ahora se

---

[105] AGS Estado I-ii, n.º 356, «Relación de las cosas que se ha proveydo para el armada que enbie o ha de yr con la señora archiduquesa...», 1495. Buscando un refuerzo, la reina Isabel escribió a sus *corregidores* pidiéndoles hombres adicionales, «bien armados y listos para la guerra», para la armada. AHN Nobleza Frías 18/65, La reina Isabel a Diego López de Ayala, 26 de junio de 1496. Isabel también consiguió asegurar protección para la flota de Juana en la costa inglesa, en caso de que la necesitara. AGS PR 52:50, La reina Isabel al rey de Inglaterra, 18 de agosto de 1496. AGS PR 52:53, La reina Isabel al doctor de Puebla, 20 de agosto de 1496. Después que la armada salió de Laredo el 22 de agosto, Isabel expresó ansiedad por tener noticias de su hija y de la flota. AHN Nobleza Frías 18/75, La reina Isabel a Diego López de Ayala, 16 de septiembre de 1496.

[106] *Coplas fechas sobre el casamiento*, fol. 3.

[107] Una crónica posterior anota dos escaramuzas que pueden haber dado las bases a la embellecida versión poética. Según esta crónica, el almirante de Castilla envió siete navíos por la costa de Bretaña que capturaron dos barcos bretones antes de reunirse con la flota. Las tensiones entre las carabelas españolas y francesas es-

presentaban bajo la apariencia de franceses, y Juana llevaría la
cruzada contra ellos.

¿Acaso la educación de Juana la había preparado para asegurar una alianza antifrancesa? ¿Podría ella, guiada por sólo unos
pocos españoles leales, representar con éxito las normas de sus
padres en la corte borgoñona? A medida que Juana navegaba hacia Flandes en agosto de 1496 con su escolta de hasta 133 buques
y 15.000 hombres[108], los intereses corporativos de Castilla y Aragón deben de haberle pesado mucho. La habilidad de Juana para
cumplir con su papel, como la de la reina Isabel, dependería en
gran parte de su marido.

---

tallaron otra vez en el puerto de Middelburg, donde sólo las súplicas de los locales
y las órdenes del almirante impidieron un altercado más serio. Lorenzo DE PADILLA,
«Crónica de Felipe I», pp. 38-39.

[108] Gonzalo FERNÁNDEZ DE OVIEDO Y VALDÉS, *Batallas y Quinquagenas,* Ediciones de la Diputación de Salamanca, 1989, pp. 244. *Die Cronycke van Hollande
Zeelandt en Vrieslant beghinnende vandains tiden tot die geboerte ons heren jhu vo-
ertgaende tot den iare 1557,* Jan VAN DOESBORCH (ed.), Antwerpen, Lombaerde ves-
te, 1530, fol. 417. Padilla anota también 15.000 hombres pero sólo 120 barcos.
«Crónica de Felipe I», p. 37. Pertrechos, desde pólvora hasta barriles de agua fres-
ca, junto con precauciones contra eventualidades, desde incendios hasta disputas a
bordo y ataques enemigos, aparecen en AGS Estado I-ii, fol. 356, «Relación de los
aparejos y gastos para la flota que ha de conducir a Flandes a doña Juana», 1496,
transcrito en Luis SUÁREZ FERNÁNDEZ, *Política Internacional de Isabel la Católica: Estudio y Documentos,* Valladolid, Universidad de Valladolid, 1971, tomo IV,
pp. 569-589, doc. 155.

Capítulo 2

CULTURAS DE CORTE EN PUGNA Y LA AMENAZA FRANCESA, 1496-1502

Juana sufrió algunos contratiempos mientras viajaba para encontrarse con su prometido, quien no conocía ni su lengua ni su cultura. En primer lugar, unos vientos contrarios forzaron a los barcos que escoltaban a Juana a los Países Bajos a tomar refugio en Portland, Inglaterra, el 31 de agosto. Los españoles reembarcaron el 2 de septiembre, sólo para resistir cinco días varados en aguas tranquilas[1]. Cuando finalmente la flota pudo acercarse al puerto de Middelburg en Zelanda, uno de los barcos, una carraca genovesa que transportaba a 700 hombres, el vestuario de Juana y muchos de sus efectos personales, dio contra un banco de arena y se hundió[2]. Este incidente sólo fue el primero de las muchas desgracias que esperaban a Juana. La pérdida de parte de la tripulación de la infanta y de la mayor parte de sus pertenencias representó un serio revés de fortuna. El hecho de que su futuro marido no estuviera para darle la bienvenida a Juana, cuando ésta pisó tierra en Middelburg, fue otro presagio de ulteriores problemas[3].

---

[1] Lorenzo DE PADILLA, «Crónica de Felipe I», p. 38.

[2] Según Pedro Mártir una carabela chocó con la carraca genovesa y también se hundió. *Epistolario de Pedro Mártir de Anglería*, IX: Epist. 172. Jerónimo ZURITA, *Historia del Rey don Hernando el Católico: De las Empresas y Ligas de Italia*, Ángel CANELLAS LÓPEZ (ed.), Zaragoza, Departamento de Cultura y Educación, 1989, tomo I, libro ii, capítulo 32, pp. 294-295.

[3] Informado de la salida de Juana a comienzos de julio, desde Augsburg Felipe notificó a los Reyes Católicos que había mandado al embajador de los reyes, Francisco de Rojas, y a ciertos nobles «de mi sangre» para recibirla. BN Madrid ms. 18691 (ms. res. 226), n.º 99, Felipe a Fernando e Isabel, 7 de julio de 1496.

La ausencia de Felipe en Middelburg era en parte el resultado de la profunda antipatía que sentían algunos de sus consejeros más cercanos, notablemente François de Busleyden, el arzobispo de Besançon y Guillaume de Croy, señor de Chièvres, hacia una unión entre las casas de Borgoña y Castilla. Aunque los padres de Juana se habían imaginado su matrimonio con Felipe como una alianza contra Francia, ella pronto descubrió que muchos de los consejeros de Felipe estaban a favor de una aproximación a la corte francesa. Los intereses de Castilla y Aragón requerían una serie de normas, mientras los potenciales súbditos borgoñones de Juana demandaban otras. Atrapada entre los enemigos y los aliados de Francia, Juana se arriesgó a decepcionar a ambos.

Con el objeto de examinar la experiencia de Juana en la corte de Borgoña entre 1496 y 1503, aportamos materiales previamente desconocidos entre los historiadores de España. Las fuentes manuscritas y archivísticas que se conservan en Bélgica, Francia, Italia y Alemania iluminan los diferentes papeles, raramente considerados o apreciados, que Juana tuvo como archiduquesa de Austria, duquesa de Borgoña y Brabante y condesa de Flandes. Así como la educación de Juana en la corte de los Reyes Católicos constituye la base de sus dificultades en los Países Bajos, sus experiencias como archiduquesa, duquesa y condesa, ofrecerán una idea esclarecedora de su posterior fracaso en el intento de gobernar Castilla y Aragón. Las fuentes raramente proporcionan, si es que alguna vez lo hacen, un acceso directo a los pensamientos de Juana; pero hacen posible, sin embargo, examinar las conflictivas demandas que se le impusieron.

La alianza española-borgoñona diseñada para aislar a los monarcas Valois de Francia era, en gran parte, promovida por el padre de Felipe, el emperador Maximiliano. En 1495 Maximiliano preparó las capitulaciones matrimoniales de sus hijos, Felipe y Margarita, con los descendientes de Fernando e Isabel, Juana y Juan. Oponiéndose a estos matrimonios, los consejeros de Felipe lo convencieron para que viajara a Alemania, en el primero de los muchos intentos que hicieron para separarlo de Juana. Todavía en 1496 es posible que los consejeros francófilos de Felipe hayan tenido la esperanza de persuadir al emperador de las virtudes de una alianza con Francia en vez de España. De este modo, cuando

Juana desembarcó en Middelburg, se enfrentó a la telaraña de intereses en pugna que era la corte de Borgoña.

En el centro de esa telaraña estaba el futuro esposo de Juana, Felipe, archiduque de Austria, duque de Borgoña, Brabante, Limburgo y Luxemburgo, conde de Flandes, Habsburgo, Hainaut, Holanda, Zelanda, Tirol y Artois, y señor de Amberes y Malinas, entre otras ciudades. Desde su nacimiento en 1478, Felipe había disfrutado de una condición privilegiada como el heredero borgoñón. La muerte de su madre, María de Borgoña, en 1482, dejó a Felipe, entonces de cuatro años, en manos de consejeros que guiaron al joven que tenían a su cargo hacia una alianza con Francia. Mientras gobernaban las diversas provincias de Felipe, estos servidores y asesores entretuvieron al niño con deportes, banquetes y fiestas[4]. La atmósfera de alegría que rodeaba al joven Felipe se diferenciaba radicalmente de la sobria corte que Juana había conocido en Castilla. Para los observadores españoles, la influencia francesa en la corte borgoñona indicaba faltas de varios grados, desde la traición personal hasta la corrupción moral.

Las actitudes de Felipe hacia los nobles y las ciudades de su patria también contrastaban con aquéllas que Juana había observado en sus padres. Desde 1480, los acontecimientos políticos en Borgoña habían tomado un rumbo diferente de los de Castilla. Los grandes nobles borgoñones habían impedido que el rey Maximiliano influyera en la casa del joven Felipe, casa que ellos dominaban. En contraste, como hemos visto, la reina Isabel personalmente había escogido a los sirvientes que regían a Juana. Mientras que Fernando e Isabel habían defendido las ciudades y pueblos de Castilla de las exigencias de los grandes, Felipe había contado con sus propios nobles para castigar a los municipios rebeldes. Entre varios levantamientos, los burgueses de Gante habían mantenido cautivo a Felipe entre 1482-1485, y los comerciantes de Brujas habían encarcelado a Maximiliano en 1488. Sin

---

[4] Rogelio PÉREZ BUSTAMANTE y José Manuel CALDERÓN ORTEGA han empezado a cuestionar esta visión tradicional, *Felipe I,* Palencia, Diputación Provincial, 1995, pp. 37-48. Christine WEIGHTMAN, *Margaret of York: Duchess of Burgundy, 1446-1503,* New York, St. Martin's Press, 1989, pp. 194-195.

embargo, el apoyo de los nobles finalmente obligó incluso a las ciudades más prósperas e independientes a reconocer la soberanía de Felipe. Como representantes de estos nobles, los consejeros del archiduque igualmente aumentaron su autoridad sobre Felipe. Aunque conocido hoy como Felipe «el Hermoso», el archiduque recibió en su tiempo el epíteto *«croit conseil»*, «el que cree en el consejo», en alusión a su célebre gobernabilidad[5]. De esta forma, en 1496, grandes nobles dirigían la política de los Países Bajos más que la de Castilla. La educación de Felipe lo inclinaba, mucho más que a Juana, a favorecer a la alta nobleza[6].

Ante la ausencia de Felipe y su séquito, sólo doña María Manuel, una dama castellana ahora relacionada con la corte de Borgoña, recibió a Juana en Middelburg. Durante las negociaciones que llevaron a la alianza castellano-borgoñona, doña María se había casado con el representante de Maximiliano, Balduino de Borgoña[7]. Juntos, doña María y Balduino formaron el núcleo de un potencial partido españolista en los Países Bajos, aunque era un partido sin gran influencia sobre Felipe.

Animada por doña María y Balduino, Juana conservó una clara perspectiva de su misión: asegurar la doble alianza que sus padres habían planeado. Con vistas a este fin, Juana se negó a perder tiempo viajando a Brujas, donde Felipe había organizado una recepción para ella[8]. En cambio, Juana fue a Bergen-op-Zoom para dedicarse a reforzar la amistad con una familia de inclinaciones españolistas, encabezada por Jean, señor de Berghes, primer chambelán de Felipe y miembro de la distinguida orden del *Toison d'Or*. Mientras disfrutaba de la hospitalidad de los de Ber-

---

[5] Olivier DE LA MARCHE, *Mémoires,* Paris, Librairie Renouard, 1888, III, p. 315.

[6] Marie Thérèse CARON, *La Noblesse dans le Duche de Bourgogne, 1315-1477,* Lille, Presses Universitaires, 1987, pp. 130-141. Marie Claude GERBET, *La Nobleza en la Corona de Castilla: Sus estructuras sociales en Extremadura (1454-1516),* María Concepción Quintanilla Raso (trad.), Salamanca, Institución Cultural «El Brocense», 1989, pp. 168, 211.

[7] Lorenzo DE PADILLA, «Crónica de Felipe I», p. 39.

[8] En septiembre de 1496 Felipe informó al conde de Nassau, el príncipe de Chimay y otros nobles de la inminente llegada de Juana, y les ordenó que la recibieran en Brujas. ADN Lille B 2157 (70.941), Quitación para Gerard Vanden Dalm mensajero, 4 de septiembre de 1496. ADN Lille B 2157, n.º 70941, Recibo de Gerard Vanden Dalm, mensajero, 4 de septiembre de 1496.

ghes, Juana sostuvo sobre la pila bautismal a la hija recién nacida del chambelán, bautizada Jeanne en su honor. Con tales atenciones, confirmaba el apoyo de la influyente familia de Berghes a la causa española. Determinada a encontrar a Felipe lo más pronto posible, Juana dejó la mayor parte de su equipaje en la finca de los de Berghes hasta después de su boda[9].

La visita de Juana a Bergen-op-Zoom sólo supuso una breve pausa, mientras se daba prisa para alcanzar a su prometido y también para despedir a la novia de su hermano, Margarita, de camino a España en la flota que estaba amarrada en Middelburg. Después de su boda con Felipe el 20 de octubre de 1496, Juana pertenecería a y representaría a los territorios de su marido, además de los reinos de sus padres. Examinaremos varias ceremonias constitucionales, en particular entradas y juramentos, para analizar los intentos que rivalizaban para regir a Juana mientras permaneció en los Países Bajos, desde 1496 hasta 1501, y durante su posterior viaje a España como heredera de los reinos de Castilla y Aragón. Al visitar los territorios incorporados en sus varios títulos, Juana establecía y reforzaba los lazos fundamentales entre sus reinos y su persona[10].

ENTRADAS «MILAGROSAS», SALIDAS IGNOMINIOSAS

Como cualquier novia real en un país extranjero, Juana intentó equilibrar las exigencias de sus padres y aquéllas de su prometido. Siendo responsable no sólo frente a los súbditos de Castilla sino también frente a los de Borgoña, Juana intentaba complacer a todos los partidos durante sus primeros años en los Países Bajos. A pesar de sus esfuerzos, los miembros de la escolta española de Juana sufrieron enfermedades e incluso hambre. La mayoría de aquellos españoles que sobrevivieron al invierno de 1496-1497 decidió volver a Castilla con Margarita de Aus-

---

[9] ADN Lille B 3454, n.º 120569, Gastos de la casa de Juana, 3 de diciembre de 1496.
[10] Los soberanos de los Países Bajos y España, a diferencia de los de Francia e Inglaterra, mantenían cortes itinerantes durante el siglo XV. Christine WEIGHTMAN, *Margaret of York*, p. 72.

tria, en vez de quedarse con Juana. En cambio, Juana se familiarizaba con la gente de los Países Bajos. Honró a sus súbditos y recibió su homenaje en una serie de entradas inaugurales a las principales ciudades y pueblos de Felipe.

Mientras seguía hacia el este desde Bergen-op-Zoom en busca de Felipe, la aspirante a archiduquesa llegó a la ciudad de Amberes el 19 de septiembre de 1496. Un cronista asociado a la corte de Borgoña celebró la entrada de Juana en Amberes:

> Esta muy ilustre y virtuosa dama... de bello porte y graciosa manera, la más ricamente adornada que jamás se haya visto en tierras del señor archiduque, cabalgaba sobre una mula a la moda de España con la cabeza descubierta. Estaba acompañada de 16 nobles damas jóvenes y una matrona que la seguía, vestidas en tela de oro y montadas de forma semejante, y teniendo pajes de ricos adornos y 27 ó 30 trompetistas que hicieron todo lo posible para despertar buen ánimo en esta entrada[11].

Mientras estaba entrando en Amberes, Juana representaba el deseo de sus padres de establecer una alianza con Felipe. Su rico aspecto y su numeroso séquito indicaban que Juana era la hija de monarcas importantes y aludían a la promesa comercial de lazos más cercanos con Castilla[12].

La búsqueda del apoyo público en Flandes comprometió no sólo la salud de Juana, sino también su reputación entre sus compatriotas. Al llegar a Amberes, Juana tuvo fiebre y guardó cama durante algunos días. A la futura archiduquesa, sin embargo, le fue mejor que a muchos de sus fatigados compañeros de viaje, incluyendo al principal eclesiástico de su compañía, el obispo de Jaén,

---

[11] *Chroniques de Jean Molinet*, Georges DOUTREPONT et Omer JODOGNE (eds.), Bruxelles, Palais des Académies, 1937, III, p. 429. Es posible que doña María Manuel, Balduino de Borgoña y Jean de Berghes hayan completado el personal de Juana, puesto que la reina Isabel sólo le había asignado a Juana seis trompeteros. AGS Estado 26-164, «Memorial para oficiales de la casa de la señora archiduquesa», [1496].

[12] Oficiales locales, ansiosos de promover el comercio con España, posteriormente escribieron una carta a Fernando e Isabel informándolos de la hospitalidad de Amberes hacia Juana. *Documentos sobre Relaciones Internacionales de los Reyes Católicos*, Antonio DE LA TORRE (ed.), Barcelona, CSIC, 1965, V, doc. 150.

don Luis Osorio, el cual murió en Amberes[13]. Con mucho las peores pérdidas, sin embargo, ocurrieron en la costa glacial de Zelanda, donde permaneció la mayoría de los quince mil hombres que habían acompañado a Juana a Middelburg, esperando a Margarita de Austria para poder regresar a Castilla. Diferentes fuentes están de acuerdo, a grandes rasgos, en que hasta nueve mil miembros de la tripulación española murieron de frío y hambre ese invierno[14]. Cuando las noticias de la alta mortalidad de la compañía llegaron a España, posiblemente se culpó a Juana, en parte, de la tragedia[15].

De hecho, Juana hizo lo que mejor pudo para acelerar la partida de Margarita de Austria a Castilla. Después de recibir a la futura princesa de Castilla en Amberes a comienzos de octubre, Juana la acompañó al pequeño pueblo de Lier[16]. El 12 de octubre Felipe mismo llegó a Lier. Seis días más tarde, el primer capellán de Juana, don Diego Ramírez de Villaescusa, bendijo la unión de la pareja, que ellos consumaron de inmediato. El 20 de octubre de 1496, el obispo de Cambray, que posteriormente sería el líder de la facción españolista, Henry de Berghes, hermano de Jean (cuya lealtad Juana había confirmado en Bergen-op-Zoom), realizó la ceremonia oficial de la boda[17]. Además de Margarita de Austria y Margarita de York, los testigos del monumental acontecimiento, aunque improvisado, incluían a los vasallos más im-

---

[13] Jerónimo ZURITA, *Historia del Rey Don Hernando el Católico,* tomo I, libro ii, capítulo 32, p. 296.

[14] Lorenzo DE PADILLA, «Crónica de Felipe I», p. 41. Según otra fuente, de tres mil a nueve mil miembros de la escolta por tierra de Juana y de seis mil a siete mil miembros de su tripulación murieron ese invierno. *Chroniques de Jean Molinet,* III, pp. 431, 432. Preocupados por los informes de estos eventos, Fernando e Isabel obligaron al almirante que regresara a Castilla rápidamente. RAH Salazar A-9, fol. 221-224v, «Instrucciones al obispo de Catania, para la embajada en Flandes», 1496, transcritas en Luis SUÁREZ FERNÁNDEZ, *Política Internacional de Isabel la Católica,* IV, doc. 118.

[15] A la llegada de un embajador de Castilla, Juana le manifestó que estaba preocupada por su reputación en la corte de Isabel. AGS PR 52:112, El subprior de Santa Cruz a la reina Isabel, 31 de julio de 1498.

[16] *Chroniques de Jean Molinet,* III, pp. 429-430. AGRB Fonds Gachard 611, «Extract uit het Gebodboeck der Stad Amberesen», el 20 de septiembre de 1496. Jean-Marie CAUCHIES, «Filps de Schone en Joanna van Castilie in de Kering van de Wereldgeschiedenis», manuscrito inédito [1998].

[17] Lorenzo DE PADILLA, «Crónica de Felipe I», p. 40.

portantes de Felipe: Balduino, marqués de Baden, Felipe de Ra-
venstein, Englebert, conde de Nassau, Balduino, «bastardo de
Borgoña», Philibert de Borgoña, Jean de Berghes, Guillaume de
Croy, Hughes de Melun, Balduino de Lannoy, Henry de Berselle
y Pierre de Fresnoy, todos miembros de la orden del *Toison d'Or*.
En la compañía de la novia figuraban el almirante de Castilla, don
Fadrique Enríquez, su hermano, Bernardino Enríquez, conde de
Melgar, Rodrigo Manrique, Enrique Enríquez, Francisco Enríquez, Fernando de Córdova, Sancho de Tovar y Martín de Tavara[18]. Considerando que la flota española se estaba pudriendo en
Zelanda, Juana hizo todo lo posible para acelerar las formalidades
requeridas. Después de su matrimonio, Juana acompañó a Felipe,
a Margarita de Austria y a la corte de regreso a Amberes[19]. Un
poco al norte de esa ciudad, la nueva archiduquesa se despidió de
su marido, el cual escoltaría a Margarita hasta llegar a Middelburg, y de la mayoría de los nobles españoles, quienes regresarían
a Castilla. Al llegar a Bergen-op-Zoom, Felipe festejó al almirante
de Castilla, le entregó a la madre del almirante, doña María de Velasco, una gran imagen de la Virgen y el Niño rodeada de veintisiete perlas, y le dio al conde de Melgar una cruz de diamantes[20].
Aunque Juana pudiera haber deseado retener a estos nobles en su
séquito, los intereses corporativos de los reinos de sus padres tenían prioridad sobre cualquier deseo personal. También es posible que otros sirvientes importantes, incluyendo al tutor de Juana,
fray Andrés de Miranda, y a la condesa de Caminas, doña Beatriz
de Tavara, abandonasen a Juana en este momento.

Sin otra alternativa, Juana se volvió hacia sus nuevos súbditos.
Cuando entró en Malinas y Bruselas en diciembre de 1496, siguió

---

[18] AGS PR 56:6 y AGRB Fonds Gachard 614, fol. 21-22v, «Los archiduques
Felipe y Juana ratifican todos los contratos hechos con ocasión de su matrimonio»,
20 de octubre de 1496, transcrito en SUÁREZ FERNÁNDEZ, *Política Internacional de
Isabel la Católica*, IV documento 190. El acto oficial del matrimonio incorporó una
dispensa papal por el grado de parentesco de la pareja, emitido por Alejandro VI
en 1493.

[19] *Dits die eccellente cronike van vlanderen*, Willem VORSTERMAN (ed.), Antwerpen, 1531, fol. 283v.

[20] ADN Lille, B 3454, n.º 120555, Gastos de la casa de Felipe, 3 de noviembre
de 1496. ADN Lille, B 2156, n.º 70.834, «Décharge donnée par l'archiduc au garde
de ses joyaux», 6 de noviembre de 1996.

cortejando a los ciudadanos de las ciudades y pueblos más importantes de Felipe[21]. La primera visita de Juana a cada comunidad, calificada como una «entrada jubilosa» (*blijde inkomst* o *joyeuse entrée*), significaba su presentación pública y su reconocimiento como duquesa, condesa o señora. Estos acontecimientos inaugurales implicaban la recepción de Juana en las afueras de cada ciudad y pueblo, a la que seguía su desfile por las calles adornadas con tapicerías y delante de representaciones teatrales hechas en su honor[22]. Luego, dependiendo del tamaño y la importancia de la comunidad, sus líderes seculares y eclesiásticos presentaban a Juana de veinticuatro a doscientos lotes de vino, entre otros regalos[23]. A través de esta serie de eventos, los ciudadanos reconocían la autoridad de Juana como esposa de Felipe.

Las imágenes gráficas de semejantes ceremonias inaugurales aparecen en un manuscrito que conmemoraba la entrada de Juana a Bruselas, el 9 de diciembre de 1496[24]. El volumen exquisitamente iluminado, de sesenta y tres folios, describía una procesión a lo largo de la ciudad que incluía a la archiduquesa. Una sucesión de grupos corporativos, incluyendo a frailes, eruditos, consejeros,

---

[21] Jean Marie CAUCHIES ha puesto un énfasis especial en la naturaleza contractual de las «entradas jubilosas» en los Países Bajos. Jean-Marie CAUCHIES, «La signification politique des entrées princières dans les Pays-Bas: Maximilien d'Autriche et Philippe le Beau», *A la Cour de Bourgogne: Le Duc, Son Entourage, Son Train*, Jean-Marie CAUCHIES (ed.), Turnhout, Belgique, Brepols, 1998, pp. 137-152.

[22] Bernard GUÉNÉE, «Les Entrées Royales Françaises de 1328 a 1515», pp. 7-29. También, para un período posterior, véase John LANDWEHR, *Splendid Ceremonies: State entries and royal funerals in the Low Countries, 1515-1791. A Bibliography*, Leiden, A.W. Sijthoff, 1971.

[23] ADN Lille B 3455, n.º 120672, Gastos de la casa de Juana, 10 de junio de 1497. ADN Lille B 3459, n.º 121115, Gastos de la casa de Juana, 15 de mayo de 1501.

[24] Staatliche Museen, Berlin Kupferstichkabinett, 78 D 5, diciembre de 1496. Los siguientes trabajos examinan este manuscrito: Wim BLOCKMANS, «Le dialogue imaginaire entre princes et sujets: les joyeuses Entrées en Brabant en 1494 et en 1496», *Fêtes et cérémonies aux XIVè-XVIè siècles. Publication du Centre Européen d'Études Bourguignonnes XIVè-XVIè siècles* 34, Neuchâtel, 1994, pp. 37-53; Max HERMANN, *Forschungen zur Deutsche Theatergeschichte: Des Mittelalters und der Renaissance*, Berlin, Weidmannsche Buchhandlung, 1914, pp. 364-409; y Paul WESCHER, *Beschreibendes Verzeichnis der Miniaturen —Handschriften und Einzelblätter— des Kupferstichkabinetts der staatlichen Museen Berlin*, Leipzig, J.J. Weber, 1931, pp. 179-181.

matemáticos y músicos desfilaban delante de Juana y los habitantes de Bruselas. Otros participantes, incluyendo a payasos y «hombres salvajes», realzaban la atmósfera de festividad. En el momento culminante de la procesión, apareció Juana en persona. Después de ser levantada a gran altura por los miembros del gremio de los alabarderos, el color oro y rojo de las telas de la archiduquesa brillaban haciendo juego con las antorchas. Según el manuscrito que dejó constancia de este acontecimiento, la presencia de Juana «milagrosamente [ad miraculo]»[25] dominó a la tumultuosa multitud, «de modo que podía quedar para la posteridad como un milagro [huisque ac posteris miraculo fuisse potuerit]»[26].

Una vez que Juana llegó a la *Grande Place*, se encontró con una serie de escenas teatrales organizadas para entretenerla e instruirla. Estas representaciones, protagonizadas por heroínas bíblicas, mitológicas e históricas, iban acompañadas de inscripciones en latín que las relacionaban con Juana. Una de las primeras presentaciones, titulada «Judith-Holofernes», retrataba a la heroína judía levantando un cuchillo con una mano y con la cabeza de Holofernes en la otra[27]. La inscripción que acompañaba al retrato apuntaba, de una forma francamente alarmante: «Judith redimió a los israelitas al matar a Holofernes. De esta manera, nuestra ilustre señora Juana liberará a su pueblo de sus adversarios»[28]. Esta referencia a «adversarios» presuntamente aludía a los franceses, los cuales habían ocupado Bruselas en 1489. Otras escenas y comparaciones animaban a la archiduquesa a que emulase a otras adalides, incluyendo a Sara, la mujer de Tobías, Pentesilea, Semiramis y la reina Isabel de

---

[25] El término «ad miraculo» quizás evocaba el uso de máquinas para representar la Anunciación o Asunción de la Virgen en las obras de teatro religiosas del siglo XV. N.D. SHERGOLD, *A History of the Spanish Stage,* Oxford, Clarendon Press, 1967, pp. 14, 19, 68, 76-78. Debo esta relación a Rita Costa Gomes.

[26] Berlin Kupferstichkabinett, 78 D 5, fol. 30v. Tal vez el milagro residía en la pasajera habilidad de Juana de unir grupos de municipios frecuentemente enemistados: el patriciado urbano y los cuarenta y ocho gremios de artesanos de la ciudad. Para el examen de una ceremonia de Bruselas diferente con una función unificadora similar, véase Margit THØFNER, «The Court in the City, the City in the Court: Denis van Alsloot's depictions of the 1615 Brussels 'ommegang'», *Nederlands Kunsthistorisch Jaarboek* 49, 1998, p. 189.

[27] Berlin Kupferstichkabinett, p. 78 D 5, fol. 33.

[28] Berlin Kupferstichkabinett, p. 78 D 5, fol. 32v.

Castilla[29]. La ciudad de Bruselas, en pocas palabras, proporcionaba a la nueva archiduquesa ejemplos de heroínas que habían ejercido su autoridad de varias maneras, desde mostrar una resignada paciencia (Sara), hasta realizar acciones homicidas (Judith)[30].

Felipe, después de esta entrada espectacular, y una vez enviada su hermana a España, se encontró con Juana en Bruselas y viajó con ella a Gante. Su entrada conjunta en esa ciudad el 10 de marzo de 1497 era diferente a la última visita de Felipe en 1482, cuando los ciudadanos lo mantuvieron como rehén en una disputa por la regencia[31]. En contraste, los eventos de 1497 hacían resaltar sentimientos de armonía y reconciliación. Como en Amberes, la archiduquesa entró en Gante vestida de dorado y seguida por sus acompañantes, todas montadas en suntuosas sillas de montar, «a la manera española». Ya por esta época, el séquito de Juana también empezó a mostrar signos de la influencia franco-borgoñona. Grandes sombreros, típicos del estilo francés, adornaban las cabezas de las damas, mientras que el nuevo *chevalier de honneur* de Juana, Jean, señor de de Berghes, y otros miembros de la *Toison d'Or,* precedían a las mujeres[32]. A primera vista, Juana parecía adaptarse bien a la moda y costumbres del norte. Una vez que fue bienvenida a la ciudad, Juana demostró la soberana virtud de la clemencia, al perdonar a un prisionero a quien

---

[29] Las figuras bíblicas, históricas y mitólogicas representadas incluían a Tecuites, que asesinó a Aquiimelek, la hija del faraón que se casó con Salomón; Michelle, que se casó con Saúl; Rebeca, la prometida de Isaac; Esther, reina de Israel; Astayges, hija de Mandanes; Deiphilis de Tebas; Yael, que apuñaló a Sisera; Venus; Juno y Palas (Atenea).

[30] Según PADILLA, a la entrada a Bruselas precedía una justa, en la que un equipo de tres personas representaba a Margarita de Austria, y la otra luchaba por Juana. Al final de la celebración, afirma Padilla, sólo Monsieur de Ravenstein, del equipo a favor de Juana, seguía montado. Lorenzo DE PADILLA, «Crónica de Felipe I», pp. 42-42v.

[31] *Dits die eccellente cronike van vlanderen*, fol. 283v. Después de la muerte de su madre en 1482, el pueblo de Gante se negó a concederle a Maximiliano la custodia del joven Felipe, y mantuvo al niño como rehén. Christine WEIGHTMAN, *Margaret of York*, p. 144.

[32] *Dits die eccellente cronike van vlanderen*, fol. 284. Para otra versión de la entrada de Juana en Gante, véase «Die ontfankenisse des hertoghen in die stadt van Gentte», en G. DEGROOTE (ed.), *Blijde Inkomst: Vier Vlaams-Bourgondische gedichten,* Amsterdam, Wereldbibliotheek, 1950, p. 13.

se había encontrado culpable de «gobierno [*gouvernement*] deshonesto con mujeres que no eran la suya» —una ofensa que ella encontraría después más difícil de perdonar en su propio marido [33]—. Incluso ante la presencia de Felipe, Juana parecía cultivar algunos vínculos con los flamencos y borgoñones sin renunciar a su identidad española.

Aparte de las jubilosas entradas en Gante, Brujas [34] y otras ciudades, los archiduques participaron en otros rituales diseñados para demostrar el mandato divino y popular de su reinado. Cuando convocaba reuniones regulares de la orden del *Toison d'Or*, Felipe confirmaba sus lazos con sus vasallos como miembros de la élite gobernante religiosamente sancionada. Por su parte, la archiduquesa demostraba su piedad visitando conventos franciscanos en Bruselas y Brujas [35]. La participación de Juana en la procesión de Pascua en Brujas también destacó su identificación con una comunidad espiritual y política más amplia [36].

La presencia de Juana en entradas jubilosas y procesiones religiosas, como la de cualquier princesa del siglo XVI, implicaba un contacto bastante limitado con sus súbditos. Dentro de la casa, sin embargo, los nobles nuevamente asignados a la archiduquesa tuvieron acceso directo a ella. Las diarias interacciones de Juana con los servidores que venían de diferentes territorios de Felipe les permitían presionarla para favorecer sus propios intereses. En teoría, estos nobles ofrecían a la archiduquesa más lazos personales con el pueblo de los Países Bajos. En la práctica, intentaban reorganizar la casa de Juana con el objeto de aislarla y regirla.

---

[33] Stadsarchief te Gent, Chartres n.° 796, Juana al Consejo de Flandes, 14 de marzo de 1497. Como si se hubiera tenido en mente el concepto de García de Castrojeriz, «gouvernement» en este contexto significaba principalmente el dominio de uno mismo.

[34] La comunidad española de Brujas ofreció dos o tres fuentes de vino para el consumo público. *Dits die eccellente cronike van vlanderen*, fol. 284v. «Hoe hertoghe Felipes te Bruge ontfanghen werd», en G. DEGROOTE (ed.), *Blijde Inkomst*, p. 18.

[35] ADN Lille B 3457, n.° 120863, Gastos de la casa de Juana, 26 de junio de 1499; n.° 120865, Gastos de la casa de Juana, 30 de junio de 1499; B 3459, n.° 121091, Gastos de la casa de Juana, 17 de abril de 1501.

[36] ADN Lille B 3459, n.° 121104, Gastos de la casa de Juana y sus hijos en Brujas, 3 de mayo de 1501.

El modelo borgoñón en la teoría y en la práctica:
«Para empezar con nuestro estado y casa»[37]

La casa de Juana demostró ser el punto de mira en la competición entre las costumbres castellanas y borgoñonas representadas, en principio, por los sirvientes nativos de cada tierra. Cuando en septiembre de 1496 Juana entró en los Países Bajos, su casa se componía de noventa y ocho hombres españoles y de por lo menos once mujeres españolas[38]. El personal, inicialmente encabezado por once oficiales religiosos y nueve nobles, pronto pasó por profundos cambios. Ya para marzo de 1497 sólo dieciséis de los noventa y ocho españoles originales se quedaron con la archiduquesa. Setenta nuevos acompañantes habían asumido puestos en la casa de Juana, casa que empezaron a reorganizar siguiendo el estilo borgoñón[39]. Por lo tanto, consideramos las razones existentes detrás de la drástica transformación no sólo en la composición sino también en la estructura de la casa de Juana.

Aunque los borgoñones nativos habían servido tradicionalmente a su propia duquesa[40], la reina Isabel estaba sorprendida por el rechazo que manifestaron a los acompañantes castellanos que ella había escogido para Juana. Informada de los intentos bor-

---

[37] El siguiente trabajo no publicado promete prestar una atención particular a la casa de Juana, aunque hasta la fecha la autora no ha podido compartir una copia. Lieve REYNEBEAU, *Het hof van een vorstin. Johanna van Castilië in de Nederlanden (1496-1506)*. Univeröffentliche Lizentiatarbeit, Universitat Gent, 1998.
[38] AGS CMC 1a época, leg. 267 [sin foliar], Nomina q[ue] su alteza fizo a sus oficiales, 17 de septiembre de 1496. Lorenzo DE PADILLA, «Crónica de Felipe I», 35-36. Padilla erróneamente sugirió que el príncipe de Chimay llegó a ser el primer «caballero de honor» de Juana en 1496 o a comienzos de 1497. De hecho, Chimay no recibió este puesto hasta la muerte de su predecesor, Berghes, en 1499. Don Rodrigo Manrique permaneció junto a Juana como embajador, recibiendo 18 *sous* por día hasta 1498. Lorenzo PADILLA, «Crónica de Felipe I...», p. 43. AGRB Gachard 615, «Gaiges de la maison de l'archiduchesse Jeanne d'après les originaux à Paris», 14 de mayo de 1497; ADN Lille B 3456, n.º 120744, Gastos de la casa de Juana, 3 de mayo de 1498.
[39] ADN Lille B 3455, n.º 120659, Salarios de la casa de Juana [registrados por primera vez], 18 de marzo de 1497. Como las mujeres pertenecientes a la corte rara vez recibían salarios, este tipo de fuente proporciona poca información sobre ellas.
[40] Monique SOMMÉ, *Isabelle de Portugal*, p. 481.

78 *Bethany Aram*

goñones de reemplazar a los sirvientes castellanos, en octubre de
1496 Isabel mandó al obispo de Catania, Pedro Ruíz de la Mota, a
Flandes «para procurar que no eche de casa de la archiduquesa a
las personas que consigo llevó para su servicio»[41]. La reina también
se aseguró de que los acuerdos de la subsiguiente boda con Enrique VIII garantizaran explícitamente a su hija más joven, Catalina,
el derecho a mantener hasta ciento cincuenta sirvientes castellanos
en Inglaterra[42]. En un posible intento de apaciguar a la reina Isabel, el padre de Felipe, Maximiliano, supuestamente exhortó a la
nueva archiduquesa a «que no se dejara derrotar» y prometió ayu-
darla a combatir el golpe de estado borgoñón[43]. Sin embargo, ni
Juana ni Maximiliano tomaron ninguna medida clara para evitar
que los borgoñones echaran a los castellanos de la casa de Juana.

Además de la aparente inacción de Juana, factores culturales
y económicos parecen haber contribuido a la pérdida de más de
ochenta sirvientes españoles en seis meses. Los castellanos expresaron particulares objeciones a lo que ellos percibían como bajas
conductas morales y altos precios en la corte borgoñona. El tutor
de Juana, fray Andrés de Miranda, citaba la peligrosa atmósfera
moral de la corte como la principal razón de su abandono de
Flandes[44]. Fray Tomás de Matienzo, uno de los embajadores de
Fernando e Isabel ante Felipe y Juana, estaba de acuerdo, afirmando que «en esta tierra más honra facen por bien beber que
por bien vivir.» Matienzo ponía de relieve el gasto de su misión
en Flandes, declarando que podía vivir en Castilla solamente con
el coste de su alojamiento en la corte borgoñona[45]. A la inversa,

---

[41] SUÁREZ FERNÁNDEZ, *Política Internacional de Isabel la Católica*, IV, doc. 188.
[42] SÚAREZ FERNÁNDEZ, *Política Internacional de Isabel la Católica,* IV, pp. 137-138.
[43] Real Academia de la Historia, Colección de Salazar y Castro (desde ahora
RAH) A-8, fols. 224-225v, «Minuta de carta de Antonio de Fonseca a los Reyes Católicos», [sin fecha], transcrito en SUÁREZ FERNÁNDEZ, *Política Internacional de Isabel la Católica,* IV: 657-661, doc. 195.
[44] AGS Estado I-ii-566, Fray Andrés de Miranda a la archiduquesa Juana, 1 de
septiembre de 1498. Para la reacción que tuvo otro español, Juan Gaytán, ante las
festividades borgoñonas, véase Gonzalo FERNÁNDEZ DE OVIEDO Y VALDÉS, *Batallas
y Quinquagenas,* 1989, pp. 244-245.
[45] AGS PR 52:112, El subprior de Santa Cruz a Fernando e Isabel, s.f. [1498];
PR 52:116, El subprior de Santa Cruz a Fernando e Isabel, 15 de enero de 1499.
Transcrito en SUÁREZ FERNÁNDEZ, *Política Internacional de Isabel la Católica,* V, pp.
279-280, 351-356, doc. 72 y 100.

los borgoñones despreciaban a los españoles por su forma modesta de vestir, sus gastos frugales y sus sombrías prácticas a la hora de comer[46]. Por no querer o no poder competir con los borgoñones, muchos de los acompañantes españoles de Juana simplemente abandonaron la corte borgoñona.

El éxodo español, cualesquiera que hayan sido sus causas precisas, permitió a los privados de Felipe dominar la casa de Juana. A los dos meses de la boda en Lier, los sirvientes que desde hacía mucho tiempo habían servido a Felipe empezaron a entrar y a reestructurar la casa de Juana[47]. La anterior institutriz de Felipe, Jeanne de Comines, Madame de Hallewin, se convirtió en la prinicipal *dame d'honneur* de Juana[48]. Del mismo modo, dos de los escuderos de Felipe, Charles de Lattre y Bonnet Desne, alternativamente tomaron a su cargo los establos de Juana. El anterior *clerc des offices* de Felipe, Jehan de la Chappelle, desempeñó el mismo cargo para Juana durante varios años antes de su ascenso a *maître de chambre aux deniers* de Juana y consejero de Felipe[49]. La archiduquesa también recibió a uno de los sastres de Felipe, Gilles le Monnier, y a unos cuantos de sus oficiales de nivel inferior[50]. Del mismo modo, Christophe de Barronze, que había servido a María de Borgoña y a Felipe como *maître d'ostel*, aceptó el mismo cargo al lado de Juana tan temprano como el 2 de di-

---

[46] *Chroniques de Jean Molinet*, III, p. 431.

[47] Los esfuerzos por desplazar, si no por reemplazar, al personal extranjero de las recién casadas se convertirían más tarde en la norma corriente con los consortes Habsburgos. María José DEL RÍO BARREDO, «Felipe II y la configuración del sistema ceremonial de la Monarquía Católica», *Felipe II (1598-1998): Europa y la Monarquía Católica,* José MARTÍNEZ MILLÁN (ed.), Madrid, Editorial Parteluz, 1998, II, pp. 677-703.

[48] ADN Lille B 2173, fol. 263-264v, Pagos asignados a la «Dame Jehanne de Comines dame de Halewin et du dit Comines dame d'honneur de madame l'archiduchesse et pardevant gouvernesse de mondisr l'archiduc et dame d'honneur de madame la princesse de castille...», 9 de octubre, 1499.

[49] ADN Lille B 3454, n.º 120576, Gastos de la casa de Juana, 31 de diciembre de 1496; B 3457, n.º 120837, Gastos de la casa de Juana, 31 de febrero de 1499; B 2169, f. 31, Pago a Jehan de la Chappelle, *conseillier* de Felipe y *maître de la chambre aux deniers* de Juana, 1 de julio de 1500.

[50] ADN Lille B 3454, n.º 120565, Gastos de la casa de Felipe, 22 de noviembre de 1496. ADN Lille B 3454, n.º 120567, Gastos de la casa de Juana, 2 de diciembre de 1496.

ciembre de 1496[51]. Junto con otro *maistre d'ostel,* Claude de Cilly, Christophe de Barronze podía asistir a consejos de justicia y de guerra, castigar a malhechores, controlar los gastos de Juana y dirigir ceremonias en su casa[52].

Estos y otros borgoñones instituyeron cambios estructurales en la casa de Juana que o eliminaba o asimilaba a los servidores españoles. Treinta y tres «hommes espagnoles» o «compagnons espagnards», que acompañaron a Juana durante cinco meses con cincuenta y seis mulas, desaparecieron de los informes de su casa hacia febrero de 1497, se supone que para volver a Castilla con Margarita de Austria[53]. Otros españoles se quedaron con Juana y consiguieron asegurar puestos dentro de la nueva casa. Ya hacia el 18 de marzo de 1497, individuos a los que la lista de paga anteriormente identificaba simplemente como *espaignards* recibieron nombres afrancesados —indicando algún grado de reconocimiento e incluso de aceptación de los pocos españoles sobrevivientes. Al asignar nombres afrancesados por comodidad, es posible que los administradores borgoñones empezaran a considerar que los españoles que quedaban eran menos prescindibles. Por lo tanto, Alonse de Burghes (Alonso de Burgos), Jehan de Orteghe (Juan de Ortega) y Pastromenis llenaron las posiciones de «chapelany espagnarts»; «varlets de chambre espaignarts» fueron Francisque Gravi y Martín de Assasa; y Anthoine de Moligne (Antón de Molina) reemplazó a «une saulsier espagnart». «Une huissier d'armes espagnart» se identificó como García de Camp, y «une garde linge espaignart» se convirtió en Alonse Pachicque (Alonso Pacheco). A otros sirvientes españoles, como el *garde huche* Fernando de Molina (Fernande de Moligne) y el *valet de pied* Rodrigo de la Sal (Rodrique de la Salle), se los ins-

---

[51] ADN Lille B 3454, n.º 120567, Gastos de la casa de Juana, 2 de diciembre de 1496. El origen portugués de Christophe de Barronze proporciona un ejemplo de la influencia paneuropea en la corte borgoñona. Luis SUÁREZ FERNÁNDEZ, *Política Internacional de Isabel la Católica,* IV, p. 145.

[52] Olivier DE LA MARCHE, *Mémoires,* IV, pp. 1-80.

[53] ADN Lille B 3454, N.ᵒˢ 120567, 120569, 120570, Gastos de la casa de Juana, 2-4 de diciembre de 1496. ADN Lille B 3455, n.ᵒˢ 126039-126049, Gastos de la casa de Juana, 2 de enero de 1497- 4 de febrero de 1497.

cribió desde la primera lista de pagos[54]. Estos castellanos potencialmente asimilables, junto con el nuevo personal borgoñón, aseguraron puestos en la casa borgoñona de Juana.

Además de nuevos puestos y personal, Felipe y sus consejeros impusieron prácticas borgoñonas distintivas en la casa de Juana. Semejantes procedimientos incluían no sólo rotaciones de los términos de servicio sino también responsabilidad y control comprehensivos a través de ordenanzas y pagos diarios. Quizás la característica más distintiva de la etiqueta borgoñona —disciplinados rituales que sacralizaban a la persona del soberano—[55] implicaba procedimientos estrictos para comer y para las presentaciones públicas, que, si bien honraban a la duquesa, por otro lado claramente la subordinaban al duque. Juntos, semejantes requisitos hacían que la casa de Juana dependiese de su marido y sus consejeros. Quizás el hecho más importante fuera que la nueva etiqueta borgoñona le permitía a Felipe y a sus asesores empezar a controlar el acceso a la persona de Juana —un paso esencial en sus esfuerzos para gobernarla—.

Nuevas ordenanzas emitidas en marzo de 1497 formalizaron la «borgoñonización» del séquito de Juana y su subordinacion al séquito de Felipe. En estas reglamentaciones, Felipe declaraba sus intenciones:

Para instituir buen orden, regla y conducta donde sea necesario para nuestro propio bien y el de nuestros países y súbditos... deseamos, como la razón lo requiera, empezar con nuestro estado y casa, junto con el de nuestra muy querida y amada compañera, la archiduquesa, de modo que de ahora en adelante nosotros y ella estemos honradamente acompañados.

Poniendo al día el famoso «modelo borgoñón» codificado por Olivier de la Marche en 1493, las ordenanzas de 1497 presentaban el orden y el buen regimiento en la casa archiducal como la

---

[54] ADN Lille B 3455, n.º 120659, Salarios de la casa de Juana, 18 de marzo de 1497.

[55] Werner PARAVICINI, «The Court of the Dukes of Burgundy: A model for Europe?», en *Princes, Patronage & the Nobility*, ASCH y BIRKE (eds.), pp. 87-89.

base para la paz y la unidad de los dominios de Felipe. Reservaban los puestos más prestigiosos de la casa de Felipe para sus vasallos más poderosos, encabezados por el «Cousin Albrecht, duc de Saxe»[56]. También requerían que cada uno de los cuarenta y un magnates residieran en la corte con un número de tres a seis caballeros, armados en todo momento, para poder acompañar al archiduque, en particular durante la misa y las entradas «jubilosas». De esta manera, Felipe aseguraba que él siempre apareciera con un séquito poderoso. Al mismo tiempo, la más pura práctica borgoñona de rotar los términos de servicio permitía a otros nobles pasar dos tercios de cada año fuera de la corte, atendiendo sus propios asuntos. Esta práctica también reforzaba los vínculos entre las diferentes provincias y el archiduque, o, como hubiera dicho Kantorowicz, entre los territorios corporativos de Felipe y su persona física. Aunque la copia que se conserva no contiene ninguna constancia de provisiones específicas para la casa de Juana, estas ordenanzas tomaron nota de la relevancia política de las regulaciones domésticas no sólo para los soberanos sino también para sus consortes[57].

Como una extensión del séquito de Felipe, la casa de Juana también la conectaba con los dominios de su esposo. Los cambios que se hicieron en los documentos de la casa de Juana después de que las ordenanzas de 1497 fueron publicadas, indican que las ordenanzas originales también contenían provisiones específicas para su casa. Por ejemplo, en 1496 el servicio de comedor de Juana simplemente incluía a un cocinero, un trinchante y un copero. El 16 de marzo de 1497, por primera vez, en sus gastos figuraban jefes borgoñones para departamentos o *états* que replicaban los de Felipe: «Panneterie (panadería) par Sidrac de Lannoy... Eschansonnerie (vinería) par Ector de Meliades... Cuisine (cocina) par Phelippe de Pontrewart... Escurierie (establos) par Charles de Lattre... Fourrierie (reposteros) par Pasquier de Masieres»[58]. Dos

---

[56] AGRB Audience 22 bis, fol. 1-14, «Etat de l'hôtel de Philippe le Bel duc de Bourgogne» [copia posterior], marzo de 1497.

[57] AGRB Audience 22 bis, fol. 1-14, «Etat de l'hôtel de Philippe le Bel duc de Bourgogne» [copia posterior], marzo de 1497.

[58] ADN Lille B 3455, n.º 120658, Gastos de la casa de Juana, 16 de marzo de 1497.

días después de esta cuenta de gastos, aparecía la primera de muchas listas de salarios para la casa borgoñona de Juana —nombrando, en este caso, a ochenta y seis personas—[59]. Algunos individuos clave, incluyendo al primer *chevalier d'honneur* de Juana, Monsieur de Berghes, y a la mayoría de las mujeres a su servicio, no recibían sueldo. Estos sirvientes de alta posición, cuyos nombres no aparecen en la nómina regular, obtenían pensiones y otros regalos a discreción de Felipe. De acuerdo con la tradición borgoñona, Felipe y sus asesores mantenían el control directo sobre las recompensas que recibiesen los más altos oficiales de Juana.

Felipe y sus consejeros obtenían y ejercitaban el control de la casa de Juana cuando nombraban y recompensaban a su personal. Además de rodear a la archiduquesa de borgoñones, el archiduque y sus asesores intentaron comprar a los oficiales españoles que le quedaban a Juana por medio de una política de regalos y puestos. En las ordenanzas de 1497 figuraba, por ejemplo, una pensión anual de 272 *livres* para el confesor y *premier chapelain* de Juana, Diego Ramírez de Villaescusa. Del mismo modo, el tesorero español de Juana, Martín de Moxica, llegó a ser uno de los embajadores favoritos de Felipe ante los Reyes Católicos y alcanzó el rango de *maître d'hôtel* en la casa de Juana hacia 1498 y el título de *chevalier* en 1504[60]. Otro de los embajadores de Felipe ante Fernando e Isabel, Miguel Franco (conocido como «Granada»), el *rey de armas* y *valet de chambre* de Juana, con el tiempo recibió un puesto en la propia casa del archiduque[61]. Franco y su mujer también recibieron copas de plata después de bautizar a cada uno de sus dos hijos «Felipe»[62].

Las ordenanzas emitidas en 1501 —que se conservan no sólo para Felipe sino también para Juana— confirman que la ofensiva

---

[59] ADN Lille B 3455, n.º 120659, Salarios de la casa de Juana, 18 de marzo de 1497.

[60] ADN Lille B 2165, f. 177v-178, B 2185, f. 141 y B 2191, f. 264v, Pagos a «Martin de Monsicque/Monchique», 5 de febrero de 1498, 14 de julio de 1504 y 19 de julio de 1504.

[61] ADN Lille B 2164, n.º 71492 y B 2191, fol. 229v-230, Pagos a «Michel Francs dit Grenade», 6 de agosto de 1498 y 2 de diciembre de 1504.

[62] ADN B 2173, f. 242v y B 2185, f. 225v-226, Pagos a plateros, noviembre de 1501 y mayo de 1504.

borgoñona asimismo aceptó a algunos españoles menos prestigiosos en la casa de Juana. Los *Archives Générales du Royaume* en
Bruselas contienen dos planes diferentes de la estructura de la
casa de Juana en 1501[63]. El plan inicial enumeraba puestos indispensables, sin tener en cuenta a los individuos que los podrían
ocupar, y calculaba que los sueldos, comidas y pensiones para la
casa de Juana llegaban a más de 32.000 *livres* por año. El otro
plan intentaba aceptar a aquellos españoles que seguían con Juana dentro de los límites de este presupuesto. En muchos casos,
estos sirvientes, que no encajarían fácilmente en la jerarquía borgoñona o sistema de rotación de los términos de servicio, requerían un tratamiento especial. Para poder acomodarlos, el proyecto pedía una reducción de aproximadamente un tercio del sueldo
previsto para la mayoría de los oficiales borgoñones y flamencos.
Semejantes reducciones en el pago a los borgoñones hizo casi ine-
vitable la existencia de algún grado de resentimiento hacia los sirvientes castellanos.

Estos ajustes en los sueldos hacían posible que una minoría de
españoles obtuviese puestos en la casa borgoñona de Juana. De
ciento cuarenta y cuatro individuos nombrados en la ordenanza
de 1501, sólo veintinueve parecían tener origen español. Los demás se podrían clasificar o como flamencos o como borgoñones[64].
Mitigando un poco este aparente desequilibrio, la mayoría de los
borgoñones asignados a Juana oficialmente servían por períodos
alternos de seis meses[65]. La casa borgoñona, aunque excluía muchas costumbres españolas, estaba obligada a contratar a los españoles por términos completos. De otra forma, la incapacidad de
los sirvientes españoles de regresar a sus casas todos los años y de
trabajar en puestos del gobierno local podía haberlos ayudado a
que perdiesen contacto con los intereses de sus antiguos reinos.

---

[63] AGRB Audience 22, fols. 194-205v, fols. 206-210, «L'estat de madame l'archiduchesse», [1501].

[64] Los flamencos o borgoñones son identificados o por anotaciones que abar-
can largos períodos, incluso multigeneracionales, de servicios al duque, o por detalles significativos en sus nombres, como el diminutivo «quin», que indica el probable origen flamenco. Monique SOMMÉ, *Isabelle de Portugal*, p. 257.

[65] AGRB Audience 22, fol. 194-205v, «L'estat de l'ostel de nre. tres chiere et
tres amee compaigne l'archiduchesse», [1501].

Por lo general, la casa de Juana comprendía más o menos un tercio del tamaño y el gasto del séquito personal de Felipe, lo que representaba la habitual distribución de los recursos humanos y económicos en la corte borgoñona[66].

Felipe y sus consejeros tambien intentaron influir en las servidoras de Juana, incluyendo a aquéllas nombradas por Isabel de Castilla. La ordenanza de 1501 prometía alimentar a las «esclavas y otras mujeres» que estaban con Juana en compensación por sus servicios[67]. Además, Felipe consideró esencial el otorgar regalos y pensiones a doña Ana de Beaumont y a otras catorce mujeres nobles que servían a la archiduquesa[68]. Las nodrizas y niñeras, incorporadas dentro de la casa de Juana sin sueldo después del nacimiento de sus hijos, dependían asimismo de las pagas «extraordinarias» que sólo Felipe podía proporcionar. En consecuencia, parece ser que la autoridad de Felipe sobre las sirvientas de Juana crecía mientras que la de Juana disminuía.

Una comparación con una anterior duquesa de Borgoña, Isabel de Portugal, señala el fracaso de Juana de casar a sus damas españolas con nobles borgoñones como una importante ruptura de la tradición[69]. Perturbada por la situación, en agosto de 1500, la familia de una servidora castellana, Beatriz de Bobadilla, arregló la boda de Beatriz con un español y la llamó de regreso a Castilla. Aunque Felipe aseguraba que Beatriz se casaría con un caballero borgoñón, los documentos en los archivos no muestran ninguna evidencia de que él realmente apoyara tal unión[70]. A pesar de la falta de proposiciones matrimoniales, Beatriz y otras nueve damas españolas se quedaron con Juana hasta 1504, cuando se negaron a volver a los Países Bajos [véanse páginas

---

[66] Monique SOMMÉ, *Isabelle de Portugal*, pp. 232-233.

[67] AGRB Audiencia 22, fol. 206.

[68] ADN Lille B 2165, fol. 218-281v, B 2173, f. 189v-190 y 193v, Regalos de Felipe a las damas de Juana, 13 de octubre de 1499, 1 de marzo de 1501 y 17 de septiembre de 1501.

[69] Monique SOMMÉ, *Isabelle de Portugal*, 84-88. Eleanor DE POITIERS, «Les Honneurs de la Cour», *Mémoires sur l'Ancienne Chevalerie*, La Curne de Sainte-Palaye (ed.), Paris, Girard, 1826, pp. 143-147.

[70] GÓMEZ DE FUENSALIDA, *Correspondencia*, publicada por el duque de Berwick y de Alba, Madrid, 1907, pp. 143-144.

135 y 136]⁷¹. A pesar de los mínimos incentivos que Juana podía proporcionar a estas servidoras, ellas se resistieron a la absorción borgoñona mucho más tiempo que sus oficiales.

La influencia borgoñona en la casa de Juana se basaba en algo más que la ventaja de que disfrutaban Felipe y sus consejeros de tener la corte en sus propias tierras. Desplazando a los acompañantes españoles de Juana, los sirvientes leales a Felipe y sus asesores gradualmente rodearon a la archiduquesa y reestructuraron la casa según los lineamientos borgoñones. Mientras que la reina Isabel criticaba estos cambios, la misma Juana no mostraba signos de resistencia. Paradójicamente, la situación, que horrorizaba a los padres de Juana, representaba una continuación de su experiencia en Castilla. Sin recursos económicos, la archiduquesa no podía gobernar su propia casa.

APRIETOS FINANCIEROS:
«EN MANOS DE LA SEÑORA ARCHIDUQUESA»

Al nivel más básico, la falta de autoridad de Juana sobre su casa se basaba en su falta de autonomía financiera. Aunque los intentos de rodear a las esposas extranjeras con el personal local no eran nada nuevo, la incapacidad de Juana para tener acceso a su propia dote representaba una alarmante innovación⁷². El acuerdo matrimonial de 1495 había estipulado que Felipe y Juan proporcionarían a Juana y a Margarita pensiones anuales de 20.000 *escudos* para mantener a sus personas y casas⁷³. Aunque

---

⁷¹ AGS CMC 1a época 1544, «Provança de Diego de Ribera», 27 de octubre de 1523.
⁷² Como consortes extranjeras, Leonor de Castilla, Isabel de Portugal y Margarita de York, todas cobraban de unos grandes ingresos independientes. John CARMI PARSONS, *The Court and Household of Eleanor of Castille in 1290,* Toronto, Pontifical Institute of Medieval Studies, 1977, p. 21. Monique SOMMÉ, *Isabelle de Portugal,* p, 480. Christine WEIGHTMAN, *Margaret of York,* p. 41.
⁷³ AGS E I-ii, n.º 360-363, «Minutas de casamientos del Príncipe D. Juan y de la Infanta Doña Juana», [1495]. AGS PR 56-2, «Capitulaciones entre el Emperador Maximiliano y los Reyes Católicos sobre casamientos...» [1495]. AGS PR 54-5, «Aprovación y ratificación del Emperador Maximiliano del casamiento del Archiduque Don Felipe su hijo con la ynfanta doña Juana hija de los Reyes Católicos», 3

Margarita personalmente recibía los 20.000 escudos anuales[74], Juana encontró que sus ingresos prometidos estaban controlados por la *Chambre des Comptes* en Lille. La situación la dejaba financieramente dependiente de los deseos de Felipe y sus asesores.

Cuando vieron que Juana no había recibido ningún dinero, Fernando e Isabel intentaron, sin éxito, remediar su situación financiera. En octubre de 1496 enviaron a un embajador a Flandes, Pedro Ruíz de la Mota, con instrucciones de que insistiera en que Felipe pagara a Juana su pensión[75]. Además, los Reyes Católicos asignaron fondos para ayudar a financiar un partido españolista en la corte borgoñona. Con la asignación de pensiones anuales a cinco miembros clave en la casa de Felipe (Englebert, Conde de Nassau, Phelippe de Borgoña, Jean, señor de Crumughen, Jean, señor de Berghes, y François de Busdeleyden, arzobispo de Besançon), los Reyes Católicos intentaron estimular a estos hombres a que favorecieran las «cosas e intereses» de Juana[76]. Sin embargo, estas pensiones, que iban desde 300 hasta 1.000 ducados, estaban por debajo de las que estos mismos oficiales recibían de Felipe (desde 600 hasta 3.000 *livres*)[77]. Las pensiones españolas, además, rara vez fueron pagadas[78]. En consecuencia, los intentos de los Reyes Católicos de ayudar a su hija y de comprar influencias en la corte borgoñona no llegaron a nada.

En respuesta a las quejas de los españoles, los consejeros de Felipe finalmente propusieron asignar los 20.000 *escudos* de Jua-

---

de enero de 1496. ADN Lille B 432, n.º 17826, Tratado de doble boda, confirmado por Felipe y Margarita, 20 de enero de 1496.

[74] ADN Lille, B 436, n.º 23963, Fernando e Isabel para Margarita de Austria, 15 de abril de 1497.

[75] SUÁREZ FERNÁNDEZ, *Política Internacional de Isabel la Católica*, IV, doc. 188.

[76] Archivo de la Corona de Aragón (desde ahora ACA), Cancilleria Reg. 3614, fol. 92v-93v, Fernando e Isabel confirman pensiones negociadas por Francisco de Rojas, 5 de abril de 1497, transcrito en *Documentos sobre Relaciones Internacionales de los Reyes Católicos*, Antonio DE LA TORRE (ed.), Barcelona, CSIC, 1965, V, doc. 85. Véase tambien Luis SUÁREZ FERNÁNDEZ, *Política Internacional de Isabel la Católica*, V, doc. 47.

[77] AGRB Audience 22bis, 1-14, État de l'hôtel de Philippe le Bel duc de Bourgogne, enero/febrero de 1497.

[78] GÓMEZ DE FUENSALIDA, *Correspondencia*, p. 138.

na (aproximadamente unas 33.000 *livres* por año) a rentas e impuestos de pueblos en diferentes provincias[79]. Durante las negociaciones de 1497 sobre estos pagos, el secretario de Fernando preguntó si Juana tendría jurisdicción sobre los pueblos acordados, o simplemente una renta de ellos[80]. Al final, Juana no recibió ni una ni otra. Los consejeros de Felipe retuvieron la autoridad sobre los impuestos y la justicia en los pueblos supuestamente asignados a Juana. Por ejemplo, los pueblos de Valenciennes y Ath, que se suponía que tenían que proporcionarle a Juana 3.432 *livres* anuales, quedaron en manos de Guillaume de Croy, señor de Chièvres y alguacil mayor de Hainaut[81]. Felipe y sus asesores estaban determinados a denegar a Juana el poder independiente en los asuntos económicos y territoriales del que las duquesas anteriores habían disfrutado[82].

Aunque el tema de las finanzas de Juana requiere un estudio más profundo, parece en realidad que el dinero conseguido en nombre de Juana ha terminado yendo a la tesorería general. Cuando celebraron la llegada de su nueva archiduquesa en 1496, los États Généraux votaron una ayuda de 60.000 *livres* «en ocasión de la jubilosa entrada de la archiduquesa Jeanne y para sus afileres [efectos personales]» para ser pagadas a lo largo de tres años. Recolectado por primera vez en 1499, gran parte de este dinero realmente fue destinado a pagar compensaciones a monasterios y a oficiales en regiones donde apoyaban el impuesto. De las 60.000 *livres* votadas para Juana, sólo 1.356 *livres* fueron «pagadas y entregadas en manos de la señora archiduquesa para convertirse en sus placeres y asuntos, por lo que ella no desea ninguna otra declaración más amplia»[83]. Incluso cuentas saldadas en la

---

[79] ADN Lille B 433, n.º 17878, «Projet des lettres d'assignation de douaire pour Jeanne de Castille...» sin fecha [1497].

[80] BN Madrid ms. res. 226, n.º 19, «Minuta en castellano de la carta que se da a la yllustrissima señora archiduquesa», sin fecha [1497]. Un mensajero que Juana envió al *receveurs* de Bois la Duc, Tourenhoit y Telemont, en 1504, es lo único que sugiere que haya intentado recoger su proyectada dote. AGRB Audiencia 14, n.º 348, Gastos de la casa de Juana, 31 de agosto de 1504.

[81] ADN Lille B 12438-12442, Comptes de Olivier du Buisson, 1496-1502.

[82] Monique SOMMÉ, *Isabelle de Portugal*, pp. 857-858. Christine WEIGHTMAN, *Margaret of York*, p. 41.

[83] ADN Lille B 12441, 8ème Compte de Olivier du Buisson, 1500.

corte fluyeron hacia la más grande *Recette Général des Finances*, que controlaban Felipe y sus consejeros[84]. En efecto, el éxito de Juana en ganar a los súbditos de su marido resultó ser más bien una espada de doble filo. Todavía en agosto de 1504, Felipe se negaba a asignar a su mujer dinero para gastos incidentales. Un documento creado para estimar gastos extraordinarios, después de asignar 2.600 *livres* para los hijos de Juana, especificaba que «con respecto a lo de madame y su estado extraordinario —nada, porque parece ser que monseigneur quiere que ella pida ayuda a la gente— [demande ayde aux pays]»[85].

Pese a las rentas asignadas y los impuestos votados en su nombre, la misma Juana parece haber obtenido fondos sólo a discreción de Felipe. Durante una estadía en Brujas, el archiduque ordenó a Simon Longin, *Receveur Général*, que entregara 200 *livres* «en manos de Juana sólo por esta vez para que las empleara en algunas costumbres y asuntos a su placer, por lo cual no deseamos hacer más declaraciones aquí»[86]. El 2 de mayo y el 13 de noviembre de 1497, respectivamente, Simon Longin entregó 900, y después 2.100 *livres* «en las manos de Juana para que hiciese lo que le placiera»[87]. El 31 de enero de 1498, Juana firmó el recibo de 3.100 *livres* bajo las mismas condiciones[88]. Un tiempo después, cuando Juana residía en Gante y Felipe en Brujas, el archiduque

---

[84] AGRB CC 1611, Compte de Jacques du Marchie, 23 de agosto de 1499. ADN Lille B 12440, 7ème Compte de Olivier du Buisson, 1499. Juana tampoco recibió el dinero recolectado en la Corona de Aragón para celebrar su boda. ACA Cancilleria Registro 3537, fol. 52v-53, El rey Fernando al tesorero Gabriel Sánchez, 6 de abril de 1496.

[85] AGRB 22, fol. 192, «Declaracion en brief a quoy montera l'estat de monseigneur, de madame et de messires leurs enffans...» 1 de agosto de 1504.

[86] ADN Lille B 2163, n.º 71323, Felipe a su Receveur Général, 10 de mayo de 1498.

[87] ADN Lille B 2159, f. 274v «...bailée et delivrée comptant en ses mains pour en fair son plaisir». ADN Lille B 2161, n.º 71192, «Quittance par Jeanne de Castille d'une somme de 900 livres versée entre ses mains par le Receveur Général des finances», 6 de mayo de 1497. ADN Lille B 2164, n.º 71425, «Quitance par Jeanne de Castille d'une somme de 200 livres...» 12 de mayo de 1497. ADN Lille B 2161, n.º 71793, «Quittance par Jeanne de Castille d'une somme de 2100 livres...», 18 de noviembre de 1497.

[88] ADN Lille B 2167, n.º 71746, «Quittance par Jeanne de Castille d'une somme de 3100 livres...», 31 de enero de 1498.

envió a su esposa un mensajero especial con 800 *livres* «para que las emplease en alguno de sus asuntos a su muy noble placer», las que el mensajero entregó «en las manos de Madame»[89]. De esta manera el «buen placer» de Juana dependía de Felipe y sus asesores. A su vez, Juana reconocía que recibía tales fondos «por el mandamiento y la ordenanza de mon dit seigneur y por virtud de sus cartas patentes»[90]. Por medio de esta fórmula Juana reconocía y por lo visto aceptaba su dependencia económica del archiduque.

El representante de los Reyes Católicos en la corte borgoñona, fray Tomás de Matienzo, parecía estar menos resignado que Juana a comienzos de 1499. En una carta a Fernando e Isabel, Matienzo advirtió que los españoles que seguían con Juana se quejaban de que estaban «mal pagados» y que la archiduquesa «no se entremete en la governación de su casa»[91]. Según Matienzo, Juana vivía «en tanta necesidad» que no era capaz de obtener «un *maravedí* para dar de limosna»[92] —tal vez exagerando la grave situación de Juana para que llegase a los oídos reales—. Cuando los consejeros de Felipe remuneraron e incluso seleccionaron a sus sirvientes, la archiduquesa, según se comentaba, le dijo a Matienzo: «Ogaño pase, mas para otro año no quiero que hagan mercedes sin mí»[93]. El embajador, sin muchas esperanzas de que Juana fuese capaz de imponer tal autoridad, declaró: «Y así creo quedará siempre necesitada y los suyos muriendo de hambre, y así pasará fasta que V. Al. provean en ello»[94]. Las peticiones de

---

[89] ADN Lille B 2165, fol. 166v, Pago a Laukin Sterke, 20 de noviembre de 1499.

[90] ADN Lille B 2164, n.º 71424, «Quittance par Jeanne de Castille d'une somme de 200 livres...», 12 de mayo de 1498. En la primavera de 1500, un mensajero incansable siguió a la archiduquesa desde Gante a Brujas, a Middelburg y a Zoubourg, donde por fin cumplió con la orden de Felipe de entregarle 1.000 *livres*. ADN Lille B 2169, fol. 81, Pagos para Jaques de Thensire, 6 de mayo de 1500.

[91] AGS PR 52:116, El subprior de Santa Cruz a Fernando e Isabel, 15 de enero de 1499. Transcrito en SUÁREZ FERNÁNDEZ, *Política Internacional de Isabel la Católica*, V, pp. 351-356, documento 100.

[92] AGS PR 52:116, El subprior de Santa Cruz a Fernando e Isabel, 15 de enero de 1499.

[93] AGS PR 52:116, El subprior de Santa Cruz a Fernando e Isabel, 15 de enero de 1499.

[94] AGS PR 52:116, El subprior de Santa Cruz a Fernando e Isabel, 15 de enero de 1499.

Matienzo a favor de Juana cesaron una vez que su nombre apareció en la lista de salarios abonados a los miembros de la casa de Juana[95]. Con Matienzo comprometido, Juana retuvo a pocos asesores, si es que retuvo a alguno, que pudieran animarla a resistir el control de Felipe.

A medida que Felipe iba afirmando su autoridad sobre la casa de Juana, aparentemente también apaciguaba a Juana y a sus sirvientes dándoles regalos de vez en cuando. Por ejemplo, el día de Año Nuevo de 1497, le regaló a la archiduquesa una cruz que tenía cinco piedras de diamante y un magnífico medallón de perlas que una vez perteneciera a su madre, María, duquesa de Borgoña[96]. De las anteriores pertenencias de María de Borgoña, Felipe posteriormente le regaló a Juana una cruz de San Adrián, una imagen de Santa Margarita, dos medallones, dos collares de perlas, tres pinturas, y cuatro arcas. Según el inventario, una de estas cajas de caudales «no contenía oro en el momento de la muerte de la difunta Madame Isabel de Portugal», sugiriendo que había pertenecido a Isabel de Portugal antes de pertenecer a María de Borgoña[97]. De esta manera, Felipe honraba a Juana regalándole objetos que destacaban su legítima sucesión como duquesa, aun cuando ella no tuviera ingresos para poder ejercitar la autoridad normalmente asociada a esa posición.

Los regalos de Felipe llegaban a todas las secciones de la casa de Juana. Al invertir dinero en los establos de su mujer, el archiduque intentaba complacer a las damas españolas y borgoñonas de Juana al mismo tiempo que impresionar a los súbditos locales. En agosto de 1498, Felipe gastó 24 *livres* en seis sillas de montar para mujeres, además de 48 *livres* adicionales para doce mantas doradas para sillas de montar, todo lo cual fue a los establos de Juana[98]. Un año más tarde, el archiduque pagó al pintor de Bru-

---

[95] ADN Lille B 3457, n.º 120869, Salarios de la casa de Juana, 12 de julio de 1500.

[96] ADN, Lille, B 2156, n.º 70.833, «Décharge donnée par Philippe au garde de ses joyaux...», 31 de diciembre de 1496.

[97] ADN Lille B 3495, n.º 123691, «Inventoire ... de certains joyaulx jadiz apertens a feue madame Marie duchesse...», 21 de julio de 1482 [con anotaciones posteriores al margen indicando las piezas que Juana había heredado].

[98] ADN Lille B 2165, fol. 220v, Pagos a Jehan van Wartenberch, sellier demourant à Bruxelles, agosto de 1498.

selas Pierre de Comnixlo 190 *livres* para que decorara dos carruajes con el escudo de armas y los títulos de Felipe y Juana «para servir a Madame en su muy noble placer»[99]. Luego, el día de Año Nuevo de 1501, Felipe regaló seis *livres* a cada una de las *huissiers de chambre* de Juana[100]. La esporádica liberalidad de Felipe magnificaba su autoridad.

En contraste con las evidentes pruebas de las gratificaciones que daba Felipe, quedan muy pocos documentos que muestren la generosidad de Juana. Dados su limitados recursos monetarios, la archiduquesa rara vez podía permitirse los gastos necesarios para garantizar la lealtad de sus sirvientes. Una fuente insólita, una lista de veinticuatro folios con los gastos que el sastre de Juana, Gilles de Vers, contrajo «a las órdenes de mi dicha señora» indica que Juana sí hizo esfuerzos para recompensar a sus fieles sirvientes. En 1497 Juana regaló a dos de sus damas españolas, doña Blanca Manrique y doña Beatriz de Bobadilla, unos vestidos negros y proporcionó ropa para Anne d'Assus, probablemente una joven esclava[101]. En 1499 y 1500 las cuentas del sastre detallan los primeros artículos de vestir para los hijos de Juana, Leonor y Carlos, además de fajas para sus nodrizas, un cuello para Madame de la Marche, y vestidos y abrigos para [Anne de] Blaesfelt[102]. Desde abril de 1497 hasta enero de 1506, Gilles de Vers afirmaba haber preparado y entregado mercancía valorada en unas relativamente modestas 885 *livres* a las órdenes de Juana[103]. La negativa de Felipe a pagar las cuentas que Gilles de Vers le entregó indica que esas cuentas podrían reflejar un intento de Juana por ejercer un patrocinio independiente[104]. Si es así, la archiduquesa pedía gran parte

---

[99] ADN Lille B 2165, fol. 234v, Pagos a Pierre de Comnixlo, octubre de 1499.
[100] ADN Lille B 2173, fol. 170-170v, Regalos para el año nuevo, 1 de enero de 1501.
[101] ADN Lille B 3379, n.° 113579, fol. 3.
[102] ADN Lille B 3379, n.° 113579, fol. 6v-13.
[103] ADN Lille B 3379, n.° 113579, fols. 1-2v, «Sensuivant les parties de Gilleguin de Vers tailleur des robes et barlet de chambre...», 1497-1506.
[104] ADN Lille B 3379, n.° 113576, Margarita de Austria y Guillaume de Croy a Vincent de Mons, 11 de octubre de 1514. Esta documentación, compilada después de la muerte de Felipe, no presupone lealtad hacia él como archiduque. Marguerite de Vers, la única descendiente y heredera de Gilles, se casó con Vincent de Mons, el cocinero de Juana, el cual pasó a la casa de su hijo, Carlos, donde él efectivamente recuperó parte del dinero debido a Gilles.

de estas ropas para su hijos y para ella misma. Tal vez para dar una lección a Gilles de Vers, Juana demostró ser tan exigente en 1497 como lo sería más adelante, cuando le ordenó al sastre que lavara y que recosiese un vestido gris de lana que encontró insatisfactorio[105].

Aunque estos documentos nos podrían decir algo del programa de Juana, y no de Felipe, sigue siendo imposible demostrar que Gilles realmente obedecía a Juana y no a una de las primeras damas de Juana, Jeanne de Comines (Madame de Hallewin) o a Alienor de Poitiers (la vizcondesa de Furnes). Una vez más, estos informes resaltan los problemas de la actividad de Juana en vista de su debilidad económica. Colocan también en primer plano el papel de los sirvientes de la casa, que escogieron o respetar o burlar los deseos de Juana. En pocas palabras, los limitados fondos y artículos que llegaron a manos de Juana plantean importantes preguntas sobre hasta qué punto la archiduquesa desarrollaba su propia imagen o si, contrariamente, la encontraba diseñada y fabricada por otros.

La pobreza de Juana le impedía ejercer la virtud soberana de la liberalidad. Al monopolizar esa virtud, Felipe y sus consejeros privaron a la archiduquesa de sirvientes leales, junto con el sentido de identidad y autoridad. Más que reflejar el poder de Juana, su casa representaba el poder de Felipe. El crecimiento de la persona corporativa de Felipe impedía de esta manera que Juana pudiera desarrollar la suya.

NACIMIENTO Y MUERTE DE LOS HEREDEROS

La muerte de algunos herederos al trono en Castilla y Aragón y el nacimiento de otros en los Países Bajos ocasionaron una serie de inesperados acontecimientos que transformaron la vida de Juana y, en realidad, la historia europea. Aunque estos acontecimientos hubieran podido aumentar el prestigio de Juana, Felipe

---

[105] ADN Lille B 3379, n.º 113579, fol. 2, Segundo término de Gilles de Vers, 10 de julio de 1497.

y sus asesores se aseguraron de que la dependencia económica de Juana limitara su autoridad. En particular, a Juana le faltaba el protagonismo en los temas relacionados con sus padres y sus hijos.

El hecho de que Juana careciera de influencia sobre su marido se hizo más evidente después de la muerte de su hermano, Juan, el 4 de octubre de 1497. Al recibir la noticia de la muerte de Juan, la archiduquesa inmediatamente se puso de luto. Los documentos que nos han llegado indican que ella ordenó una gran capa y un vestido negros para ella y que distribuyó telas negras a las mujeres de su casa[106]. Felipe, en contraste, recibió la noticia de la muerte de Juan tomando presuntuosamente el título de Príncipe de Asturias y buscando el apoyo de Francia para reivindicar sus derechos como heredero a los tronos españoles[107]. En respuesta a este agravio, los Reyes Católicos se apresuraron a confirmar a Isabel, su hija mayor, y a su marido, el rey Manuel de Portugal, como herederos de Castilla y Aragón. El 23 de agosto de 1498, antes de que las Cortes de Aragón aceptasen a un heredero del sexo femenino, murió Isabel cuando estaba dando a luz a un hijo, Miguel, a quien las cortes rápidamente confirmaron como el sucesor de Fernando. Mientras tanto, Juana esperaba proporcionarles a Felipe y a sus súbditos su propio heredero.

Consciente de la preferencia general por un heredero de sexo masculino, Juana se preparó para el nacimiento del primero de sus seis hijos. Los primeros informes sobre el embarazo de Juana comunicaban el deseo de los diplomáticos de que tuviera un hijo varón.[108] En agosto de 1498, el embajador de Fernando e Isabel que fue a visitar a Juana informó a los Reyes Católicos que: «Está tan gentil y tan fermosa y gorda y tan preñada que si V.Al. la vies-

---

[106] ADN Lille B 2165, fol. 245v, Pagos a George Vander Dorpe, febrero de 1499. AGRB Gachard 615, «Carton 1492-1499» de la Chambre de Comptes à Lille. La corte borgoñona celebró obsequias en San Jacques de Coudenberg durante los últimos dos días de enero. AGRB Gachard 615, «Declaration des receveurs de finance...», 4 de febrero de 1498.

[107] Jerónimo ZURITA, *Historia del Rey Don Hernando el Católico*, tomo II, libro III, capítulo 20, pp. 72-73. Luis SUÁREZ FERNÁNDEZ, *Política Internacional de Isabel la Católica*, V, p. 55.

[108] AGS PR 56:175, El Deán de Jaén al Doctor de Puebla, 5 de junio de 1498.

sen habrían consolación»[109]. Por otra parte, el tutor de Juana en
su niñez, fray Andrés de Miranda, reconocía no sólo los riesgos
sino tambien la esperanza del embarazo y del alumbramiento. En
una carta del 1 de septiembre, Miranda exhortaba a la archiduquesa a que se preparara para una experiencia que podía amena-
zar su vida. Por consiguiente, aconsejó a Juana que se confesara
con frecuencia con frailes de las órdenes observantes; así no tendría miedo a la muerte:

> Pues yo espero en Dios que la alunbrará y la guardará con bien y
> que ha de parir un hijo, porque así se demandó a Dios que la diese pro-
> le y fuese hijo. Y así me escriva luego para que le ofresca a Dios y a
> Nuestra Señora y a Santo Domingo y a San Pedro Mártir y después,
> Dios mediante, que aya parido el hijo me ha de enviar una vestidura o
> una camisa suya porque está prometido a San Pedro Mártir[110].

De esta manera expresó el tutor de Juana su sincera preocupación
por su salud junto con una igualmente franca preferencia por un
hijo varón. Felipe y su padre, Maximiliano, también tenían la esperanza de que naciera un niño. El emperador se acercó a Bruselas para poder asistir al bautizo en el caso de que Juana diese a luz
un hijo, pero se marchó de los Países Bajos después del nacimiento de una hija, Leonor, en el Palacio de Coudenberg, el 15 de noviembre de 1498[111].

A pesar de la desilusión de Maximiliano por el nacimiento de
una niña, la aparición de Leonor demostraba que Juana era fértil
y era probable que produciría un heredero varón en el futuro. De

---

[109] AGS PR 52:112, El Subprior de Santa Cruz a Fernando e Isabel, agosto de
1498.
[110] AGS Estado I-ii, n.º 366, Fray Andrés de Miranda a la archiduquesa Juana,
1 de septiembre de 1498.
[111] *Chroniques de Jean Molinet*, III, p. 450. Todas las precauciones debidas a la
madre y al niño, incluyendo la visita de una comadrona de Lille, Ysabeau Hoen,
precedieron al parto de Juana en Bruselas. ADN Lille B 2165, fol. 205, Pago de 18
libras a «une saige femme de la ville de Lille nomée Ysabeau», septiembre de 1499.
AGRB Audiencia 22, fol. 172, «Extrait de premier compte de Jehan van Belle», entrada de septiembre de 1502 «a Ysabeau Hoen saige femme de madame l'archidu-
cesse laquelle prend chacun jour 4 s de pencion que monte pour une année entiere
73 L.»

acuerdo con las tradiciones borgoñonas, la archiduquesa se recu-
peraba en una lujosa *chambre d'honneur* diseñada para resaltar su
rango. Debajo de un pabellón de damasco verde, Juana recibía a
los nobles que la visitaban acostada en una *lit de partement* recu-
bierta con una enorme manta de oro bordada en armiño[112]. Después que Juana «se levantó» de la cama, una justa en honor a Leonor le permitió al archiduque mostrar su virilidad y la fertilidad
de Juana en un escenario más público. Juana asistió al acontecimiento con Margarita de York y otras damas de importancia, y
vio a Felipe en persona tomar parte en las listas, vestido con un
rico brocado cubierto de seda verde. Los acompañantes del archiduque aparecieron de seda verde con adornos de color amari-
llo, o *jaune*, en referencia a Juana. Después que Felipe hubo impresionado a la compañía rompiendo varias lanzas y tirando a un
oponente al suelo, Juana le mandó un mensaje implorándole que
suspendiera ese concurso violento. Según un informador español,
el archiduque accedió a sus deseos[113]. La costosa demostración le
había permitido a Felipe exhibir no sólo su liberalidad de príncipe —proporcionando a los miembros de su casa nuevas libreas y
dejando la justa ante la petición de su mujer— sino también su
habilidad de caballero. El archiduque también había honrado a
Juana como a la madre de su hija, aunque, de acuerdo con las
convenciones de la caballería, Juana actuó principalmente como
una espectadora[114].

Los rituales de la caballería apenas podían disfrazar la falta de
voluntad o capacidad de Juana de realizar los deseos de sus padres en la corte borgoñona. La archiduquesa inicialmente apoyó

---

[112] ADN Lille B 2165, fol. 251, 255-257, Pagos a Jean le Seur y Pierre de Warenghen, agosto de 1499. Estas relaciones también informan de gastos para el recién
nacido.

[113] AGS Estado 496 [sin foliar], Sancho de Avedaño a Miguel Pérez de Almazán, 13 de febrero de 1499, parcialmente transcrito en Rafael DOMÍNGUEZ CASAS,
Arte y Etiqueta de los Reyes Católicos: Artistas, Residencias, Jardines y Bosques, Madrid, Editorial Alpuerto, 1993, pp. 628-629.

[114] Eric BOUSMAR, «La place des hommes et des femmes dans les fêtes de cour
Bourguignonnes (Philippe le Bon-Charles le Hardi)», *Fêtes et cérémonies aux XIVè-
XVIè siècles. Publication du Centre Européen d'Études Bourguignonnes (XIVè-XVIè siè-
cles),* n.º 34, Neuchâtel, 1994, pp. 123-143.

los esfuerzos que hizo el enviado de Fernando e Isabel, fray Tomás de Matienzo, para nombrar a doña María Manuel como primera dama de honor de Leonor. Sin embargo, finalmente, el desinterés de los borgoñones en financiar los intereses españoles
volvió, en gran parte, irrelevante la preocupación por la casa de
la niña. Tres meses después del nacimiento de Leonor, las cuentas diarias de la casa de Juana notaban que ella había mantenido
a Leonor, su nodriza, la niñera, las doncellas y a otros sirvientes
durante meses: «esperando día a día que monsignor el archiduque pagaría este gasto, como hasta ahora todavía no lo ha hecho»[115]. Finalmente, Matienzo escuchó informes de que el archiduque había declarado que: «A ésta, porque es fija, póngale la
archiduquesa el estado. Cuando Dios nos diere fijo ponerle he
yo»[116]. Por degradante que esta política pudiera haber sido para
Juana, el archiduque y sus consejeros demostraron la astuta determinación de financiar sólo sus propios intereses políticos.

A pesar de la parquedad selectiva de Felipe, Juana mantuvo
la apariencia exterior del acuerdo matrimonial. La archiduquesa,
por otra parte, probablemente compartía el deseo de su marido
de tener un hijo. En un retrato de este período (véase la cubierta), Juana aparecía con once damas, incluyendo a tres franciscanas reformadas, rezando detrás de la Virgen María, quien mostraba su pecho izquierdo. Los críticos han explicado que la
pintura, originalmente parte de un tríptico en el que se retrataba
en el ala opuesta a Felipe y su séquito detrás de Cristo, y atribuida a Colin de Coter (París, Museo del Louvre), contenía una oración que expresaba el piadoso deseo de un hijo varón[117].

---

[115] ADN Lille B 3457, n.º 120838, Gastos de la casa de Juana, 1 de marzo de
1499.

[116] AGS PR 52-116, Fray Tomás de Matienzo a Fernando e Isabel, 15 de enero
de 1499.

[117] Hélène ADHÉMAR, *Le Musée National du Louvre, Paris: Les Primitifs Flamands* I, Bruxelles, Centre National de Recherches «Primitifs flamands», 1961, pp.
90-97. Véase tambien J. RIVIÈRE, «Réévaluation du mécénat de Philippe le Beau et
de Marguerite d'Autriche en matière de peinture», *Activités artistiques et pouvoirs
dans les États des ducs de Bourgogne et des Habsbourg et des régions voisines*, Jean-
Marie CAUCHIES (ed.), Bâle, Publication du Centre Européen d'Études Bourguignonnes, XIVè-XVIè s., 25, 1985, pp. 103-117. M. J. ONGHENA, *De Iconografie van
Philips de Schone,* Brussel, Paleis der Academiën, 1959, p. 119.

Es posible que las hermanas franciscanas de Bruselas retratadas detrás de Juana hayan pedido a Dios que le diera a la archiduquesa un hijo, a cambio de la intercesión de Juana ante el papa Alejandro VI a favor de su Convento de Belén. Efectivamente, Juana ayudó a las hermanas del Convento de Belén a obtener una bula pontificia que las autorizaba a adoptar la Orden reformada de Santa Clara[118], aunque la única historia que menciona esta bula no hace ninguna referencia a Juana[119]. Las visitas de Juana al Convento de Belén que se hallan documentadas incluyen una con su hija de siete meses, Leonor, cuando Juana estaba en los primeros meses de embarazo de un segundo niño[120]. Nacida en Bruselas, Leonor puede haber representado el vínculo de sus padres con esa ciudad. Por razones similares, quizás, el archiduque determinó que su próximo hijo —y potencial sucesor— vería la luz del día en Gante. Con esperanza tomó esta iniciativa como preparación para el nacimiento de un hijo.

Felipe aprovechó al máximo los beneficios políticos del parto de su mujer. El traslado de Juana a Gante para el nacimiento de su segundo descendiente suponía más que la pompa habitual. Para esta ocasión Felipe ordenó dos nuevos carruajes tapizados en seda negra con revestido de terciopelo[121]. Dedicando su conocida atención al despliegue material, en diciembre de 1499 Felipe recuperó algunas joyas que estaban empeñadas y una caja de oro para exponerlas después del próximo alumbramiento de Juana[122]. A petición de Felipe, dos monjes de la Abadía de Anchin trajeron a la archiduquesa su reliquia más famosa —un anillo que la Virgen María supuestamente había llevado puesto mientras

---

[118] Stads Archief Brussel n.º VIII, fol. 350v-353v, «Copie vander bullen vander clausuren vanden Graubben Zusteren», 4 de septiembre de 1501 [copia contemporánea]. Archivio Segreto Vaticano (desde ahora ASV), Archivum Arcis, Arm. I-XVIII 4173, fol. 138v-142, Alejandro VI al Convento de Belén, 4 de septiembre de 1501 [copia del siglo XVII].

[119] Alexandre HENNE y Alphonse WAUTERS, *Histoire de la Ville de Bruxelles*, Mina MARTINS (ed.), Bruxelles, 1968-1972, original 1845, IV, p. 161.

[120] ADN Lille B 3457, n.º 120865, Gastos de la casa de Juana, 30 de junio de 1499.

[121] ADN Lille B 2159, fol. 160v, Pagos a Pierre de Nareghien, enero de 1500.

[122] ADN Lille B 2165, fol. 171v and B 2169, fol. 104v, 177v-178, Pagos a Jaspard de Beaumaux y Phelippe Cocerton, 23 de diciembre de 1499 y febrero de 1500.

daba a luz a Cristo—[123]. En el momento del alumbramiento de Juana, el objeto sugería un paralelismo entre ella y la Virgen[124]. De esta manera Felipe asumió los gastos con ilusión para satisfacer su deseo de tener un heredero varón.

El 24 de febrero, la víspera de San Mateo, Juana dio a luz a un niño. Los fuegos artificiales que se dispararon desde el campanario de San Nicolás en Gante señalaban el nacimiento de un hijo e inspiraron celebraciones populares en las calles[125]. Inmediatamente Felipe mandó anuncios triunfales por todos sus reinos y convocó a los dignatarios para el bautizo[126]. Respondiendo a la ansiosa llamada de Felipe, su hermana Margarita, la princesa viuda de Castilla, se dio prisa para llegar a Gante. En un gesto de cortesía, Felipe permitió que su hermana sostuviera al recién nacido sobre la fuente bautismal, el 7 de marzo de 1500. Margarita, que apareció llevando un vestido español, recomendó nombrar al recién nacido «Juan» en memoria de su esposo fallecido. Sin embargo, Felipe hizo bautizar al niño «Carlos» por su abuelo, Carlos «El Temerario»[127]. Felipe le concedió a Margarita, como a Juana, reconocimiento pero sin autoridad. Una vez más, en otras

---

[123] Felipe envió a su mensajero a la Abadía de Anchin «a extreme diligence nuyt et jour sans espargner chevaulx ne guides» para entregar unas cartas que requerían «une anneau servant a l'alegement des femmes qui travaillent d'enfant» para ser enviada con una rapidez similar. ADN Lille B 2169, fol. 58v, Pagos a George de Dole, 7 de febrero de 1500.

[124] ADN Lille B 2169, fol. 136v, Pagos a dos frailes de la Abadía de Anchin, febrero de 1500. La archiduquesa debe de haber encontrado el anillo eficaz, porque ella lo pidió otra vez el año siguiente antes de dar a luz a una hija, bautizada Isabel. ADN Lille B 2173, fol. 178v, Pagos para un monje de la Abadía de Anchin, 20 de julio de 1501.

[125] Lorenzo PADILLA, «Crónica de Felipe I...», p. 63. Para una detallada descripción de la espectacular iluminación, véase *Chroniques de Jean Molinet,* III, p. 469.

[126] ADN Lille B 2169, fol. 62-63, Pagos a mensajeros, 24 y 25 de febrero de 1500. La noticia viajó tan rápidamente que el pregonero del pueblo de Ypres, a 65 kilómetros de Gante, la proclamó esa misma noche. En Ypres, como por todas las tierras de Felipe, la ocasión suponía no sólo una procesión general de agradecimiento llena de luces, sino también juegos públicos y otros festejos. AGRB Gachard 611, «Régistre des publications à Ypres, 1494 à 1524.» La destrucción de los archivos de Ypres en 1914 a causa de un incendio hace que la transcripción de Gachard sea particularmente inestimable.

[127] RAH Salazar A-9, fol. 142-153, «Recibimiento que se fizo a la señora prinçesa de Castilla cuando vino en Gante», 5 de marzo [1500].

palabras, las ambiciones políticas borgoñonas fueron sobrepues-
tas a los intereses españoles.

El nacimiento de un hijo varón incrementó momentáneamente
la posición de Juana en la corte borgoñona, aunque influyó poco
en el aumento de su autoridad. Felipe trató a su esposa con una so-
licitud inusual durante el año de 1500. Así, cuando Juana se levantó de la cama después del nacimiento de Carlos, Felipe le regaló
una rica esmeralda incrustada dentro de una rosa blanca valorada
en 400 *livres*.[128] Cuando Juana posteriormente cayó enferma en
Bruselas, el archiduque ordenó a sus mejores médicos que se quedasen a su lado durante más de cuarenta días[129]. Una vez que la archiduquesa recuperó su salud, ella, Felipe y Margarita de Austria
disfrutaron de las acrobacias de un *joueur de souplesse* italiano, que
incluía «bailes moros» —el primer indicio de una moda morisca
asociada a la sucesión española en la corte borgoñona[130]—. Felipe
durante un tiempo veneró a Juana como a la madre de su sucesor.

Los Reyes Católicos y sus representantes en Flandes esperaban ver a Juana sacar provecho político de su nueva posición. El
4 de agosto de 1500, el embajador español Gutierre Gómez de
Fuensalida informó haberse reunido con Juana:

para ver el camino que se podría levar para que su Excelencia tuviese
más parte en la governación de su estado y casa que avía tenido hasta
aquí, pues que hera ya tienpo que mostrase que hera Señora, y que tenía ya hijos que avían de ser Señores deste estado, porque me parecía
que no hera ya de dysimular con estas gentes, pues que en ellas no avía
comedimiento ninguno[131].

Gómez de Fuensalida animó a Juana a que explotase su maternidad
interviniendo en cuestiones de política, empezando con su propia

---

[128] ADN Lille B 2169, Pagos a Jehan Cole, marzo de 1500. AGRB Gachard 615,
«Acquits de la Recette Générale des finances, 1500-1504», 25 de marzo de 1500.
[129] ADN B 2169, fol. 153, Pagos al Maestro Josse de Leenheede, el cirujano de
Felipe, 3 de julio de 1500; fol. 154, Pagos al Maestro Liberal Trevisan, 4 de agosto
de 1500.
[130] ADN Lille B 2169, fol. 147v, Pagos a «une joueur de souplesse ytalienne»,
noviembre de 1500.
[131] GÓMEZ DE FUENSALIDA, *Correspondencia*, p. 139.

casa. La archiduquesa, no obstante, le informó a Gómez de Fuensalida que no podía influir en decisiones políticas sin la aprobación de su marido. Juana informó poder ganar la voluntad de Felipe cuando estaba a solas con él, «porque conoçe que la ama», pero descubrió que Felipe, después, compartía las cosas que ella le decía con su antiguo tutor, François de Busleyden, arzobispo de Besançon, un prelado conocido por su orientación antiespañola[132]. «Y por esto», Juana aclaraba, «no se osa soltar a dezirle algunas cosas que le parece que serían razonables de le dezir y que se hiziesen»[133].

Incluso Gómez de Fuensalida reconoció que la archiduquesa no podía competir con el arzobispo de Besançon. En una carta, el embajador observaba que, «todos saben, o a lo menos lo dizen, que es él el que manda y goviena asolutamente»[134]. En una carta posterior, Gómez de Fuensalida reforzó este punto: «Este señor [Felipe] no sabe comer sy el arçobispo de Bysançon no le dize que coma; y es tan señor del, que yo no vy religioso que tanta obydiencia tuviese a su mayor»[135]. En detrimento de los intereses españoles, Besançon parecía capaz de gobernar al marido de Juana.

La autoridad de Besançon causó precupaciones aún más apremiantes en la corte de Fernando e Isabel cuando la muerte del príncipe Miguel, el 20 de julio de 1500, convirtió a Juana y a Felipe en los presuntos herederos de Castilla y Aragón. Fernando e Isabel inmediatamente llamaron a Juana y Felipe a España, donde las Cortes de Castilla y Aragón los confirmarían como herederos. No obstante, Felipe aplazó la salida. Según Gómez de Fuensalida, «estos que goviernan», notablemente Besançon y su aliado, Philibert de Vere, temían perder el control sobre el archiduque en Castilla y buscaron todos los motivos posibles para posponer su viaje[136]. Los consejeros de Felipe, además, esperaban resguardar la alianza que habían ganado duramente con Francia

---

[132] El informe de Juana sobre su grave situación confirma la interpretación de John Carmi Parsons sobre las relaciones íntimas como la base del poder para las mujeres consortes reales (o, en el caso de Juana, archiducales). John CARMI PARSONS, *Medieval Queenship,* New York, St. Martin's Press, 1993, p. 10.
[133] GÓMEZ DE FUENSALIDA, *Correspondencia,* p. 139.
[134] GÓMEZ DE FUENSALIDA, *Correspondencia,* p. 143.
[135] GÓMEZ DE FUENSALIDA, *Correspondencia,* p. 166.
[136] GÓMEZ DE FUENSALIDA, *Correspondencia,* p. 154.

antes de arriesgar cualquier aproximación a España. Por esta razón, solicitaron que los soberanos católicos aprobasen una alianza matrimonial entre el joven Carlos y Claudia, la única descendiente de Luis XII, el nuevo rey de Francia, antes de que Felipe y Juana abandonaran los Países Bajos[137]. Fernando e Isabel, a su vez, se negaron a aprobar semejante acuerdo.

Aunque Juana puede haber querido satisfacer la demanda de sus padres de viajar rápidamente a España, finalmente otro embarazo retrasó el viaje. El 5 de noviembre de 1500, Gómez de Fuensalida leyó a Felipe y a Juana las cartas de Fernando e Isabel exhortándolos a que su salida para Castilla fuera rápida. Aparentemente satisfecho con la respuesta de Juana, el embajador informó a Fernando e Isabel que:

> En escrivir lo que me parece de la señora Prinçesa querría estender la mano; mas porque mi seso no sabrá dar los loores que a tal Prinçesa perteneçen, me callaré con dezir solamente que pareçe byen que es hija de V. Als. en todo, y que de su hedad es syn par en el mundo[138].

En febrero de 1501 era evidente que Juana estaba esperando otro niño y no podía viajar hasta que diese a luz[139]. Juana incluso aguantó señales que indicaban que los consejeros de Felipe consideraban dejarla en los Países Bajos mientras Felipe viajaba a través de Francia, para poder asegurar así el rápido regreso del archiduque. Elogiando la fortaleza de Juana, Gómez de Fuensalida afirmaba: «sy su Alteza no fuese tan guarnecida de virtudes, no podría sufrir lo que vee; mas en persona de tan poca hedad no creo que se ha visto tanta cordura»[140]. Gómez de Fuensalida retrató a los asesores de Felipe, en contraste con Juana, como consagrados a «los viçios de la garganta con sus anexos» —glotonería, borracheras, fanfarronería y difamación, entre otros pecados—. Comentaba:

---

[137] AHN Osuna 1982-21/3, El príncipe Felipe al duque del Infantado, 22 de noviembre de 1500. GÓMEZ DE FUENSALIDA, *Correspondencia*, pp. 166-167.
[138] GÓMEZ DE FUENSALIDA, *Correspondencia*, pp. 157-158, 162.
[139] GÓMEZ DE FUENSALIDA, *Correspondencia*, p. 169.
[140] GÓMEZ DE FUENSALIDA, *Correspondencia*, p. 182.

Los que goviernan al Archiduque pésales de la yda a España porque recelan que les será quitado de las manos y que no serán tan asolutos señores dél ni de lo suyo como agora lo son. Los gentiles onbres aborrecen este camino porque la costumbre suya en todas las cosas es tan dyferente de la costumbre castellana como el byen del mal[141].

El embajador veía que las diferencias culturales informaban y exacerbaban la pugna entre las normas políticas borgoñonas y castellanas, lo que se reflejaba en los intentos de los consejeros de Felipe de marginar a Juana. Por otra parte, elogiaba a Juana por compartir los valores y costumbres de sus padres.

La archiduquesa recibió más apoyo del obispo de Córdoba, Juan Rodríguez de Fonseca, a quien enviaron Fernando e Isabel para acelerar los asuntos en Flandes durante el verano de 1501. Encontrando a Juana «avida por muy cuerda y por muy asentada», Fonseca informó las diversas opiniones acerca de su influencia sobre Felipe. Escribió que, mientras algunos observadores creían que Juana podría hacer más para favorecer los intereses españoles, otros afirmaban que «con querer hacer más, se dañara más y hiciera menos»[142]. El control borgoñón sobre la casa de Juana inicialmente limitó el contacto de Fonseca con ella. Tal vez lo mas significante fue que el obispo encontró a la archiduquesa completamente aislada, «que no tiene alma viva que la ayude con una sola palabra»[143]. En su intento por remediar la falta de consejeros proespañoles que tenía Juana, el mismo Fonseca jugó un papel importante ayudando a Juana a adoptar normas aceptables para sus padres, especialmente durante el viaje posterior a través de Francia. Poco después de que Fonseca hubiera llegado a la corte borgoñona, el 16 de julio de 1501, la archiduquesa dio a luz a una segunda hija, bautizada Isabel por la madre de Juana, siendo esto un signo potencial de la influencia de Fonseca. ¿Pero había mandado Isabel a su hija demasiado poca ayuda y demasiado tarde?

En vez de ganar autoridad por medio de la maternidad, Jua-

---

[141] GÓMEZ DE FUENSALIDA, *Correspondencia*, p. 181.
[142] RAH Salazar A-9, fol. 132, El obispo de Córdoba Juan Rodríguez de Fonseca al secretario Miguel Pérez de Almazan», 12 de agosto de 1501.
[143] RAH Salazar A-9, fol. 132, El obispo de Córdoba Juan Rodríguez de Fonseca al secretario Miguel Pérez de Almazan», 12 de agosto de 1501.

na perdió influencia sobre sus propios hijos en la corte borgoñona. Ya hacia el 8 de febrero de 1501, Juana había pedido a su madre que escogiese a una mujer «concertada y cuerda y quita de
toda fantasya» para cuidar de los niños en Flandes durante su ausencia[144]. Juana puede que haya puesto reparos a doña Ana de Beaumont, hermana del condestable de Navarra, a quien al final se
le dio el puesto. Sin embargo, no llegó ninguna institutriz alternativa desde España. Felipe y sus consejeros impusieron su autoridad sobre la casa de los niños tan fácilmente como habían
obtenido el control de la casa de Juana. A los cuatro días del
nacimiento de Isabel, Charles de Lattre, anteriormente el *premier
escuier* de Juana, se convirtió en *maistre d'ostel* para los dos niños
mayores, Carlos y Leonor[145]. En octubre de 1501, Felipe mandó
a los tres niños para que se reunieran con su bisabuela y su tía en
Malinas bajo la supervisión directa de Charles de Croy, príncipe
de Chimay[146]. Aunque Gómez de Fuensalida había sido asignado
a la casa de Carlos, afirmaba que los borgoñones le impedían ocupar el puesto de *maestresala*[147]. Los oficiales que habían margina-
do a Juana ahora imponían su autoridad sobre sus hijos. A Juana
le faltaban los recursos, y posiblemente la voluntad, para oponerse a semejantes avances de los borgoñones.

VIAJES CONFLICTIVOS Y LAS CORTES DE 1502

Desde 1496 hasta 1501 Juana se había familiarizado con las
provincias de los Países Bajos y sus súbditos del norte. Después de
1501, cuando Juana y Felipe se convirtieron en los herederos a los
reinos de Castilla y Aragón, los Reyes Católicos esperaban de ellos
que desarrollasen una relación similar con las tierras y los pueblos
de España. La posición de Felipe y Juana como herederos requería una confirmación por medio de ceremonias constitucionales
que incluían entradas a ciudades principales y, especialmente, ju-

---

[144] GÓMEZ DE FUENSALIDA, *Correspondencia*, pp. 174-175.
[145] ADN Lille B 2173, fol. 262, Pagos a Charles de Lattre, 20 de julio de 1501.
[146] ADN Lille B 2173, fol. 146, Pagos a Lyon Cousin, 23 de octubre de 1501.
[147] GÓMEZ DE FUENSALIDA, *Correspondencia*, pp. 193-194.

ramentos frente a las Cortes en Toledo, el antiguo asiento de la monarquía visigótica, y Zaragoza, asiento del Justicia de Aragón. El viaje de 1501 a España significaba la primera ocasión en que Juana (aconsejada por el obispo de Córdoba) hizo respetar con éxito sus derechos de heredera propietaria a los reinos españoles. Felipe, por otra parte, se mantenía inflexible en su negación a ponerse de parte de Fernando e Isabel contra Luis XII.

Fernando e Isabel tal vez hayan querido olvidar la simpatía profrancesa que, sin lugar a dudas, Felipe había revelado al firmar el Tratado de París con Luis XII, el 23 de julio de 1498. En ese acuerdo, Felipe aceptó rendir homenaje al rey francés por los territorios de Flandes y Artois, y renunció a sus derechos al ducado de Borgoña a cambio de los pueblos de Aire, Bethune, y Hesdin[148]. En esa ocasión, uno de los embajadores de Fernando e Isabel les informó: «Lo que claro se conose es que la intención destos que goviernan es de apartar al archiduque del Rey de Romanos y de V. Al. y juntarle con el rey de Francia y fazerle perder a Borgoña por ser ellos siempre señores»[149]. Por otra parte, el confesor de Juana había notado apoyo popular para el tratado en Flandes[150], y los pueblos y ciudades principales de Felipe proporcionaron seguridad para el acuerdo[151]. Frente a estas evidencias, es posible que Fernando e Isabel hayan tenido la esperanza de que Juana, como heredera, pudiera por fin persuadir a su marido a adoptar medidas favorables a España. Si hubiera sido así, se enfrentarían aún a otra decepción.

En 1501 las estrategias borgoñonas y españolas entraron en conflicto acerca del camino que Felipe y Juana deberían tomar para llegar a Castilla[152]. Ansiosos por profundizar la alianza del

---

[148] AGRB Audiencia 1082, fol. 47-50v, Traicte de Parys, 23 de julio de 1498.
[149] AGS PR 52:113-114, Sancho de Londoño a los Reyes Católicos, 17 de agosto de 1498 en SUÁREZ FERNÁNDEZ, *Política Internacional de Isabel la Católica*, V, 1972, doc. 76, pp. 290-292.
[150] AGS PR 56:19, El obispo electo de Astorga, Matienzo, a Fernando e Isabel, 17 de agosto de 1498.
[151] SA Brussel n.º VIII, fol. 348, «De par l'archiduc aux burgmaistiers, eschevins, et conseil de notre ville de Bruxelles», 20 de septiembre de 1498.
[152] Debido a la importancia estratégica de la ruta marítima, Inglaterra había representado un lógico tercer partido en la planeada alianza de los Reyes Católicos y Maximiliano de Austria contra Francia. Sin embargo, la viuda duquesa de Borgo-

archiduque con Luis XII, los consejeros de Felipe lo instaron a que viajara por tierra a través de Francia. En contraste, Fernando e Isabel, a punto de entrar en guerra con Francia, insistían en un viaje por mar e incluso mandaron una flota armada a Zelanda para transportar a los archiduques directamente a España. Cuando el obispo de Córdoba se reunió con el almirante de Felipe, Phelippe de Borgoña, para hacer un reconocimiento y aprovisionar los barcos, el 9 de agosto de 1501, un viaje por mar parecía asegurado[153]. Diez días más tarde, sin embargo, Felipe anunció el compromiso de su hijo, Carlos, con la única descendiente de Luis XII[154]. Un viaje por tierra a través de Francia cimentaría el acuerdo. Aun cuando el anuncio sorprendiese a Fernando e Isabel, Felipe podría haber decidido un viaje por tierra meses antes, ya que la reina de Francia había enviado una delegación para que residiera con Felipe en abril y mayo de 1501, presumiblemente para promover el viaje a través de Francia[155].

Habiendo rechazado un viaje por mar, Felipe tomó medidas bien calculadas para sofocar las protestas españolas contra su decisión. Envió regalos de plata al obispo de Córdoba[156] y le concedió al *camarero* de Juana, Diego de Ribera, unas oportunas 35 *livres*[157]. Felipe apaciguó a otros españoles que residían en la corte borgoñona pagándoles unos salarios que estaban atrasados desde

---

ña, Margarita de York, animó a Juana para que no apoyara a los Tudor. No obstante, cuando recibió los informes de que Catalina tal vez cruzaría el canal, Juana admitió que deseaba mucho ver a su hermana más joven. BN Paris, Manuscrits Espagnoles 318, n.º 56, Henry VII a Fernando e Isabel, 15 de mayo de 1497. AGS PR 52-189, El rey de Inglaterra a la archiduquesa Juana, 8 de abril de 1497. BN Madrid ms. 18691/121, La archiduquesa Juana al Doctor Puebla, 19 de septiembre de 1498.

[153] ADN Lille B 2173, fol. 125v, Cartas a Phelippe de Bourgogne, 9 de agosto de 1501.

[154] ADN Lille B 2173, fol. 129v, Pagos a mensajeros, 19 de agosto de 1501.

[155] En un gesto de hospitalidad, correspondido muchas veces durante el viaje a través de Francia, el archiduque pagó los gastos de estos invitados. ADN Lille B 2173, fol. 223, Pago a Loste du Chyne, 4 de mayo de 1501.

[156] B 2173, fol. 247, Pago a Phelippe Baudberghe, noviembre de 1501. Sin sospechar, Fonseca ya había enviado a sus caballerizos con una mula para el archiduque. ADN Lille B 2173, fol. 180v, Pago au palfernier de l'evesque de Cordoba, 24 de agosto de 1501.

[157] ADN Lille B 2173, fol. 193, Pago a Jacques [sic] de Riviere, 31 de agosto de 1501.

hacía tiempo. En una directriz enviada a la *Chambre des Comptes* en Lille, el archiduque ordenó:

Por esta queremos pagar y satisfacer a otras personas de la nación de España de la casa de nuestra muy querida y poderosa compañera la archiduquesa, cuyos servicios ella desea en su próximo viaje con nosotros a España, con todo lo que se les debe[158].

De acuerdo con este memorándum, más de 6.786 *livres* fueron pagadas con retraso a los 28 sirvientes «españoles» de Juana en la víspera de su salida a España[159].

Además de pagar los salarios atrasados, Felipe amplió su casa y la de Juana en preparación para su viaje. El archiduque nombró a su consejero y chambelán, Hughes de Melun, vizconde de Gante, como *Chevalier de Honneur* de Juana durante el viaje[160]. En la víspera de la salida de Juana, los incrementos no sólo en los salarios individuales[161] sino también en el número de sirvientes casi doblaron el total de los sueldos pagados diariamente a miembros de su casa[162]. Además de siete damas españolas, el aumento del séquito de Juana incluía a treinta y cuatro damas borgoñonas[163].

---

[158] ADN Lille B 17791 (Castille, Jeanne...), Felipe a la Chambre de Comptes à Lille, 16 de octubre de 1501. Felipe empleó la misma frase, «tres chière et puisante compaigne», al referirse a Juana en sus cartas para la Chambre de Comptes à Lille, 4 de noviembre de 1501.

[159] ADN Lille B 17991 (Castille, Jeanne...), «Parties mises en reste pour Maîstre Aubert Thibault», sin fecha [otoño de 1501].

[160] AGRB Audience 22, fol. 152, «Extrait de premier compte de Jehan van Belle», entrada de febrero de 1502. ADN Lille B 2186, n.° 73227, Regalo de 200 libras para Hughes de Melun, 28 de junio de 1504.

[161] A la cabeza del séquito de Juana, el sueldo de Madame de Hallewin, subió de 30 a 33 *sous* al día, mientras que los sirvientes más humildes de Juana, Hostelet Hamel y Jehan de Poisepo, aumentaron a más del doble sus sueldos (de 18 *deniers* a 4 *sous* al día). ADN Lille B 3459, n.°s 121046, 121065, 121084, 121103, 121120, 121144, 121160 y 121183, Juana's gaiges, 12 de febrero de 1501, 9 de marzo de 1501, 31 de marzo de 1501, 2 de mayo de 1501, 24 de mayo de 1501, 11 de julio de 1501, 25 de julio de 1501 y 7 de septiembre de 1501. AGRB Audience 14, n.° 354, Sueldos de la casa de Juana, 23 de mayo de 1502.

[162] ADN Lille B 3459, n.° 121185, Sueldos de la casa de Juana (33 livres 14 sous 6 deniers), 8 de septiembre de 1501. ADN Lille B 3459, n.° 121198, Sueldos de la casa de Juana (61 livres 13 sous), 3 de noviembre de 1501.

[163] *Collection des Voyages de Souverains des Pays-Bas*, M. GACHARD (ed.), I: 128.

El viaje por tierra le permitió a Juana visitar la provincia sureña de Hainaut por primera vez. A dos leguas de las afueras de Mons, la archiduquesa y su séquito hicieron una parada en la Abadía Benedictina de San Gislen, la cual contenía las reliquias de Santa Leocadia, una de las primeras mártires originarias del lugar de nacimiento de Juana, Toledo. Según un informe publicado en 1591, Juana pidió devotamente una parte de los restos de la santa para restituirlos a su común ciudad natal. En consecuencia, el abad, con la aprobacion de Henry de Berghes, el obispo de Cambray, le dio a Juana la espinilla derecha para que la llevara a la ciudad donde ella sería confirmada como la heredera de su madre[164]. Mientras mostraba un apego piadoso a Toledo, Juana no descuidó a sus súbditos del norte. El 9 de noviembre, organizó una entrada inaugural a Valenciennes, cuyos habitantes presentaron a su condesa dos macetas de plata y un cuenco cubierto de flores de oro[165].

Los cronistas borgoñones, como era de esperar, destacaron la calurosa recepción que hicieron a Felipe y Juana en Francia, adonde entraron el 16 de noviembre de 1501. La crónica atribuida a Antoine de Lalaing, uno de los caballeros de Felipe, declaraba que oficiales locales le tributaron por toda Francia al archiduque los honores normalmente reservados para su rey. Organizando grandiosas recepciones y expresiones de alegría, los representantes municipales invitaron al archiduque, como primer par del reino, a intervenir en la resolución de asuntos relacionados con la justicia, normalmente reservados a su soberano —solucionando disputas y concediendo indultos[166]—. Según otro cronista, el pueblo de París, en particular, amaba a Felipe «como si fuese el rey, por su belleza, generosidad, y elegante séquito»[167]. El preboste de París encantó al archiduque con un gran banquete donde figuraban graciosas doncellas, dulces, especias y bailes. Aparentemente menos contenta, Juana abandonó París la maña-

---

[164] Miguel HERNÁNDEZ, *Vida, Martyrio y Traslacion de la gloriosa Virgen y Martyr Santa Leocadia,* Toledo, Pedro Rodríguez, 1591, 62v-71. Geoffrey Parker generosamente nos señaló esta fuente.
[165] *Collection des Voyages de Souverains des Pays-Bas,* M. GACHARD (ed.), I, p. 129.
[166] *Collection des Voyages,* I, pp. 132-134.
[167] «Reise des Erzherzogs Philipp nach Spanien 1501», p. 561.

na siguiente[168]. Felipe se quedó rezagado en París cuatro días más y finalmente alcanzó a su mujer justo en las afueras de Blois, donde residían el rey y la reina de Francia en ese momento[169]. La visita a Blois le ofreció a Juana una importante oportunidad para hacer respetar los intereses españoles. Aunque su marido había jurado vasallaje a Luis XII, Juana no reconoció tal subordinación y consiguió afirmar su independencia como la verdadera heredera de Castilla y Aragón a través de una serie de gestos públicos. Lo que un historiador ha calificado como «conflictos insignificantes provocados por la vanidad femenina» en Blois[170], de hecho consistía en luchas por el prestigio y los territorios pertenecientes a reinos vecinos. El encuentro, entonces, se convirtió en un reto de voluntades, en el cual Juana, guiada por el obispo de Córdoba, continuamente buscó defender su posición sin ofender a sus anfitriones. Así pues, cuando le preguntaron si besaría o no al rey de Francia, la archiduquesa realizó esa particular señal de amistad sólo después de recibir la previa aprobación del obispo de Córdoba[171]. Tal vez a cambio de esto, Luis XII, que había requerido a Felipe que hiciese dos reverencias ante él, se apresuró a prevenir a Juana a que no hiciera más de una reverencia en su presencia[172]. A través de este gesto, que aparece en una fuente borgoñona, el rey afirmó la dignidad de Juana como la heredera propietaria de reinos independientes.

El desafío ceremonial más grande para Juana ocurrió estando en misa con la reina Ana al día siguiente. Cerca del final del servicio, la reina envió a Juana cierta cantidad de dinero para que la donara a la iglesia de parte de Ana. Negándose a realizar tal acto de vasallaje, Juana supuestamente declaró que ella ofrecía limosnas sólo por sí misma[173]. Aunque la reina esperó que Juana la siguiese

---

[168] «Reise des Erzherzogs Philipp nach Spanien 1501», p. 562.
[169] «Reise des Erzherzogs Philipp nach Spanien 1501», p. 565.
[170] PFANDL, *Juana «la Loca»*, 65.
[171] De *Le Cérémonial françois*, citado en *Collection des Voyages*, p. 136.
[172] ADN Lille B 17791, Jerome Lauwerin a la Chambre de Comptes en Lille, 19 de diciembre de 1501.
[173] PADILLA, «Crónica de Felipe I...» 83. Aunque menos detalladas con respecto a las actividades de Juana, tres relaciones borgoñonas de primera mano corroboran las afirmaciones de Padilla. *Chroniques de Jean Molinet*, III: 502-503. *Collection des Voyages de Souverains de Pays-Bas*, I, p. 137. «Reise des Erzherzogs Philipp nach Spanien 1501», p. 568-9.

después de la misa, la archiduquesa permaneció en la capilla el tiempo suficiente para demostrar que ella se iba por su propia voluntad[174]. Ana estaba furiosa. No era de sorprender que Juana se encontrara «ung[e] petit mal disposée» esa tarde. Demostrando su apoyo a la archiduquesa, la duquesa de Valentinois, Madame de Nevers, y otras damas llevaron a Juana «les espices dedens les dragoires» – especias con propiedades no sólo medicinales sino también embriagadoras.[175] Como para disculparse por la actitud de Juana, Felipe disgustó a los españoles de su compañía ofreciendo monedas en nombre de Luis XII en otra misa.[176]

Unos cuantos días más tarde, la archiduquesa asistió a una cena formal. Salió de sus habitaciones con gesto triunfante, cargada de joyas y llevando un vestido al estilo español de tela de oro. Después de cenar, Juana contentó a la corte bailando «a la manera española»[177]. Según un observador borgoñón, Juana se condujo como «una virtuosa y magnánima princesa» en Blois[178]. La resultante incomodidad de sus anfitriones requería que los archiduques aceleraran su salida, como probablemente lo deseaba Juana[179].

En su viaje hacia el sur desde Blois, Felipe y Juana tomaron caminos diferentes hasta Bayona, donde el rey Juan de Navarra se unió a ellos. Después de escuchar misa, el rey de Navarra abandonó la iglesia cogido del brazo de la archiduquesa[180]. Durante ese corto encuentro, Juana hizo arreglos para casar a su hija Isabel con Enrique, príncipe de Viana y heredero de Navarra[181], una unión que sus padres probablemente deseaban. Lejos de asistir a ceremonias sin sentido, Juana intentó usar esos encuentros tan importantes para preparar el futuro de su familia.

---

[174] PADILLA, «Crónica de Felipe I...», p. 83. «Reise des Erzherzogs Philipp nach Spanien 1501», p. 568.
[175] *Collection des Voyages*, I, p. 137.
[176] ADN Lille B 17791 (Voyage de Philipe...), Monsieur de Maigny a la Chambre de Comptes à Lille, 19 de diciembre de 1501.
[177] *Collection des Voyages*, I, p. 141.
[178] ADN Lille B 17791, Jerome Lauwerin para la Chambre de Comptes à Lille, 19 de diciembre de 1501.
[179] PADILLA, «Crónica de Felipe I...», p. 83.
[180] «Reise des Erzherzogs Philipp nach Spanien 1501», pp. 593-594.
[181] PADILLA, «Crónica de Felipe I...», p. 83.

Los borgoñones encontraron el País Vasco, donde hicieron su entrada en enero de 1502, menos familiar y menos hospitalario que Francia. Para poder ayudar a los archiduques a cruzar las montañas de Cantabria, Fernando e Isabel habían enviado a don Gutierre de Cárdenas, comendador mayor de León, a que los recibiera con unas mulas robustas de Vizcaya y escoltara a Felipe y Juana a Toledo, donde las Cortes de Castilla los confirmarían como herederos a ese reino[182]. Después de abandonar sus carruajes en Fuenterrabía, los borgoñones se enfrentaron a un trayecto cubierto de hielo de cinco horas a través de los estrechos pasajes del Monte San Adrián. Antes de llegar al pueblo de Segura (al sur de Tolosa), muchos sufrieron gran hambre y se encontraron a punto de desmayarse. A las puertas de la ciudad, la compañía aguantó aún una larga recepción, en la cual varios cientos de vascos dieron la bienvenida a Felipe y Juana «a la manera española», besando sus delicadas manos tantas veces que se pusieron rojas[183].

Habiendo descansado en Segura, el séquito siguió hacia Castilla. Cuando la compañía de Felipe se acercó a Burgos, ciudad que se autotitulaba «la cabeza de Castilla», unos guardias municipales confundieron a la compañía de los borgoñones con un ejército invasor y cerraron las puertas de la ciudad. Sólo don Gutierre de Cárdenas fue capaz de persuadir a los oficiales municipales a admitir a los borgoñones[184]. Tras unos momentos tensos, la ciudad de Burgos reconoció a Juana y a Felipe como sus futuros soberanos y rápidamente organizó una recepción. Dieciocho caballeros vestidos de rojo alzaron un palio de oro sobre Felipe y Juana cuando por fin entraron en la ciudad. Entonces, como otra señal de soberanía, el *premier escuier* de Felipe alzó la espada oficial perteneciente al heredero de Castilla, espada que Fernando e Isabel habían enviado a Felipe[185]. Combinando la espada de príncipe con el sagrado palio de oro, esta entrada real —posteriormente repetida en Valladolid, Medina del Campo, Segovia y Ma-

---

[182] *Collection des Voyages*, I, p. 148.
[183] «Reise des Erzherzogs Philipp nach Spanien 1501», p. 601.
[184] *Collection des Voyages*, I, p. 152.
[185] «Reise des Erzherzogs Philipp nach Spanien 1501», p. 608.

drid— exhibía públicamente las personas marciales (personales) y trascendentales (corporativas) de los herederos.

Mientras las ciudades y los pueblos de Castilla recibían a sus futuros soberanos, los principales nobles del reino competían entre ellos por obsequiarlos. En Burgos, por ejemplo, el condestable de Castilla, don Íñigo de Velasco, entretuvo a la pareja de príncipes con corridas de toros y otros lujosos certámenes[186]. En Valladolid, el almirante de Castilla, don Fadrique Enríquez, les ofreció más diversiones. El condestable, el almirante y otros nobles encontraron que Felipe era fácil de complacer. Disfrutando de todo tipo de deportes, el archiduque se divertía en las corridas de toros tirando restos de dulces a la multitud de gente que se peleaba por los trozos[187]. También disfrutaba de aparecer de incógnito entre el público[188] y vestirse de turco para representar batallas moras[189]. Mientras tanto, vigilando a sus nobles y a sus herederos, Fernando e Isabel discretamente se quedaron en Andalucía, con lo que Felipe y Juana pudieron ir conociendo a sus futuros súbditos.

Desde el 18 de marzo hasta el 28 de abril de 1502, Juana y Felipe residieron en Madrid. Durante la fiesta de Pascua se identificaron con una comunidad cristiana en expansión mediante el patrocinio de bautizos de musulmanes y judíos[190]. Después que los archiduques escucharon misa el 21 de abril, el confesor de Juana, el obispo de Málaga, bautizó a un viejo musulmán con Felipe como padrino[191]. El 26 de abril el obispo bautizó a otro «sa-

---

[186] La recompensa al condestable por sus molestias y gastos incluía la largamente anticipada conclusión de su boda con la hija ilegítíma de Fernando, doña Juana de Aragón, y la implícita legitimación de sus hijos en Toledo ese año.

[187] «Reise des Erzherzogs Philipp nach Spanien 1501», pp. 627, 629, 633, 637.

[188] *Collection des Voyages*, I, p. 169.

[189] *Collection des Voyages*, I, pp. 185, 193-4.

[190] «Reise des Erzherzogs Philipp nach Spanien 1501», p. 639. Para una detallada descripción de la población islámica de Burgos, véase «Reise des Erzherzogs Philipp nach Spanien 1501», p. 609-610. Lalaing comenta acerca de los musulmanes de Granada en *Collection des Voyages*, p. 208.

[191] El sacramento seguía a un largo sermón e interrogatorio acerca de las razones que llevaban al musulmán a convertirse, «con el objeto de saber si adoptaba el cristianismo por miedo o por el amor que le tenía a Dios». Satisfecho de que el hombre deseaba vivir como un buen y leal cristiano, el obispo lo bautizó Felipe. «Reise des Erzherzogs Philipp nach Spanien 1501», p. 639.

rraceno», a su hijo y a su hija. El hijo, a quien Felipe sostuvo sobre la fuente bautismal, recibió su nombre. La hija, patrocinada por Juana, fue conocida conforme a su nombre[192]. Informes conservados en Bruselas también hacen constar un regalo de 18 *livres* 15 *sous* a un judío residente en Madrid, el cual aceptó el bautizo, junto con sus dos hijos[193]. Al fomentar la conversión de no cristianos, los archiduques se unían a Cristo en la redención de las almas perdidas.

Después de la fiesta de Pascua, Juana y Felipe planeaban reunirse con los Reyes Católicos en Toledo, donde la reina Isabel había convocado las Cortes para recibir a Juana como su sucesora y heredera[194]. Fernando, por su parte, hizo todo lo posible para ganarse a Felipe y alejarlo de la causa francesa. Cuando un ataque de viruela detuvo a Felipe en la aldea de Olías durante varios días, Fernando se apresuró a visitar al archiduque en su lecho de enfermo. Isabel, que también había enfermado, no viajó a Olías. Tampoco se reunió con los archiduques afuera de las puertas de Toledo —*su* ciudad— el 7 de mayo de 1502, después de que Felipe se hubiera recuperado. Tomando la iniciativa una vez más, el soberano aragonés se colocó al lado de Felipe debajo del palio dorado y de modo significativo dejó que su hija, Juana, entrase en la ciudad detrás de ellos[195]. Fernando honró ceremoniosamente a Felipe como rey consorte en Castilla, en vez de a Juana, la heredera propietaria de los reinos de Isabel. Felipe y Fernando de esta manera colaboraron para marginar a Juana y para subvertir los principios del reinado femenino que sancionaba y amenazaba a la vez su autoridad en Castilla.

---

[192] «Reise des Erzherzogs Philipp nach Spanien 1501», p. 642.

[193] Diez años después de la expulsión de 1492, este informe detalla «une juif resident a madril... avec deux ses enffans.» AGRB Audience 22, fol. 178, «Extrait de premier compte de Jehan van Belle», abril de 1502.

[194] La convocatoria no hace ninguna mención a Felipe. AMT, Archivo Secreto, caja 8, legajo 1, núm. 65/ AS 630-12, Los Reyes Católicos a la ciudad de Toledo, 8 de marzo de 1502.

[195] «Reise des Erzherzogs Philipp nach Spanien 1501», p. 651. Según Molinet, quien apropiadamente definió tales rituales de deferencia mutua «mistères», Fernando se colocó delante de los dos, Felipe y Juana. *Chroniques de Jean Molinet*, III, p. 515.

La reina Isabel intentó rectificar este desprecio después de que los príncipes llegaran a la casa del marqués de Villena, donde residirían mientras estaban en Toledo. El 8 de mayo la reina preparó una suntuosa misa en la gran sala de la mansión de Villena con un palio dorado encima del altar. Después que Fernando, Isabel, Felipe y Juana tomaron la comunión, una mesa sustituyó al altar. Sentados en unas sillas doradas debajo del mismo palio que había cubierto el cuerpo de Cristo, a Fernando, Isabel, Felipe y Juana «se les sirvió mucha carne muchas veces al estilo español»[196]. Al colocarse ella y su hija debajo del palio dorado, Isabel reafirmaba su propia posición como una soberana escogida divinamente y afirmaba la posición de Juana como su sucesora legal.

Isabel, respaldada por la tradición castellana, ganó la primera ronda en la lucha por establecer las posiciones respectivas de Juana y Felipe. El 22 de mayo, las Cortes ratificaron a Juana como princesa y heredera de los reinos de Castilla y León y aceptaron a Felipe como príncipe consorte[197]. Dos meses más tarde, evidentemente desilusionado con su designación como consorte y con su prolongada residencia en Toledo, Felipe expulsó de su séquito a Henry de Berghes, obispo de Cambray y líder de la facción proespañola. Aunque tanto Juana como Isabel defendieron la causa del obispo, Felipe reestructuró su casa e insistió en que de Berghes y sus seguidores regresaran a los Países Bajos[198]. Tal vez aun más preocupante para la reina fue el hecho de que Felipe y los restantes sirvientes, nostálgicos de su país, se apresuraran a concluir su estancia en España.

Las tensiones entre los flamencos y los españoles siguieron aumentando. El 16 de agosto, veinte o más castellanos armados atacaron a tres de los caballeros de Felipe por razones que no fueron registradas[199]. En vez de calmar a Felipe, la reina Isabel intentó apaciguar a la población local perdonando a los agresores caste-

---

[196] «Reise des Erzherzogs Philipp nach Spanien 1501», p. 654.
[197] PADILLA, «Crónica de Felipe I...», p. 87.
[198] *Collection des Voyages*, I, p. 190.
[199] Los borgoñones se refugiaron en el monasterio de San Bernardo, donde el *potagier* de Juana, Francequin, después murió de heridas que había recibido en la disputa.

llanos[200]. El golpe más devastador para Felipe, sin embargo, lo constituyó la repentina muerte de François de Busleyden, arzobispo de Besançon, el 24 de agosto de 1504[201]. Aunque muchos flamencos, incluyendo a Madame de Hallewin, culparon al clima y al vino por las enfermedades contraídas durante el viaje[202], Felipe sospechaba que los oponentes de Besançon lo habían envenenado deliberadamente. Deseosos de escaparse de Toledo, Juana y Felipe viajaron hacia Aragón, donde sus pajes saquearon una mezquita, rompiendo lámparas y todo lo que estuviese a la vista, para celebrar el día de San Lucas[203]. Frustrados con su estancia en España, los borgoñones habían empezado a comportarse más como un ejército invasor que como una corte disciplinada. La violencia de sus miembros descontentos obligó a Juana y a Felipe a hacerlos volver a los Países Bajos.

Mientras tanto, Fernando preparaba las Cortes de Aragón como culminación de su estrategia de obligar a Felipe a ponerse de su parte contra Luis XII. El 26 de octubre Felipe y Juana entraron en Zaragoza debajo de un palio de oro y detrás de una espada desenfundada, que respetuosamente bajaron cuando pasaron por delante del rey Fernando. Al día siguiente las Cortes de Aragón confirmaron a Juana como soberana propietaria y a Felipe como rey consorte, después de la muerte de Fernando, a menos que el rey aragonés engendrara a un legítimo hijo varón[204]. Fernando, entonces, se marchó a Castilla, alegando que la reina Isabel había enfermado, y dejando a Felipe para presidir las Cortes que iban a reunirse para votar los subsidios para la guerra con-

---

[200] *Collection des Voyages*, I, pp. 195-196. Desiderius ERASMUS, *Obras Escojidas*, Lorenzo RIBERA (trad. y ed.), Madrid: Aguilar, 1956, p. 227, n1.

[201] El arzobispo murió poco después que Fernando e Isabel le hubieran concedido de mala gana el obispado de Coria. PADILLA, «Crónica de Felipe I...», p. 88.

[202] ADN Lille B 17795 (voyage de Philippe...), Philippe Haneton a la Chambre de Comptes à Lille, 28 de marzo de 1502.

[203] *Collection des Voyages*, I, p. 238.

[204] Esta excepción puede explicar la rapidez con que las Cortes confirmaron a Juana como heredera, a pesar del hecho de que sus miembros se habían negado a aceptar a su hermana mayor varios años antes citando la ley sálica, la cual excluía a las mujeres de la sucesión. Gerónimo DE BLANCAS, *Coronaciones de los serenissimos reyes de Aragon,* Zaragoza, Diego Dormer, 1641, cap. 20, fol. 252-257. Blancas consideró coronaciones a los *juramentos*, ya que implicaban tomar posesión de reinos.

tra Francia. Sin embargo, Felipe, que acababa de recibir hacía
poco tiempo un salvoconducto de Luis XII, quería regresar a
Flandes cruzando a través de Francia. El archiduque fue a galo-
pe detrás de Fernando, dejando a Juana con las Cortes[205].

Juana, con su cuarto embarazo muy avanzado, se convirtió en
la pieza central en el subsiguiente intento para hacer que Felipe
se pusiera del lado español contra Francia. Usando la condición
de Juana como pretexto, Isabel y Fernando insistieron en que los
archiduques se quedaran en España hasta que ella hubiera dado
a luz. Cuando la reina Isabel superó su supuesta fiebre, Felipe llamó a Juana a Madrid. El archiduque, habiendo encargado al marqués de Villena que escoltase a Juana lo más pronto posible, sólo
aceptó aquellos retrasos necesarios para proteger la salud de Juana.[206] Al final, Felipe se marchó impacientemente de Madrid para
reunirse con la archiduquesa. Los Reyes Católicos, conscientes de
que Felipe insistía en marcharse de Castilla lo más pronto posible, animaron al marqués a que ayudara a Juana a oponerse a sus
deseos:

> Esforçadla vos para que esté muy reçia y estorve la yda del Prínci-
> pe y la contradiga como cosa tan dañosa a ellos y a nosotros que nin-
> guna otra lo podría ser más; y así mismo para que ella no se congoxe ni
> reciba pena dello, porque no le faga daño, diziendo que aqua le ayuda-
> remos a ello, de manera que el Príncipe no la dexe[207].

Como siempre, Fernando e Isabel sobreestimaron la habilidad de
su hija y la de ellos mismos para influir en Felipe.

Una vez más, Fernando e Isabel imploraron a Juana que usa-
ra su cuerpo femenino personal para promocionar los intereses
de sus reinos. Sin embargo, para consternación de sus padres,
Juana siguió siendo responsable ante su marido y ante sus súbditos del norte. Diferentes reinos, personificados en los individuos

---

[205] *Collection des Voyages*, pp. 239-242.
[206] AHN Nobleza, Frías 17/57-58, Príncipe Felipe al marqués de Villena, 23 de
octubre y 21 de noviembre de 1502.
[207] AHN Nobleza, Frías 17/59, Fernando e Isabel al marqués de Villena, 7 de
diciembre de 1502.

más próximos a ella, le presentaban exigencias contradictorias a la princesa. Estas exigencias se intensificaron durante la estancia de la corte borgoñona en España y dejaron a Juana en una situación desesperada.

Las culturas de corte de Borgoña y Castilla enfrentadas revelaban programas y actitudes políticas contrarias entre sí respecto a Francia. En guerra con Luis XII, Isabel y Fernando mostraron la base no sólo militar sino también sagrada de su autoridad en 1502. Palios dorados para entradas y comidas reales, asistencia a misas públicas, visitas a monasterios y conventos, y la solemne confirmación de herederos en las Cortes, todo ponía de relieve el mandato divino de los monarcas para gobernar sus territorios. Mientras hacían entrega de los ornamentos santificados de la autoridad real a sus herederos, Fernando e Isabel esperaban que Felipe y Juana desarrollasen una lealtad correspondiente a los intereses de Castilla y Aragón. Sin embargo, Felipe y Juana ya eran soberanos de los Países Bajos. Los intereses corporativos de esos reinos del norte requerían la paz con Francia y la presencia personal de sus soberanos. Marginada con respecto a cada una de las dos cortes en pugna, Juana se encontraba atrapada mientras intentaba encontrar un término medio entre ellos.

Capítulo 3

PASIONES RENACENTISTAS Y LA *LOCURA* DE JUANA: «POR AMOR... O POR MIEDO»

Aunque Felipe había anunciado su deseo de volver a los Países Bajos a través de Francia, la reina Isabel quería que Felipe y Juana permanecieran en España, entre los súbditos a los que algún día gobernarían. Preocupada de que el marido de Juana pensara viajar a través de un reino en guerra con el suyo, la reina apeló a los sentimientos de Felipe hacia su mujer. Ella no permitiría que Juana, embarazada una vez más, viajara a través de un territorio enemigo durante el invierno. Dado el «ardiente amor por el marido» que sentía Juana, Isabel, supuestamente, sugirió que su hija podría sufrir un aborto y que incluso podría morir de tristeza si Felipe la abandonara[1]. La reina Isabel intentó avivar el amor y el miedo del príncipe a su mujer y, tácitamente, a su herencia. Sin embargo, bajo la dramática ansiedad de Isabel por la salud de Juana reposaba una preocupación muy fundada por el bienestar de Castilla y Aragón. Como muchos de sus contemporáneos, la reina Isabel conectaba el destino de los soberanos con el de sus reinos.

El amor y el miedo, aunque ostensiblemente eran pasiones personales, también podían expresar intereses políticos. Por lo tanto, examinaremos la retórica del amor y el miedo que se en-

---

[1] *Pedro Mártir de Anglería*, X: Epíst. 250. El pasaje citado figura en la Epíst. 249 de la edición original en latín. Petrus Mártir DE ANGLERÍA, *Opus Epistolarum*, Alcalá de Henares: Michael de Aguia, 1530, fol. 59v. Alonso DE SANTA CRUZ, *Crónica de los Reyes Católicos*, Juan DE MATA CARRIAZO (ed.), Sevilla, Escuela de Estudios Hispano-Americanos, 1951, I, pp. 255-256.

cuentra en las referencias contemporáneas a Juana y Felipe, argumentando que los autores de su época usaron el lenguaje de la devoción amorosa para describir la lealtad política. Las analogías que se hacían entre los soberanos, sus casas y sus reinos en el discurso político del siglo XVI hacían natural el retratar las relaciones entre soberanos, y entre soberanos, sirvientes y súbditos en términos de amor y miedo.

En el tratado *Relox de Príncipes,* el humanista del siglo XVI Antonio de Guevara recomendaba que el rey amara y temiera a sus reinos, de la misma manera que los súbditos del rey deberían amar y temer a su soberano. Considerando al príncipe «cabeça de la república» y a sus súbditos el cuerpo de la república, Guevara declaró: «la garganta que junta el cuerpo con la cabeça es el amor del rey y del reyno que hazen una república.» De esta manera, Guevara se sirvió de una metáfora corporal muy usada para describir los lazos políticos de «amor» que unían los reinos a sus soberanos[2].

El escritor contemporáneo de Guevara, Nicolás Maquiavelo, también trató los usos políticos del amor y el miedo. En un famoso pasaje de *El Príncipe,* Maquiavelo definió el debate:

si es mejor ser amado que ser temido, o a la inversa. Mi respuesta es que convendría lo uno y lo otro; mas ya que es difícil reunir ambas cosas, es mucho más seguro ser temido que amado, si ha de faltar una de ellas[3].

Mientras intentase inspirar ambos, miedo y amor, el soberano, según Maquiavelo, ejercía mayor control sobre el miedo como un arma política. Maquiavelo sostenía que, debido a la naturaleza inconstante del afecto humano, el príncipe sólo debería esforzarse por evitar inspirar el odio. El miedo, por otra parte, que «se mantiene gracias al miedo al castigo», demostraría ser más fiable y eficaz[4]. Sin embargo, los predecesores de Maquiavelo, incluyendo a

---

[2] Fray Antonio DE GUEVARA, *Relox de Príncipes,* Emilio BLANCO (ed.), Madrid, CONFRES, 1994, libro I, capítulo 36, fols. 281-283, 286-287.
[3] Nicolás MAQUIAVELO, *El Príncipe,* traducido por Francisco Javier Alcántara, Barcelona, Planeta, 1992, p. 78.
[4] MAQUIAVELO, *El príncipe,* p. 79.

Juan García de Castrojeriz, habían favorecido el amor como una emoción más noble y superior al miedo[5].

Incluso antes de Guevara, Maquiavelo y García de Castrojeriz, los soberanos habían empleado el afecto y la ira para obtener sus fines políticos. En Castilla y León, el concepto de *ira regis,* ira real, permitía que los reyes medievales privaran a aquellos vasallos que habían perdido su simpatía de honores, títulos, tierras, salarios y bienes, incluso que expulsaran a los que no eran amados de sus reinos[6]. Según *Las Siete Partidas* (IV.25.10), los reyes podían desterrar a los vasallos por cualquiera de estas tres razones: 1) venganza o malquerencia, 2) delitos o 3) traición. La posibilidad de expulsión basada en el desamor daba una fuerza particular a la ira real, la cual inspiraba gran miedo[7]. Además, el ejercicio del amor y la inspiración del temor —atributos divinos que también comprendían las pasiones humanas— permitían a los monarcas demostrar su naturaleza simultáneamente perpetua y mortal[8].

El amor entre los súbditos y sus soberanos formaba parte de un antiguo ideal de soberanía. Según un estudio, en la corte carolingia «el amor y la pasión constituían un modo de expresión del favor real»[9]. Se sigue que las descripciones de las relaciones amorosas en la correspondencia oficial no describían asuntos carnales sino políticos. El mismo concepto se puede aplicar a los informes sobre las relaciones entre Juana y Felipe. En este caso, lo que frecuentemente ha sido interpretado como muestra de la excesiva pasión connubial de Juana, por otra parte, podría ser en-

---

[5] José Luis BERMEJO CABRERO, «Amor y temor al Rey: Evolución Histórica de un Tópico Político», *Revista de Estudios Políticos,* 192, nov.-dic. 1973, pp. 107-127.

[6] Hilda GRASOTTI, «La ira regia en León y Castilla», *Cuadernos de Historia de España,* 41-42, 1965, pp. 32, 96.

[7] GRASOTTI, «La ira regia en León y Castilla», pp. 37, 92.

[8] *Las Siete Partidas* describían el deber de los súbditos de amar y temer no sólo a Dios sino también a su rey. Describían también el temor, «como guarda e portero del amor», reforzando las obligaciones recíprocas que el amor inspiraría entre los soberanos y sus súbditos. Según esta glosa, el súbdito debe amar a Dios y al rey, en parte para evitar inspirar su ira y perder su amor. *Las Siete Partidas,* Partida II, títulos 12 y 13, esp. título 12, ley 8.

[9] C. STEPHEN JAEGER, «L'amour des rois: Structure sociale d'une forme de sensibilité aristocratique», *Annales E.S.C.,* 1991, pp. 549.

tendido como una postura pública que ella adoptó para favorecer a su marido y a sus hijos. Es posible que las emociones de Juana se hubieran convertido en una cuestión de preocupación pública, justamente por sus implicaciones políticas.

En el caso de Juana, además, un énfasis renacentista en las pasiones humanas chocaba con viejos usos del amor y del miedo regios. Según dos eruditos modernos:

> Subsumido en la cultura renacentista, tal vez más que entendido generalmente, hay un complejo modelo de nociones referentes a los humores, el amor, la imaginación enferma y las vulnerabilidades patológicas del cuerpo debidos al amor[10].

La medicina galénica y la filosofía aristotélica popularizadas durante el Renacimiento vinculaban el amor y el temor femeninos con la debilidad antes que con la autoridad[11]. Informadas por tales ideas, las fuentes que usamos en este capítulo fueron las primeras en retratar a Juana como «enferma» e «indispuesta.» Teniendo en cuenta los variables significados del amor y del miedo, Juana perdió el control de su imagen, si no el de sus emociones.

Desde 1503 hasta 1506, Juana supuestamente renunció a su capacidad de autonomía. Sin embargo, los capítulos anteriores plantean la cuestión de a cuánto realmente había renunciado Juana. Después de todo, la archiduquesa nunca había gobernado su propia casa. Quizás, sin embargo, la transgresión residía en su intento. La «incapacidad» de la reina surgió como su fracaso a cumplir con los deseos y a ajustarse a las expectativas de los actores que la rodeaban. Percibida por mucho tiempo como una hija obediente y una esposa sumisa, desde finales de 1503 Juana se negaba cada vez más a aceptar el gobierno de los oficiales que servían a su madre y a su marido.

---

[10] *Eros and Anteros: The Medical Traditions of Love in the Renaissance*, Donald A. BEECHER y Mássimo CIAVOLELLA (eds.), Toronto, Dovehouse Editions, 1992, prefacio.

[11] Mary FRANCIS WACK, «From Mental Faculties to Magical Philters: The Entry of Magic into Academic Medical Writings on Lovesickness, 13th-17th Centuries», en *Eros and Anteros*, pp. 10-18. Ian MACLEAN, *The Renaissance Notion of Woman*, pp. 41-46.

¿PRÍNCIPES IRREGIBLES?

Un embajador en la corte borgoñona parece haber comentado acerca de la política de Juana en términos de su amor y su miedo a diferentes actores. Reflejando la preocupación inicial de la reina Isabel de que Juana descuidara a sus compatriotas, en 1499 fray Tomás de Matienzo acusó a la archiduquesa de tener «un corazón duro y cruel sin ninguna piedad.» En su defensa, Juana, según Matienzo, afirmó:

Que antes lo tenía tan flaco y tan abatido que nunca vez se le acordava quán lejos estaba de V. Al. que no se hartase de llorar en verse tan apartada de V. Al. para siempre[12].

La archiduquesa confrontó las acusaciones de Matienzo dando énfasis a su amor por la reina. En vez de un sencillo e íntimo intercambio de sentimientos privados, la discusión parece referirse a la relación de Juana con los intereses de su madre. Mientras enfatizaba sus fuertes sentimientos por Isabel, Juana supuestamente sintió la distancia que había entre ella e Isabel, e implícitamente, sus diferentes circunstancias. En la corte borgoñona, agregó Matienzo, la archiduquesa se quedó «tan temerosa que no puede alzar la cabeza»[13]. A pesar del gran amor de Juana por su madre, como parecía, las personas que gobernaban su casa —los consejeros de Felipe, Madame de Hallewin y Martín de Moxica— recurrían al miedo para inmovilizar a la archiduquesa.

Un humanista italiano conectado con la corte de Castilla, Pedro Mártir de Anglería, ha proporcionado algunos de los detalles más conocidos sobre el amor excesivo (y supuestamente patológico) de Juana por su marido. Aunque muchas veces consideradas una fuente de información privilegiada acerca de la corte de Castilla, las cartas de este autor contienen signos de haber sido revisadas después de sus pretendidas fechas de composición[14]. En

---

[12] AGS PR 52:116, Tomás de Matienzo a la reina Isabel, 15 de enero de 1499.
[13] AGS PR 52:116, Tomás de Matienzo a la reina Isabel, 15 de enero de 1499.
[14] Aunque Pedro Mártir puede haber empezado a revisar sus cartas anteriores en 1512, los cambios e interpolaciones más substanciales probablemente ocurrieron

las cartas supuestamente escritas el 9 y el 30 de Junio de 1501, Pedro Mártir hizo hincapié en el amor de Juana por Felipe para aliviar los temores de los partidarios de Felipe de que ella podría oponerse a sus ambiciones políticas. Después de la muerte del príncipe Miguel el 20 de julio de 1500, los embajadores de Felipe ante Fernando e Isabel sugirieron que las Cortes de Castilla y Aragón podrían ser persuadidas para que aceptaran a Felipe como heredero al trono, incluso sin Juana. Fernando e Isabel, por no mencionar a las Cortes, se habrían negado a tal sugerencia. Sin embargo, en vez de dar énfasis al derecho de Juana como heredera legítima, Pedro Mártir afirmaba que Juana insistía en viajar con Felipe: «Pues los Reyes están persuadidos de que la hija no ha de ceder como no sea siguiendo a su marido»[15]. Esta interpretación diplomática subrayaba la devoción de Juana hacia Felipe, más que a sus derechos superiores como heredera. En la carta más reciente, Anglería dio aún más énfasis a la devoción exclusiva de Juana hacia su marido:

pues está perdidamente enamorada del esposo. Aunque no la moviera la ambición de tantos reinos y el amor de sus padres y de todos aquellos otros con quienes se crió, únicamente la arrastraría hacia acá el apego al hombre, al que tan ardorosamente dicen que ama[16].

¿Acaso los embajadores de Felipe, el arzobispo de Besançon y Philibert de Vere, habían comenzado a propagar la leyenda de la devoción de Juana por Felipe tan pronto como en 1501? Pedro Mártir, siguiéndoles la corriente a estos hombres, tal vez aspiraba a ganar mercedes ducales al asegurarle a Felipe su superioridad. Más probablemente, Anglería o su editor a lo mejor habían revisado estas cartas años después, dando énfasis a la devoción amorosa de Juana por complacer o a su padre, Fernando, o a su hijo, Carlos. La falta de una copia existente del manuscri-

después de su muerte. Antonio MARÍN OCETE, *Pedro Mártir de Anglería y su Opus Epistolarum*, Granada: Impr. de Francisco Román, 1943, pp. 79-88. Tales adiciones y ajustes constituían una práctica humanista común.
[15] *Epistolario de Pedro Mártir de Anglería*, IX: Epist. 221.
[16] *Epistolario de Pedro Mártir de Anglería*, IX: Epist. 222. Petrus Mártir DE ANGLERÍA, *Opus Epistolarum*, 1530, fol. 53v, Epist. 221.

to de estas cartas —publicadas por primera vez en una edición
en latín llena de errores en 1530, cuatro años después de la
muerte de su autor[17]— hacen de ellas una fuente excepcional-
mente problemática.

Durante los treinta años que pasó en la corte de Castilla, Pedro Mártir buscó y consiguió el patrocinio de casi todo el mundo, excepto el de Juana. Los *Archives du Département du Nord* en
Lille conservan pruebas de su contacto inicial con Felipe y sus
embajadores. En 1502, el favor de Felipe le ayudó a obtener ciertos ingresos de una abadía cerca de Milán. El humanista informó
posteriormente que él había erigido una imagen del archiduque
junto a otras de los santos patronos de la abadía. En el momento
de la muerte de la reina Isabel, Anglería suplicó a Felipe más mercedes. Dejando a un lado la supuesta actitud de Juana, él mismo
aparecía como un devoto de Felipe[18].

Según Pedro Mártir ni la gran tristeza de Isabel ni el gran
amor de Juana podían convencer a Felipe de que se quedase en
España en diciembre de 1502. El humanista afirmaba que los
consejeros de Felipe —«a los que se supone han sobornado los
franceses con sus dádivas— ejercen sobre él tal influencia, que
no parece es dueño de su persona»[19]. Cuanto más subrayaban
Fernando e Isabel las nuevas obligaciones del archiduque, parecía que tanto más reforzaba Felipe su compromiso con sus antiguas obligaciones en Flandes. Resentido por los intentos de Fernando e Isabel de minar su amistad con Luis XII, el archiduque
anunció sus inmediatos planes de marcharse de España atrave-
sando Francia. La noticia de las victorias españolas sobre los
franceses en Nápoles sólo avivó más la resolución de Felipe de
partir. Cuando uno de los aliados de Luis XII, el duque de Calabria, llegó a la corte española como prisionero[20], Felipe ya no

---

[17] Petrus Mártir DE ANGLERÍA, *Opus Epistolarum,* Alcalá de Henares, Michael
de Aguia, 1530.
[18] ADN Lille B 18846 (n.º 29611), Pedro Mártir a Claude DE CILLY, sin fecha
[1505].
[19] *Epistolario de Pedro Mártir de Anglería,* X: Epíst. 268. Petrus Mártir DE AN-
GLERÍA, *Opus Epistolarum,* Epist. 267, fol. 65.
[20] El 17 de diciembre, después de desfilar al lado de Fernando y Felipe, el ilustre cautivo llegó hasta Isabel y Juana. La archiduquesa, como su marido, pero no

aguantaba más y huyó de Madrid[21]. Embarazada de su cuarto hijo, Juana se quedó. La partida de Felipe supuestamente dejó desconsolada a Juana. En una carta fechada el 4 de enero de 1503, Pedro Mártir afirmaba que a la archiduquesa no le importaban ni las riquezas ni el poder, sino su esposo, su única «preocupación, afán y desvelo.» Según el humanista, Juana sentía gran tristeza y «ardores por su marido». Aunque Isabel le aseguró a Juana que ella podría partir para Flandes después del nacimiento de su hijo, la archiduquesa pronto sospechó que su madre ofrecía vanas promesas. Advirtiendo que Juana pronto daría a luz, el humanista declaró: «Si lo hace con bien, acaso la nueva prole alivie a esta mujer de su dolor y no se turbará su mente [nec turbine mentis obibit]»[22]. Aludiendo a los peligros de la retención menstrual durante el embarazo[23], Anglería articuló la base para la leyenda que posteriormente se creó alrededor de Juana.

Meses después de que Pedro Mártir supuestamente advirtiera la extrema tristeza de Juana, un individuo cercano a la archiduquesa elogió su alegría. El confesor de Juana, Diego Ramírez de Villaescusa,[24] pronunció un notable panegírico para celebrar el bautizo del segundo hijo varón de Juana, Fernando, en marzo de 1503. Tomando a la joven princesa como tema de su jubilosa oración, el obispo ponderaba su gran cristianismo y las gracias que Dios, consecuentemente, le concedió. Relatando los veintitrés años de la vida de Juana, el obispo habló de su niñez, su partida a Flandes «con armada que nunca semejante se vido», y los muchos hijos que Dios le había otorgado sin dolor ni tribulación.

---

como sus padres, humildemente se negó a permitir que el duque realizara un gesto de sumisión besando su mano. Gonzalo FERNÁNDEZ DE OVIEDO Y VALDÉS, *Batallas y Quinquagenas,* pp. 135, 136.

[21] GALÍNDEZ DE CARVAJAL, *Anales Breves,* p. 553.

[22] Petrus Mártir DE ANGLERÍA, *Opus Epistolarum,* 1530, fol. 60, Epist. 152 [sic. por 252]. Tradujimos del latín en vez de usar la traducción al español estándar, «no caiga en locura». *Pedro Mártir de Anglería,* X: Epist. 253.

[23] Evelyne BERRIOT-SALVADORE, *Un Corps, Un Destin: La Femme dans la Médecine de la Renaissance,* Paris, Honoré Champion, 1993, p. 25.

[24] Uno de los pocos españoles que permanecieron con Juana desde 1496, Ramírez de Villaescusa, recibió una pensión de los consejeros de Felipe. ADN Lille B 2.168, n.º 71.946, Pago de Jaques de Ramirez, 24 de junio de 1499.

Gracias a su gran piedad, decía Ramírez de Villaescusa, Juana dio a luz mientras reía y jugaba, como la Virgen[25]. (En otra variación sobre el tema mariano en honor del nacimiento de Fernando, Felipe había enviado a su esposa una joya con siete grandes perlas, que recordaban no sólo los siete dolores de la Virgen sino también sus siete gozos[26].) Finalmente, el obispo concluyó con el reconocimiento de que cincuenta días y noches demostrarían no ser suficientes para enumerar las excelentes cualidades de Juana[27].

Ramírez de Villaescusa sólo era uno de los miembros de la casa que Felipe intentó que gobernara a Juana mientras ella permaneciese en Castilla. Antes de abandonar España, el archiduque había proporcionado a los miembros de la casa de Juana una nueva y rigurosa ordenanza. Estas regulaciones, que limitaban los contactos de Juana, también buscaban prevenir que nuevos servidores se infiltrasen entre el personal estable. Según las instrucciones de Felipe, el *chevalier d'honneur* Hughes de Melun, junto con los *maistres d'ostel* Claude de Cilly y Martín de Moxica, gobernarían la casa de Juana mientras ella permaneciese en Castilla. Juana sólo recibiría y mandaría cartas a través de su primer *chevalier*. En una nueva forma de servicio rotatorio, Cilly y Moxica alternarían los meses como *maistre d'ostel*[28]. El *chevalier* y los *maistres* podrían escoger a las personas, incluyendo a ciertos extranjeros (*estrangiers*), para comer en sus mesas, colocadas simbólicamente cerca de la princesa. Como Felipe no esperaba que Juana viajase mientras permanecía en Castilla, las regulaciones de 1502 también redujeron a cuatro o seis la cantidad de sus hombres de a pie. La estancia de Juana, como la de Felipe, debería mantenerse lo más corta posible. Finalmente, la ordenanza recal-

---

[25] Para un excelente análisis de este sermón, pronunciado en el último acontecimiento de estado de Isabel, véase Peggy Liss, *Isabel la Católica,* Javier Sánchez García Gutiérrez (trad.), Madrid, Nerea, 1998, pp. 327, 328.

[26] ADN Lille B 2182, n.º 73007, Declaración de Felipe descargando la joya, 16 de junio de 1503.

[27] Fray Prudencio de Sandoval, *Historia de la Vida y Hechos del Emperador Carlos V,* Madrid, Biblioteca de Autores Españoles, 1955, orig. 1604 y 1606, Vol. I, cap. xiii, p. 22.

[28] Al prohibir a los ayudantes de cámara y escuderos que cenaran con el *chevalier* o el *maistres*, las ordenanzas intentaban controlar los gastos y hacer respetar las diferencias de rango.

caba que la casa de Juana no admitiría a ningún sirviente sin las expresas órdenes escritas de Felipe[29].

La batalla entre Felipe e Isabel por el «amor» de Juana finalmente tomó la forma de una lucha para influir en su casa. Isabel se esforzó por inspirar agradecimiento, si no afecto, hacia ella entre los criados de Juana. A pesar de las precauciones borgoñonas, la reina tomó medidas para ganar la lealtad del personal de Felipe y poner sirvientes de su propia elección alrededor de Juana. Así pues, cuando Juana dio a luz al joven Fernando, Isabel podía ordenar a los sirvientes de su hija que transmitieran la noticia a los nobles españoles[30]. El éxito de Isabel, muy parecido al de Felipe, dependía del patrocinio. Las listas borgoñonas de las nóminas indican que la casa de Juana se redujo, en lugar de crecer, a lo largo de 1503[31]. Sin embargo, los regalos de Isabel de sedas y telas a los sirvientes de Juana sugerían que la reina tenía su propia idea acerca de los miembros de ese personal. Aunque Felipe dejó a Juana con un séquito de unos ciento veintiocho individuos (no contando a la mayoría de sus servidoras)[32], el 1 de noviembre de 1503, Isabel recompensó a ciento setenta y un miembros de la casa de su hija (incluyendo a veintitrés mujeres, cinco de ellas esclavas)[33]. Quizá lo más notable fuera que la nómina de Isabel nombraba a sesenta y nueve oficiales que no estaban previamente mencionados en conexión con la casa de Juana[34]. En la distri-

---

[29]AGRB Audience 22, fol. 212-212v, «Ordonnance de Phillipe l'Beau par le maison de sa femme», [diciembre de 1502].

[30] AHN Nobleza, Frías 62/139, La reina Isabel al conde de Oropesa, 10 de marzo de 1503. Archivo Ducal de Medinaceli, Sección histórica, legajo 245, n.º 96, La reina Isabel al conde de Feria, 10 de marzo de 1503.

[31] ADN Lille B 3461, n.º 121463, Sueldos de la casa de Juana, 26 de enero de 1503 [55 livres 5 sous 6 deniers]; AGRB Audience 13, n.º 336p, 7 June 1503, Sueldos de la casa de Juana, 7 de junio de 1503 [49 livres 8 sous 6 deniers]; ADN Lille B 3461, n.º 121469, Sueldos de la casa de Juana, 16 de diciembre de 1503 [48 livres 5 sous 6 deniers].

[32] ADN Lille B 3460, n.º 121298, Sueldos de la casa de Juana, 7 de septiembre de 1502.

[33] AGS CMC Ia época, leg. 42, fol. 379-381, Sueldos de la Reina Isabel, 1 de noviembre de 1503.

[34] Estos números deben tomarse como estimaciones, dada la dificultad de encontrar los equivalentes franceses y españoles para el mismo nombre. En el intento de identificarlos también se han considerado cargos y posiciones individuales dentro de la jerarquía.

bución de regalos, desde terciopelo carmesí hasta lana de Londres, según el rango de cada acompañante, la reina gastó un total de 1.688.349 mrs. en una día para gratificar a los sirvientes de su hija[35]. La competición por el amor y la lealtad de Juana se convirtió en una lucha por influir en su casa.

Los sesenta y nueve nuevos acompañantes que parecen haber entrado en el servicio de Juana, a pesar de las instrucciones de Felipe, eran principalmente castellanos. Las adiciones de alto nivel que se hicieron incluían a un cirujano, el Maestro Jos, un farmacéutico, Dirique, y un secretario que estaba en el servicio real desde hacía tiempo, Sebastián de Olano. Un nuevo *repostero de camas*, Pedro de Herrera, se unió a los *valets* que habían formado parte del personal de cámara de Juana desde sus días en Bruselas. No sorprendentemente, en vista de la necesidad de contactos locales, los dos *aposentadores*, encargados de asegurar y preparar los alojamientos, parecen haber sido nuevas adiciones. Entre los siete escuderos nombrados para servir a la princesa se incluía a un «Loyola» que podría haber sido «Jacques de Loyolle», el cual figuraba en nóminas anteriores, u Ochoa Pérez Loyola, hermano del famoso Ignacio[36]. Proporcionando pruebas tangibles de afecto hacia sus miembros, Isabel, si no Juana, usó la casa para reforzar su autoridad.

Juana parece haber tolerado los esfuerzos de la reina Isabel por reorganizar su casa contraviniendo las órdenes de Felipe. En el mismo espíritu, cedió a los deseos de sus padres y permaneció en Castilla cuando Felipe abandonó España contra la voluntad de aquéllos en diciembre de 1502. Aunque le habían prometido un reencuentro con su marido después de dar a luz, la princesa se quedó en Castilla durante más de un año después de su alumbra-

---

[35] AGS CMC 1ª época, leg. 42, fol. 379-381, Nóminas de la Reina Isabel, 1 de noviembre de 1503.
[36] «Testamentum Ochoae Perez de Loyola, S. Ignatii Fratris», *Fontes Documentales de S. Ignatio de Loyola*, Monumenta Historica Societatis Iesu (Romae: Institutum Historicum Societatis Iesu, 1977), Vol. 115, pp. 186-191 (doc. 35). Este testamento, escrito en 1508, incluye referencias a deudas que el joven Loyola había contraído mientras servía a la reina Juana, así como la cantidad de 200 ducados que se le debían por servicios prestados a la reina, y recuperados cuatro años después de su muerte.

miento. Estas muestras del respeto de Juana hacia los intereses españoles contrastan con lo que el humanista Pedro Mártir de Anglería retrató como devoción exclusiva de Juana a su esposo.

LUCHAS ENTRE MADRE E HIJA

Juana había hecho esfuerzos importantes para satisfacer a sus padres. Mientras permaneció en Castilla durante más de quince meses después de la salida de Felipe, la princesa les había dado otro nieto, nacido esta vez en tierra española y con nombre español. A cambio, esperaba que Fernando e Isabel mantuviesen su promesa de que ella podía volver a Flandes. Insistiendo en esta meta a corto plazo, Juana finalmente la obtuvo a costa de su propia credibilidad. Incapaz de inspirar ni amor ni temor, la princesa perdió la menor autonomía que podía haber retenido dentro de la casa.

Las demandas de Juana por el prometido reencuentro con su marido chocaban con los esfuerzos de Isabel por prolongar la residencia de su hija en España. Desde que dio a luz a su segundo hijo, Fernando, Juana había buscado con regularidad el permiso de sus padres para volver a Flandes. Las cartas de Felipe, de la misma manera, insistían en la salida inmediata de Juana[37]. Sin embargo, Isabel daba largas al asunto, alternativamente resistiéndose a tales demandas a causa de la guerra con Francia y proporcionando muestras de la cercana salida de su hija. En junio de 1503, la princesa se puso más insistente y se enfrentó a su madre directamente.

Según los médicos de Isabel, las subsiguientes luchas entre madre e hija pusieron en peligro la salud de ambas. Las discusiones con Juana dejaban a la reina con severas fiebres y dolores de pecho:

---

[37] ADN Lille B 2185, fol. 90v-91, Pagos a Jacques Marchant, quien viajó, por orden de Felipe, «a extreme diligence sans espargnier guides ne chevaulx aller incessanment nuyt et jour» para entregar _lettres closes_ a Fernando, en Cataluña; y a Isabel y Juana, en Alcalá, solicitando el rápido retorno de Juana, y regresando, después de algunas consultas en Bruselas, para encontrar a Fernando en Barcelona, a Isabel en Segovia, y a Juana en Medina del Campo, 19 de junio-15 de diciembre de 1503.

Pues la dispusición de la señora princesa es tal que no solamente a quien tanto va y tanto la quiere deve dar mucha pena, mas a qualesquiera aunque fuesen estraños, porque duerme mal, come poco y a veces no nada. Está muy triste y bien flaca. Algunas veces no quiere hablar, de manera que así en esto como en algunas obras que muestran estar trasportada, su enfermedad va muy adelante. Esta cura se suele hacer por amor e ruego o por temor. El ruego y persuasión no lo recibe. Antes ninguna cosa quiere tomar, pues por fuerza recibe tanta alteración y algunas veces tanto sentimiento de qualquiera pequeña fuerza que se le haga que es lástima grande tentarlo, ni creo que nadie la quiera haser, ni ose[38].

Sin distinguir entre enfermedades físicas y psicológicas, los médicos de Isabel consideraron que tanto el amor como el temor eran remedios posibles para el angustioso y angustiado comportamiento de Juana[39]. Ninguno de los enfoques, sin embargo, parecía particularmente exitoso. Los tres doctores que atendían a Isabel intentaron persuadir a Fernando para que ayudara a la reina, que se encontraba en un estado delicado, a corregir a su rebelde hija y heredera[40].

Cuanto más tiempo la guerra con Francia mantuviera a Fernando alejado de la corte, más difícil se le pondría a Isabel impedir que Juana se marchara de España. En el verano de 1503, las dos viajaron a Segovia —presumiblemente el primer paso en el viaje de Juana hacia el norte—. Según un cronista, sin embargo, la reina Isabel escondió sus verdaderas intenciones, «porque en la verdad quisiera que su hija no volviera a Flandes por estonces [sic], por-

---

[38] RAH Salazar A-11, fol. 380v-381, Doctores Soto, Julián, y de la Reyna para Fernando, 20 de junio de 1503.

[39] Un manual del siglo XIV para príncipes gobernantes describía la amistad (una forma de amor) como un remedio para el miedo y la tristeza. Biblioteca Apostólica Vaticana (de ahora en adelante BAV), Cod. Urb. Lat. 1007, *De Regimine Principis*, cpt. 32. Otro tratado del mismo período no aconsejaba el miedo en el tratamiento de la melancolía. BAV, Cod. Urb. Lat. 234, Haly ben Abbas, *Liber totius medicinae* Stephano Antiocheno interprete, fol. 123.

[40] Los doctores, habiendo discutido la enfermedad de ambas mujeres, pidieron que Fernando quemase su carta después de leerla. Aparentemente, temían las implicaciones políticas de las enfermedades de las mujeres reales. RAH Salazar A-11, fol. 380v-381, Doctores Soto, Julián, y de la Reyna a Fernando, 20 de junio de 1503.

que se sentía mal dispuesta de la enfermedad de que murió»[41]. Juana aparentemente no logró reconocer la condición moribunda de su madre —un crucial error de cálculo fácilmente condenable retrospectivamente[42]—. Determinada a acelerar su partida para Flandes, la princesa continuó hacia el norte a Medina del Campo, incluso cuando Isabel se quedó en Segovia[43]. Juana, entonces, ordenó a un capitán de marina que la esperase en Bilbao. El capitán, en vez de obedecer a Juana, le informó a Fernando de sus intenciones[44].

Sin embargo, la princesa no se rendiría. Ordenó que los miembros de su casa se preparasen para una partida inmediata. Informada de estas órdenes, la reina envió a Juan de Fonseca, obispo de Córdoba, a detener a su hija. El prelado, en consecuencia, ordenó a los sirvientes de Isabel que cerraran herméticamente la fortaleza de La Mota donde Juana estaba residiendo. Viendo sus proyectos frustrados, Juana, en una perjudicial expresión de su *ira regia*, «le dijo [a Fonseca] muy malas palabras». El obispo, aun más ofendido, se marchó para ver a la reina. Reconociendo su error, Juana mandó al ayudante de cámara Miguel de Herrera para que le suplicara a Fonseca que volviera. El prelado se negó. El intento de Juana por inspirar temor sólo había demostrado su falta de autoridad[45].

La reina Isabel todavía tenía la esperanza de evitar una confrontación personal con su hija. Cuando recibió el informe de Fonseca, la reina escribió a Juana, suplicándole que se quedara en Castilla. Reconociendo motivos importantes para la partida de Juana, Isabel, sin embargo, argumentó que traería más daño que provecho hasta que la paz con Francia estuviese asegurada. «Con

---

[41] PADILLA, «Crónica de Felipe I...», p. 114.

[42] Falsas alarmas sobre la salud de Isabel desde noviembre de 1502 podían haber convencido a Juana de que la enfermedad de su madre consistía más en una estrategia política que en una amenaza mortal. El embajador veneciano, entre otros, sospechaba que Isabel sufría de una enfermedad ficticia. *I Díarii di Marino Sanuto*, IV: 662.

[43] ADN Lille B 3379, n.º 113579, lista de dineros debidos a Gilles de Vers.

[44] RAH Salazar A-9, fol. 227, Hugo de Urries a Fernando, 6 de septiembre de 1503.

[45] PADILLA, «Crónica de Felipe I...», pp. 114-115.

el amor que os tengo de propya hija», Isabel insistía en que Juana pusiera fin a los preparativos de su viaje hasta nuevo aviso[46]. De hecho, en ese mismo momento, los Reyes Católicos anticipaban un ataque en su fortaleza de Salsas, donde Isabel había dispuesto tropas dos días antes. Consciente de las simpatías francesas de Felipe e incierta sobre las de su hija, Isabel aparentemente ocultó información a Juana[47].

Insensible a las súplicas y órdenes de la reina, la princesa continuó su rebelión. Como si estuviese esperando la oportunidad para escaparse de La Mota, Juana se estacionó en las murallas de la fortaleza al aire libre, «como leona africana en un acceso de rabia»[48]. A las dos de la mañana Juana finalmente aceptó refugiarse, pero violó las normas de su condición social al entrar en una cocina en un extremo de la fortaleza[49]. Juana había dejado a la reina sin ninguna alternativa, salvo viajar a La Mota y hacerle frente en persona[50].

Juana ganó en la tensa espera con Isabel a costa de su propia credibilidad. Según la reina, Juana la confrontó con «palabras de tanto desacatamiento y tan fuera de lo que hija deve dezir a madre, que sy yo no viera la dispusición en que ella estava, yo no se las sufryera en ninguna manera»[51]. En respuesta al arrebato de Juana, Isabel insistía en que ella no tenía ninguna intención de separar a Juana de Felipe («de la descasar de su marido»), y le prometió a Juana que ella podía viajar a Flandes tan pronto como su padre regresara de Aragón. Una vez apaciguada, la princesa regresó a sus cámaras[52]. En una carta posterior a su embajador en la corte borgoñona, Isabel aseguró que Juana podía partir el 1.° de marzo por mar o, en el caso de alcanzar la paz con Francia, por

---

[46] British Library (de aquí en adelante BL), Add. 28572 fols. 43-44, La reina Isabel a la princesa Juana, 12 de septiembre de 1503. La Biblioteca Británica conserva dos copias del siglo XIX con fechas equivocadas de esta supuesta carta ológrafa.
[47] AHN Nobleza, Frías 18/127, La reina Isabel al conde de Oropesa, 10 de septiembre de 1503.
[48] Pedro Mártir DE ANGLERÍA, *Epistolario*, X: Epist. 268.
[49] GÓMEZ DE FUENSALIDA, *Correspondencia*, p. 197.
[50] PADILLA, «Crónica de Felipe I...», pp. 114-115.
[51] GÓMEZ DE FUENSALIDA, *Correspondencia*, p. 197. El documento, una copia contemporánea (conservada en el Archivo de los Duques de Alba, Madrid) de la carta original, no proporciona ni fecha ni información sobre sus signatarios.
[52] PADILLA, «Crónica de Felipe I...», p. 115.

tierra[53]. La versión de Isabel de los acontecimientos, dirigida a Felipe, justificaba sus acciones en vista de la conducta inapropiada de Juana. Considerando la «disposición», «salud», y «pasión» de su hija, la reina pidió a Felipe que escribiese a los principales borgoñones que estaban con Juana, Hughes de Melun y Madame de Hallewin, «dándoles toda autoridad para que... la tengan y refrenen en las cosas que su pasión le podría hazer que hiziese». Ella también quería que los borgoñones impidiesen que Juana hiciera «cualquier cosa que pudiera ponerla en peligro o que deshonrara a su persona» durante el viaje[54]. Estaba claro que Juana había cruzado la línea de conducta aceptable al desafiar a su madre. La respuesta desde Borgoña, que lamentaba profundamente las palabras irrespetuosas de Juana a la reina Isabel, atribuía el mal comportamiento de Juana a su «mucho amor» por Felipe[55]. Felipe, por otra parte, ordenó a Hallewin y a Moxica que siguiesen las órdenes de Isabel «en las cosas que tocan a la governación de la persona de la Prinçesa, y para que... ellos la goviernen de tal manera y por tal orden como la Reyna y Señora les dirá, y como ellos verán que conviene para la onor de la Princesa, mi muger, y mío»[56]. Isabel y Felipe estaban de acuerdo en que Juana no podía gobernarse a sí misma y que debía regresar a Flandes.

[53] GÓMEZ DE FUENSALIDA, *Correspondencia*, p. 197.

[54] GÓMEZ DE FUENSALIDA, *Correspondencia*, p. 198. Al mismo tiempo, la reina informó al secretario de Fernando, Lope de Conchillos, que los sucesos en Medina del Campo no se debían ni contar ni escribir – un ejemplo tardío de la «censura isabelina.» A su vez, el secretario declaró sólo que la reina estaba «muy atribulada y cansada desta señora princesa, Dios se le perdone», y que el reciente incidente «me ha dado peores noches que [el sitiar de] Salsas». Conchillos también celebró la noticia de la partida de Fernando para Castilla. RAH Salazar A-9, fol. 219, Lope de Conchillos para Miguel Pérez de Almazán, 2 de diciembre de 1503.

[55] GÓMEZ DE FUENSALIDA, *Correspondencia*, p. 210-211. Para un debate historiográfico respecto a los sucesos en La Mota, ver Antonio PRAST, «El Castillo de la Mota, de Medina del Campo. Intento de "huída" de doña Juana "la Loca"», *Boletín de la Real Academia de la Historia* CI (1932), 508-522, quien argumentó que los sirvientes flamencos persuadieron a Juana a desobedecer a su madre. Félix de Llanos y Torriglia refutó este argumento refiriéndose a la carta supuestamente de la reina Isabel en la *Correspondencia* de Fuensalida, que afirmaba que los sirvientes de Juana habían exhortado a la princesa a que abandonara su rebelión. Félix de LLANOS Y TORRIGLIA, «Sobre la fuga frustrada de doña Juana "la Loca"», *Boletín de la Real Academia de la Historia* CII (1933), pp. 97-114.

[56] GÓMEZ DE FUENSALIDA, *Correspondencia*, p. 211.

En marzo los Reyes Católicos finalmente permitieron a su hija que viajara hacia el norte[57]. El *conseiller* de Felipe y anterior *maistre d'ostel* de Juana, Jehan de Courteville, había abandonado Bruselas en diciembre, y obtuvo unos salvoconductos de Luis XII en Lyon para la princesa y él mismo. Después de llegar a Medina del Campo, Courteville acompañó a Juana al norte hasta Burgos. Desde Burgos, ella continuó hasta el puerto de Laredo, mientras aquél regresaba a través de Francia[58]. La decisión de Juana de tomar el camino por mar, cuando Felipe había hecho provisiones para que viajara por tierra, sugiere que ella buscó un camino intermedio entre los deseos de su marido y aquéllos de sus padres, cuyas relaciones con Francia seguían tensas[59]. Más que una ciega devoción por Felipe, la tardía salida de Juana por mar revela hasta qué punto verdaderamente respetaba la voluntad de sus padres.

Surgieron tensiones en el séquito de Juana cuando el tiempo en Laredo retrasó su partida durante más de un mes adicional[60]. Durante este período, Juana despidió a once de sus nobles damas, junto con la más humilde Marina Ruiz, enviándolas de regreso a Castilla[61]. Aunque la razón de sus despidos parece un poco confusa, estas damas, influidas por Isabel, podían haber

---

[57] PADILLA, «Crónica de Felipe I...», pp. 115-116. Fernando e Isabel habían concluido un tratado de tres años con Luis XII a finales de enero. ADN Lille B 368, n.° 121476, «Copie de la tréve de trois ans», 30 de enero de 1504.

[58] ADN Lille B 2185, fol. 138v-139, Pago a Jehan de Courteville escuier, conseillier, et maistre d'ostel, 2 de diciembre de 1503-9 de abril de 1504.

[59] Ansioso de discutir la subsiguiente situación con Courteville, Felipe le envió un mensajero especial desde Gante, con órdenes de que Courteville se apresurara a ir hacia el norte incluso durante Semana Santa y Pascuas. ADN Lille B 2185, fol. 78, Pagos a Toussain Paielle, 3 de marzo de 1504.

[60] Hasta el 10 de abril, Felipe envió mensajeros a Juana en Laredo. ADN Lille B 2185, fol. 96, Pago a Jaques de Mazilles, 10 de abril de 1504. Las listas existentes de los gastos diarios de Juana estaban fechadas en Laredo desde el 6 de marzo hasta el 25 de abril de 1504. ADN Lille B 3461, n.° 121484-121490, Salarios y repartos de la casa de Juana, 6 de marzo-25 de abril de 1504.

[61] AGS CMC 1a epoca 1544, «Provança de Diego de Ribera camarero de la Reyna», 27 de octubre de 1523. Juzgando por una cuenta de ciertas cantidades debidas por ropa, las damas despedidas incluían a doña Ana de Aragón, doña María Manuel, doña Beatriz [de Bobadilla], doña María Manrique, doña Francisca [de Ayala], doña Aldara [de Portugal], Violante [de Albión], Constance, Ysabel de Bilbao, y tres damas de cámara. ADN Lille B 3379, n.° 113579, fol. 20v, «Les parties

buscado disuadir a la princesa de seguir hacia el norte. Cuando el tiempo, por fin, permitió que la casa de Juana zarpara, ocurrió otro desacuerdo. El *camarero* de Juana desde hacía mucho tiempo, Diego de Ribera, se negó a subir las pertenencias de la princesa hasta que ésta hubiera firmado unas declaraciones por los artículos que había vendido o regalado en España. Juana aparentemente se negó a ofrecer tales garantías, insistiendo en que el *camarero,* al fin y al cabo, era responsable solamente ante ella. Una vez más, la princesa consiguió su meta a corto plazo. Los sirvientes subieron la propiedad de Juana, la flota embarcó y Ribera se quedó[62].

En Laredo, como en La Mota, la tenacidad de Juana creó graves tensiones en las relaciones idealmente afectuosas entre madre e hija, señora y sirvientes. Aunque Isabel atribuyó el comportamiento de su hija a su pasión por Felipe, los conflictos con Isabel y con los sirvientes de Isabel planteaban interrogantes acerca de la capacidad de Juana para suceder a su madre en Castilla.

«DISCORDIA» ENTRE MARIDO Y MUJER

Los acontecimientos que ocurrieron después del regreso de Juana a los Países Bajos en mayo de 1504 arrojaron aún más dudas sobre su habilidad para gobernar los reinos de su madre. Como un agüero especialmente malo para el futuro de sus reinos, las hostilidades brotaron entre Juana y Felipe. Los pensadores del siglo XVI no sólo se imaginaban al soberano sino también a la casa real como un microcosmos del reino. Idealmente, la casa proporcionaba un modelo para los reinos, de la misma manera que los soberanos servían como modelo para sus súbditos. Las comparaciones entre el soberano, la corte y el reino ponían de relieve su

---

des damoiselles despaigne qui ont servy madame», 1 de abril de 1504. La princesa retuvo por lo menos a doce servidoras, sin contar a las esclavas. ADN Lille B 2186, n.º 73243 y B 2188, n.º 73579, Pagos a las filles d'honneur, mere des filles, y femmes de chambre, 28 de junio de 1504 y 29 de junio de 1504.

[62] AGS CMC 1a epoca 1544, «Provança de Diego de Ribera camarero de la Reyna», 27 de octubre de 1523.

interdependencia hasta tal punto de que una enfermedad de la persona real o un conflicto en la casa real amenazaba a los reinos asociados. No sólo en Borgoña sino también en Castilla, el amor y el temor unificaban las corporaciones y reflejaban los intereses políticos.

Las expresiones del afecto popular marcaron el regreso de Felipe a los Países Bajos en el invierno de 1504 (después de una larga enfermedad en Francia) y la llegada de Juana en la primavera siguiente. Desiderius Erasmus, quien posteriormente recibió patrocinio ducal[63], compuso un discurso jubiloso que presentó a Felipe en el día de la Epifanía. Erasmus utilizó una extensa analogía entre el celoso deseo de una esposa por su marido y la ansiedad de los flamencos por el regreso de Felipe. Según el fraile humanista, los súbditos que tenía Felipe al norte habían temido que él pudiera querer a sus nuevos reinos más que a los viejos. Dado el «amor tan voraz y tan codicioso» de Fernando e Isabel, Erasmo le recordó al archiduque que su generosa presencia en sus reinos «no hartó la pasión de tenerte, sino que la irritó.» Y, sin embargo, los flamencos amaron aún más a Felipe. Según Erasmus, los enfermos saltaron de sus camas y las doncellas se precipitaron a las calles para presenciar el regreso de Felipe[64].

Después de comparar favorablemente al archiduque con Hércules, Ulises, Solón, Alejandro y Julio César, Erasmus presentó un elogio similar a la archiduquesa. Según el fraile humanista, Juana superaba a las heroínas de la antigüedad en castidad, humildad, prudencia y amor a su marido, para no hacer mención de su éxito reproductivo:

---

[63] ADN Lille B 2185 fol. 152, Pago de 10 livres «pour don que mondisr lui en a fait pour une fois pour Dieu et en aulmosne pour l'aidier a entretenir a l'escole a Louvain ou il estudioit» a «frere Erasme Rotterdamense religieulx de l'ordre de sr Augustin», octubre de 1504.

[64] Desiderius ERASMUS, *Obras Escojidas*, Lorenzo RIBER (trad. y ed.), Madrid, Aguilar, 1956, pp. 206, 207, 223, 264. Mientras que la llegada de Felipe a Castilla había alegrado a la gente de ese reino, como él afirmó, «los animales, los árboles y las piedras incluso parecían mostrar su alegría.» Para competir con tales imágenes, el embajador Gómez de Fuensalida le recordó a Felipe el «gran amor» que Fernando e Isabel le habían mostrado. GÓMEZ DE FUENSALIDA, *Correspondencia*, pp. 200-201.

No fué más casta que ella Penélope, ni Claudia más religiosa, ni Cornelia, la madre de los Gracos, más noble, ni más feliz Lampido de Lacedemonia, ni más amante del marido que Aliestos, ni más discreta y obediente Turia Emilia, ni más fiel Porci o Sulpicia, ni más generosa Zenohbia, Níobe más fecunda. Ya feliz parida cuatro veces, tan moza aún, a ti, tan mozo, te hizo padre de una prole hermosísima; otras tantas veces, con el tierno vástago que nos dió, renovó la alegría de España y de Alemania y a nosotros, con el alumbramiento de un nuevo príncipe, nos dió ocasión para plausibles regocijos. ¿Qué cosa hay tan saludable para el Imperio, tan indicada para soldar la concordia de los reinos, para estrechar con solidísimos lazos la paz del mundo que la fecundidad de los buenos príncipes?[65]

Los elogios que el agustino hizo de Felipe y Juana también contenían recomendaciones para su futura conducta. Al alabar la castidad conyugal, no sólo de Felipe sino también de Juana, Erasmus subrayó la importancia de las costumbres cristianas entre aquellos que proporcionaban modelos para sus súbditos[66]. El humanista previno a Felipe contra los pecados de la ambición, la arrogancia, la vanidad, la astucia, la adulación, la lujuria, la violencia y el lujo en su palacio mediante el elogio de los esfuerzos de Juana para extirpar tales vicios[67].

La situación con la que Juana se encontró en el momento de su regreso a Flandes se quedó corta respecto al ideal del fraile humanista. Al cabo del mes de su llegada a Blankenburg, la princesa llegó a sospechar que Felipe tenía cierto apego romántico a una mujer noble en la corte. Pedro Mártir, como era normal, informó sobre el escandaloso chismorreo. Según él, Juana ordenó que se cortaran los mechones rubios de la supuesta amante de su marido. En represalia, Felipe supuestamente alzó su mano contra Juana[68]. La infidelidad que se rumoreaba de Felipe ponía en ridículo los gemelos emblemas caballerescos de los archiduques: el lema de Felipe, «Qui voludrá? (¿Quién se atreverá?)», al que Jua-

---

[65] ERASMO, *Obras Escojidas*, p. 232.
[66] ERASMO, *Obras Escojidas*, pp. 237, 243.
[67] ERASMO, *Obras Escojidas*, p. 243.
[68] Pedro MÁRTIR, *Epistolario*, X: Epist. 272. Mártir DE ANGLERÍA, *Opus Epistolarum,* Epist. 271, fol. 66-66v.

na contestaba «Je le veux (Yo lo haré)», o «Moi tout seule (Yo sola)»[69]. Juana parecía haber perdido su derecho exclusivo al corazón de Felipe. La noticia de la discordia connubial en Borgoña pronto llegó a Castilla. Felipe intentó defender sus acciones enviando a Martín de Moxica, a quien la princesa posteriormente intentó despedir[70], a Castilla, con un informe sobre la conducta de Juana desde su regreso a Flandes[71]. A comienzos de noviembre, Felipe envió ante los Reyes Católicos a Claude de Cilly, su *conseillier* y el *maistre d'ostel* de Juana, para que describiera el comportamiento de Juana mientras se negociaban los derechos de Nápoles a cambio de la custodia del hijo de Juana, Carlos[72]. En cuanto a la princesa, Cilly recibió órdenes de informarles a los reyes «selon que mondi[t] seigneur lui a dit»[73]. Desde Castilla, Isabel y Fernando lamentaban «el descontentamiento y desamor que comiença aver entre el Príncipe y la Princesa» y exhortaban a sus embajadores a que fomentaran «amor y conformidad» entre los cónyuges[74].

Los embajadores, sin embargo, continuaron comunicando la versión de los eventos de Felipe. Según sus informes, Juana contaba con esclavas moriscas que la bañaban y le lavaban la cabeza

---

[69] Agradezco a Geoffrey Parker por descifrar el lema de Juana en una página central de su libro de oraciones. BL, Add. 18852, fol. 25v-26, Libro de horas, sin fecha [1500]. Bibliothèque Royale, Bruxelles, ms. 9126 (précieuse), fol. 2, Cantus Missae, sin fecha [1505].

[70] GÓMEZ DE FUENSALIDA, *Correspondencia*, pp. 251, 256, 265, 295. Juana se había aprovechado de una de las ausencias de Felipe de Bruselas para despedir a Moxica y ordenarle que regresara a España. Cuando la noticia llegó a Felipe, anuló las órdenes de Juana y atribuyó el enfado de la reina a la condición en que estaba. Felipe más tarde escribio a Moxica, «como sabeys, con las preneçes suele algúnas vezes tomar enojos syn causa». AGS, Cámara de Castilla, Cédulas 11:20v, Felipe a Moxica, 30 de julio de 1505.

[71] ADN Lille B 2185, fol. 141, Pago a Martín de Moxica, 14 de julio de 1504. ADN Lille B 2191, fol. 264v, Pago a «Messire Martin de Monchique chevalier maistre d'ostel de la Royne», 19 de julio-15 de diciembre de 1504. A pesar del desagrado de Juana con Moxica, los tres embajadores de los Reyes Católicos en Borgoña lo apoyaron como el mensajero más apropiado para un asunto tan delicado. GÓMEZ DE FUENSALIDA, *Correspondencia*, p. 265.

[72] GÓMEZ DE FUENSALIDA, *Correspondencia*, pp. 297, 304-5, 308.

[73] ADN Lille B 368, n.º 17932, «Instructions données a Claude de Cilly envoyé en Espagne par l'archiduc Felipe», [1504].

[74] GÓMEZ DE FUENSALIDA, *Correspondencia*, p. 267.

con tal regularidad, que esta práctica supuestamente puso en peligro su salud. Al rechazar a estas esclavas, Felipe buscó reemplazarlas con sirvientes leales a él, a los cuales Juana se negaba a aceptar. Una vez más, los intentos del archiduque de regir a su esposa se centraban en el control del personal de su casa. Aliado ahora con Felipe[75], el embajador don Juan Manuel ordenó al *repostero de camas* de Juana, Pedro de Rada, que le informara que Felipe no visitaría a la princesa hasta que ella hubiera despedido a sus esclavas. Ejerciendo la *ira regia*, Juana despidió a su *repostero* en vez de a las esclavas. «Con much yra», ella ordenó a Rada que abandonase los Países Bajos en tres días bajo pena de muerte[76]. Felipe tomó represalias ordenando que las puertas de los aposentos de Juana se cerraran herméticamente y negándose a verla. La princesa, a su vez, supuestamente pasó la noche golpeando el suelo de su dormitorio y el techo de Felipe, demandando la atención de su marido. Se negó, por otra parte, a probar ni un bocado de comida hasta que el príncipe accediera a hablar con ella[77].

Pruebas adicionales de la ruptura de las relaciones matrimoniales provienen de la carta del embajador Gómez de Fuensalida del 1° de noviembre de 1504 al secretario de Fernando. El embajador trazó la analogía, que ya era un lugar común, entre las casas principescas y los reinos. Viendo la casa de Felipe y Juana «en tanto desconçierto», Gómez de Fuensalida se preguntaba cómo podrían estar alguna vez de acuerdo para regir los muchos y grandes reinos que ellos iban a heredar[78]. Algunos días más tarde, el embajador informó que Felipe había despedido a doce de los sirvientes de Juana, incluyendo a cuatro esclavas, el limosnero Juan Íñiguez de Galareta, una señora de Valencia llamada «el ama», su marido, Silvestre Pérez, y Sepúlveda, el *repostero de camas* del

[75] Pagos a don Juan Manuel aparecen en una lista de «gastos secretos diplomáticos» de Felipe para 1505-6. ADN Lille B 369, n.° 17945, «État des dépenses diplomatiques secrétes fait par monseigneur de Veyre, en Espagne, pour les affaires de l'archiduc», 1505-6.
[76] GÓMEZ DE FUENSALIDA, *Correspondencia*, p. 297.
[77] GÓMEZ DE FUENSALIDA, *Correspondencia*, pp. 297-301.
[78] GÓMEZ DE FUENSALIDA, *Correspondencia*, p. 304.

hijo de Juana[79]. Según Gómez de Fuensalida, Felipe supuestamente envió a estos sirvientes de regreso a España para fomentar unas relaciones más armoniosas con su mujer[80]. Sin embargo, el conflicto en la casa de Juana continuaba. Afirmando que actuaba con el consentimiento de Juana, Felipe proporcionó a fray Tomás Salazar, su confesor dominico, 40 *livres* para que regresara a España[81]. El archiduque, entonces, escogió a la francófila vizcondesa de Furnes, Alienor de Poitiers, a quien Juana se negó a aceptar, como su primera dama para sustituir a Madame de Hallewin[82]. Cuando Juana se negó a admitir en su casa a otras siete mujeres, estas «filles d'honneur» residían con los hijos de la princesa[83]. Otro de los sirvientes de Felipe, don Alfonso, infante de Fez, empezó a cumplir una función misteriosa como el «serviteur domesticque» de Juana durante períodos de

---

[79] La extradición de personas que servían tanto a Juana como a Carlos insinúa una posible conspiración fracasada para enviar al hijo mayor de Juana para España. Cuando ellos regresaron a Castilla, el limosnero Juan Íñiguez de Galareta continuó manteniendo a las esclavas. AGS CSR 7, fol. 575, El rey Fernando a Ochoa de Landa, relacionado con pago a Juan Íñiguez de Galareta, 4 de enero de 1506.

[80] GÓMEZ DE FUENSALIDA, *Correspondencia*, p. 305. ADN Lille B 2185, fol. 163-163v y B 2185, fol. 186v, Pagos a los cuatro esclavos de Juana, primer capellán y limosnero, y otros, 3 de noviembre de 1504; B 2188, n.º 73587, Pago por Jehan Íñiguez de Galareta, 5 de noviembre de 1504. Felipe inicialmente planeó mandar 15-16 sirvientes de Juana de regreso a España, pero posteriormente redujo el número a 12. ADN Lille B 18846, n.ºˢ 29598 y 29600, Felipe a su «conseiller et receveur de Berbesten en Zeelande» Adrien Andres, 6 de noviembre de 1504 y 12 de diciembre de 1504. ADN Lille B 2189, n.º 73658, Pago por Lope de Luxarra, «maistre d'une cravelle», 5 de enero de 1505; B 2193, n.º 74106, Declaraciones por Adrien Andres, 5 de marzo de 1505; B 2191, fol. 374-376, Pago a Adrien Andres, marzo de 1505. Una de las sirvientes de los niños, Jehanne Courtoise, también fue deportada. ADN Lille B 2193, n.º 74144, Philipette de la Perriere nombrada para reemplazar a Jehanne Courtoise, 1 de marzo de 1505.

[81] ADN Lille B 2185, fol. 179v y B 2186, n.º 73342, Pago a frere Thomás Salezart, Jacopin Espaignart, 3 de julio de 1504. ADN Lille B 2189, n.º 73659, Pago de frere Thomás Salezart [atestiguado sólo por la firma del secretario], 6 de julio de 1504. ADN Lille B 2186, n.º 73343, Pago de 50 L más a Jehan Íñiguez de Galareta, 3 de noviembre de 1504.

[82] ADN Lille B 2185, fol. 91v, Pago a Jehan Coknaes por entregar cartas a la vizcondesa de Furnes, 2 de julio de 1504.

[83] ADN B 2185, fol. 246v-247, Pago a George Vandidouck, diciembre de 1504.

cuatro meses[84]. Por otra parte, Felipe ya no le proporcionaba más fondos discrecionales a su esposa. Quejándose de que él no había recibido las rentas que se le debían como príncipe de Asturias[85], también se negó a pagar los gastos extraordinarios de Juana[86]. Una vez más, las limitaciones económicas no le permitieron a Juana adquirir o mantener a los sirvientes leales que necesitaba para poder ejercer su autoridad. Sin fondos, le era difícil inspirar amor o temor dentro de la casa borgoñona.

A Juana le faltaba autoridad no sólo dentro de su propia casa sino también ante los embajadores españoles en Borgoña, quienes parecían ponerse del lado de Felipe a medida que sus conflictos domésticos se intensificaban. Incluso Gómez de Fuensalida, quien afirmaba que no lo movía ninguna «pasyon» salvo el del «amor del serviçio y descanso de Sus Altezas, y amor de la patria y del byen público»[87], no logró conceder a Juana el respeto que se le debía como heredera propietaria. El 26 de septiembre Fernando había escrito a sus embajadores en Flandes que la condición de la reina Isabel parecía estar cada vez más cerca de la muerte. Encargó a los diplomáticos españoles que informasen a Felipe y a Juana que debían prepararse en secreto para viajar a España por mar en el caso de la muerte de Isabel. Sin embargo, Gómez de Fuensalida no logró llevar la carta de Fernando a Juana o informar a la princesa de la enfermedad de su madre. En una carta del 11 de noviembre de 1504, el rey reprochó duramente al embajador su conducta frente a Juana, «porque vyendo como es ella la heredera, ella es el todo, y della avéys de hazer syenpre el prinçipal caudal». Aunque los informes desde Flandes sugerían que la

---

[84] ADN Lille B 2185, fol. 53 y B 2187, n.º 73441, Órdenes de Felipe a don Alfonce, Infante de Fez, 4 de julio de 1504; B 2185, fol. 180 y B 2186, n.º 73282, Regalo para don Alfonce, Infante de Fez, 24 de julio de 1504; B 2189, n.º 73683, Pago de don Alfonce, Infante de Fez [firmado sólo por el secretario], 13 de agosto de 1504; B 2187, n.º 73401, Declaración de Pierre de Lannoy, siegneur de Fresnoy.

[85] ADN Lille B 368, n.º 17932, «Instructions données a Claude de Cilly envoyé en Espagne par l'archiduc Philippe», [1504]. ADN Lille B 18846, n.º 29599, Felipe al obispo de Córdoba, 13 de noviembre de 1504.

[86] AGRB Audience 22, fol. 188-192, «Declaracion en brief a quoy montera l'estat de monseir, de madame, et de messires leurs enffans...», 1 de agosto de 1504.

[87] GÓMEZ DE FUENSALIDA, *Correspondencia*, p. 304.

princesa «no esté agora tan sana como deseamos», Fernando declaró que tanto él como Isabel mantenían la esperanza de «que nuestro Señor le dará salud.» Fernando recalcó que, si Isabel muriera, Juana tendría que tomar posesión de sus reinos y gobernarlos en persona. Los embajadores debían informar a Felipe que no podía viajar a España sin la princesa y heredera legítima, ya que no sería recibido. Fernando, además, mandó a los embajadores que insistieran a Felipe que tratara a Juana con amabilidad, promoviendo «paz y amor y conformidad» entre los cónyuges[88].

La reina Isabel se enfrentó a los conflictos de Juana con Felipe en Flandes, durante el último mes de su vida. El testamento y última voluntad de la reina, dictado el 12 de octubre de 1504, reafirmaba los derechos de Juana como su sucesora y heredera propietaria. A mediados de noviembre, sin embargo, tales disposiciones parecían ser insuficientes para impedir que Felipe dejara a Juana en Flandes y que él mismo se apoderara de la Corona de Castilla. Los informes que venían de los Países Bajos sugerían que la princesa, confinada en su habitación y privada de contacto con los sirvientes españoles[89], conservaba poca capacidad para autorregirse. De esta manera, el 23 de noviembre, la reina agregó una cláusula a su testamento que establecía que, si Juana estuviese ausente de Castilla en el momento de la muerte de su madre, o no capacitada o no dispuesta a gobernar, el rey Fernando debía gobernar en su nombre[90]. En otras palabras, la reina tomó medidas para impedir que Felipe robara el poder a Juana. Isabel declaró que, en caso de incapacidad de Juana, Fernando —en vez de Felipe y sus colaboradores— debía gobernar Castilla. La reina murió tres días más tarde.

A pesar de las precauciones de Isabel, Felipe presumía ser el sucesor de la reina cuando recibió la noticia de su muerte. Con el pretexto de que Juana estaba embarazada otra vez, Felipe se negó inicialmente a informarle de la muerte de Isabel[91]. Mientras tanto, los consejeros del aspirante a rey habían planeado un dramá-

---

[88] GÓMEZ DE FUENSALIDA, *Correspondencia*, pp. 307-310.
[89] GÓMEZ DE FUENSALIDA, *Correspondencia*, p. 310.
[90] AGS PR 56:18, «La carta patente de la reyna...», 23 de noviembre de 1504.
[91] AGS PR 70:1b, Fernando a Felipe, 8 de diciembre de 1504.

tico golpe de estado para el 14 y 15 de enero, preparando una ceremonia que colocaba a Felipe en el centro de la escena y relegaba a Juana a un papel más bien secundario. «Presente la Reina [Juana] o ausente», los consejeros borgoñones planearon conferir la espada de justicia y un nuevo escudo de armas, que incluyera a Castilla, León y Granada, a Felipe en la iglesia de Santa Gúdula en Bruselas. Anunciando los nuevos títulos de Felipe y Juana como rey y reina, el *roy d'armes* le quitaría la capucha de luto a Felipe y le entregaría la espada real. Tan pronto como Felipe tomara la espada de justicia, los oficiales de armas y los trompetistas iban a despojarse de la antigua insignia a favor de la nueva, distribuyendo copias del escudo que incorporaba a Castilla, León y Granada entre todos los reinos, «a fin de que nadie pueda ser ignorante» de las nuevas posesiones que Felipe afirmaba ser suyas[92].

Las verdaderas exequias para Isabel en Bruselas suponían algo más que el diseño inicial. De hecho, Juana logró unirse a la procesión que iba hacia y desde Santa Gúdula. Al lado de dos de los embajadores de su padre, la princesa precedía a la vizcondesa de Furnes, quien llevaba el velo de Juana[93]. La capilla real, adornada con doscientas grandes copias de los escudos de Isabel, también contenía seis ángeles, pintados y colgados. Seiscientas maquetas más pequeñas del nuevo escudo de Felipe adornaban las antorchas que llevaban los pobres y los oficiales del pueblo, mientras que el personal de la casa necesitaba mil copias de las mismas imágenes[94]. Un producto más singular, el Misal ricamente iluminado, que contenía los retratos de Juana y Felipe y la composición de Josquin des Pres «Philipus rex Castillie», siguiendo

---

[92] BR Albert I, mss. 16381-90 (cat. 4977), fol. 45-51, Obsequias diseñadas para la reina Isabel, [diciembre de 1504].

[93] ADN Lille B 2191, fol. 282-282v, «Aux dames et damoiselles tant de l'ostel de la royne comme de celles qui estoient devers messires les enffans», enero de 1505. ADN Lille B 2193, n.º 74099, Quitación firmada por Jerome Lauwerin, 6 de enero de 1505.

[94] Felipe también pidió copias grandes de los nuevos escudos, que él orgullosamente envió a Fernando y Maximiliano. ADN Lille B 2191, fol. 370v-371, Pago al maistre Jacques van Lathem, varlet de chambre et paintre du roy, 14 de enero de 1505. Gastos adicionales para las obsequias aparecen en ADN Lille B 2191, fol. 335v, 380-381, 385v-388v, 403-404.

el más convencional «Kyrie Eleison» de Pierre de la Rue, también pudo haber sido compilado para esta ocasión[95]. Después de llegar a Santa Gúdula, Juana se unió a Felipe en el altar. El *roy d'armes*, sin embargo, se dirigió solamente a Felipe y le entregó a él, no a Juana, la característica espada. Una vez más, el personal y los gastos magnificaron la autoridad de Felipe[96].

Habiéndose proclamado rey de Castilla, León y Granada, Felipe preparó un viaje para tomar posesión de aquellos reinos. A pesar de una prolongada rebelión en Guelders, los consejeros borgoñones anunciaron que «el rey está determinado a ir a ver a sus súbditos y reinos por un breve tiempo, tan pronto como le sea posible y que sus asuntos se lo permitan»[97]. Temeroso de morir en el mar, el autoproclamado rey dictó su última voluntad y testamento hacia finales de diciembre[98]. A pesar de tales preparativos, los sucesos en Castilla llevaron a Felipe a retrasar su viaje durante más de un año.

En vez de partir para España, Felipe se vio envuelto en una lucha propagandística con el rey Fernando, quien tenía sus propios planes acerca de la Corona de Castilla. A comienzos de 1505, Fernando convocó las Cortes para escuchar el testamento de Isabel y para sancionar su regencia. En una declaración dirigida a las Cortes el 23 de enero, Fernando afirmaba que la honestidad y el dolor de Isabel le habían impedido especificar las razones por las cuales su hija podía no ser capaz de reinar. Los representantes, entonces, escucharon el largo informe de Martín de Moxica sobre los «accidentes y pasiones e impedimentos que sobrevinieron a la reina y la tenían fuera de su libre albedrío»[99]. Al publicar el informe de Moxica, Fernando usó la relación de los conflictos entre Felipe y Juana para conseguir sus propios fines. Informados

---

[95] BR Albert I, ms. 9126, Cantus Missae, [1505], esp. fols. 1v-2, 58v, 72-76v.

[96] BR Albert I, mss. 7386-94 (cat. 4976), fol. 17, Obsequias para la Reina Isabel, 14-15 de enero de 1505.

[97] ADN Lille B 18846, n.º 29611, «Memoire diplomatique, anonyme», 1505.

[98] Si Felipe fuera a morir en España, él designó a Granada, donde sus restos podrían unirse a los de la reina Isabel, como su último destino terrenal. ADN Lille B 485, n.º 17963 (museé 122, fol. 1-6v), Testamento de Felipe, 26 de diciembre de 1504.

[99] ZURITA, *História del rey Don Fernando*, tomo III, libro VI, capítulo iv.

de la «enfermedad que es tal que la dicha Reyna doña Juana,
nuestra señora, no puede governar», las Cortes unánimamente
declararon a su padre, Fernando, guardián, administrador y gobernador de los reinos de Juana[100].

Habiéndose declarado la incapacidad de Juana, Fernando paradójicamente también buscó el mandato de ella para gobernar.
Secretamente, Juan de Fonseca, Gómez de Fuensalida y el secretario de Fernando, Lope de Conchillos, aseguraron la autoriza-
ción escrita de Juana para que su padre gobernara Castilla. Sin
embargo, el ayudante de cámara aragonés Miguel de Herrera, encargado de transmitir el despacho a Fernando, traicionó a Juana
y a su padre al llevárselo a Felipe. Cuando regresó a Bruselas, Felipe ordenó que Conchillos fuese encarcelado y torturado, supuestamente hasta el punto de que el secretario perdió tanto su
pelo como su razón[101].

Mientras castigaba a Conchillos, Felipe intensificó su control
sobre la casa de Juana para asegurarse de que ella no pudiera comunicarse con su padre. Los consejeros de Felipe encargaron al
instructor vocal de Juana, Juan de Anchieta, «que se trabajase de
ganar a la Reyna para que se conformase con el Rey, su marido»,
y que les informara de cualquier cosa que ella pudiera intentar escribir a Fernando[102]. Felipe también demandó que los sirvientes
de Juana le obedecieran a él en lugar de a la reina. Incluso orde-

---

[100] AGS PR 69:34, «La suma de los abtos que fisieron los procuradores de las
cortes de las cibdades e villas destos reynos estando juntos en las cortes generales
que se fizieron en la cibdad de Toro este año de 1505.» Para un excelente análisis
de las Cortes de 1505, véase Juan Manuel CARRETERO ZAMORA, Cortes, Monarquía,
Ciudades; Las Cortes de Castilla a comienzos de la época moderna, Madrid, Siglo
Veintiuno, 1988, pp. 200-204.

[101] PADILLA, «Cónica de Felipe I...», pp. 125-129. Para una versión ligeramente
diferente de los acontecimientos, véase SANTA CRUZ, Crónica de los Reyes Católicos,
II, pp. 7-8 y GÓMEZ DE FUENSALIDA, Correspondencia, pp. 349, 350, 352. Felipe
proporcionó comida y ropa para Conchillos y uno de sus sirvientes mientras estaba
encarcelado en el Castillo de Vilvorde. ADN Lille B 2191, fol. 400v, Pago a la Ca-
pitanie du Chastel de Vilvorde, 27 de febrero de 1505.

[102] GÓMEZ DE FUENSALIDA, Correspondencia, p. 337. Anchieta también había
servido como maestro a Leonor, Carlos e Isabel. El capellán más adelante recibió
de Felipe un regalo de 100 livres para pagar su deudas antes del segundo viaje a España. ADN Lille B 2195, n.° 74346, Pago de Johannes de Anchieta, 26 de septiembre de 1505.

nó la detención de uno de los criados, Sebastián de Olano, quien respetó los deseos de Juana quedándose con ella a pesar de la llamada de Felipe. Cuando Gómez de Fuensalida protestó humildemente por el encarcelamiento de Olano, el archiduque declaró la intención de demostrar que él era Señor, «syn que nadie dyxese: "dezirlo he a la Reyna;" ni "la Reyna no quiere que lo haga"»[103]. De esta manera, el embajador de Fernando fue testigo de los resultados de los esfuerzos que hizo Felipe para ganar el control de la casa de Juana:

> Todos los servidores españoles que con su alteza vinieron y estavan acá del prinçipio de su venida, todos son paryentes de Judas; ninguno a quedado fiel. Cada uno procura como estará byen con el Rey; de la Reyna en ninguna cosa se haze más caudal que de mí[104].

Felipe había usado a los sirvientes de Juana, tanto si eran españoles o borgoñones, para alcanzar total autoridad sobre su casa. Gobernar a la misma Juana resultó ser una tarea más difícil.

Estando confinada en sus habitaciones y habiéndosele prohibido cualquier tipo de contacto con el mundo exterior, Juana no pudo usar de la *ira regia* en su ventaja. En abril su *chevalier d'honneur*, el príncipe de Chimay, había prohibido a todos los castellanos entrar en los aposentos de la reina, aun cuando ella los llamara. De diez a doce arqueros colocados en la primera cámara de Juana hacían cumplir la regulación. En respuesta a estas restricciones, la reina llamó al príncipe de Chimay. Como el príncipe temía encontrarse con problemas, le pidió a su sustituto, monsieur de Fresnoy, que lo acompañara. Según una versión de los acontecimientos, Juana recibió a los caballeros sosteniendo una barra de hierro. Chimay supuestamente salió corriendo inmediatamente, dejando que al viejo Fresnoy le alcanzara un golpe de la enfadada reina. Juana luego ordenó a uno de sus mozos de capilla que matase al «viejo traydor». Cuando el anciano, blanco de su ira, escapó, Juana saltó sobre el portero responsable, lo golpeó en la cabeza, dejó su cabello hecho un desastre y juró sobre la cruz «de

---

[103] GÓMEZ DE FUENSALIDA, *Correspondencia*, p. 333.
[104] GÓMEZ DE FUENSALIDA, *Correspondencia*, p. 389.

os hazer matar a todos.» La reina supuestamente había inspirado tal miedo, que ninguno de los borgoñones se atrevió a ir a verla y Juana se quedó completamente sola[105]. Sus acciones habían provocado temor pero no obediencia.

Felipe, como Fernando, necesitaba el mandato de Juana para gobernar Castilla en su lugar. Así, dependiente de la autoridad que él había minado, el archiduque buscaba una declaración escrita del amor y la lealtad de Juana hacia él. Los asesores de Felipe afirmaban haber preparado seis veces una misiva a este efecto que Juana se negó a firmar, pero que había corregido repetidas veces. El documento, sostenían ellos, declaraba que, incluso si Juana estuviese loca, nadie gobernaría sus reinos salvo el rey, su marido, a quien ella amaba muchísimo. Objetando la palabra «amar», Juana «la deshizo [a la carta] cinco veces, mas al fin la firmó asy», afirmaba Felipe[106]. Juana, de hecho, nunca firmó la carta[107]. Los subsiguientes derechos de su marido en Castilla se fundamentaban en una falsificación.

Sospechando que Juana había sido forzada a firmar contra su voluntad la carta en que apoyaba a Felipe, Fernando intentó entrar en la disputa matrimonial poniéndose de parte de su hija. Tomando datos de los informes de Goméz de Fuensalida, el rey aragonés presentó una lista de agravios contra Felipe, que amenazó con publicar si el tratamiento de Juana no mejoraba. Alegó que a Juana se la había tenido bajo vigilancia armada, privada de su libertad y de sus sirvientes castellanos y obligada a firmar docu-

---

[105] GÓMEZ DE FUENSALIDA, *Correspondencia,* pp. 342-343. Para un informe posterior de esta confrontación, que resaltaba el tema de la autoridad de Juana, ver BN Madrid ms. 1253, D. Joseph MICHELI MARQUEZ, *El Consexero del desengaño. Delineado de la Breve Vida de Don Phelipe el hermoso,* 1649, 165v-166.

[106] GÓMEZ DE FUENSALIDA, *Correspondencia,* pp. 358-9. El suegro de De Vere, Fresnoy, junto con el príncipe de Chimay, habían prohibido a los castellanos que visitaran a Juana.

[107] Bethany ARAM, «Juana "the Mad's" Signature: The Problem of Invoking Royal Authority, 1505-1507», *The Sixteenth Century Journal* XXIX/2, 1998, pp. 331-358. La comparación de la firma en la carta para De Vere con cuarenta y cuatro ejemplos previamente no reconocidos de la firma de Juana reveló que Juana, de hecho, nunca firmó la declaración de lealtad a Felipe. El favorito de Felipe después de la muerte de Besançon, don Juan Manuel, probablemente concibió la falsificación.

mentos que ella rechazaba[108]. Con igual vehemencia, Felipe se defendió afirmando que Juana prefería no recibir visitantes[109].

Juana salió de su aislamiento sólo después del 24 de agosto de 1505, cuando el padre de Felipe, Maximiliano, llegó a Bruselas determinado a mejorar las relaciones entre su hijo y su nuera. Durante la visita de Maximiliano, Juana asistió a justas y recibió al embajador veneciano Vicenzo Quirini, quien había solicitado una audiencia con ella durante más de cinco meses. Quirini anotó que encontró a la reina «muy bella», con la manera de una «sabia y prudente dama»[110]. Además de recibir al embajador, Juana fue a los banquetes que Felipe patrocinó para su padre[111]. Después que Juana dio a luz a su tercera hija, María, el 15 de septiembre[112], Maximiliano superó sus anteriores escrúpulos a sostener a la recién nacida sobre la fuente bautismal[113]. Después de su recuperación, Juana, a su vez, ayudó a Maximiliano a asegurar el viaje de la pareja real a España[114]. Para acelerar su partida, la reina trasladó su casa a Middelburg, cerca del puerto de Vlissingen, donde Felipe se reunió con ella a finales de diciembre[115].

---

[108] GÓMEZ DE FUENSALIDA, *Correspondencia,* pp. 371-374.

[109] GÓMEZ DE FUENSALIDA, *Correspondencia,* pp. 379, 388.

[110] Biblioteca Nazionale Marciana, Venezia (BNM), ms. It. cl. VII, cod. 1129 (7452), «Registrum Vincentii Quirino oratoris ad Serm. Ducem Burgundie, Philippe», 1505-6, fol. 61-61v, parcialmente transcrito en Constantin VON HÖFLER, «Die Depeschen des Venetianischen Botschafters Vincenzo Quirino», *Archiv für Oesterreichische Gestchicte* 66 (1885), 150.

[111] ADN Lille B 2191, fol. 393-394, Pago a Jacques Hyssomie, 4 de septiembre de 1505.

[112] AHN Nobleza, Frías 18/142, Felipe al Conde de Oropesa, 15 de septiembre de 1505. ADN Lille B 2191, fol. 225v, Pago a Jehan de Paris para llevar cartas anunciando el parto de Juana, 15 de septiembre de 1505. HÖFLER, «Die Depeschen...», 158, 161. Por primera vez, Juana había necesitado el servicio de un médico así como el de una comadrona durante el parto. ADN Lille B 2195, fol. 296v-297, Pago al «Maistre Enrique Vellis conseillier et phisicien du roy», noviembre de 1505. ADN Lille B 2191, fol. 326v-327 y ADN Lille B 2192, n.° 74037, Pago a Jeanne Mechielle, «sage femme demourant a Lille», 9 de noviembre de 1505.

[113] Jean MOLINET, *Chroniques,* II, p. 561.

[114] Felipe anunció la conclusión de su guerra sobre Guelders el 4 de agosto de 1505. AGS CC Cédulas 11: 27v, Felipe a los Grandes de Castilla, 4 de agosto de 1505. HÖFLER, «Die Depeschen», 134.

[115] ADN Lille B 3462, n.° 121592, Gastos de la casa de Juana, 10 de diciembre de 1505.

Otra fuente de tensiones matrimoniales salió a la superficie en Middelburg cuando Felipe escogió y recompensó a una nueva escolta femenina para la reina[116]. Como sospechaba de las mujeres flamencas y borgoñonas leales a Felipe, la reina se negó a aceptarlas en su séquito. Juana insistió en que las damas desembarcaran antes de que ella pusiese pie en la «Julienne», la mejor de cuarenta o cincuenta naves proyectadas para transportarlos a España. En vista de la objeción de Juana, Felipe subrepticiamente envió a las mujeres a otro barco[117]. Juana aparentemente descubrió su presencia, sin embargo, cuando una tormenta obligó a los barcos a refugiarse en la costa de Inglaterra[118]. Desde el castillo de Windsor, en donde Felipe se apresuró a encontrarse con Enrique VII, el archiduque informó a sus súbditos que «un pequeño incidente» había impedido que Juana lo acompañara «por el momento», aunque esperaba que ella se reuniese con él pronto[119].

La tardía y corta aparición de Juana en Windsor hizo resaltar sus diferencias con Felipe. Mientras que la reina rehuía las festividades de la corte, Felipe se deleitaba con ellas. En medio de tales celebraciones el archiduque prometió su hijo, Carlos, a la hija del rey inglés, María, y su no dispuesta hermana, Margarita, al

---

[116] ADN Lille B 2191, fol. 323v-324 y 325v, B 2192, n.⁰ˢ 73997, 74033, 74036 y 74045, y B 2195, nos. 74322 y 74326, Pagos y regalos de Felipe a Damoiselle Walerande de Brederode *femme d'honneur de la Royne*, Damoiselle Cornelie de Montenak, Damoiselle Jehanne de Hallewin, Dame de Brayne, Damoiselle Walburghe d'Egmonde, Anseline Renier, y Ysabeau de la Hameyde, Contesse d'Ottinge, 12, 15 y 24 de noviembre de 1505, 30 de diciembre de 1505, 1, 3-7 de enero de 1506.

[117] Townsend MILLER, *The Castles and the Crown,* p. 246.

[118] Con la vela principal de la "Julienne" caída dentro del océano y el barco que había comenzado a arder varias veces, Felipe y sus acompañantes se resignaron a morir mientras que Juana demostró una valentía extraordinaria —sin duda el fruto de anteriores viajes por mar. HÖFLER, «Die Depeschen», pp. 193-194. SANDOVAL, *Historia de la Vida e Hechos del Emperador Carlos V,* tomo I, cpt. xxii, p. 27. Los autores franceses, en contraste, pusieron de relieve el miedo y el deseo de Juana de morir con su marido. MOLINET, *Chroniques,* II: 563-4. «Deuxième Voyage de Phillipe le Beau En Espagne en 1506», *Collectión des voyages des souverains des pays-bas,* M. GACHARD (ed.), Bruxelles, F. Hayez, 1876, p. 417.

[119] AGRB, Gachard 611, «Régistre des públications» de Archive deYpres, 1 de febrero de 1506.

mismo Enrique VII [120]. Juana, en contraste, fue a Windsor para aprobar un acuerdo de cooperación comercial entre España e Inglaterra y para ver a su hermana Catalina de Aragón, la cual residía en la corte inglesa [121]. Según Catalina, tanto ella como Enrique VII se alegraban de la presencia de Juana y lamentaban su apresurada partida. Aunque Enrique hubiera deseado retener a la reina, sus consejeros supuestamente «le dyxeron que no se devya entremeter entre marydo y muger» [122]. Dos años más tarde, Enrique VII recordaba su encuentro con Juana:

> Quando yo la vy, muy bien me pareció, y con buena manera y contenencia hablava, y no perdiendo punto de su autorydad; y aunque su marydo y los que venían con él la hazyan loca, yo no la vy syno cuerda [123].

Mientras relataba una impresión favorable de Juana, el rey inglés recordaba que Felipe y su séquito la habían retratado como loca.

Juana mostró un desprecio similar por Felipe y sus consejeros. Después de su breve aparición en Windsor, la reina regresó a Falmouth, donde dio la bienvenida a siete barcos que su padre, Fernando, había enviado para reemplazar a aquéllos que se habían dañado en la tormenta [124]. Después de dos años de discordia, las diferencias políticas de Juana con su marido parecían ser irreconciliables. Una alianza con su padre era la única esperanza de la reina para frustrar los proyectos de Felipe.

---

[120] Felipe también renunció a la custodia del duque de Suffolk, pretendiente al trono inglés. Public Records Office, E 30, 701, Acuerdo entre Enrique VII y Felipe I, 9 de febrero de 1506.

[121] Public Records Office, E 30, 1082, «Promesa de respetar el tratado de la alianza con Enrique VII de Inglaterra» [firmado por ambos Felipe y Juana], 12 de febrero de 1506. Este documento parece bastante deteriorado y casi ilegible.

[122] AGS PR 54-33, La Princesa de Gales (Catalina de Aragón) a la Reina Juana, 25 de octubre de 1507.

[123] GÓMEZ DE FUENSALIDA, *Correspondencia*, pp. 460-461.

[124] AGRB Gachard 611, Transcripciones del ms. Cocquéau, t. II, Cartas de Felipe a Valenciennes, 18 de febrero de 1506 y 13 de marzo de 1506.

«Gran amor entre padre e hijo»

Felipe, por su parte, tomó medidas para impedir que Juana y su padre uniesen sus fuerzas contra él. Mientras fomentaba no sólo el amor de Fernando sino también su miedo, el borgoñón maniobraba para excluir a Juana aliándose con el mismísimo padre de Juana. Habiendo establecido un acuerdo de «fuerte amor y amistad» con el rey aragonés[125], el archiduque, sin embargo, reunió a dos mil soldados alemanes para que lo acompañaran a Castilla[126]. El capitán de este ejército describió a Juana como el peor enemigo de Felipe, después de Fernando[127]. Luego de varios intentos infructuosos de asegurar un encuentro con Fernando, como veremos, Juana finalmente se vio obligada a llegar a un acuerdo con Felipe.

Conjuntamente con las fuerzas armadas que tenía Felipe a su disposición, la generosidad del archiduque desanimaba a los sirvientes a convertirse en intermediarios entre Juana y Fernando. Como recompensa por servicios pasados e incentivo por su futura lealtad, Felipe nombró a don Juan Manuel y a Philibert de Vere, entre otros, miembros del *Toison d'Or*[128]. Dos de los más antiguos sirvientes de Juana, Diego de Ribera y Bertrand de Fromont, igualmente recibieron regalos de Felipe antes de mar-

[125] AGS PR 56-19, Capitulaciones entre Fernando y Mosén de Vere, 24 de noviembre de 1505. ADN Lille B 369, n.º 17962, Confirmación de Felipe del Tratado de Salamanca, 10 de diciembre de 1505. Como Juana se negaba a aprobar el Tratado de Salamanca, Felipe argumentó que no necesitaba de su firma. AGS PR 56:22, Felipe a Fernando, 9 de febrero de 1506. AGS CC Cédulas 11: 50v-51, «Sobre la capitulación del soberano entre el rey católico y su yerno», 10 de febrero de 1506.

[126] ADN Lille B 2191, fol. 250-250v, Pago a Jehan de Warenghen, 25 de noviembre de 1505, citado en la *Collection des Voyages de Souverains des Pays-Bas*, M. Gachard (ed.), Bruxelles, F. Hayez, 1876, xxiv.

[127] Briefe des Grafen Wolfgang zu Fürstemberg zur Geschichte der meerfahrt des Königs Philipp von castilien (1506). Mitgetheilt von Dr. K.H. frhrn. Roth von Schreckenstein, *Vorstand des F.F. Hauptarchivs in Donaueschingen* Freiburg, 1868, citado en la *Collection des Voyages de Souverains des Pays-Bas*, M. Gachard (ed.), xxiv.

[128] Molinet, *Chroniques*, II, pp. 561-2. Padilla, «Crónica de Felipe I...», p. 130.

charse de Middelburg[129]. Al recordarles a los sirvientes su afecto hacia ellos, Felipe buscaba privar a Juana de potenciales aliados.

Bajo tales circunstancias, el intento de Juana de unirse a su padre fracasó lamentablemente. Cuando Juana y Felipe llegaron a La Coruña el 25 de abril de 1506[130], Juana ofendió a la población local al negarse a confirmar privilegios locales, recibir a embajadores o encargarse de actos gubernamentales antes de encontrarse con su padre[131]. Según informes que llegaron a oídos de los embajadores de Felipe en la corte papal, Juana dejó bien claro que ella consideraba a su padre «Rey como ella»[132]. Sin embargo, Fernando, en vez de salir rápidamente a apoyar a Juana, se encontró abandonado por la nobleza y obligado a ponerse de parte de Felipe a costa de Juana. El viejo rey envió a de Vere para dar la bienvenida a Felipe, con instrucciones de impedir que Juana trastornara «la paz y concordia» entre los reyes[133]. El recién nombrado *maistre d'ostel* de Juana, don Diego de Guevara, también representaba los intereses de Felipe. Inicialmente, Fernando interrogó a Guevara sobre su hija y se negó a abandonar Castilla antes de reunirse con ella[134]. Sin embargo, a medida que Felipe retrasaba su encuentro con Fernando, más y más nobles ofrecieron apoyar al borgoñón[135]. Igualmente decisivo fue que el Gran Capitán,

---

[129] Ribera recibió un regalo de 62 *livres* 10 *sous* así como derechos sobre dos departamentos. ADN Lille B 2192, n.º 74060 y B 2191, fol. 327v, Pago de Diego de Riviere, garderobe de la royne, 6 de noviembre de 1505. AGS CC Cédulas 11: 63, Felipe al *camarero* de Juana, Diego de Ribera, 2 de enero de 1506. ADN Lille B 2192, n.º 74044, Pensión de 6 s par jour asignado a Bertrand de Fromont, 7 de enero de 1506.

[130] AGS CC Cédulas 11: 53, Felipe a Fernando, informando de su llegada, 26 de abril de 1506.

[131] HÖFLER, «Die Depeschen», 206-214.

[132] ADN Lille B 18826, n.º 24221, Philibert Naturel a Felipe, 19 de junio de 1506.

[133] Al mismo tiempo, Fernando advertía que Juana debía aparecer bien tratada para prevenir un escándalo público. Biblioteca Francisco de Zabálburu y Basabe (de ahora en adelante BFZ), Altamira 222-21, «El memorial que se dio a Mosén de Vere», 5 de abril de 1506.

[134] ADN Lille B 18825, n.º 24186, Diego de Guevara a Felipe, 1 de junio de 1506. ADN Lille B 18825, n.º 24185, Diego de Guevara a Felipe, 1-2 de junio de 1506.

[135] PADILLA, «Crónica de Felipe I...», pp. 141-144.

Gonzalo Fernández de Córdoba, se negó a respaldar al anciano rey con tropas que vinieran desde Nápoles[136]. El 9 de junio de 1506, Fernando renunció a sus demandas de una reunión con Juana y subrayó solamente su «gran afecto y deseo» de ver a Felipe[137].

Felipe y Fernando se reunieron el 27 de junio sin informarle a Juana, quien permanecía confinada en el cercano pueblo de Benavente. En ausencia de Juana, los reyes conspiraron contra ella. Fernando prometió marcharse de Castilla a cambio de tener el mando de sus órdenes militares y la mitad de los beneficios de las Indias[138]. En un segundo secreto tratado, Felipe y Fernando incapacitaron a Juana afirmando que ella «en ninguna manera se quiere ocupar ni entender en ningún negocio de rregimiento ni gobernación ni otra cosa». Incluso si la reina hubiera deseado ejercer algún tipo de autoridad, declararon que, «sería total destruyción y perdimiento destos rreynos segúnd sus enfermedades e pasíones que aquí no se espresan por la onestidad»[139].

Un desesperado intento de demandar la atención de su padre sólo marginó aun más a Juana. Al saber que Felipe y Fernando habían llegado a un acuerdo, Juana se escapó del castillo de Be-

---

[136] BFZ Altamira 17-136, Fernando a Gonzalo Fernández de Córdoba, 1 de julio de 1506. Felipe simultáneamente cortejó al «Gran Capitán». ADN Lille B 18826, n.º 24211, Philibert Naturel a Felipe, 19 de junio de 1506.

[137] ADN Lille B 18825, n.º 24198, B 18846, n.os 29628 y 29629 [copias], Diego de Guevara a Felipe, 9 de junio de 1506; B 18826, n.º 24211, B 18846, n.os 29633 y 29634, Diego de Guevara a Felipe, 14 de junio de 1506. Esta correspondencia cada vez más frecuente refleja la creciente tensión a medida que los campamentos de Fernando y Felipe se acercaban uno a otro.

[138] AGS PR 56:28 y BN Madrid ms. 17475, folio 59, «Capitulación hecha en Villafáfila entre el rey don Felipe y el Rey Católico», 27 de junio de 1506. AGRB Audiencia 1078, fol. 82-86v, «Traité entre Phillipe le Beau et Ferdinand d'Aragón», 27 de junio de 1506.

[139] Si Juana intentara gobernar por sí misma o fuera inducida a hacerlo por otro grupo, los reyes acordaron impedir que ella gobernara. AGS PR 56:27 y BN Madrid ms. 17475, fol. 55, «Provisión que en caso que la Reyna doña Juana se quisiere entremeter en la gobernación destos Reynos no lo consintirá», 27 de junio de 1506. Una versión francesa del acuerdo «secreto» permanece en ADN Lille B 18826, n.º 24239, «Concordat entre Fernand et Philippe», 27 de junio de 1506.

navente a caballo. Perseguida por los guardias de Felipe, se refugió en una humilde casa, donde los soldados alemanes la rodearon. La acción de Juana de huir de un noble castillo y refugiarse en una residencia por debajo de su rango escandalizó a la corte. Supuestamente, la reina se negó a abandonar la casa de los campesinos hasta que Fernando la rescatase. Sin embargo, en vez de asegurar una reunión con su padre, las acciones de Juana pudieron haber convencido a Felipe de la necesidad de confinarla[140].

Habiendo excluido a Juana del gobierno, Felipe y Fernando subrayaron su afecto mutuo. Felipe informó a la ciudad de Burgos que su acuerdo suponía un «debdo e amor» que ofrecía la esperanza de que ellos siempre estarían «en tanta unión e conformidad como las cabsas y rrasones e paz requieren»[141]. Cuando Fernando se marchó a Aragón, él y Felipe se reunieron una vez más en Renedo. Según el viejo rey, el segundo encuentro suponía «autos de mucha demostración del amor que nos tenemos», en los que aconsejó a Felipe como un «verdadero padre a su verdadero hijo», y los dos quedaron «en mucha conformidad y en tanto amor y tan estrecha unión que más no puede ser». Después de una reunión privada que duró una hora y media, el arzobispo de Toledo se unió a los dos reyes para ser testigo de «cosas de grandísimo amor y de verdaderos padre y fijo»[142]. Estas calculadas muestras de intimidad y afecto servían a fines políticos concretos. Fernando deseaba mantener la ficción de que él se iba de Castilla por su propia voluntad. Felipe, por su parte, agradeció que Fernando no defendiese los derechos de Juana. Juana había enviado a su primer capellán, Ramírez de Villaescusa, a llevarle a Fernando una carta suplicándole que no abandonase Castilla antes de reunirse con ella. Sin embargo, Felipe, que interceptó la carta, también encarceló a Villaescusa[143].

---

[140] Pedro DE ALCOÇER, *Relación de algúnas cosas*, fol. 268-269. Constantin von HÖFLER, «Die Depeschen des Venetianischen Botschafters Vincenzo Quirino», 237.
[141] Archivo Municipal de Burgos, sección histórica, n.° 313, El rey Felipe a la ciudad de Burgos, 29 de junio de 1506.
[142] AGS PR 56:31, «Nota del Rey Cathólico en que dice lo amistosa que fué la entrevista que tuvo con su hijo político Don Felipe en Renedo», 5 de julio de 1506.
[143] HÖFLER, «Die Depeschen», 243.

La marcha de Fernando al reino de Aragón sin haber visto a Juana dejaba a los castellanos que estaban en contra del reinado del borgoñón como los aliados más naturales de Juana. Mientras Juana permaneciera confinada, los lazos de «amor» entre el rey-consorte extranjero y los súbditos legales de su mujer aparecían, en el mejor de los casos, tenues. Según un informe:

> Las comunidades destos Reinos las gentes estrañas que el Rey don Felipe consigo había traido, aborrecían; y como los tales estrangeros fuesen dados a demasiado comer y beber mucho, desórdenes y delictos cometían, é comenzó la justicia algo a enflaquecer y caducar[144].

Un cronista posterior explicaba:

> Como los flamencos en comer y beber tubiesen consigo cierta manera de presunción para con la gente de Castilla, por livianas causas se mataban unos a otros y hacían muchas afrentas, no abiendo para los flamencos tanta justicia como para los castellanos[145].

Las Cortes de 1506, que inicialmente se reunieron en el pueblo de Murcientes, crearon un foro para oponerse al rey. Aunque Felipe había pedido un mandato legal para encerrar a Juana, las Cortes se negaron a proporcionárselo. En Murcientes, tanto Pedro López de Padilla de Toledo como el almirante de Castilla don Fadrique Enríquez entrevistaron a la reina y posteriormente se negaron a sancionar su reclusión[146].

Más dramáticamente la misma Juana apareció ante las Cortes en Murcientes a comienzos de julio de 1506. Como respuesta a las preguntas de los procuradores, ella declaró su apoyo al reina-

---

[144] *Continuación de la Crónica de Pulgar*, 524.

[145] SANTA CRUZ, *Crónica de los Reyes Católicos*, II, p. 57.

[146] BN ms. 13127, «De lo que sucedió en España en cosas particulares desde la venida de Felipe I hasta su muerte», fol. 192v-195. ZURITA, *Historia del Rey Don Fernando*, libro VII, capítulo vii, 1059. Incluso el conde de Benavente, don Alonso Pimentel, que había firmado una petición para confinar a Juana, después protestó que él lo había hecho así sólo bajo la presión de Felipe, y juró servir a la reina «bien e fiel e lealmente como leal súbdito e vasallo.» AHN, Osuna 420:1(1), Testimonio del conde de Benavente, 18 de agosto de 1506.

do de Fernando, estuvo de acuerdo en vestir al estilo castellano y se negó a aceptar acompañantes femeninas, «conociendo la naturaleza de su marido.» De esta manera, Juana implicaba que la compañía de mujeres la deshonraría más que la elevaría. Luego, Juana renovó su derecho a la autoridad real preguntando a los procuradores si ellos la reconocían o no como doña Juana, la hija y sucesora de su madre. Cuando recibió una respuesta afirmativa, la reina intentó trasladar las Cortes a Toledo, donde el mismo cuerpo la había confirmado como heredera propietaria en 1502[147].

Felipe recuperó el control de la situación al insistir en que las cortes continuasen en Valladolid en vez de Toledo. El 10 de julio, él y Juana entraron en Valladolid debajo de un palio de brocado. Dos días más tarde las Cortes confirmaban a Juana como «reyna verdadera e legítyma sucesora e señora natural propietaria destos dichos reynos e señoríos» y a Felipe como «rey verdadero e legítymo señor como a su legítimo marido de la dicha señora reyna doña Juana, nuestra señora.» Los procuradores, entonces, juraron lealtad a Juana y Felipe y realizaron los tradicionales actos de homenaje[148]. Luego, en la misma reunión, las Cortes declararon al primer hijo y heredero de Juana, Carlos, su legítimo sucesor, y nombraron a Felipe «rey e señor e propietario destos dichos reynos»[149]. El reconocimiento como «rey propietario», le dio a Felipe el derecho legal a disponer de Castilla y León como él deseara. Efectivamente, un embajador que estaba presente notó que el resultado de la ceremonia le encantó a Felipe[150]. Al final, Juana puede haber decidido llegar a un compromiso con Felipe y renunciar al título de soberana propietaria para poder asegurar los subsiguientes derechos de su hijo al trono. Al afirmar primero a Juana, y después a Felipe, como soberano propietario, las Cortes de Valladolid finalmente le proporcionaron a Felipe una apariencia de autoridad legal para regir a Castilla.

---

[147] HÖFLER, «Die Depeschen», pp. 240-242.
[148] AGS PR 69:41 (2), «Juramento o reconoçimiento por reyes legítimos a Doña Juana y a su marido», 12 de julio de 1506.
[149] ADN Lille B 857, n.º 17971, AMC C-17, doc. 20, and AVM 2-393-28bis, Testimonio de las Cortes de Valladolid, 12 de julio de 1506.
[150] HÖFLER, «Die Depeschen», p. 244.

Habiendo obtenido el derecho a gobernar como él deseaba, Felipe dirigió a Juana y a la corte a Burgos. Don Juan Manuel, el favorito «que gobernaba al rey Felipe a su voluntad», patrocinó una fiesta para el rey en la fortaleza de Burgos[151]. Durante el curso de los festejos, Felipe aparentemente se esforzó excesivamente, bebió una gran cantidad de agua fría y pronto cayó enfermo[152]. Advirtiendo la afición del rey a las mujeres y el juego, escribió un cronista que «con mal regimiento deste siglo al otro había pasado»[153]. Cuando la condición de Felipe empeoró, la reina permaneció con él. Todo el mundo menos Juana, parecía, esperaba que Felipe muriera[154]. El 24 de septiembre, un día antes de la muerte de Felipe, el arzobispo de Toledo fray Francisco Jiménez de Cisneros convocó un consejo para formar un gobierno provisional. También escribió a Fernando, suplicándole que volviese a Castilla[155]. Al llamar a Fernando, el arzobispo, como Felipe, contravino los derechos de Juana.

¿ESPERANDO A FERNANDO?

Los historiadores han dado por sentado desde hace tiempo que el comportamiento de Juana después de la muerte de su marido confirmaba su incapacidad para gobernar. La evidencia para

---

[151] Don Juan Manuel había recibido recientemente la fortaleza de Burgos junto con las de Segovia, Jaén, Plasencia y Atineça, sin olvidar mencionar la *contaduría mayor* de Castilla. BN ms. 13127, «De lo que sucedió en España en cosas particulares desde la venida de Felipe I hasta su muerte», fol. 190v, 197. *Epistolario de Pedro Mártir*, X: Epist. 312. SANTA CRUZ, *Crónica de los Reyes Católicos*, II, p. 56.
[152] Dr. Parra al rey Fernando, *Colección de Documentos Inéditos*, VIII, p. 394.
[153] *Continuación de la Crónica de Pulgar*, 524. Otro contemporáneo recogió el rumor de que una gran ansiedad sobre su estado financiero provocó la muerte del joven rey. SANTA CRUZ, *Crónica de los Reyes Católicos*, II, p. 58.
[154] Fuera por una plaga, veneno o alguna otra causa, la repentina muerte de Felipe sigue siendo polémica. Ver José M. DOUSSINAGUE, *Un Proceso por Envenenamiento: La Muerte de Felipe «el Hermoso»*, Madrid, Espasa-Calpe, 1947.
[155] Juan DE VALLEJO, *Memorial de la Vida de Fray Francisco Jiménez de Cisneros*, Antonio DE LA TORRE Y DEL CERRO (ed.), Madrid, Bailly-Baillière, 1913, p. 113.

esta interpretación deriva principalmente de la negativa de la reina a nombrar un regente provisional[156]. El arzobispo de Toledo había solicitado el puesto. Otros presionaban para que Juana nombrara a uno de los dos, o al rey Fernando o al emperador Maximiliano. Todavía otros argumentaron que la reina debía convocar las Cortes de Castilla y León[157]. Sin embargo, Juana no hizo ninguna de las cosas mencionadas. Antes que una negativa a gobernar, las acciones de Juana después de la muerte de su marido indicaban ciertos recelos de los que querían gobernar en su nombre. En vez de esperar que Fernando regresara a Castilla, Juana desarrolló una estrategia para asegurar sus derechos y los de sus hijos.

El primer intento que hizo Juana de gobernar comprendía un atrevido decreto diseñado para restaurar el patrimonio real que Felipe había alienado por medio de regalos a sus amigos y partidarios. El 18 de diciembre de 1506 Juana firmó una provisión revocando todas las mercedes de Felipe en rentas reales, juros, derechos y jurisdicciones. El decreto, refrendado por el secretario Juan López de Lecárraga y cuatro miembros del Consejo Real, afirmaba que Felipe había distribuido mercedes y derechos sin el conocimiento o permiso de Juana, «en mucho prejuyzio e demynución de mi patrimonio real e bien público destos dichos mis reynos». En consecuencia, Juana, como reina propietaria, declaró las mercedes de su marido inválidas:

> Porque si esto no se remediase sería gran cargo de mi conçiencia e gran daño e detrimento de las dichas mis rentas e estado e patrimonio real e de todos estos dichos mis reynos e súditos e naturales, e a mí como Reyna e Señora perteneçe proveer e remediar en todo ello, por

---

[156] SANTA CRUZ, *Crónica de los Reyes Católicos,* II, pp. 65, 89. *Epistolario de Pedro Mártir,* X: Epist. 325, 328 y 329. José GARCÍA ORO, *El Cardenal Cisneros: Vida y empresas,* Madrid, Biblioteca de Autores Cristianos, 1992, p. 160.

[157] Cuando Juana se negó a nombrar a un regente o a convocar a las Cortes, el Consejo Real convocó a las Cortes en su nombre. AMC, caja 17, documento 22, Provisión real de doña Juana a la ciudad de Córdoba, firmado por diez miembros del Consejo Real, 6 de octubre de 1506. AMS, Actas Capitulares, caja 29, carpeta 121, fols. 6 y 7, Los Procuradores de Cortes al Cabildo de Sevilla, 18 de diciembre de 1506. ZURITA, *Historia del Rey don Hernando,* tomo IV, libro VII, capítulo 22.

ende por esta dicha mi carta, la qual quiero que aya fuerça e rigor de ley como sy fuese hecha e promulgada en Cortes, reboco, ceso e anulo y doy por nyngunas e de ninguna fuerça e vigor todas las dichas mercedes que el rey don Felipe, mi señor, que aya santa gloria, fizo[158].

La reina solicitó que todas las tierras y rentas alienadas durante el reinado de Felipe fueran «incorporad[as] en la dicha mi corona e patrimonio real para agora e para siempre jamás»[159]. Para hacer cumplir esta medida, Juana también intentó restaurar el Consejo de su madre y despidió a tres consejeros nombrados por Felipe y don Juan Manuel[160]. La reina viuda parecía determinada a ejercer la autoridad real.

Contrapesando estos esfuerzos de deshacer la política de Felipe, la iniciativa más visible de Juana consistió en el intento de escoltar el cadáver de Felipe hasta Granada. Al colocar el cadáver de Felipe al lado del de su madre, como estipulaba el testamento de Felipe, Juana probablemente albergaba la esperanza de asegurar sus derechos y los de su hijo mayor, Carlos, sobre ese reino. Aunque el rey Fernando había ordenado a las ciudades de Castilla servir y obedecer «a la serenísima reyna, nuestra muy cara e muy amada hija»[161], se opuso a los deseos de Juana de llevar a Felipe a Granada y, con el tiempo, aseguró un breve papal que le permitía

---

[158] Hasta cierto punto, la revocación que sus padres hicieron 1480 de los «excesivos favores» del rey Enrique IV proporcionaron un precedente para las acciones de Juana. *Novísima Recopilación de las leyes de España*, Madrid, 1805, Libro III, título v, leyes x-xi. Por otra parte, Stephen Haliczer ha argumentado que incluso las reformás de 1480 resultaron ser ineficaces. Stephen HALICZER, «The Castilian Aristocracy and the Mercedes Reform of 1478-1482», *The Hispanic American Historical Review* 55:3 1975, pp. 449-467.

[159] AGS Cámara de Castilla, Diversos 1-12, «Revocación de las mercedes que hizo el Rey Don Phelipe I», 18 de diciembre de 1506, insertado en una provisión del 30 de julio de 1507. Real Biblioteca de el Escorial, mss. castellanos Z. II. i, 62a-b, Mandato real de doña Juana, 18 de diciembre de 1506, insertado en una carta del Consejo Real, 26 de agosto de 1507.

[160] Aunque la reina había despedido con éxito a uno de estos asesores con un comentario ingenioso, los otros dos permanecieron en la nómina de la corte hasta 1508. ZURITA, *Historia del Rey Don Fernando*, tomo IV, libro VII, capítulos 38 y 54. Salustiano DE DIOS, *El Consejo Real de Castilla (1385-1522)*, Madrid, Centro de Estudios Constitucionales, 1982, p. 155.

[161] AMB Sección histórica, n.º 315, Fernando a la ciudad de Burgos, 6 de noviembre de 1506.

enterrar a su marido en otra parte[162]. Juana, sin embargo, se aferró a razones prácticas para querer llegar a tierras que Felipe nunca había visitado durante su vida. La reina no sólo disfrutó de una base de apoyo entre los nobles de Andalucía[163], sino que también necesitaba escapar de los anteriores sirvientes de Felipe que clamaban por su remuneración. Por lo tanto Juana patrocinó un lento viaje hacia el sur, donde figuraban elaboradas exequias a su marido para reclamar la herencia que le pertenecía a ella y a su hijo.

Los historiadores durante mucho tiempo han retratado la macabra procesión de la reina como prueba de su insensata devoción a Felipe. La fuente principal de esta leyenda —una relación más entretenida que acertada— afirmaba que Juana continuamente abría el ataúd de Felipe para besar sus pies[164]. Pedro Mártir, que acompañó a la reina durante parte del camino hacia Granada, no informó de tal melodrama[165]. Sin embargo, observó la estricta exclusión de las mujeres de las iglesias donde fueron depositados los restos reales y especulaba que Juana sufría de «los mismos celos que la atormentaban cuando vivía el marido»[166]. De hecho, la exclusión de las mujeres no reales sugiere una conformidad con las reglas de los monjes cartujos que rezaban por el alma de Felipe. Otro cortesano poco piadoso se refería con desprecio al «cuerpo santo» de Felipe y anotó lo que se rumoreaba

---

[162] ASV Arm. 39, tomo 25, fol. 420, El papa Julio II a la reina Juana, 21 de septiembre de 1507.

[163] AHN Osuna leg. 1523: 1, «Escritura de compromiso otorgada por el Conde de Ureña, el Arzobispo de Sevilla, y otros nobles», octubre de 1506. BFZ Altamira 12-80, «Escritura de Alcala la real de conformydad con el Conde de Cabra y otros grandes», 27 de diciembre de 1507. ADM 22-97, «Confederación y pleito homenaje hecho por el conde de Tendilla, Don Íñigo López de Mendoza, capitán general del reino de Granada por el cual se comprometió a guardar amistad con Don Antonio Manrique, Corregidor de Baeza y Ubeda, y con todos los amigos suyos que estuviesen para el servicio de la reina», 8 de abril de 1507.

[164] «Deuxième Voyage de Phillipe le Beau en Espagne en 1506», 463.

[165] En efecto, la relación de Pedro Mártir sobre el proceso de embalsamiento indica que hubiera sido difícil diferenciar los pies de Felipe de las otras partes de sus restos. *Epistolario de Pedro Mártir*, X: Epist. 315.

[166] *Epistolario de Pedro Mártir*, X: Epist. 324. Petrus MÁRTIR DE ANGLERÍA, *Opus Epistolarum*, Epist. 323, fol. 71v. «Apéndice: Costumbres de la Cartuja», en *Maestro Bruno, padre de monjes,* Madrid: Biblioteca de Autores Cristianos, 1995, pp. 350-351. Agradecemos esta referencia a Santiago Cantera Montenegro.

sobre las intenciones de Juana «por mostrar en la muerte lo que lo quiso en la vida»[167]. Por degradantes que fuesen para Juana, tales relaciones hicieron público su lazo inmortal con Felipe e, implícitamente, con Carlos. Mientras revocaba las ordenanzas de Felipe, Juana afirmaba los derechos de su común heredero.

Las descripciones del «excesivo amor» de Juana por Felipe permitieron a los contemporáneos mantener la ficción de sus dos cuerpos —uno, corrompible, sujeto a pasiones; el otro, inmortal y constante. La separación de las personas humana y trascendental de la reina llegó a ser especialmente crucial para Felipe, Jiménez de Cisneros, Fernando y otros que buscaban gobernar en su nombre. En el proceso de apropiarse de la identidad corporativa de Juana, sus contemporáneos crearon una personalidad que se empezó a llamar Juana «la Loca» en el siglo XIX. Durante la vida de Juana, su separación de sus reinos hacía que el amor y el miedo de la reina fuesen estorbos personales en vez de herramientas políticas. En efecto, controlar su imagen se convirtió en un aspecto crucial de la acción de gobernar a la reina.

Sin embargo, este capítulo sugiere que la muy conocida reina apasionada una vez coexistió con otra Juana: virtuosa, determinada, y «muy hermosa.» Junto a las representaciones que los rivales de Juana usaron para reforzar su propia autoridad, vislumbramos a una reina que intentó llevar a cabo sus propios intereses dentro de los límites de esas imágenes. Desde ese punto de vista, el amor y el miedo de Juana parecen más bien mal interpretadas que mal dirigidas.

---

[167] RAH Salazar A-12, fol. 86v, Lope de Conchillos a Miguel Pérez de Almazán, 23 de diciembre de 1506.

Capítulo 4

FERNANDO DIFUNDE SU PROPIA LEYENDA: EL TRIUNFO DE LA AUTORIDAD PATERNA

Si el papel prescrito de esposa amante influyó en la postura política de Juana hacia Felipe, el de hija obediente parece haber dado forma a su relación con Fernando. Intentamos sugerir que la obediencia y la protección, así como el amor y el temor, gobernaron las interacciones no sólo entre los soberanos sino también entre los soberanos y sus vasallos. Mientras manipulaban sus pasiones para lograr fines políticos, los soberanos asumían las obligaciones de obediencia y protección, las cuales definían los papeles apropiados según la posición y el género no sólo dentro de la casa sino también del reino.

Después de las muertes de la reina Isabel y el rey Felipe, la idea de un reino bien gobernado se basaba en la obediencia de Juana a su padre y la protección de Fernando de su hija. Al asumir la obligación de proteger a los súbditos de Juana a cambio de su obediencia, Fernando afirmaba el derecho a gobernar a Castilla, León y Granada como su deber paterno. Haciendo una analogía entre la persona de Juana y sus reinos, el rey aragonés divulgó la supuesta sumisión de su hija como modelo para la conducta de los súbditos de ella. Por lo tanto, pondremos la correspondencia diplomática lado a lado con los documentos económicos anteriormente no explorados para analizar esa afirmación que hacía Fernando de su autoridad paterna sobre Juana, su casa y sus reinos desde 1507 hasta 1518. En particular, el análisis destaca las evidencias de la resistencia de Juana a las iniciativas retóricas, diplomáticas y estratégicas de su padre.

Juana aceptó el papel prescrito de hija obediente con notable desgana. Uno de sus libros de horas, ahora conservado en la Biblioteca Británica, explícitamente hacía una conexión entre piedad filial y cristiana para dilucidar el cuarto mandamiento, «venerase parentes». Según esta glosa, la casa debía educar a los niños para controlar sus manos irreverentes[1]. ¿Había desobedecido Juana a su madre al regresar a los Países Bajos en abril de 1504? Si la hija guardaba algunas dudas acerca de esa acción entonces podía haber interpretado los acontecimientos posteriores como justo castigo por sus ofensas a Isabel y, por lo tanto, a Dios.

Seis semanas antes de la muerte de Isabel el 26 de noviembre de 1504, la reina, ya enferma, dictó su última voluntad y testamento ordenando a Juana que obedeciera a Fernando, «porque merezca alcançar la bendición de Dios y la del rey, su padre y la mía». Isabel imploró a sus herederos:

Que siempre sean muy obedientes y subjetos al Rey, mi señor, y que no le salgan de obediencia y mandado, y lo sirvan y traten y acaten con toda reverencia y obediencia, dándole y faziéndole dar todo el honor que buenos y obedientes fijos deven dar a su buen padre[2].

Además de ese mandamiento de Dios, que requería que Juana y Felipe honrasen a Fernando, Isabel insistió en que sus herederos debían respetar al anciano monarca, no sólo por el bien de ellos sino también por el de sus reinos, considerando su gran experiencia y las obras que hizo en esos reinos[3]. No obstante, las posteriores acciones de Felipe, como se detalla en el Capítulo III, revelaron una evidente falta de respeto a Fernando.

Juana, por el contrario, se presentaba como una hija obediente, que luchaba por lograr cierta autoridad real dentro de los límites de ese papel prescrito. Como hemos visto, después de la

---

[1] British Library, Add. ms. 18852, El Libro de horas de la archiduquesa Juana, c. 1496.

[2] AGS PR 56:17, «Cláusula del testamento de Isabel encargando a su hija el respeto debido a su padre», 12 de octubre de 1504.

[3] AGS PR 56:17, «Cláusula del testamento de Isabel encargando a su hija el respeto debido a su padre», 12 de octubre de 1504.

muerte de su marido Juana tomó medidas concretas para restablecer no sólo el patrimonio real sino también el Consejo de su madre. Al mismo tiempo, la reina reformó su casa para incluir a un capellán y a cantores flamencos, aunque excluyó a otros borgoñones[4]. Retratándose no sólo como una hija obediente sino también como una madre competente, el 3 de junio de 1507 la reina llamó a su hijo de cuatro años, Fernando, a su lado[5]. A la inversa, a pesar de sus repetidas súplicas, Juana nunca llamó a su padre para que le ayudase a gobernar a Castilla[6]. Cuando algunos nobles y prelados le rogaron que escribiese a Fernando, la reina se refugió tras la apariencia de una obediencia filial, afirmando que ella no podía pedirle a su padre que abandonase sus propios reinos para gobernar los de ella[7]. Incluso cuando Fernando regresó a la Península Ibérica en julio de 1507, Juana se negó a escribir a su padre y envió a unos miembros del Consejo Real para que le dieran la bienvenida en su nombre[8].

Sensible a estos desaires, Fernando intentó evitar ofender a la reina y a sus súbditos. Cuando desembarcó en Valencia, el rey aragonés dejó a su esposa francesa, Germaine de Foix, en esa ciudad antes de entrar en Castilla —una medida pensada para complacer a Juana y a otros castellanos leales a la memoria de la reina Isabel[9]—. Como una concesión más a la sensibilidad castellana,

---

[4] AGS CSR 14-1/15, La reina Juana a Fernando de Arzeo, 4 de marzo de 1507. AGS CSR 14-1/16, Nómina de los oficiales de la reina Juana, 11 de marzo de 1507. AGS CSR 14-2/71, La reina Juana a Ochoa de Landa, 24 de marzo de 1507.

[5] AGS CSR 12-10/438, La Reina Juana a Pedro Núñez de Guzmán, ayo del infante Fernando, 3 de junio de 1507.

[6] El marqués de Villena, que acompañaba a Juana declaró, «yo no me he determynado en querer ni consentir que el d[ic]ho senor rey viniese a thener la d[ic]ha governación e administraçión por no aver visto ni sabido que la reyna n[uest]ra señora lo aya dicho por escripto ni por palabra.» AHN Nobleza, Frías 18/149, Declaración de don Diego López Pacheco, duque de Escalona y marqués de Villena, 19 de junio de 1507.

[7] SANTA CRUZ, *Crónica de los Reyes Católicos*, II, p. 79.

[8] RAH Salazar A-12, fol. 166, Órdenes verbales de la reina Juana a miembros del Consejo Real, 18 de agosto de 1507. RAH Salazar A-12, fol. 167, Lope de Conchillos a Miguel Pérez de Almazán, 20 de agosto de 1507.

[9] Los oponentes a Fernando argumentaban que la segunda boda del rey aragonés invalidaba el codicilo del testamento de la reina Isabel, en el que le confiaba a Fernando sus reinos en el caso de que Juana no pudiera o no quisiera gobernar.

Fernando ordenó a sus oficiales aragoneses que se quedasen en ese reino y se rodeó de castellanos[10]. Aunque el rey quería que su hija se acercara a la frontera de Aragón, Juana se negó a salir del pueblo de Hornillos de Cerrato (cerca de Palencia) hasta que su padre hubiera entrado en Castilla. En ese momento, viajó al sudeste, a Tórtoles de Esgueva[11].

Fernando y sus partidarios fabricaron el apoyo que Juana se negaba a proporcionar a su gobierno. Sin presentar ninguna prueba, aquéllos hicieron circular rumores de que Juana había escrito a su padre, dándole la bienvenida a Castilla[12]. Fernando le asignó a Juana el papel de hija dependiente y se retrató a sí mismo como su defensor, como podremos ver. El triunfante regreso del experimentado monarca a Castilla reflejaba, sobre todo, el éxito de su propia propaganda. Basándose en una relación idealizada entre padre e hija, Fernando reafirmó su autoridad en Castilla. Presentaba su deber de gobernar a Juana y a sus reinos como una obligación paterna.

«LA SALUD DE SU ALTEZA Y DE SUS REYNOS»

Los partidarios de Fernando inicialmente desarrollaron la analogía entre Juana y sus reinos en unas cartas en que urgían al rey aragonés a rescatar a ambos. Mientras Felipe exhalaba sus últimos suspiros, el arzobispo de Toledo, fray Francisco Jiménez de Cisneros, se dirigió a Fernando «como señor y padre verdadero destos rreynos», suplicándole que:

su Alteza viniese, lo más brevemente que ser pudiese, a los governar y anparar, como verdadero señor y padre dellos, y para consolar a la muy

---

ZURITA, *Historia del Rey Don Hernando el Católico*, Libro VII, capítulo xlvi, Libro VIII, capítulo vii, p. 256. *I Diarii di Marino Sanuto (1496-1533); Dall'Autografo Marciano Ital. Cl. VII. Codd. 419-477*, Venezia, Deputazione Veneta di Sotria Patri, 1882, VII: 225-226.

[10] RAH Salazar A-12, fol. 167, Lope de Conchillos a Miguel Pérez de Almazán, 20 de agosto de 1507.

[11] ZURITA, *Historia del Rey Don Hernando el Católico*, VIII, vii, 258.

[12] *I Diarii di Marino Sanuto*, VII: 137.

poderosa reyna doña Juana, su señora, de tan grand pérdida y açote que el Señor le avía querido dar por nuestros pecados, porque otro que su alteza, después de Dios, no era bastante para poner remedio a tan grandísima pérdida y desventura[13].

Sin consultar a Juana, Jiménez de Cisneros acudió a Fernando como el único soberano que él creía capaz de proporcionar estabilidad. Semanas más tarde, el secretario real Lope Conchillos también le imploró al rey que salvase a su hija y a sus reinos:

> Con piedad venga a redimir y socorrer esta fija y estos reynos que están en mucho peligro de se perder, y ponga toda la diligencia que pudiese en su venida pues en ella va todo el bien del negocio[14].

La ecuanimidad de Juana a finales de 1506 pudo simplemente haber indicado un punto de vista menos apocalíptico de los acontecimientos. A menos de un mes después de la muerte de Felipe, el comandante de la guardia de Juana observó que, «todas las cosas de la corte y del reyno están en paz al pareçer, mas de voluntades muy dyferentes», mientras que Juana se negaba a negociar con prelados y oficiales en los que no confiaba.[15] Cuando la reina abandonó Burgos y se dirigió a Torquemada con el ataúd de Felipe el 20 de diciembre de 1506, Conchillos incluso temió por su vida —una preocupación periódica que él fácilmente trasladó a sus reinos—: «Ya no nos queda que dezir sino pedir misericordia a Dios y al rey, nuestro señor, porque no perezcan estos reynos»[16]. Los partidarios de Fernando llenaron el obediente silencio de la reina con llamadas desesperadas a la autoridad paterna.

Tales demandas por el regreso de Fernando a Castilla revelaban una desconfianza profundamente arraigada en un gobierno femenino independiente. Un cronista anónimo decía que, tan

---

[13] VALLEJO, *Memorial de la Vida de Jiménez de Cisneros*, p. 113.
[14] RAH Salazar A-12, fol. 79, Lope de Conchillos al rey Fernando, 10 de octubre de 1506.
[15] RAH Salazar A-12, fol. 77-78, Alcalde de los Donceles a Fernando, 10 de octubre de 1506.
[16] RAH Salazar A-12, fols. 86 y 87, Lope de Conchillos a Miguel Pérez de Almazán, 23 de diciembre de 1506.

pronto como Fernando empezó a gobernar, los reinos de Juana volvieron a su anterior prosperidad y alegría, «porque escripto es en la sagrada escriptura, "escogerse para la gobernación de la república un varón, y entonces el pueblo estaba en paz"»[17]. Según esta interpretación, la peste que asaltó a España en 1506-7, pero que disminuyó cuando Fernando regresó de Nápoles, parecía confirmar la elección divina del soberano. Mientras tanto, otro cronista escribió que Fernando regresó a Castilla «para encargarse del gobierno, tanto de su hija, reina de Castilla, como de todos sus reinos y negocios»[18]. Una vez más, el paralelo entre la reina y sus reinos justificaba la autoridad de su padre sobre ambos.

Independientemente de que Juana quisiera que su padre regresara a Castilla o no, ella realizó los gestos apropiados de una hija cuando Fernando la alcanzó en Tórtoles de Esgueva, al suroeste de Palencia, el 28 de agosto de 1507. La relación más creíble de la reunión sigue siendo la que escribió Jerónimo Zurita, un historiador aragonés, en 1562. Según Zurita, cuando Juana reconoció a Fernando, salió rápidamente de sus antecámaras, acompañada por doña Juana de Aragón y la marquesa de Denia. Después de ver a la reina, Fernando alzó su sombrero justo antes de que Juana se quitara su capucha de luto, para revelar un modesto tocado blanco. Entonces, en una especie de ritual para honrarse mutuamente, Juana se acercó a los pies de su padre, como si deseara besarlos, mientras que Fernando en un gesto de humildad se agachó con una rodilla en el suelo y abrazó a su hija. Más tarde, después de que la reina se retirase a sus habitaciones, Zurita afirmaba que ella mostró aún «mayor acatamiento a su padre» cuando requirió su permiso para asistir a misa en la iglesia local. Esa misma tarde, Juana y Fernando se reunieron en privado durante dos horas, «y como el rey salió muy alegre y contento, se entendió que [Juana] deseaba toda honra y bien a su padre y que era de mejor entendimiento y seso que se publicaba»[19]. Fuera lo que fuese lo que había sucedido detrás de las puertas cerradas, Fernando tomó el

---

[17] «Continuación de la crónica de Pulgar por un anónimo», III, p. 525.
[18] «Deuxième voyage de Philippe le Beau en Espagne», I, p. 464.
[19] ZURITA, *Historia del Rey Don Hernando el Católico*, VIII, vii, p. 259.

control de la interpretación de los acontecimientos: «Lo que se pudo entender que resultó de aquella pláctica fue por lo que el mismo rey mandó publicar, que era haberle remitido la reina todas las cosas de la gobernación de aquellos reinos»[20]. Un historiador aragonés posterior amplió la interpretación de Zurita sobre el encuentro de Tórtoles: «Todo servía para confirmar el govierno del Rey, y el bien del Reyno; porque la fidelidad Castellana miraba por sus ojos grande y firme juizio en su Reyna, para reverenciar y obedecer a su Padre». Después de hablar con Juana durante dos horas, Fernando «empezó a mandar como Señor, o porque la Reyna se lo cometió todo, como se cree, o porque se lo debía cometer»[21]. Una vez que Fernando afirmó su autoridad real, Juana sólo podía mantener sus prerrogativas a costa de la desobediencia.

Otra relación, más contemporánea, sobre la misma reunión de agosto, revela cómo los partidarios de Fernando retrataron el encuentro como el momento en que Juana cedió la autoridad real a su padre. El primer secretario del rey, Miguel Pérez de Almazán, envió al embajador de Fernando en Francia la siguiente versión:

La Reyna fizo grand acatamiento a su padre y se arrodilló en el suelo y no se quiso lebantar sino que le diese la mano, y el rey besándole siempre en el rostro y rogándole que se lebantase y ella porfiando siempre que le diese la mano. En fin, que visto que no se quería lebantar, dió le la mano de la palma y fizo tanto acatamyento como nunca hyja fizo a padre y el padre le mostró tanto amor como padre podría mostrar a fija; y díxole públicamente que le suplicaba que él quisiese mirar por ella y por el governamiento de aquellos Reynos, que todo lo dexaba en sus manos[22].

Besara Juana o no realmente la mano de su padre, Almazán interpretó este gesto humilde como una declaración explícita de obediencia y vasallaje. Sin embargo, la relación del secretario

[20] ZURITA, *Historia del Rey Don Hernando el Católico*, VIII, vii, p. 259.
[21] Pedro ABARCA, *Los Anales Históricos de los Reyes de Aragón*, Salamanca, Lucas Pérez, 1684, II, pp. 375v-376.
[22] Archivio di Stato di Mantova, Archivio Gonzaga 585, n.º 65, Miguel Pérez de Almazán a Mosén Jayme de Albión, 5 de septiembre de 1507.

acerca de la reunión contenía errores sobre los hechos. En primer lugar, la carta, supuestamente escrita en Hornillos, afirmaba que la reunión ocurrió allí, en vez de Tórtoles, donde en efecto tuvo lugar. Nos preguntamos si Almazán, un oficial aragonés, siquiera había estado en Hornillos, donde él supuestamente escribió la carta, ese año. Parece más probable que Almazán se hubiera quedado en la Corona de Aragón, diseminando propaganda para asegurar la autoridad de Fernando sobre Castilla[23].

Aún hubo otra relación de la reunión de Tórtoles y sus consecuencias que firmaba Pedro Mártir de Anglería. Mientras hacía resaltar la obediencia de Juana a su padre, el humanista también indicaba la consideración y buena disposición de Fernando para negociar con su hija. Según él, Fernando le pidió a su hija, como reina, que escogiese el próximo destino para ellos. Juana supuestamente respondió, «Los hijos deben obedecer constantemente a sus padres», de modo que, como Pedro Mártir afirmaba, «Triunfó el respeto paterno»[24]. De hecho, invocando la última autoridad paterna, Fernando había obtenido un breve papal que liberaba a Juana de la obligación de transportar el cadáver de Felipe a Granada[25]. Fernando y Juana, por lo tanto, se dirigieron al norte, hacia Burgos, para recuperar el castillo de manos de un enemigo común, don Juan Manuel. Aunque Fernando tenía la esperanza de castigar a varios nobles, el antiguo oponente de Juana se convirtió en el primer objetivo del rey. Mientras Fernando residía en Burgos, Juana escogió permanecer a tres leguas de distancia en Arcos, donde su padre la visitaba dos o tres veces todas las semanas[26]. La amabilidad de Fernando con la reina fomentó en ella la actitud de obediencia.

---

[23] Almazán también exageró la lealtad de los grandes a Fernando al afirmar que el duque de Nájera había pedido permiso para besar las manos del Rey. De hecho, el duque continuaba oponiéndose al regreso de Fernando. ZURITA, *Historia del Rey Don Hernando el Católico*, VIII, viii, p. 260. *I Diarii di Marino Sanuto*, VII: p. 371.

[24] *Pedro Mártir de Anglería: Epistolario*, X: Epist. 363. Petrus Mártir DE ANGLERÍA, *Opus Epistolarum*, 1530, fol. 82v-83, Epist. 362.

[25] ASV Arm. 39, tomo 25, fol. 420, El papa Julio II a la reina Juana, 21 de septiembre de 1507.

[26] *I Diarii di Marino Sanuto*, VII, pp. 180, 225, 226, 235.

Poniendo de relieve el paralelismo entre Juana y sus reinos, Fernando representaba a los súbditos de Juana como igualmente respetuosos. En una carta de noviembre de 1507 a Catalina de Aragón, que también iba dirigida al rey inglés, Fernando se refirió tres veces al contentamiento «de la serenísima Reyna, mi fija, y destos sus reynos.» En un pasaje que recordaba los tratados contra el predecesor de la reina Isabel, Enrique IV, Fernando describía el celebratorio recibimiento que tuvo por toda Castilla:

mostrando que después de lo de Dios, en mi venida se sentía el bien y salud y remedio de la serenisima Reyna mi muy cara y muy amada fija, vuestra hermana, y destos reynos, que antes que yo viniese estavan sin ninguna justiçia y en grandes bulliçios y escándalos...

Si no hubiera podido regresar tan rápidamente, afirmaba Fernando, «sin ninguna duda la corona real perdiera su patrimonio y estos reynos quedarían destruydos para siempre.» Señaló la recuperación de Ponferrada (un esfuerzo comenzado antes de su regreso[27]) y el nombramiento de nuevos oficiales en muchas ciudades y pueblos, de común acuerdo con Juana, como sus realizaciones más significativas. En conjunto, Fernando afirmaba haber restaurado «la justicia y la paz y sosiego»[28].

Incluso los oficiales municipales tenían que sospechar que a Fernando le gustaba su propia retórica. En el otoño de 1507, Fernando empezó a reunir soldados y una armada en Sevilla, afirmando que él personalmente dirigiría la carga sobre Cartago. Aunque el ejército pudo haber sido reunido con la intención de reforzar la autoridad de Fernando en Castilla[29], los consejeros de la ciudad de Sevilla temían que surgiera un malestar si el rey cru-

---

[27] AHN Osuna 420, 1 (1), El conde de Benavente y el duque de Alba a la ciudad de la Coruña, 16 de junio de 1507. En nombre de Juana, el Consejo Real había encargado a Benavente y a Alba recuperar Ponferrada que estaba en poder del conde de Lemos.

[28] AGS PR 54:81, Fernando a Catalina de Aragón, noviembre de 1507.

[29] Zurita toma nota de que el ejército preparado para África reforzaba la autoridad de Fernando en Castilla, donde él podía también emplear a sus seis o siete mil hombres en caso de necesidad. La armada finalmente se embarcó en 1509, encabezada por Francisco Jiménez de Cisneros. ZURITA, *Historia del Rey Don Hernando el Católico*, VIII, x, p. 272; xxx, p. 357.

zaba el Mediterráneo. Los oficiales municipales pidieron a Fernando que considerara «su real salud, prosperidad y gloria suya y destos reynos», declarando que «pues en vuestra alteza está nuestro consuelo, paz, y sosiego, y vida nuestra y de toda España». Como la relación entre la persona de Fernando y los reinos de Juana descansaba sobre un vínculo «natural» entre padre e hija, los consejeros locales pidieron a Fernando que:

> Ponga vuestra majestad ante sus ojos el natural amor que siempre ha tenido e tiene a la ilustrísima reyna, nuestra señora, su muy cara e muy obediente hija. Mire el estado en que la dexaría y que hará o que dirá o que pensará. Mire vuestra alteza que soys su padre y carece de marido, y que la real presencia de vuestra alteza es todo su consuelo y remedio[30].

Basándose en la analogía entre Juana y sus reinos, los consejeros sugerían que la partida de Fernando disgustaría a ambos. Además, los oficiales municipales recordaron al experimentado rey su obligación de defender no sólo a su hija sino también sus reinos.

«SU MAJESTAD LA REINA NO SE IRÁ SIN EL CUERPO»

Los esfuerzos ampliamente publicados de Fernando por defender la herencia de su hija coincidían con los intentos de Juana igualmente enérgicos de proteger la de su propio hijo. Tanto Fernando como Juana veían el cadáver no enterrado de Felipe como un obstáculo para que la reina se casase otra vez y lo usaron para rechazar a ansiosos pretendientes, incluyendo a Enrique VII, Gastón de Foix y el duque de Calabria. Sin embargo, Fernando y Juana tenían motivos muy diferentes para mantener la viudez de Juana y, en consecuencia, planes diferentes para el cadáver de Felipe. Juana albergaba la esperanza de colocar el cuerpo de su marido al lado del de la reina Isabel, como un recordatorio del derecho de su hijo mayor al mismo trono. Fernando, en contraste,

---

[30] ADN Lille B 857, n.º 18036 y Archivo del Real Monasterio de Guadalupe (de aquí en adelante AMG), leg. 42. La ciudad de Sevilla al rey Fernando, sin fecha [1508].

tenía sus propios planes acerca del trono de Castilla y quería enterrar la memoria de Felipe como rey, inhumando el cadáver lo más hacia el norte que fuera posible. De esta manera, a pesar de su común aversión a los admiradores de Juana, la reina y su padre imaginaban destinos diferentes para los restos de Felipe.

El compromiso de Juana con una viudez basada en defender los derechos de sus hijos podía haber tomado fuerza a partir de algunas de las cartas de San Jerónimo que había en su biblioteca. Elogiando las virtudes morales y políticas de la viudez, Jerónimo aconsejaba a una joven viuda, Furia, que protegiese su castidad contra «la sinvergüenzonería» de los sirvientes y la «equívoca bondad» de un padre que la animaba a casarse otra vez. Jerónimo recomendaba que la viuda «apagara el fuego de los rayos del diablo con las frías aguas del ayuno y la vigilia», en vez de aceptar a otro marido para satisfacer su lujuria[31]. De no ser así, Jerónimo predijo que la descendencia del primer matrimonio de la viuda sufriría las consecuencias de su segunda unión:

Una madre impone a sus hijos no un padrastro sino un enemigo, no un pariente sino un tirano... Si sucede que tenéis hijos de vuestro segundo marido, el resultado será la guerra doméstica y las enemistades intestinas. No os será permitido querer a vuestros propios hijos, o mirar amablemente a aquéllos a los que disteis a luz[32].

El consejo de Jerónimo resumía la amenaza que representaría un segundo matrimonio de Juana para sus hijos, y en particular para su hijo primogénito. En vez de casarse otra vez, ella conmemoró a Felipe como el anterior rey de Castilla, León y Granada en un intento de asegurar la sucesión de su hijo a esos reinos.

A insistencia de Juana, Felipe andaría «por Castilla más días muerto que vivo»[33]. Aunque Felipe nunca había visto a la mayo-

[31] *Select Letters of Saint Jerome,* F. A. Wright (trad.), London, William Heinemann, 1963, pp. 237, 241.
[32] *Select Letters of Saint Jerome,* 257.
[33] Una anciana mujer gallega supuestamente pronunció esta profecía en 1506. Alonso FERNÁNDEZ DE MADRID, *Silva Palentina,* Palencia, Diputación Provincial, 1973, orig. c. 1530, p. 376. SANDOVAL, *Vida y Hechos del Emperador Carlos V,* I, xxiii, fol. 29.

ría de sus súbditos, Juana parecía determinada a que ellos fueran
los testigos de la prueba evidente de su presencia. Las peregrinaciones nocturnas de la reina con el ataúd de Felipe desde diciembre de 1506 hasta agosto de 1507, rodeada de cientos de antorchas, presentaba ante el pueblo la imagen de su marido como rey
y padre del futuro soberano. Al mismo tiempo, Juana exigió autoridad total sobre los restos de su marido. La actitud de la reina
hacia el cadáver de Felipe se puede ver en una carta del 28 de octubre de 1507 a Fernando enviada por Mosén Luis Ferrer, quien
residía con la reina en Arcos, en las afueras de Burgos. En una visita a la iglesia local, Juana ordenó que su asiento fuera desplaza-
do cerca del ataúd de Felipe. Luego ordenó a su capellán, Alonso de Alba, que colocara cincuenta antorchas alrededor del ataúd
el 1.º de noviembre, Día de Todos los Santos. El capellán insistió
en que sólo eran necesarias treinta. Ofendida, la reina brusca-
mente salió de la iglesia. Exigió respeto a sus órdenes y a la memoria de Felipe[34]. Si Juana hubiera llegado a Granada con el
cadáver de Felipe, ella hubiera establecido el requerimiento sim-
bólico de su hijo a un reino que Fernando había ayudado a con-
quistar y que Felipe nunca había visitado.

A medida que Juana se acercaba lentamente hacia el sur, Fernando, reacio a tener los restos mortales de Felipe enterrados en
Granada antes que los suyos, adelantó sus propios planes acerca
de la herencia de Carlos. Fernando, a diferencia de Juana, rápidamente se volvió a casar después de la muerte de su primera esposa. La unión de Fernando en 1505 con Germaine de Foix —la
joven sobrina de su archienemigo, Luis XII— parecía estar diseñada para engendrar un heredero varón, directo y legítimo, para
la Corona de Aragón. Cualquier hijo que naciera de Fernando y
Germaine suplantaría los derechos de Juana y, finalmente, los de
Carlos, a la herencia aragonesa. El 3 de mayo de 1509, los que

---

[34] RAH Salazar A-12, fol. 208, Mosén Ferrer a Fernando, 28 de octubre de
1507. Según las ordenanzas de 1344 de Pedro de Aragón, el número de antorchas
usadas para las exequias debía corresponder con el rango del difunto. «Ordenacions fetes per lo Molt alt senyor en Pere Terç rey Daragon sobre lo regiment de
tots los officials de la sua cort», *Colección de Documentos Inéditos del Archivo General de la Corona de Aragón*, V: 184.

proponían la unión peninsular dieron un suspiro de alivio cuando el primer hijo de Fernando y Germaine apenas sobrevivió unas horas. Después de este contratiempo, aumentó la desesperación de la pareja real por un descendiente varón. En 1513, Fernando incluso recurrió a una «poción de virilidad», a la que se le atribuyó haber destrozado su salud[35]. Los intentos de Fernando para engendrar un hijo sugieren que él, a diferencia de Juana, tenía pocos deseos de legar los reinos españoles a Carlos[36].

Mientras estaba ansioso de tener su propio heredero varón, Fernando aparentemente apoyó los intentos de Juana de evitar un segundo matrimonio. El rey aragonés incluso publicó el apego de su hija al cadáver de su anterior marido. A finales de 1507, Fernando informó a su embajador en Inglaterra que «aveys de saber que la dicha Reyna, mi fija, trae de contino consigo el cuerpo del Rey don Felipe, su marido, que Dios haya», y que se negaba a pensar en casarse otra vez hasta que su anterior esposo estuviese enterrado[37]. En una carta del 18 de abril de 1508, Fernando repetía, «fasta agora no se ha podido acabar que consienta sepultar el cuerpo del rey don Felipe, su marido»[38]. Aunque Enrique VII sospechaba que Fernando lo estaba engañando, el rey aragonés, de hecho, hizo varios intentos por acortar el viaje de Juana con los restos de Felipe.

A lo largo de 1508, Juana y Fernando compitieron por el control del cadáver de Felipe. Mientras que Juana insistía en mantener el cadáver en su posesión, Fernando tenía la esperanza de de-

---

[35] SANTA CRUZ, *Crónica de los Reyes Católicos*, II, p. 280. Bartholomé LEONARDO DE ARGENSOLA, *Primera Parte de los Anales de Aragón que prosigue los del Secretario Gerónimo Çurita desde el año 1516...*, Zaragoza, Iván de Lanaia, 1630.

[36] Fernando incluso consideró nombrar al segundo hijo de Juana, Fernando, gobernador de sus reinos después que él muriera. Para un análisis de la amenaza que representaba el joven Fernando para el futuro Carlos V, véase Friedrich EDELMAYER, «El hermano expulsado: don Fernando», *Torre de los Lujanes*, 39, junio de 1999, pp. 147-161.

[37] AGS PR 54:83 (i-ii), El rey Fernando al Doctor de Puebla, [¿diciembre?] 1507. FERNÁNDEZ DE MADRID, *Silva Palentina*, p. 376. Fernando encarceló al duque de Calabria, otro candidato a la mano de Juana. *I Diarii di Marino Sanuto*, XV: p. 413.

[38] GÓMEZ DE FUENSALIDA, *Correspondencia*, p. 437.

volverlo al Monasterio Cartujano de Miraflores, en las afueras de Burgos. El rey aragonés simultáneamente aspiraba a trasladar a Juana desde el palacio de Arcos a una residencia más segura en el pueblo de Tordesillas, a 5 leguas (28 km) de Valladolid[39]. En enero de 1508 el rey pagó 74.560 mrs para transportar la cámara y los efectos personales de su hija desde Arcos hasta Renedo, y después a Tordesillas[40]. Sin embargo, la misma reina se negó a mudarse sin el cadáver de Felipe. Seis meses más tarde, Fernando intentó otra vez[41], pero Juana no abandonaría los restos de su marido en Arcos. Exasperado, el rey recogió a su joven tocayo, el infante Fernando, y partió para Andalucía, donde planeaba castigar a los nobles rebeldes que habían apoyado a Juana en 1506. Si la reina hubiera deseado llamar a su hijo primógenito, Carlos, el rey sabía que ella hubiera tenido que proporcionar al joven Fernando en intercambio, y, de hecho, impidió que ella hiciese tal movimiento[42].

El rey aragonés tomó otras medidas para asegurar la obediencia de su hija. La dejó en Arcos con una casa de un confesor, diez capellanes, diez y nueve servidores personales, veintisiete oficiales y cuarenta y siete guardias armados[43]. Para reforzar aún más su autoridad, Fernando transfirió sus tropas leales desde la frontera de Navarra hasta las afueras de Arcos[44]. El rey también proporcionó a su antiguo embajador Mosén Luis Ferrer, ahora ofi-

---

[39] BNM, ms. It. VII, 1108, fol. 346-346v, Francesco Corner al doge de Venecia, 6 de julio de 1508; fol. 346v-347, Francesco Corner al doge de Venecia, 16 de julio de 1508.

[40] AGS CSR 13-52/1374, 1375, Nómina firmada por el rey, 22 de enero de 1508.

[41] Ordenó que preparasen alojamientos en Tordesillas para toda la corte, incluso para él, Germaine, Juana, dos nuncios papales, tres embajadores y el séquito que acompañaba a cada uno de ellos, e hizo otro intento para trasladar las posesiones de la reina y a sus oficiales desde Arcos a Tordesillas. AGS Cámara de Castilla, Cédulas 7, fol. 243-246v, Fernando a sus aposentadores y al pueblo de Tordesillas, 1 de julio de 1508. AGS CSR 14-4/197 y 198, «Nómina de los maravedíes que se cargan... por mandado del rey», 24 de julio de 1508.

[42] ZURITA, *Historia del Rey Don Hernando el Católico*, VII, xlii, p. 181.

[43] AGS CSR 14-4/182, Nómina del rey para la casa de su hija, 1 de septiembre de 1508.

[44] ZURITA, *Historia del Rey Don Hernando el Católico*, VIII, xxi, p. 315.

cialmente el «cerero mayor» de la reina[45], el permiso de autorizar gastos extraordinarios en nombre de Juana[46]. Haciéndose cargo de las finanzas de la reina, Ferrer les dio a sus capellanes y cantores flamencos fondos para regresar a los Países Bajos[47]. Por medio de esta medida y con el consentimiento de Fernando, Ferrer empezó a despedir a los servidores que la reina había mantenido rodeando el cuerpo de Felipe desde su muerte[48].

Una carta del 9 de octubre de 1508 del anterior confesor de Juana, Diego Ramírez de Villaescusa, dirigida a Fernando, indica que la reina se oponía a la afirmación de la autoridad paterna sobre su casa. Juana protestó contra el secuestro de su hijo y la imposición de nuevo personal en su casa, negándose a comer, vestirse, bañarse, y acudir al culto de forma apropiada. Ramírez de Villaescusa informó sobre algunos rumores de que Juana no se había cambiado de camisa o tocado, ni se había lavado la cara, o dormido en una cama, desde que Fernando salió para Andalucía:

Han me dicho que urina muy a menudo, tanto que es cosa non vista en otra persona. Destas cosas unas son señales de corta vida, otras su causa. Vuestra alteza provea en todo. A mi ver, ella está en gran peligro de su salud y no sería razón de dexar la governación de su persona a su disposición, pues se ve quan mal provecho que le cumple. Su poca limpieza en cara [y] dizque en lo demás es muy grande. Come estando los platos en el suelo sin ningund mantel ni bazalejas. Muchos días queda

---

[45] AGS CSR 14-4/226, Nómina de los oficiales de la casa en Arcos, 30 de mayo de 1508. AGS Cámara de Castilla, Cédulas 17, fol. 3002v, Fernando a Mosén Luys Ferrer, «cerero mayor de la casa de la serenísima reyna y princesa», 30 de mayo de 1508.

[46] En consecuencia, Ferrer envió nueve carros para recuperar los artículos esenciales llevados a Tordesillas y pagó a un sirviente 9.170 mrs por haber esperado en Arcos para guiar el carruaje que transportaría el cuerpo de Felipe a Miraflores. AGS CSR 53-1, «Gastos extraordinarios pagados por cartas de Mosén Ferrer», 15 de agosto de 1508.

[47] AGS CSR 53-1, «Gastos extraordinarios pagados por cartas de Mosén Ferrer», 15 de agosto de 1508.

[48] De ninguna manera para frustrar todos los deseos de Juana, Ferrer facilitó túnicas y mantos a algunos frailes franciscanos y a su guardián, los cuales tomaron residencia en Arcos para servir a la reina. AGS CSR 53-2, Cuenta de Mosén Ferrer, 11 de octubre de 1508.

sin misa porque al tiempo que la ha de oyr ocúpase con almorzar y así viene el mediodía y falta tiempo para celebrar[49].

El obispo proporcionó este retrato de una reina desordenada —lo que claramente trastornaba las rutinas de la casa— para animar a Fernando a que regresase a Castilla. La conducta desafiante de Juana, que recordaba la supuesta negativa de la reina Isabel a cambiarse la camisa hasta la caída de Granada, podía haber estado calculada para reclamar la atención de Fernando. Mientras le rogaba al rey que interviniese, Ramírez de Villaescusa sostenía que Juana no podía gobernar su cuerpo, mucho menos a sus súbditos. Teniendo en cuenta la siempre presente analogía entre el soberano y sus reinos, Juana tal vez había adoptado tales prácticas ascéticas para beneficiar a sus reinos. Al mismo tiempo, dicha conducta violaba las normas regias.

Al sugerir que la vida de Juana podía correr peligro, Ramírez de Villaescusa ofrecía un motivo importante para que Fernando prestara atención a su hija. Como el rey bien sabía, la muerte de Juana pondría fin a sus derechos para reinar en Castilla como su padre. Desde Sevilla, Fernando ordenó que se distribuyeran 12.000 mrs. entre determinados monasterios «para que ellos rogasen a Dios por la vida y la salud de la Reina y Princesa, mi hija». Aunque el rey ordenó que este dinero fuese deducido de la suma que estaba destinada a la casa de Juana, una comparación con los gastos que Fernando hizo en plegarias por su difunta esposa (la reina Isabel) y sus hijos (el príncipe Juan y la princesa Isabel) durante el mismo año, 5.100 mrs. en total, indica la importancia que le daba a la supervivencia de Juana[50].

El miedo por la salud de Juana pudo también haber motivado a Fernando a llegar a un acuerdo con su hija después de su regreso a Arcos, el 6 de febrero de 1509. Aparentemente, Juana accedió a mudarse a Tordesillas si podía llevarse los restos de Felipe con ella. La tarde del 15 de febrero, Juana siguió al cadáver de su

---

[49] RAH Salazar A-12, fol. 262, El obispo de Málaga a Fernando, 9 de octubre de 1508.

[50] AGS CSR 55-74, Fernando a los Contadores Mayores de Cuentas, 3 de noviembre de 1508.

marido en su salida de Arcos. En las palabras de un embajador veneciano, «Su Majestad la Reina no se irá sin el cuerpo»[51]. Supuestamente mostrando «gran obediencia y respeto» a Fernando, la reina siguió el camino hacia Tordesillas. Al llegar al pueblo, Juana depositó el cadáver de Felipe en el Real Monasterio de Santa Clara, junto al palacio donde residiría[52], protegiendo no sólo su viudez sino también la herencia de su hijo.

DIPLOMACIA PATERNA

La reclusión de la reina en un pequeño pueblo de la parte central de Castilla marcó un paso fundamental en los esfuerzos de su padre para limitar el contacto de Juana con el mundo exterior. Desde el punto de vista de Fernando, el retiro de Juana en Tordesillas minimizaba las oportunidades de sus oponentes para comunicarse con ella. Encabezados por Enrique VII de Inglaterra y Maximiliano de Austria, los adversarios de Fernando refutaron sus derechos a gobernar a Juana y sus reinos. Mientras que Enrique VII quería pedir la mano de Juana en matrimonio, Maximiliano aspiraba a reinar en Castilla en nombre del hijo de Juana, Carlos. Para lograr tales objetivos, Enrique y Maximiliano incluso amenazaron en combinar sus fuerzas e invadir Castilla[53]. Fernando los mantuvo a raya a los dos a través de una astuta diplomacia. Aún más dramático fue el hecho de que el rey aragonés se aseguró el consentimiento internacional para gobernar a su hija y sus reinos.

La ofensiva diplomática y retórica de Fernando incluía describirse como padre de Carlos. Aunque anteriormente Fernando había animado al duque de Guelders a sublevarse contra el du-

[51] BNM ms. It. VII, 1108 (7448), fol. 357-358v, Francesco Corner al duque de Venecia, 17 de febrero de 1509.
[52] ZURITA, *Historia del Rey Don Hernando*, VIII, xxix, p. 355.
[53] GÓMEZ DE FUENSALIDA, *Correspondencia*, p. 495. ZURITA, *Historia del Rey Don Hernando*, VIII, xlii, p. 180; xlvi, 198-199. Carlos E. CORONA, *Fernando el Católico, Maximiliano y la Regencia de Castilla (1508-1515)*, Sevilla, Facultad de Filosofía y Letras, 1961, pp. 20-32.

que de Borgoña, ahora retiró su apoyo a la guerra en Flandes, declarando que:

después de la Reyna, mi fija, el príncipe don Carlos, mi nieto, es mi heredero. Y por esto y porque yo le tengo por fijo deseo todo su bien y lo he de procurar como el proprio mío[54].

En otra carta enviada a Inglaterra, Fernando afirmaba que «el príncipe de Castilla es mi fijo y heredero.» Desmintiendo cualquier intento por desheredar a cualquiera de los dos, a Juana o a Carlos, Fernando insistió en que se le debía consultar respecto a la propuesta de matrimonio entre Carlos y la hija de Enrique VII[55]. No obstante sus esfuerzos para engendrar un hijo con Germaine de Foix, el rey aragonés parecía ansioso por ejercer la autoridad paterna sobre sus dos sucesores.

A su vez, Enrique VII de Inglaterra, mientras negociaba un matrimonio entre su hija y el hijo de Juana, parecía especialmente ansioso por solicitar la mano de Juana para él. Aunque Fernando le aseguró al rey inglés que Juana se casaría con él antes que con cualquier otro, Enrique estaba cada vez más convencido de que el rey aragonés impedía esta unión[56]. Aguantando más que el tenaz pretendiente, Fernando recalcó la necesidad de tener paciencia con Juana:

Yo he fecho todo cuanto se ha podido pensar para que la Reina, mi fija, quiera que se sepulte el cuerpo del Rey, su marido, y no lo he podido acabar, que cada vez me dice 'que no tan ayna.' Pues hacerlo sin su voluntad sería para que ella tomase el cielo con las manos, y para destruir del todo su salud, porque está de manera que es menester no contradecir lo que ella tiene mucho en voluntad, sino poco a poco traerla por rodeos a lo que el hombre quiere[57].

---

[54] AGS PR 54:83 (i-ii), Fernando al doctor de la Puebla, sin fecha [¿diciembre de 1507?].

[55] AGS PR 54:85 (iii), Fernando a su embajador Gómez de Fuensalida, sin fecha [1508]. I Diarii di Marino Sanuto, VII, p. 299.

[56] GÓMEZ DE FUENSALIDA, Correspondencia, p. 419.

[57] GÓMEZ DE FUENSALIDA, Correspondencia, p. 437.

Fernando astutamente insistió en que él manejaría a Juana con la delicadeza requerida. Resentido por los subsiguientes retrasos, Enrique VII culpaba a Fernando por la supuesta desgana de Juana de casarse con él[58]. El agresivo pretendiente incluso consideró invadir España para poder casarse con Juana, «esté sana o enferma», y reinar en Castilla como su marido[59]. A pesar de estos planes tan ambiciosos, Enrique VII murió el 21 de abril de 1509, sólo dos meses después de que Juana hubiera llegado a Tordesillas. El ascenso al trono de Enrique VIII y la conclusión de su matrimonio con Catalina de Aragón eliminó cualquier oposición potencial inglesa a la regencia de Fernando[60].

El fallecimiento de Enrique VII dejó a Maximiliano como el principal oponente de Fernando. Desde 1507, Maximiliano había amenazado con llevar al hijo de Juana, Carlos, a Castilla, y entonces gobernar el reino en su nombre. Maximiliano reconocía que cualquier descendiente varón nacido de Fernando y Germaine pondría en peligro los intereses de la casa de los Austrias. El emperador, por otra parte, encontró partidarios en Castilla, incluyendo al duque de Nájera y el marqués de Villena[61]. En la primavera de 1507 Maximiliano informó a los nobles y a los pueblos castellanos que él y Carlos llegarían a España en menos de un año[62]. Sin embargo, el emperador no podía obtener ni la custodia de Carlos ni los fondos necesarios para tal viaje[63].

---

[58] Presionando a Fernando para que le cediera su hija, Enrique amenazó con casarse, en lugar de ella, con Margarita de Austria, igualmente no dispuesta a ello. AGS PR 54:47 y 48 Catalina a Fernando y «Relación de las cartas que vinieron de Inglaterra», 7 de septiembre y 4-5 de octubre de 1507.

[59] GÓMEZ DE FUENSALIDA, *Correspondencia*, p. 495.

[60] AGS PR 54:105, Fernando a Catalina de Aragón, 3 de diciembre de 1509. ACA Cancillería, Cartas Reales, Fernando II, caja 4, olim, 3, fol. 8-11v, Fernando a Don Luys Carroz, 6 de enero de 1510.

[61] AHN Nobleza, Frías 18/149, Declaración del marqués de Villena, 19 de junio de 1507. AHN Osuna 1860-27, Declaración del duque del Infantado, 27 de octubre de 1507.

[62] ZURITA, *Historia del Rey Don Hernando*, VIII, ii, p. 239.

[63] AHN Nobleza, Frías 22/92, La ciudad de Toledo al príncipe Carlos, 19 de mayo de 1507. ADN Lille B 18827, nos. 24495, 24497 y 24496, Andrea de Burgo a Margarita de Austria, 17 de abril, 19 de junio y 21 de junio de 1507. Debido a la falta crónica de dinero que sufría, en una etapa, Maximiliano incluso le ofreció a Fernando la regencia de Castilla de por vida a cambio de 40.000 ducados al año, y

Al fin y al cabo, Maximiliano sólo podía reforzar los esfuerzos de Juana para proteger los derechos de Carlos. El tratado que Fernando, Maximiliano y, nominalmente, Carlos y Juana finalmente adoptaron en diciembre de 1509 especificaba que Fernando gobernaría Castilla, León y Granada mientras él viviera a menos que: 1) Juana muriera, o 2) Fernando y Germaine de Foix tuviesen un hijo. En cualquiera de los dos casos, Carlos reinaría después de alcanzar la mayoría de edad[64]. Si Fernando y Germaine tuvieran un hijo varón, representaría una clara amenaza para Carlos, ya que Fernando podría usarlo para tomar el control absoluto sobre Castilla. Sin embargo, Fernando y Maximiliano también aceptaron la suposición de que la muerte de Juana perjudicaría a Carlos. Su atención a esa posibilidad reflejaba la creencia implícita de que la continua presencia de Juana en Castilla protegía la herencia de su hijo. A favor de Fernando, el acuerdo lo definía como «el curador y administrador legítimo» de la «persona y bienes» de Juana. Fernando había conseguido un claro mandato para gobernar a Juana y sus reinos.

En conformidad con las condiciones del acuerdo de 1509, las Cortes de 1510 de Castilla y León confirmaron al rey aragonés como «administrador e governador legítimo por la muy alta e muy poderosa señora, la Reyna doña Juana, nuestra señora, su fija», y afirmaron a Carlos como el sucesor de su madre[65]. Aun cuando Juana supiera o no algo sobre los sucesos de 1509-1510, el resultado de éstos es comparable al sacrificio que hizo Juana de su dere-

---

más en el caso de la muerte de Juana. El rey aragonés también estuvo de acuerdo en enviar al segundo hijo de Juana, Fernando, a los Países Bajos en 1516 con una flota que después transportaría a Carlos a Castilla. ADN Lille B 370, n.º 18016, Tratado entre Fernando y Carlos, sin fecha [agosto de 1508?].

[64] ADN Lille B 371, n.º 18.020 y AGI PR 56:48, Tratado de Blois, 12 de diciembre de 1509. ACA Cancillería, Cartas Reales: Fernando II, caja 4, olim 3, fol. 1-7, Tratado de Blois, 24 de diciembre de 1509.

[65] AHN Nobleza, Frías 17/63, «Copia simple del juramento de los grandes, perlados y cavalleros...», 6 de octubre de 1510. AGS PR 70-5, Actas de las Cortes, 6 de octubre de 1510. Como ha notado Juan M. CARRETERO ZAMORA, las Cortes confirmaron a Fernando como gobernador en el caso de la muerte de Juana sólo hasta que Carlos llegara a la edad de 20 años. Juan M. CARRETERO ZAMORA, «Algunas consideraciones sobre las Actas de las Cortes de Madrid de 1510», *Cuadernos de Historia Moderna*, 12, 1991, pp. 35-37.

cho a gobernar para ratificar la sucesión de Carlos durante las Cortes de 1506. De esta manera Fernando, como Felipe cuatro años antes, legalizó su derecho personal para actuar en nombre del cuerpo corporativo identificado con Juana y, en consecuencia, con Carlos. El acuerdo de 1509, mientras reconocía a Juana como reina, oficialmente la privaba de la capacidad de ejercer autoridad real.

AUTORIDAD REAL EN TORDESILLAS

Fernando necesitaba no sólo el apoyo local sino también internacional para mantener la separación entre los derechos titulares de Juana y su verdadera autoridad. Mientras reinaba en Castilla en nombre de Juana, Fernando confiaba cada vez más a su criado, Mosén Luis Ferrer, que gobernase a Juana y su casa de Tordesillas según el interés paterno. Para reforzar su control sobre la casa de Juana, Ferrer cada vez más usaba su personal para limitar el contacto de la reina con el mundo exterior. A veces, sin embargo, la misión de Ferrer de aislar a Juana chocaba con su necesidad de garantizar su supervivencia. El derecho de Fernando a reinar en Castilla dependía de Juana, casi tanto como la capacidad de Ferrer para gobernar a Juana dependía de su padre. Los esfuerzos paternos por proteger a la reina, finalmente, supusieron métodos violentos para procurar su obediencia.

Fernando había escogido Tordesillas, una residencia favorita entre las reinas medievales de Castilla, como un hogar permanente para su hija, seguro y retirado y, sin embargo, situado en un punto central. Rodeado de muros y lleno de iglesias firmes y de poca altura, el pueblo ocupaba una colina que daba al río Duero, el cual proporcionaba a los habitantes locales agua potable, pero no permitía la navegación. El palacio de Juana, situado al lado del río, ofrecía una vista de las lisas llanuras, que se extendía hasta Medina del Campo (unos 23 kilómetros hacia el sur) en una día despejado[66]. Junto a la casa real estaba el convento del Real Mo-

---

[66] Laurent VITAL, *Relación del primer viaje de Carlos V a España*, Bernabé Herrero (trad.), Madrid, Estades, 1958, pp. 221-222. El anterior palacio de Juana fue destruido por un incendio a comienzos del siglo XX.

nasterio de Santa Clara, fundado en 1365 por la hija del rey Pedro I, Beatriz, quien ingresó allí después de renunciar a sus derechos al trono. En el siglo XV, el convento real se convirtió en un foco de la Reforma[67]. Ya en el siglo XVI había adquirido el derecho a los peajes pagados en el puente que cruzaba el Duero[68], acceso privilegiado a la madera[69] y la custodia de la vara de justicia que se daba a los oficiales reales[70].

Juana parece haber tomado un interés particular por el monasterio real de Santa Clara que estaba al lado de su palacio. Habiendo visitado a las Franciscanas de Bruselas tan pronto como en 1499, una vez en Tordesillas, la reina desarrolló una relación similar con la comunidad local de las clarisas. Ella personalmente donó treinta ducados para las clarisas el Viernes Santo de 1511; cuarenta ducados en 1512 y nuevamente en 1513[71]. Durante Semana Santa, la reina siempre ordenaba que los tapices se trasladaran desde su propia residencia hasta el monasterio y patrocinaba allí un monumento anual que conmemoraba la crucifixión[72]. Juana también hacía donaciones a las clarisas el día de

---

[67] Enrique MARTÍNEZ RUIZ, «El Monasterio de Santa Clara de Tordesillas. Una aproximación sociológica», *El Tratado de Tordesillas y su Época: Congreso Internacional de Historia*, Luis RIBOT (ed.), Valladolid, Sociedad V Centenario, 1994, III, p. 1868.

[68] Archivo Histórico Provincial de Valladolid, sección histórica 265: 58, El rey Fernando a la abadesa y las monjas de Santa María la Real de Tordesillas, 30 de mayo de 1514.

[69] Archivo del Monasterio de Santa Clara, Caja 30, n.º 20, Fernando y Juana a los alcaldes, alguaziles de su casa e corte, corregidor, alcaldes e otros justicias de la villa de Tordesillas, 2 de noviembre de 1517.

[70] Archivo del Palacio Real, Madrid, Monasterio de Santa Clara, Microfilm 1746, caja 4915, n.º 38, Los Reyes Católicos a Juan de Glosas, corregidor de Tordesillas, 30 de junio de 1502.

[71] AGS CSR 15-1/34, Mosén Ferrer a Ochoa de Landa, 5 de junio de 1511; CSR 15-1/35, Recibo de ducados para el Viernes Santo, 6 de junio de 1511. AGS CSR 53-12, Nóminas de Mosén Ferrer, 3 de mayo de 1512. AGS CSR 15-7/675, Recibo de Mosén Ferrer, 3 de mayo de 1512. AGS CSR 53-16, Cédulas de Mosén Ferrer, 22 de abril de 1513. CSR 15-5/533, Recibo de Mosén Ferrer, 22 de abril de 1513.

[72] AGS CSR 53-8 y 17, Nóminas de Mosén Ferrer, 6 de junio de 1511 y 17 de julio de 1513. AGS CSR 15-1/20, Mosén Ferrer a Ochoa de Landa, 12 de junio de 1511. AGS CSR 96-553, Gastos extraordinarios anuales, 1512. AGS CSR 15-7/677, «Memorial de lo que se comprase para el monumento», 15 de abril de 1512. AGS CSR 15-6/540, «Memorial de la Semana Santa», 29 de marzo de 1513; 15-5/423, Mosén Ferrer a Diego de Ribera, 17 de julio de 1513; 15-7/652, Mosén Ferrer a

San Sebastián[73] y a ciertos predicadores que daban sermones en el convento de aquéllas[74]. Durante sus visitas a Santa Clara, la reina aparentemente se encariñó de algunos de los aspectos del convento. En 1512, cuando la abadesa y las monjas cambiaron de sitio un altar con una imagen de San Francisco, Juana pagó 1.506 mrs. para restaurarlo[75]. Dos años más tarde, la abadesa y las monjas intentaron reemplazar el mismo altar con una estatua de Santiago. Una vez más, la reina pagó 408 mrs. para devolver la estatua a su sitio original[76]. Juana también se opuso en 1513, cuando las clarisas planeaban construir un nuevo coro en medio del cuerpo de la iglesia, «porque pareció a Su Alteza que la dicha iglesia se acortaba». La reina, por consiguiente, envió a la abadesa de Santa Clara 60.000 mrs. para ayudar a financiar un nuevo tribunal encima del coro anterior[77]. Tales gastos, anotados en las cuentas reales, sugieren que Juana tomó interés especial en el convento de Tordesillas, donde ella ejercía cierta influencia.

En contraste, Juana conservaba muy poca autoridad dentro de su propia casa. Después de instalar a Juana en Tordesillas, Fernando le asignó sirvientes leales a él. Las nóminas que Fernando suministró en Valladolid nombran a un confesor y a doce capellanes, diecisiete servidores personales, treinta y seis oficiales, hasta doce damas de honor, y cuarenta y nueve guardias armados[78]. De hecho estas nóminas ilustran la ficción de Juana como reina, puesto que Fernando y Ferrer escogían y gobernaban a los sirvientes de «ella». Ciertos oficiales apuntados como servidores de

---

Don Alonso de Alva, 29 de junio de 1514; y 15-7/693, Mosén Ferrer al sacristán y Lorenzo, carpintero, 29 de junio de 1514.

[73] AGS CSR 15-7/738, Mosén Ferrer a Alonso de Alva, 29 de enero de 1515.

[74] AGS CSR 15-8/864, Fernando a Ochoa de Landa, 11 de julio de 1515. AGS CSR 96-36, Nómina de Fernando, 20 de noviembre de 1515.

[75] AGS CSR 7/655 y CSR 53-12, Mosén Ferrer a Ochoa de Landa, 5 de agosto de 1512.

[76] AGS, CSR 15-7/63, Mosén Ferrer a Ochoa de Landa, 9 de marzo de 1514.

[77] AGS CSR 24-46/611, García de Carreño a los contadores mayores de cuentas, 14 de julio de 1523.

[78] AGS CSR 14-6/431-436 y 446, «Oficios y oficiales e criados de la casa de la reyna», 3 de abril de 1509. AGS CSR 15-8/790, El Rey a Pedro de Quintana, 15 de junio de 1514.

Juana, por otra parte, residían con su padre[79]. El confesor oficial de Juana, por ejemplo, fray Tomás de Matienzo, aparentemente ganaba unos sesenta mil mrs. al año sin pisar nunca Tordesillas. Además de esto, Juana estaba rodeada por varios servidores que no aparecieron en su nómina. Entre éstos había seis frailes franciscanos encargados de rezar por el alma de Felipe, los cuales recibían ropa en lugar de una paga[80]. El guardián de los franciscanos, fray Juan de Ávila, servía de confesor no oficial de Juana en ausencia de Matienzo[81], y se convirtió en el tutor de su hija menor, Catalina, en 1514[82].

Entre los miembros ausentes de la casa de Juana figura en lugar prominente el humanista Pedro Mártir de Anglería. Al mismo tiempo que describía a Juana como «abatida enteramente por Saturno», afirmaba que se resistía a mudarse y declaraba a Tordesillas su hogar permanente[83]. Considerando que estaba supuestamente bajo la influencia letárgica de un planeta que fomentaba la genialidad o la locura[84], Pedro Mártir informó que la reina incluso se negó a cambiar su cámara que daba al río Duero por una

---

[79] AGS CSR 96-565, «Relación de los maravedíes que montan las raciones de los oficiales de la reyna...», 1513.

[80] AGS CSR 53-7, 8 y 11, Nóminas de Mosén Ferrer, 15 de diciembre de 1510, 6 de junio de 1511 y 6 de diciembre de 1511. AGS CSR 15-1/31 y 70, Mosén Ferrer a Ochoa de Landa, 24 de enero de 1511 y 10 de noviembre de 1511. AGS CSR 56-15, Cuenta de Francisco de Quartona, 24 de febrero de 1511. AGS CSR 15-1/24, Mosén Ferrer a fray Juan de Ávila, 12 de junio de 1511. AGS CSR 15-1/94, El rey Fernando a Mosén Ferrer, 28 de abril de 1511. AGS CSR 15-1/86, Mosén Ferrer a fray Buenaventura, 6 de diciembre de 1511. En agosto de 1514, sin embargo, el rey Fernando decidió reducir gastos en Santa Clara haciendo que tres de los capellanes regulares de Juana reemplazaran a tres de los franciscanos que rezaban por Felipe. AGS CSR 24-1/42, «La orden que se dió... en los gastos de la yglesia», 4 de agosto de 1514. Nuevas misas y vísperas por Felipe tambien fueron escritas ese año. AGS CSR 15-7/742 y 53-28, Mosén Ferrer a Gregorio, escribano de libros, 27 de noviembre de 1514.

[81] AGS CSR 53-11, Nómina de Mosén Ferrer, 6 de diciembre de 1511.

[82] AGS CSR 24-1/42, «La orden que se dio... en los gastos de la yglesia», 4 de agosto de 1514. AGS CSR 16-1/16, Mosén Ferrer a Gonçalo Gómez, 1 de octubre de 1515.

[83] Pedro Mártir, *Epistolario,* X: Epist. 411, 431, 461. Petrus MARTIR DE ANGLERIA, *Opus Epistolarum* (1530), Epist. 410, 430, 460.

[84] Rudolf y Margot WITTKOWER, *Born Under Saturn. The Character and Conduct of Artists,* New York, W. W. Norton & Company, 1963, pp. 102-104.

más protegida de los vientos del invierno[85]. Según él, la monarca, inmutable, rechazaba las comodidades que Fernando y sus partidarios buscaban proporcionarle:

Imposible le fue al padre arrancarla de las destartaladas e insalubres habitaciones de aquella parte del palacio para que se instalase en los aposentos preparados con suntuosidad regia. No hay manera de hacerle descansar en lecho blando y provisto de colchas, ni vestirse de pieles cuando hace frío, ni con trajes adecuados a las estaciones del año. Usa el ajuar corriente. Dilata dando vueltas de un modo extraordinario la hora de tomar alimentos. Pasa algunas veces más de tres días en ayunas, sin que ni la súplicas de sus servidores lograran accediese a tomar algo de comida o bebida[86].

Pedro Mártir retrató la ascética auto-mortificación de Juana como la antítesis de la conducta real apropiada. Mientras Juana tal vez estuviera intentando practicar un tipo de retiro piadoso conocido como *recogimiento*, su negación a dormir, comer y vestir según las normas reales implicaba un rechazo de su nueva casa y las rutinas que sus miembros esperaban regir.

Al mismo tiempo Anglería expresaba una simpatía particular por el apoderado de Fernando en Tordesillas, Mosén Luis Ferrer. Como *cerero mayor*, Ferrer oficialmente supervisaba el consumo de la cera no sólo en la iglesia sino también en el palacio[87]. En la práctica, Ferrer aprobaba todos los «gastos extraordinarios» de la reina, incluyendo no sólo la compra de medicinas[88], lienzos[89], y zapatos[90], sino también las donaciones piadosas que Juana escogía hacer[91]. No era sorprendente, entonces, que los vecinos se sin-

---

[85] Pedro Mártir, *Epistolario,* XI: Epist. 516.
[86] Pedro Mártir, *Epistolario,* XI: Epist. 516. Petrus Mártir DE ANGLERÍA, *Opus Epistolarum* (1530), fols. 115v-116, Epist. 514.
[87] AGS CSR 51-45, El rey Fernando al mayordomo y a los contadores mayores, 10 de marzo de 1512.
[88] AGS CSR 15-1/13, Mosén Ferrer a Antonio de Arévalo, 9 de julio de 1511; CSR 15-1/81, Mosén Ferrer a Bartolomé de Castellón, boticario, 23 de noviembre de 1511.
[89] AGS CSR 15-1/3, Mosén Ferrer a Ochoa de Landa, 10 de julio de 1511.
[90] AGS CSR 12-1/23, Mosén Ferrer a Tomas de Valençia, 16 de junio de 1511.
[91] AGS CSR 15-1/30, Mosén Ferrer a Fernando de Arzeo, 13 de noviembre de 1511.

tieran curiosos y preocupados acerca de la naturaleza de la autoridad de Ferrer[92]. Resentidos por la carga que suponía proporcionar alojamiento y ropa a los cortesanos, «especialmente considerando que han de tener los huéspedes perpetuamente», algunos vecinos incluso se habían marchado de Tordesillas[93]. Aunque Fernando dio órdenes de detener la expropiación de ropas, Ferrer aplazó su aplicación hasta que pudiera hacer cambiar de idea al rey. Finalmente, el Consejo Real otorgó a Tordesillas una *merçed* anual de cien ducados «para ayuda a los gastos de la ropa»[94]. No obstante, los residentes locales seguían intranquilos por la autoridad del *cerero mayor* sobre su reina.

A pesar de estas crecientes dudas acerca de su comportamiento, Ferrer, con el apoyo del rey Fernando, intensificó su control sobre la casa de Tordesillas. Entre los antagonistas de Ferrer, los contadores reales se negaron a aprobar todos los gastos extraordinarios que el *cerero mayor* aprobaba. El rey Fernando, por consiguiente, informó a los contables que él había otorgado a Ferrer autoridad total sobre Juana, «para todas las cosas que cumplen a nuestro servicio y governación de su real persona e casa e administración de todos los oficios e oficiales e gastos de su casa, del qual yo lo confío todo»[95]. Un respaldo tan incuestionable de parte del rey permitió al *cerero mayor* valenciano escoger y remunerar a los servidores leales a él. No era de sorprender que los nombres de doña Francisca, doña Isabel, doña Margarita y doña Violante Ferrer pronto apareciesen en la lista de las *dueñas* de Juana recibiendo salarios de la casa y ayudas de costas[96].

---

[92] AGS CC, Pueblos 20, «El teniente de la villa de Tordesillas», 28 de marzo y 13 de mayo de 1509.

[93] AGS CC, Pueblos 20, Sancho Vázques de Çepeda, regidor y vecino de Tordesillas para la Reina Juana, 11 de julio de 1513; Sancho Vázques de Çepeda, regidor y vecino de Tordesillas para la Reina Juana, 29 de agosto de 1513.

[94] AGS CC, Pueblos 20, El consejo real al pueblo de Tordesillas, 12 de junio de 1515.

[95] AGS CSR 15-7/648, Fernando a sus contadores mayores de cuentas, 25 de junio de 1514.

[96] AGS CSR 15-8/805-6, Fernando a Ochoa de Landa, 26 de julio de 1514. AGS CSR 16-2/128-129 y 130, Fernando a Ochoa de Landa, 20 de noviembre de 1515.

A pesar de su creciente clientela, la autoridad de Ferrer dependía casi exclusivamente de la de Fernando. Después de que el rey aragonés muriera el 23 de enero de 1516, los residentes de Tordesillas y los miembros de la casa de Juana soltaron su enfado reprimido sobre Ferrer. Tan pronto como llegó la noticia de la muerte de Fernando a Tordesillas, los guardias locales asaltaron el palacio real y expulsaron al *cerero mayor*[97]. El obispo de Málaga, enviado a Tordesillas para investigar el alboroto, escuchó las quejas de los vecinos contra Ferrer y le prohibió cualquier contacto con la reina.

Por su parte, Ferrer insistía en que había gobernado la casa de Juana «como un monasterio y religión de honestísimos frailes». La acusación más seria a la que se enfrentaba Ferrer era que había empleado la fuerza contra la reina. El *cerero mayor* no negó este cargo. En cambio, afirmaba que la enfermedad de la reina no se podía curar y que el rey Fernando, «porque [la reina] no muriese dexándose de comer por no complir su voluntad, le hubo de mandar dar cuerda [es decir, azotarla] por conservarle la vida»[98]. Tal testimonio sugiere que Juana ocasionalmente se abstenía de comida para presionar a sus sirvientes, e incluso a su padre, para que respetaran determinadas peticiones suyas. Ella consiguió, por lo menos, llamar la atención[99]. Aunque nadie tomó nota de los deseos específicos de la reina en 1515, es probable que ella haya buscado más libertad de movimiento, incluyendo visitas más frecuentes al convento vecino de Santa Clara y, posiblemente, un incremento de las oportunidades para contactar con sus súbditos[100].

---

[97] AGS Estado 3-113, Creencia de doña María de Ulloa, sin fecha [1516].

[98] AGS Estado I-II, n.º 298, Mosén Ferrer al cardenal Cisneros, 6 de marzo de 1516. Al fin y al cabo, la afirmación del *cerero mayor* de que él había servido al rey lealmente parecía convincente. Aunque Ferrer se retiró a Valencia, continuó recibiendo su sueldo como miembro de la casa de Juana.

[99] En 1515 el embajador florentino informó que la negación de la reina de Castilla a comer había puesto en peligro su vida y había hecho que Fernando se apresurase a ir a Tordesillas. Archivio di Stato di Firenze, Otto di Practica: Legazioni e Commissarie, Reg. 11, fol. 100v-101v, Despacho de Francisco Pandulphino, 4 de mayo de 1515.

[100] En el próximo capítulo se discutirán demandas similares de Juana en 1518-1519.

Ferrer, por su parte, había tratado a Juana como cualquier otra cosa menos como a una reina propietaria[101].

Cuando ocurrió la muerte de Fernando y la expulsión de Ferrer de Tordesillas, los sirvientes de Juana le buscaron remedios espirituales para la salud. Habiéndosele dado la bienvenida a un «muy [h]onrado clérigo» en el palacio real, el *camarero* Diego de Ribera declaró con alegría: «viernes, primero de [f]ebrero, se empezó a curar la Reina, nuestra señora». En particular, el cura exorcizó a Juana, bendiciendo a la reina y diciendo oraciones mientras ella comía. Ribera afirmaba que el clérigo había reconocido la enfermedad de Juana y prometió curarla «para que esta Cuaresma se confiese»[102]. En contraste con el entusiasmo de Ribera, la primera dama de Juana, doña María de Ulloa, se declaró escéptica acerca de los métodos del clérigo, al que describió como un «brujo». Según Ulloa, el exorcista abandonó Tordesillas antes de que se produjera algún cambio en Juana[103]. De esta manera, la autoridad de Fernando sobre la salud de Juana dio lugar a un intento efímero de curar a la reina en medio de variadas evaluaciones sobre su condición.

La obediencia de Ferrer a la autoridad paterna de Fernando había establecido un modelo fundamental para gobernar a la reina en Tordesillas. Este modelo perduraría sin tener en cuenta las fluctuaciones de la salud de Juana. Cuando le informaron de las «diversas opiniones» que se tenían acerca de la reina, su hijo y heredero, Carlos, ordenó que Juana fuese puesta bajo una rigurosa guardia:

---

[101] Un secretario del cardenal Cisneros en tono sensacionalista informó: «Que bien sabemos que él [Ferrer] buscava todas las maneras que podía para que la reina estoviese peor: y a la clara decía públicamente de la reina —que ai desto mil testigos— las mayores inominias que jamás se dixeron de muger y vinyéndole a demandar de comer para la reina decía: a esta bestia, paja y cevada le avéis de dar que no otra cosa. Que ovieron muchos que estovieron determinados de darle de puñaladas...» Archivo de la Colegiata de Jerez, MS. 043, Códice de Cartas del Cardenal Cisneros, fol. 268, Jorge de Varacaldo a Diego López de Ayala, 10 de junio de 1516, descifrado y transcrito en Manuel GIMÉNEZ FERNÁNDEZ, *Bartolomé de las Casas,* Madrid, Consejo Superior de Investigaciones Científicas, 1984, I, p. 757.

[102] AGS CSR 394-7, Diego de Ribera al adelantado de Cazorla, 10 de febrero de 1516.

[103] AGI Estado 3-113, Creencia de doña María de Ulloa, sin fecha [1516].

Porque a ninguno pertenece más mirar por la honra, contentamiento y consolación de la reyna, mi señora, que a mí, los que en esto quisieren meter la mano no ternán buena intención [104].

Carlos, como Fernando, afirmaría el derecho de gobernar a Juana, tan fundamental para gobernar sus reinos [105].

¿DOS REGENTES?

En un testamento dictado el día anterior a su muerte, Fernando sancionó una continuidad en la ruptura entre el estatus titular y la autoridad verdadera de su hija. Mientras afirmaba los derechos de Juana no sólo como reina de Castilla, León y Granada, sino también como su heredera en Aragón, Nápoles, Sicilia, Navarra y otros territorios, Fernando confirmaba su creencia en la incapacidad de Juana para reinar:

según todo lo que de ella habemos podido conocer en nuestra vida, está muy apartada de entender en gobernación ni regimiento de reinos, ni tiene la disposición para ello que convendría, lo que sabe nuestro Señor cuánto sentimos... [106]

La incompetencia de Juana y la ausencia de Carlos habían justificado el reinado de Fernando en Castilla como regente durante nueve años. Ahora bien, estos mismos factores permitieron al rey aragonés seleccionar a distintos regentes para Carlos en los reinos de Aragón y Castilla. Hasta que Carlos pudiera reinar en persona, Fernando nombró a su propio hijo don Alfonso, arzobispo de

---

[104] AGS Estado 3-354, Carta descifrada de Carlos a Cisneros, 30 de abril de 1516.

[105] Carlos, en Bruselas en ese momento, tenía sus propios gobernadores. En el momento de recibir informes de que la reina Juana estaba recuperando su salud, el *premier chambellain* Guillaume de Croy, señor de Chièvres, y el canciller Jean Sauvage decidieron no compartirlos con Carlos. Según esta fuente, Chièvres y Sauvage hablaron sobre la salud de la Reina, «no porque la deseen». AGS Estado 9-93, Pedro de Ayala al cardenal Cisneros, 12 de julio de 1517.

[106] AGS PR 29:52 (n.º 2968), fols. 17-17v, Testamento del rey Fernando, 22 de enero de 1516. Transcrito en Ricardo del ARCO, *Fernando el Católico: Artífice de la España Imperial,* Zaragoza, Editorial Heraldo de Aragón, 1939, p. 444.

Zaragoza y Valencia, como regente en la corona de Aragón. Después de muchas dudas y de un intento de dejar Castilla al segundo hijo de Juana[107], el rey ya moribundo finalmente nombró al cardenal Cisneros regente de Castilla[108]. De hecho, Jiménez de Cisneros gobernó junto con el representante de Carlos, Adriano de Utrecht, hasta que el hijo mayor de Juana llegó a España a finales de 1517. Al nombrar a diversos gobernadores —aunque provisionalmente— para Castilla y Aragón, Fernando tomó un paso importante para separar las coronas que su matrimonio con la reina Isabel había unido[109].

A pesar de las disposiciones de Fernando, el *justicia mayor* de Aragón, Juan Lanuza III, impidió que Alfonso de Aragón asumiera la regencia de Aragón e insistió en conservar esos reinos para Carlos[110]. Ante un notario apostólico, Lanuza declaró a Carlos guardián legal de su madre, por la duración de la «enfermedad, alienación mental y demencia» que Juana había sufrido «de forma notoria y manifiesta» desde 1508[111]. Aunque Fernando había legado a don Alfonso la regencia de Aragón, Lanuza obstruyó ese nombramiento[112]. Irónicamente, la resistencia del *justicia*

---

[107] Friedrich EDELMAYER, «El hermano expulsado: don Fernando», *Torre de los Lujanes, 39,* junio de 1999, p. 152.

[108] GALÍNDEZ DE CARVAJAL, *Anales Breves,* 561-565. Varios de los sirvientes de Juana recordaban una gran hostilidad entre Juana y el arzobispo de Toledo, Francisco Jiménez de Cisneros. El aya de Catalina, doña Beatriz de Mendoza, incluso afirmó que Cisneros «la quería [a la Reina] tan mal que la haría atar e que no la consentiría linpiar». Sin embargo, Juana, según se dice, expresaba placer de que su padre hubiera nombrado al arzobispo regente de Castilla. AGI Estado 3:113, Creencia de doña María de Ulloa, sin fecha [1516].

[109] AGS PR 29:52 (n.º 2968), esp. fols. 15-17v, Testamento del rey Fernando, 22 de enero de 1516. Transcrito en Ricardo DEL ARCO, *Fernando el Católico,* pp. 413-458.

[110] Jerónimo DE BLANCAS, *Comentarios de las Cosas de Aragón,* Manuel Hernández (trad.), Zaragoza, Imprenta del Hospicio, 1878, p. 254.

[111] AGS PR 13:77 (Planchados 177), «Escritura otorgada por el lugarteniente del justicia de Aragón...», 12 de marzo de 1516.

[112] No obstante, una vez seguro de su sucesión, Carlos nombró a Alfonso *lugarteniente general* de Aragón. Arxiu Municipal, Barcelona, Consell de Cent, Sèrie VII, reg. 1, fol. 6-7v, Juana y Carlos a don Alfonso de Aragón, 31 de mayo de 1516. A medida que el cardenal Cisneros estaba cada vez más débil, Alfonso de Aragón también le suplicó a Carlos que le otorgase el arzobispado de Toledo o Sevilla. ADN Lille B 18873, n.ᵒˢ 32080 y 32081, Don Alonso de Aragón a Margarita de Austria, 6 y 7 de septiembre de 1516.

mayor a la última voluntad de un rey aragonés llevó el gobierno de los Austrias a esos reinos. Por lo tanto, la autoridad paterna, que parecía establecer la ley en Castilla, tenía menos peso que la ley en la Corona de Aragón. En este caso, la unidad española persistió a pesar de los esfuerzos de Fernando.

Una vez unidos, los reinos de Fernando e Isabel se habían convertido en una entidad ellos mismos —correspondiendo al cuerpo corporativo de Juana y, finalmente, al de Carlos. El continuo uso que hacía Fernando de la analogía entre Juana y sus reinos ponía de relieve su capacidad única para defender y cuidar a ambos. Con una destreza impresionante, el padre de Juana manipuló el concepto de la doble persona real para sus propios fines. Él reclamaba la autoridad paterna no sólo sobre Juana sino también sobre sus reinos. Sin embargo, la obediencia condicional de Juana aseguraba que la autoridad paterna eclipsara los legítimos derechos dinásticos sólo durante una vida. Finalmente, Fernando no pudo impedir la sucesión de los Austrias.

Capítulo 5

PROMOCIÓN DE LOS INTERESES FAMILIARES: LOS DENIA Y LOS AUSTRIAS

Carlos, el hijo de Juana de dieciséis años, asumió el título de rey de Castilla, León y Aragón en Bruselas, el 14 de marzo de 1516. Contra la recomendación de sus consejeros españoles —como veremos— Carlos y sus gobernadores, encabezados por el *premier chambellain* Guillaume de Croy, señor de Chièvres, se apropiaron de la autoridad monárquica sin el consentimiento de los reinos afectados. Durante los cuatro años siguientes, Carlos contrarió aún más a sus nuevos súbditos al otorgar a los extranjeros oficios reales y beneficios, exportar plata y oro y exigir un incremento en los impuestos para poder financiar su elección como emperador del Sacro Imperio Romano[1]. Los castellanos que protestaron contra tales medidas identificaban sus señoríos con Juana y no con Carlos, y alzaban los derechos de la reina junto con los de ellos.

En teoría, Juana representaba el principal obstáculo a la autoridad real de su hijo en España. De ahí que, después de desembarcar en la costa del norte en el otoño de 1517, Carlos se dirigiera a Tordesillas para obtener la bendición de su madre. Cuando visitó a Juana otra vez en marzo del año siguiente, Carlos nombró al marqués de Denia, don Bernardo de Sandoval y

---

[1] Sobre las causas subyacentes en la rebelión de los Comuneros, véase Stephen HALICZER, *Los Comuneros de Castilla: La forja de una revolución,* Valladolid: Universidad de Valladolid, 1987, pp. 135-137 y Joseph PÉREZ, *La Revolución de las Comunidades de Castilla (1520-1521),* Juan José Faci Lacasta (trad.), Madrid, Siglo XXI, 1977, esp. pp. 121-128.

Rojas, y a su esposa, doña Francisca Enríquez de Cabrera, para que rigieran la casa de la reina en Tordesillas. Para consternación de muchos españoles, en mayo de 1520 Carlos rápidamente abandonó España para reclamar la corona imperial. Tres meses más tarde, los Comuneros se levantaron contra el reinado de los Austrias y tomaron la casa de Juana. Con la esperanza de que la reina respaldaría sus decretos para «curar» sus reinos, incluso llegaron a expulsar a los Denia de Tordesillas.

Desde el siglo XIX, los historiadores liberales han retratado a Denia como un villano brutal[2] y a los Comuneros como la última oportunidad que tenía Juana —y España— para su salvación[3]. En contraste, veremos que los Comuneros, como los Denia, intentaron desorientar a la reina para favorecer sus propios intereses. Por lo tanto, examinaremos los intentos que hicieron unos y otros para engañar y gobernar a Juana. Al final, Juana ya no confiaba ni en los Denia ni en los Comuneros. Al resistirse a sus intentos de ejercer el control sobre ella, la reina defendía a su dinastía con tanta firmeza como los Denia promocionaban a la suya.

Las élites del siglo XVI, desde los anteriores duques de Borgoña hasta los futuros duques de Lerma, buscaban proteger y aumentar la riqueza familiar a través de las generaciones. Idealmente, las posesiones de una familia noble tenían la misma perpetuidad que la corona real y se transmitían sin ser disminuidas y, si se podía, aumentadas, a los legítimos herederos. Después de la derrota de los Comuneros en 1521, los intereses corporativos de la familia tuvieron prioridad sobre los del reino corporativo no sólo en la casa de Juana sino también en sus dominios.

DEL HONOR MATERNO A LA AUTORIDAD PATERNA

Incluso antes de que Carlos llegara a Castilla en septiembre de 1517, los españoles que se oponían al reinado de los Austrias defendían los derechos de la reina Juana e intentaban mantener los

---

[2] Gustav BERGENROTH, *Supplement to the Calendar of State Papers,* liii-lxi.
[3] Joseph PÉREZ, *La Revolución de las Comunidades de Castilla,* pp. 193-195, 535-536. Michael PRAWDIN, *Juana «la Loca»,* pp. 7-8.

suyos. Los consejeros reales, los nobles y los eclesiásticos reacios a aceptar como soberano a un joven borgoñón rápidamente le recordaron a Carlos la obligación de honrar a su madre. Sin embargo, Carlos, en actitud desafiante, aceptó el título real, sólo para encontrar que los oficiales locales de algunas partes de Castilla retrasaron su proclamación como rey. Los representantes aragoneses, por su parte, también cuestionaron el derecho del borgoñón a titularse rey. Enfrentándose a semejantes oposiciones, Carlos y sus gobernadores hicieron valer los lazos privilegiados que el nuevo rey tenía con su madre y, por lo tanto, con sus reinos.

Después de la muerte del rey Fernando el 23 de enero de 1516, la oposición española a las pretensiones borgoñonas se centró en la defensa del honor de Juana como reina propietaria. El 4 de marzo de 1516, el Consejo Real de Castilla escribió a Carlos, exhortándolo a que no tomara el título de rey mientras su madre estuviera viva. Los consejeros advertían que tal acto «sería disminuir el honor y reverencia que se debe por ley divina y humana a la reina nuestra señora, vuestra madre, y venir sin fruto ni efeto ninguno contra el mandamiento de Dios». Los consejeros suplicaron a su príncipe, «por el temor de Dios y honor que hijo debe a su madre», que administrara los reinos de Juana sin usurpar su título. Según estos consejeros, Carlos podía gobernar libremente en nombre de su madre sin reclamar la posesión personal de los reinos que heredaría después de la muerte de ella[4]. Ignorando la recomendación de los consejeros, Carlos se tituló rey de Castilla y Aragón el 14 de marzo de 1516, después de unos suntuosos funerales en honor de Fernando en la iglesia de Santa Gúdula en Bruselas[5]. La ceremonia borgoñona, que intentaba demostrar una continuidad desde Fernando hasta Carlos en un único oficio inmortal, pasó completamente por alto los derechos de Juana

---

[4] Prudencio DE SANDOVAL, *Historia de la Vida y Hechos del Emperador Carlos V,* II, iv, p. 79.

[5] Carlos siguió el precedente de su padre, Felipe, quien se declaró rey de Castilla al concluir los funerales de Isabel de Castilla, también celebrados en la iglesia de Santa Gúdula en Bruselas. Los grandes gastos para el funeral de Fernando realzaron igualmente la proclamación de Carlos. Laurent VITAL, «Premier Voyage de Charles-Quint en Espagne, de 1517 a 1518», *Collection des Voyages des Souverains des Pays-Bas,* GACHARD y PIOT (eds.), Bruxelles, F. Hayez, 1881, p. 6.

como reina propietaria. Los grandes castellanos se sentían igualmente excluidos. Indignado, el almirante de Castilla, don Fadrique Enríquez, consideraba que otorgarle a Carlos el título real era equivalente a tener a «la reyna viva por muerta»[6].

En defensa de sus derechos a la dignidad real, Carlos o, más precisamente, sus gobernadores borgoñones, invocaron la autoridad imperial y papal. En unas cartas enviadas a los grandes castellanos el 20 de marzo, el recién proclamado rey describía un acuerdo entre la ambición paterna y el honor materno. Según estas cartas, el papa y el emperador, junto con «varones excelentes, prudentes e sabios», habían animado a Carlos a que tomara el título de rey de Castilla y Aragón. No obstante, Carlos agregó: «Porque algunos no toman bien el acresçentamiento que della se nos sygue, convino que juntamente con la Cathólica reyna, mi señora madre, yo tomase nonbre e título de rey». Utilizando una combinación del «nosotros» borgoñón y el «yo» castellano, estas cartas querían asegurar a los poderosos castellanos que la sucesión de Carlos no perjudicaría ni a ellos ni a la reina[7].

Dada la determinación de Carlos a gobernar como rey, el cardenal Francisco Jiménez de Cisneros y Adriano de Utrecht convocaron un encuentro para discutir la situación. En esta reunión, el almirante de Castilla y otros grandes expresaron su tristeza de que el príncipe, mal aconsejado, hubiera tomado el título real. En particular, afirmaban que Carlos sólo podía recibir el título que reclamaba después de consultar con los nobles y los reinos implicados, presumiblemente en las Cortes[8]. Enfrentado a estos argumentos, Lorenzo Galíndez de Carvajal, un destacado miembro del Consejo Real, detalló los antecedentes históricos de reinados compartidos que permitirían a Carlos aceptar el título de soberano conjuntamente con Juana. Según Carvajal, los hijos habían reinado en vida de sus padres de varias maneras: por usurpación

---

[6] Archivo Ducal de Medinaceli, Sección histórica (de ahora en adelante ADM), caja 40 (leg. 282), n.º 78, Don Francisco Pacheco al marqués de Priego, 18 de febrero de 1516.

[7] ADM caja 4 (leg. 246), n.º 111[a], El rey Carlos al marqués de Priego, 20 de marzo de 1516. AHN Nobleza, Frías 22/99, El rey Carlos al conde de Oropesa, 20 de marzo de 1516.

[8] ADM caja 41 (leg. 283), n.º 13, Minuta del almirante, 31 de marzo de 1516.

(don García de Alonso el Magno), por consentimiento de los padres (Alonso VI de doña Sancha en León), por consentimiento público dado en las Cortes (Fernando «el Santo» de doña Berenguela), y/o por incapacidad de los padres, posiblemente con el requisito de la aprobación de las Cortes (Alonso VII de doña Urraca)[9]. Implícitamente, estos ejemplos animaron a Carlos a evitar la usurpación ilícita mediante el cumplimiento de las otras condiciones que podían autorizar el reinado compartido[10]. Aunque Carvajal no veía ninguna otra alternativa sino aceptar a Carlos como rey, cuando la reunión concluyó, el almirante de Castilla, el duque de Alba y otros grandes continuaban oponiéndose al ascenso al trono de los Austrias.

A pesar de esta oposición, el cardenal Francisco Jiménez de Cisneros y Adriano de Utrecht, como regentes de Castilla, presentaron la sucesión de los Austrias lo más favorablemente que pudieron en las cartas que enviaron a los nobles, las ciudades y los pueblos el 3 de abril de 1516. Estas cartas destacaban la preocupación del príncipe por el bien público, en vez de su deseo de aumentar su posición y sus bienes. Los regentes se hicieron eco de las afirmaciones de Carlos de que el papa, el emperador y otros potentados cristianos habían insistido en que Carlos tomara el título real él solo:

> Mas su alteza, mirando más a lo de Dios y al honor y reverencia que deve a la muy alta e muy poderosa la reyna, doña Juana, nuestra señora, su madre, que al suyo propio, no ha querido ni quiere acebtarlo syno juntamente con ella y anteponyéndola en el título y en todas las otras cosas e ynsynias reales, pagando la debda que como obediente fijo deve a su madre por que meresca aver su bendición y de los otros sus progenytores, moviéndose a esto solamente por el serviçio de Dios y bien

---

[9] Prudencio DE SANDOVAL, *Historia de la Vida y Hechos del Emperador Carlos V,* pp. 80-81.

[10] «Y es muy de notar, que el mismo Doctor Carvajal, consejero de la cámara y persona de tantas prendas, aviendo dicho al príncipe, en la otra exortación, que le embió a Flandes (para persuadirle que no se llamase rey) que a su Altesa no se le avían de traer los malos exemplos, sino los buenos, se valiese en esta ocasión, no sólo de los exemplos malos, sino de los pésimos y de infeliz memoria». Bartholomé LEONARDO DE ARGENSOLA, *Primera Parte de los Anales de Aragón que prosigue los del secretario Gerónimo Çurita...,* fol. 188.

público y por la abtoridad y reputaçión tan neçesaria a estos reynos y a
todos los otros de su sucesión y para ayudar a la reyna, nuestra señora,
su madre, a llevar la carga y trabajo de la governación y administración
de la justicia en ellos y por otras muchas justas e razonables cabsas.

Los regentes argumentaban que Carlos podía haber excluido a Juana por completo, pero que aceptó el título real solamente para servir a su madre, a Dios y a sus reinos. Con respecto a Juana, los regentes hicieron hincapié en que el rey tenía la «yntençión y firme
propósito de la obedeçer y acatar y onrrar en todo como a madre
e reyna e señora natural destos reynos». Finalmente, Jiménez de
Cisneros y Adriano concluyeron con la promesa y la advertencia de
que Carlos viajaría a España lo más pronto posible [11].

Una vez que Carlos había asumido el título real, la costumbre
de Castilla requería alzar el pendón real en su honor. Esta práctica, que se originó en la conquista cristiana del Al-Andalus [12], conservaba sus dimensiones sagradas y articulaba la identificación de
una comunidad con el nuevo soberano. Sin embargo, algunas ciudades en particular aceptaron a Carlos más rápidamente que
otras [13]. En Murcia, por ejemplo, los oficiales municipales conduci-
dos por el marqués de los Vélez, alzaron el pendón real y proclamaron rey a Carlos el 10 de abril de 1516, sólo unos días después
de recibir las instrucciones de los regentes. El pregonero del pueblo promulgó las órdenes oficiales desde una plataforma en la plaza de Santa Catalina, alzó el pendón real y declaró repetidamente:

Viva la muy alta e muy poderosa señora, la reyna doña Juana, nuestra señora, y el muy alto e muy poderoso señor el rey don Carlos, su hijo,
nuestro señor, reyna e rey de Castilla, de Aragón, e de las dos Secilias,
etc., de Jerusalén, etc. y de todos los reynos e señoríos de sus altezas.

---

[11] Archivo Ducal de Medina Sidonia (de ahora en adelante ADMS) Villafranca
4336, ADM caja 4 (leg. 246), n.º 111b, AHN Nobleza, Frías 22/100, Archivo Municipal de Toledo (de ahora en adelante AMT), Archivo Secreto caja 1, legajo 2, n.º
62f, Jiménez de Cisneros y Adriano al marqués de Villafranca, el marqués de Priego, el conde de Oropesa y la ciudad de Toledo, 3 de abril de 1516.

[12] Teófilo RUIZ, «Unsacred Monarchy», p. 125. Ruiz ve en la práctica de alzar
el pendón real para proclamar a un nuevo gobernante un apoyo a la idea de una
única persona real.

[13] Joseph PÉREZ, *La Revolución de las Comunidades de Castilla*, pp. 78-79.

La lista de las posesiones reales se había alargado demasiado para que aun el más dedicado de los pregoneros lo pudiera recitar. Entonces, al sonido de trompetas y tambores, los oficiales locales marcharon hacia la iglesia de Santa María, cuyo clero se reunió para recibir el pendón y para cantar el «Te deum laudamus». Los clérigos también se ofrecieron a recitar diariamente oraciones para que Carlos llegara sano y salvo, lo cual las autoridades locales estimaron innecesario. Mientras caminaban de regreso a la plaza, los oficiales municipales leyeron las instrucciones reales una vez más y alzaron otra vez el pendón, repitiendo «viva la muy alta e muy poderosa señora la reyna doña Juana, nuestra señora, y el muy alto e muy poderoso señor rey don Carlos, nuestro señor, hijo de la dicha reyna...» tres veces más. Después de estas aclamaciones, sonaron los instrumentos, hicieron doblar las campanas de la iglesia y se dispararon los cañones, a medida que los oficiales de la ciudad caminaban de regreso a Santa María. Finalmente, la asamblea se dirigió hacia el Alcázar, donde se subió el pendón real en una torre, y los gritos que proclamaban reyes a los dos, Juana y Carlos, resonaron una vez más. Desde la plaza hasta la iglesia y hasta la fortaleza, los murcianos supuestamente habían declarado su lealtad a ambos Juana y Carlos[14].

Sin embargo, en contraste con la gente de Murcia, algunos otros súbditos retrasaron el acto de proclamar rey a Carlos. Doña María de Ulloa, la primera dama de Juana, esperó un mes antes de ordenar a sus vasallos que aclamaran a Carlos. Al recibir las instrucciones de Ulloa, el gobernador de la fortaleza de Miranda sobre el río Ebro había hecho que uno de sus servidores alzase el pendón y proclamase, «Castilla, Castilla, Castilla, para la reina doña Juana y para el rey don Carlos, nuestro señor y señora», antes de disparar los cañones[15]. Aún más lentos en aceptar a Carlos como rey, los oficiales municipales de Zamora aplazaron la cere-

---

[14] ADMS Vélez 549, «Testimonio de como el illustríssimo señor marquis, adelantado, y los señores del conçejo de la cibdad de Murçia alçaron pendones por la Reyna y Rey, nuestros señores», 10 de abril de 1516.

[15] Archivo Histórico Provincial de Zaragoza (de ahora en adelante AHPZ), Casa Ducal de Híjar, I-197-2, «Testimonio a instancia del Conde de Salinas...», 2 de mayo de 1516.

monia del pendón hasta el 18 de mayo, y los de Plasencia espera-
ron hasta el 25 de julio[16]. El retraso de estas ceremonias, indica-
das para demostrar un apoyo inmediato y unificado al nuevo rey,
sugería un desinterés en aceptar la sucesión.

Los aragoneses tampoco se dieron prisa para aclamar rey a
Carlos. El hecho de que las Cortes aragonesas hubieran confirmado a Juana como princesa en 1502 presentaba a sus cuatro
«brazos o estamentos» —los eclesiásticos, la alta nobleza, la baja
nobleza y el patriciado urbano— un dilema constitucional. Algunos observadores afirmaban que aceptar a Carlos como rey en
vida de su madre violaría los *fueros* locales, los cuales acordaron
al *juramento* de Juana, en 1502, un valor casi sagrado. Sin embargo, otros miembros de las Cortes argumentaron que se había
apoyado a Juana como heredera sólo con la condición de que su
padre no engendrara un legítimo descendiente varón. Sugerían
que Juan, el hijo de Germaine y Fernando nacido en 1509 y que
apenas vivió, invalidaba la pretensión de Juana al trono. Al cuestionar y afirmar alternativamente los derechos de Juana, los aragoneses minaron los de su hijo[17].

Determinado a vencer la oposición de Castilla y Aragón a la
sucesión de los Austrias, los gobernadores del joven rey se prepararon para escoltarlo a España. Como Juana había hecho el
mismo viaje, como princesa y como reina, Carlos procuró aprender de sus experiencias. El 11 de julio de 1517, Carlos ordenó a
su *Chambre des Comptes* en Lille que le proporcionara copias de

---

[16] AGS Estado I-ii, n.º 288, «Plasencia sobre la proclamación de la Reyna Doña
Juana y del Príncipe don Carlos», 24-25 de julio de 1516. Para una transcripción de
este documento, véase VVAA, *Orígenes de la Monarquía Hispánica: Propaganda y legitimación (ca. 1400-1520)*, José Manuel NIETO SORIA (dir.), Madrid, Dykinson,
1999, pp. 444-445, documento 26. CONDE DE CEDILLO, *El Cardenal Cisneros: Gobernador del Reino,* Madrid, Real Academia de la Historia, 1921, p. 149.

[17] RAH Salazar A-16, fols. 17-20, Instrucciones de don Alonso de Aragón a
Juan de Aragón, 7 de marzo de 1516, publicado en *Corpus Documental de Carlos V,*
Manuel FERNÁNDEZ ÁLVAREZ (ed.), Salamanca, Ediciones Universidad de Salamanca, 1981, I, pp. 53-56. Temiendo un caos si el infante Enrique Trastámara o el hijo
ilegítimo de Fernando, don Alfonso, mantenían sus propias pretensiones al trono,
el *justicia mayor* Juan Lanuza III finalmente apoyó a Carlos. AGS PR 13:77 (Planchados 177), «Escritura otorgada por el lugarteniente del justicia de Aragón...», 12
de marzo de 1516.

los gastos de su madre de los dos viajes de 1502-3 y 1505-6[18]. Basándose en los registros del anterior *maître de la despense* de Juana, Carlos adquirió una idea general de los gastos para mantener su propia casa en el extranjero no sólo en «un día de pescado» sino también en «un día de carne». También consiguió el nombre y los salarios de las personas que habían acompañado a su madre y que podían ser aún útiles en su propio séquito. Habiendo adquirido esta información, Carlos finalmente se marchó de Zelanda el 8 de septiembre de 1517[19].

Después de arribar a la costa de Asturias el 19 de septiembre, el joven rey y su hermana, Leonor, viajaron a Tordesillas, adonde llegaron el 4 de noviembre. Esta visita le permitía a Carlos satisfacer las obligaciones filiales con su madre, mientras evitaba al cardenal Jiménez de Cisneros, quien murió el 8 de noviembre. Según Laurent Vital, el cronista que acompañaba a Carlos, Chièvres organizó una visita de ocho días que incluía una audiencia con Juana y su hija, Catalina, así como una misa para Felipe[20]. Cumpliendo con su obligación, Carlos había honrado a su madre y, a cambio, parecía haber ganado la tácita aprobación de ella para su reinado. Al demostrar el respeto de Carlos a la reina, Chièvres había preparado el escenario para las Cortes de 1518-1519, las que declararían formalmente a Carlos rey en todos sus reinos españoles.

LAS CORTES DE 1518-1519

La precupación acerca de los derechos de Juana como reina propietaria en 1518-1519 reflejaba el temor a las actitudes borgoñonas hacia las leyes, las costumbres y los privilegios de Castilla y Aragón. Las Cortes, que representaban a ciudades y pueblos in-

---

[18] ADN Lille 17876 (Castille, Jeanne la Folle), El rey Carlos a la Chambre de Comptes, 14 de julio de 1517.
[19] ADN Lille 17876 (Castille, Jeanne la Folle), Gastos de la casa de Juana, 1 de octubre de 1501. ADN Lille 17876 (Castille, Jeanne la Folle), Gastos de la casa de Juana, 1 de abril de 1505.
[20] Laurent Vital, «Premier Voyage de Charles-Quint en Espagne», 200-201.

dividuales, así como a cada reino corporativo[21], proporcionaron los foros esenciales para los intentos de grabar tales preocupaciones en el rey aspirante. En Valladolid y Barcelona, Carlos encontró necesario hacer gestos conciliatorios a su madre, a los principales nobles e incluso a las tradiciones locales. A pesar de tales esfuerzos para ganar al pueblo español, la apresurada partida del nuevo rey en 1520 dejó la impresión de que Carlos valoraba más su herencia paterna que los reinos de su madre.

Después de visitar a Juana en Tordesillas, Carlos pasó muy cerca, a Valladolid, donde convocó las Cortes de Castilla y León. En enero de 1518, los delegados a estas Cortes, provenientes de dieciocho ciudades y pueblos, le presentaron a Carlos ochenta y ocho peticiones. Las primeras tres demandas de los representantes reflejaban su identificación con la reina y su descendencia. Primero, los delegados pedían «que la reyna, nuestra señora, esté con aquella casa e asiento que a su real magestad se deve, como a reyna e señora destos reynos» —presumiblemente un establecimiento bien patrocinado y bien gobernado que permitiría que Juana fuese accesible a sus súbditos. En respuesta, Carlos prometió mantener la casa de Juana, afirmando que «de ninguna cosa tiene mayor ni más prinçipal cuydado que de las que toca a la reyna, su señora»[22]. La segunda petición de los representantes exhortaba a Carlos a casarse y a tener un descendiente lo más pronto posible. Finalmente, los delegados pidieron que el hermano del rey, Fernando, permaneciese en España hasta que Carlos les proporcionase un heredero que asegurara la sucesión[23].

---

[21] Antes de morir, el rey Fernando dijo a los procuradores de las Cortes que «yo he deseado y me huelgo de fablaros a todos juntos como a todo el reyno pues lo representáys». AGS PR 69:50, El rey Fernando a los procuradores de las Cortes, sin fecha [junio de 1515].

[22] AGS PR 70:52, Capítulos de Cortes, 5 de enero de 1518. Una versión similar de las Cortes aparece en *Cortes de los Antiguos Reinos de León y Castilla*, La Real Academia de la Historia (ed.), Madrid, Sucesores de Rivadeneyra, 1882, IV, pp. 260-284.

[23] AGS PR 70:52, Capítulos de Cortes, 5 de enero de 1518. Se ordenó oficialmente al joven Fernando que viajara a los Países Bajos el 19 de abril de 1518, a pesar de la petición de las Cortes de que permaneciera en Castilla. El marqués de Denia recordó a Carlos que debía escribir a Fernando. AGS Estado 5-290, El marqués de Denia a Carlos, 27 de abril de 1518.

Por medio de tales peticiones, los representantes de las ciudades demandaban continuidad en el gobierno de sus reinos. Los delegados también expresaron quejas específicas contra los borgoñones. Además de la exportación de oro, plata y monedas de otras materias, ellos condenaban la alienación de puestos, beneficios, honras, fortalezas y propiedades a extranjeros como una política ruinosa[24]. La elección que hizo el nuevo rey del sobrino de Chièvres de diecisiete años, Guillaume de Croy, como arzobispo de Toledo, después de la muerte de Jiménez de Cisneros, había exacerbado el resentimiento acerca de ese caso. Mientras reclamaban que Croy residiera en sus reinos, los procuradores pidieron que sólo se nombrara a los nativos de Castilla en lo sucesivo. También pusieron de relieve la necesidad de que Carlos estableciera vínculos personales con sus nuevos súbditos, aprendiendo español y aceptando a castellanos dentro de su casa[25]. En pocas palabras, los delegados querían un monarca personal que favoreciera los intereses de sus reinos.

En respuesta a las demandas de los delegados en Valladolid, Carlos se ocupó de la casa de Juana aceptando dentro de su propio servicio a algunos de los partidarios más importantes del rey Fernando. El 15 de marzo de 1518, Carlos nombró oficialmente a don Bernardo de Sandoval y Rojas, marqués de Denia y conde de Lerma, gobernador no sólo de la casa de Juana sino también del pueblo de Tordesillas[26]. Jefe de una influyente familia de Valencia, don Bernardo había heredado el título que su padre había recibido por su servicio en la guerra de Granada. Confidente cercano del padre de Juana, don Bernardo se convirtió en el *mayordomo mayor* de Fernando en 1504, y entró en el Consejo Real en

---

[24] Incluso antes de que el rey llegara a Castilla, los representantes de las ciudades y los pueblos caracterizaron la alienación de puestos y la exportación de dinero como daños intolerables, que Carlos debía remediar de inmediato. Archivo Municipal de León (AML) legajo 15, n.º 392, «Ciertos capítulos e acuerdos que se asentaba entre Burgos y León y Salamanca y Valladolid sobre cosas tocantes al servicio de Dios y de Su. Magt. e el bien del reino», 28 de abril de 1517.

[25] AGS PR 70:53, Capítulos de Cortes con las respuestas, 1518.

[26] AGS Estado 33-112, Carlos al marqués de Denia, 15 de marzo de 1518. BN ms 1890, fol. 297, «Poder al marqués de Denia... para regir y administrar la casa de la Reina doña Juana en Tordesillas», 15 de marzo de 1518.

1512. El rey Fernando recompensó adicionalmente a don Bernardo nombrando a su hijo, don Luis, *contino* de la casa de Juana en 1514[27]. En 1516, el marqués fue un testigo de la última voluntad y testamento de Fernando antes de escoltar personalmente el ataúd del rey a Granada[28]. Después de depositar el cadáver de Fernando junto al de la reina Isabel, Denia ofreció sus servicios a Carlos[29]. La decisión de Carlos de nombrar a Denia como el encargado de la casa de Juana señalaba de esta manera una continuidad en el servicio desde Fernando hasta Carlos. Denia ayudaría a Carlos a legitimar su gobierno, y Carlos, a su vez, le permitiría al marqués mantener su posición privilegiada.

Aunque don Bernardo de Sandoval y Rojas recibió el título oficial de gobernador y administrador de la casa de Juana, en realidad compartió el puesto con su mujer, doña Francisca Enríquez. Miembro del poderoso y bien conectado clan de los Enríquez encabezado por el almirante de Castilla, la marquesa se había incorporado a la casa de la reina Isabel en 1504, poco antes del fallecimiento de la soberana[30]. Aunque la marquesa había servido poco más de cuatro meses, en 1515, el rey Fernando le restituyó y continuó dando su salario anual de 40.000 mrs.[31]. Bajo el reinado de Carlos, los Denia ganaban conjuntamente la impresionan-

---

[27] Como *contino* don Luis recibía salario y víveres equivalentes a 70.000 mrs al año — remuneración que reflejaba el deseo de Fernando de complacer al marqués. ADM caja 3 (leg. 245), n.º 153, El rey Fernando a los contadores mayores, 16 de marzo de 1514.

[28] Prudencio de Sandoval, *Historia de la Vida y Hechos del Emperador Carlos V,* II, i, 71; II, xii, 133. Apropiadamente, Carlos le pidió al marqués que acompañara el cadáver de su padre, Felipe, a Granada en 1525. AGS CSR 24-6/98, Carlos a Ochoa de Landa, 22 de agosto de 1525. AGS Estado 13-342, El marqués de Denia a Carlos, 14 de septiembre de 1525.

[29] ADM caja 4 (leg. 246), n.ᵒˢ 3, 9 y 11, Carlos al marqués de Denia, 7 de octubre de 1516, 17 de julio de 1517 y 8 de septiembre de 1517. Carlos, a su vez, le pidió al marqués y a su esposa, doña Francisca Enríquez, que apoyaran un matrimonio entre el pro-borgoñón conde de Cabra, don Luis de Córdoba, y la marquesa de Priego, una prima de doña Francisca. RAH A-50, fol. 21, Carlos a la marquesa de Denia, 18 de marzo de 1517.

[30] ADM caja 3 (leg. 245), n.º 101, Cédula de la Reina Católica, 15 de julio de 1514.

[31] ADM caja 3 (leg. 245), n.º 154, El rey Fernando a los contadores mayores, 29 de marzo de 1515. Es posible que Fernando haya renovado este salario para animar una futura boda entre la hija de doña Francisca, doña Magdalena de Rojas, y don Álvaro de Mendoza, el hijo mayor de don Rodrigo de Mendoza, conde de Castro,

te suma de 3.000 ducados, ó 1.125.000 mrs., al año[32]. Carlos jubiló al predecesor de ellos, Hernán Duque, con una pensión anual de 200.000 mrs. El nuevo rey también despidió al aya de Catalina, doña Beatriz de Mendoza, y a su marido, don Diego de Castilla, *caballerizo mayor*, quien había levantado sospechas en las sublevaciones locales después de la muerte de Fernando[33]. De esta manera Carlos se aseguró que los miembros principales de la casa de Juana favorecerían sus intereses.

Aparte de estos nombramientos y despedidas de alto nivel, Carlos evitó cambios inmediatos en el personal de la casa de Juana. A lo mejor adoptó esta política después del desastroso intento de sacar a Catalina del cuidado de su madre en enero de 1518. Al notar la desaparición de su hija, Juana empezó un ayuno que obligó a su hijo a devolver a Catalina a Tordesillas en menos de tres días[34]. Carlos ascendió al *repostero* flamenco de Juana, Bertrand de Fromont, que le había ayudado en el secuestro de Catalina, a *teniente de mayordomo*, pero se abstuvo de hacer más nombramientos[35]. En vez de ofender a Juana cambiando su personal, Carlos confió a Denia el gobierno de aproximadamente doscientos servidores que Fernando había nombrado para su hija desde 1507.

Habiendo satisfecho a dos familias nobles importantes y, de

---

con una dote de 7.500.000 mrs. AHN Osuna 1954:1 (5), Licencia para hipotecar el pueblo de Lerma, 12 de septiembre de 1514.

[32] ADM caja 4 (leg. 246), n.º 14, Cédula de Carlos en que remunera al marqués y a la marquesa de Denia, 29 de marzo de 1518. AGS Estado 33-113, Cédula de Carlos, 29 de marzo de 1518.

[33] La infanta Catalina había argumentado a favor de Mendoza y Castilla. ADN Lille B 18873, n.º 32071, Catalina a Margarita de Austria, 4 de agosto de 1516. La pareja recibió una pensión anual de 300.000 mrs., además de dos mulas para regresar a su casa. AGS CSR 16-5/351-354, Ayudas de costa de los oficiales de la casa de la reyna, 27 de julio de 1518.

[34] *Epistolario de Pedro Mártir de Anglería*, X, Epíst. 614. Prudencio DE SANDOVAL, *Historia de la Vida y Hechos del Emperador Carlos V*, II, xiv, p. 134. Laurent VITAL, «Premier Voyage de Charles-Quint en Espagne», pp. 214, 243-246.

[35] Laurent VITAL, «Premier Voyage de Charles-Quint en Espagne», p. 237-242. En el momento de la muerte de Mosén Luis Ferrer, el marqués de Denia pidió que Fromont ocupara el puesto de mayordomo, que había desempeñado en la práctica desde 1518. AGS Estado 10-60, El marqués de Denia a Carlos, 13 de octubre de 1522.

algún modo, asegurado la continuidad en la casa de Juana, Carlos abandonó Valladolid y se fue a Zaragoza, donde buscó su confirmación como rey de Aragón. Una vez más, Carlos se encontró obligado a complacer demandas locales. En el caso de que le permitieran tomar juramento en el cargo como cosoberano con su madre, Carlos prometió convocar las Cortes y permanecer en Aragón el tiempo que fuese necesario. A cambio de ser aceptado como rey propietario, en lugar de ser curador o administrador de Juana, Carlos se comprometió a satisfacer las demandas aragonesas y juró honrar los *fueros* de los reinos aragoneses[36]. Antes de recibir la noticia de la muerte del emperador Máximiliano el 22 de enero de 1519, Carlos dio por concluidas las Cortes de Zaragoza y partió para Barcelona[37].

En Barcelona, como en Zaragoza, Carlos prometió honrar los *fueros* a cambio del reconocimiento como rey. No obstante, hasta abril de 1519, el *Consell de Cent* municipal se negó a aceptar a Carlos como cosoberano. Invocando el testamento de Fernando, estos consejeros argumentaron que el «impedimento e indisposición» de Juana sólo le permitía a Carlos convertirse en su curador[38]. Los consejeros también objetaron el hecho de que Carlos había convocado sus *Corts* antes de jurar proteger las leyes y privilegios de Cataluña. Finalmente, los borgoñones acordaron suspender y convocar nuevamente las Cortes para obtener la aceptación como cosoberano[39]. Adhiriéndose al procedimiento, Carlos obtuvo el estatus real que deseaba.

---

[36] Carlos también les advirtió a los aragoneses que pediría un *servicio* (impuesto) para compensar los grandes gastos de su viaje. Archivo Municipal de Zaragoza (de aquí en adelante AMZ), Serie Facticia 20 (caja 7768), n.º 1, Carlos a los *jurados* de Zaragoza, 3 de mayo de 1518. AMZ, Serie Facticia 121 (caja 7877), n.º 1, «Juramento fecho por el Rey nuestro senyor», 1518.

[37] Ricardo GARCÍA CÁRCEL, «Las Cortes de 1519 en Barcelona, una opción revolucionaria frustrada», *Homenaje al Dr. D. Juan Reglà Campistol,* Valencia, Universidad de Valencia, 1975, p. 240.

[38] Arxiu Històric Municipal de Barcelona (de aquí en adelante AHMB) Concell de Cent, II-44, fol. 16v-17, «Jura del rey», 19 de marzo de 1519.

[39] Para una excelente discusión sobre las Cortes de Barcelona véase Ángel CASALS I MARTÍNEZ, *Emperor i Principat: Catalunya i les seves relacions amb l'imperi de Carles V (1516-1543),* Universitat de Barcelona, Tesis Doctoral, 1995, esp. pp. 86-134.

Durante las *Corts* de Barcelona, Carlos hizo tentativas adicionales para conseguir el apoyo local. Como Ángel Casals ha demostrado, el discurso real a las Cortes catalanas, pronunciado el 15 de febrero y repetido, en resumen, el 13 de mayo, recalcaba los propósitos que compartían Carlos, sus antecesores aragoneses y sus antepasados borgoñones. Este discurso proponía una lucha en todos los flancos contra los turcos por hacerse con el control del Mediterráneo[40]. En apoyo de la misma meta, Carlos convocó una reunión de la *Toison d'Or* en la Catedral de Barcelona ese mismo marzo e introdujo a diez grandes españoles, incluyendo al duque de Cardona, un destacado noble catalán[41]. No obstante, muchos españoles encontraban que tales concesiones eran una evidencia inadecuada del compromiso del nuevo rey con sus tierras e intereses, a los que continuaban identificando con Juana.

La noticia de que Carlos había sido elegido Sacro Emperador Romano el 28 de junio llegó a Barcelona el 7 de julio[42]. Ansioso por recibir la corona imperial, Carlos produjo indignación con el envío de Adriano de Utrecht a Valencia para celebrar las Cortes en su nombre. En una decisión igualmente controvertida, el nuevo emperador también anunció que a partir de ese momento la

---

[40] Ángel CASALS, *Emperor i Principat*, pp. 99-101.

[41] Siete nobles castellanos (don Fadrique Enríquez, almirante de Castilla; don Fadrique de Toledo, duque de Alba; don Diego López Pacheco, marqués de Villena; don Diego Hurtado de Mendoça, duque de Infantado; don Íñigo Velasco, duque de Frías y condestable de Castilla; don Álvaro de Zúñiga, duque de Béjar; don Antonio Manrique, duque de Nájera), dos aragoneses (don Fernando Ramón Folch, duque de Cardona; don Álvaro Pérez Osorio, marqués de Astorga) y un napolitano (don Pedro Antonio de San Severino, príncipe de Bisigniano y San Marco) recibieron el prestigioso collar en 1519. Barón DE REIFFENBERG, *Histoire de l'ordre de la Toison d'Or*, Bruxelles, Fonderie et Imprimerie Normales, 1830, pp. 346-347.

[42] Para ganar las elecciones imperiales, Carlos había prometido dar en matrimonio a Germaine de Foix al marqués de Brandenburg, y a su hermana, Catalina, al hijo del duque de Sajonia. Prudencio DE SANDOVAL, *Historia de la Vida y los Hechos del Emperador Carlos V*, II, xxxiii, fol. 146. AGS Estado 6, fol. 32, Carlos al marqués de Denia, 12 de febrero de 1512. ADM caja 4 (leg. 246), n.º 26, Carlos al marqués de Denia, 27 de mayo de 1519. British Library, Add. ms. 28572, fol. 212, «Reclamación y revocación de la infanta Catalina contra el matrimonio que fue contractado por ella y el emperador con Johan Frederic, hijo del Duque de Saxonia», 2 de julio de 1520.

correspondencia oficial otorgaría prioridad a su título imperial
sobre la dignidad real de su madre. Una vez más, Carlos tuvo que
insistir en que estas medidas no perjudicarían ni a Juana ni a España. El nuevo emperador explicó que exigencias de la razón más
que deseos personales lo llevaron a favorecer el título imperial.
Con respecto a la reina Juana, Carlos repitió: «Con toda reverencia e acatamiento la honramos y deseamos acatar y honrar». Luego, Carlos afirmó que los reinos españoles mantendrían su independencia política. Con una autoridad que sobrepasaba a la de su
madre, Carlos gobernaría España como rey y Alemania como emperador[43].

FICCIONES DEL RÉGIMEN DE LOS DENIA

Gracias al marqués de Denia, Juana desconocía las experiencias de su hijo en Valladolid, Zaragoza y Barcelona. La correspondencia entre Denia y Carlos —considerada aquí desde ambas
perspectivas por primera vez— sugiere que el rey y el marqués
desarrollaron una estrategia complicada para gobernar a Juana y
sus reinos, minimizando la comunicación entre ellos. Los esfuerzos de Denia para aislar a la reina suponían restringir sus movimientos, controlar las personas a su alrededor y deformar la información que ella recibía acerca del mundo exterior. Aunque
Carlos animaba al marqués a engañar a su madre, el rey aprobaba el uso de fuerza física con Juana sólo como un último recurso.
Al ser el gobernador de la casa de Juana, Denia servía como
intermediario entre Juana y Carlos. Con la aprobación del rey,
Denia inventó un mundo ficticio para Juana. Él afirmaba, por
ejemplo, que el rey Fernando y el emperador Maximiliano seguían vivos, animando a Juana a que les escribiera[44]. Denia, en-

---

[43] AMC caja 3, doc. 6, Carlos a la ciudad de Córdoba, 5 de septiembre de 1519.
RAH Salazar N-44, fol. 545, «Carta del emperador Carlos V en la que justifica el
haberse antepuesto a su madre en todos los documentos oficiales», 5 de septiembre
de 1519.
[44] AGS Estado 5-343 y 344, El marqués de Denia a Carlos, sin fecha [finales de
1519].

tonces, dependía de las damas y los *monteros* (guardias reales) de Juana para confirmar sus historias acerca de los parientes y reinos de Juana. Sin embargo, la habilidad falsificadora del gobernador y su énfasis en la discreción sugieren que él también puede haber manipulado la información que acerca de Juana estaba disponible para Carlos. Los historiadores anteriores, empezando con G.A. Bergenroth, han entendido las cartas de Denia como un informe directo y simple de su interacción con la reina. En contraste, el siguiente análisis, en vez de confiar por completo en las palabras de Denia, las considera según el deseo de don Bernardo de promocionar a su familia.

Los oficiales que Denia supervisaba desde más cerca formaban dos círculos de seguridad alrededor de la reina, que la separaban del mundo exterior. Aunque la corte real idealmente facilitaba el contacto del soberano con sus súbditos, el marqués y Carlos parecían determinados a que la casa de Juana sirviese la función opuesta. Para cumplir con esta misión, Denia consideraba a las damas y a los *monteros* de Juana indispensables, informándole al rey repetidas veces que las reformas que se consideraran para la casa de Juana deberían dejar a las mujeres y a los *monteros* sin tocar[45].

Doce damas que atendían las necesidades personales de Juana eran la primera barrera entre la reina y el mundo exterior. El marqués dependía de estas mujeres, dirigidas por su esposa, doña Francisca, para limitar los movimientos de la reina y para mantenerla aislada. Aparentemente ofendida por el papel de las mujeres, Juana presuntamente atacó a dos de ellas con una escoba, en abril de 1518, poco después de que Carlos se marchó de Valladolid. Según

---

[45] AGS Estado 5-303, El marqués de Denia a Chièvres, 27 de mayo de 1518. El cardenal Cisneros, antes de su muerte el 8 de noviembre de 1517, había animado a Adriano de Utrecht a que reformara la casa real, eliminando los puestos creados desde la muerte de la reina Isabel. BN Paris, Manuscrit Espagnol 143, fol. 44-48v, Instrucciones del cardenal Cisneros a Adriano de Utrecht, sin fecha [septiembre u octubre de 1517]. Adriano aparentemente empezó pero nunca terminó este tarea, debido en parte a la interferencia de Denia. AGS Estado 5-320, 317 y 312, El marqués de Denia a Carlos, 23 de septiembre de 1518, 18 de octubre de 1518 y 29 de octubre de 1518; Estado 6-132, El marqués de Denia a Chièvres, 8 de enero de 1519; Estado 5-302, Carlos al marqués de Denia, 27 de mayo [¿1519?].

el marqués, Juana afirmaba que «no podía sufrir aquellas muje-res»[46]. Denia, por su parte, procuró aumentar su control sobre ellas. Después de vivir en Tordesillas varios meses, Denia desarrolló sus propias objeciones a las mujeres que servían a Juana. Al infor-mar que ciertas damas salían del palacio demasiado a menudo, el marqués se quejaba de que «No ay boda ni bautismo ni mortuorio que les toque en la quarta generación a que no van»[47]. Denia expli-caba que las mujeres que cuidaban a la reina compartían los secre-tos de palacio con sus maridos, parientes y amigos. En particular, el marqués afirmaba que unos consejeros reales le habían escrito acer-ca de informaciones que ellos sólo podían haber recibido de Leonor Gómez, una de las criadas de Juana[48]. Para hacer las cosas peores, Denia sostenía, las damas regresaban con información del mundo exterior que «desasosegaba» a la reina. Para dar remedio a esta si-tuación, Denia solicitó poderes para despedir y nombrar a las muje-res que servían a Juana[49]. En lugar de otorgar al marqués tal autori-dad, Carlos envió a las damas de Juana órdenes de obedecer a Denia y a su mujer[50]. Carlos también permitió a Denia que colocara a su hermana, doña Elvira de Rojas, junto a Juana. Empezando con su esposa y su hermana, el marqués —como Ferrer antes que él— co-menzó a rodear a la reina con miembros femeninos de su propia fa-milia[51]. Denia parece haber encontrado una estrategia efectiva para gobernar a la reina en la promoción de sus parientes y clientes[52].

---

[46] AGS Estado 5-331, El marqués de Denia a Carlos, 6 de abril de 1518.

[47] AGS Estado 5-339, El marqués de Denia a Carlos, 30 de julio de 1518.

[48] AGS Estado 5-339, El marqués de Denia a Carlos, 30 de julio de 1518.

[49] AGS Estado 5-339, El marqués de Denia a Carlos, 30 de julio de 1518.

[50] ADM caja 4 (leg. 246), n.º 31, Carlos a las acompañantes de Juana, 14 de ene-ro de 1520. Al mismo tiempo, el rey les pidió a los Denia que favorecieran a Leo-nor Gómez por sus servicios y los de su marido. RAH A-50, fol. 21v, Carlos al mar-qués de Denia, 30 de diciembre de 1518 [?]. RAH Salazar A-50, fol. 22, Carlos al marqués de Denia, 14 de enero de 1520.

[51] AGS Estado 5-331, El marqués de Denia a Carlos, 27 de diciembre de 1519. ADM caja 4 (leg. 246), n.º 35, Carlos a Doña Elvira de Rojas, 11 de abril de 1520.

[52] Tratando de recompensar a una sirviente leal a él, el marqués buscó favores reales para María de Cartama, su marido, Lope de Ordás, y su hijo. AGS Estado 5-146, El marqués de Denia a Chièvres, sin fecha [julio de 1518]. AGS Estado 5-329, El marqués de Denia a Carlos, 30 de noviembre de 1518. AGS Estado 5-333, Car-los al marqués de Denia, 8 de diciembre de 1518. AGS Estado 5-291, El marqués de Denia a Carlos, 14 de marzo [1520].

Después de las damas de Juana, veinticuatro guardias reales o *monteros de Espinosa*[53] circunscribieron a la reina. Denia espera-ba que estos guardias de élite, que servían doce al mismo tiempo, previnieran a cualquiera de acercarse a Juana sin su aprobación expresa[54]. A su vez el marqués les garantizó los salarios, víveres, vestuarios y colchones que tradicionalmente se les concedía[55]. Para asegurarse de su lealtad, Denia protegía los puestos de los *monteros* y les prometía emplear a sus hijos, recordándole a Car-los que «puesto que vuestra magestad haze tanta confianza dellos no me parece que es razón de agraviarlos en nada.» Con respec-to a la guardia de élite así como a otras posiciones en la casa, De-nia le recordaba sin cesar a Carlos que los hijos deben heredar los oficios de sus padres[56].

Mientras Denia apretaba los círculos de seguridad alrededor de Juana, la reina, por su parte, intentaba burlarlos. Según Denia, Juana solicitó una reunión con los grandes para remediar su si-tuación. Escuchando las «buenas palabras» de la reina, Denia afirmaba «que me espanta como las dize quien está como su alte-za»[57]. El marqués también informó que Juana le rogó repetida-mente que le diera permiso para asistir a los servicios religiosos en el Real Monasterio de Santa Clara, lo que él se negó a conce-

---

[53] Los *monteros de Espinosa* tomaron su nombre del pueblo de origen de uno de los miembros fundadores, el cual había recibido reconocimiento por salvarle la vida a don Sancho, tercer conde de Castilla. Gonçalo FERNÁNDEZ DE OVIEDO, *Li-bro de la Cámara Real del Prínçipe don Juan*, pp. 126-129. Pedro DE LA ESCALERA GUEVARA, *Origen de los Monteros de Espinosa. Su Calidad, Exercicio, Preeminencias, Esenciones*, Madrid, Francisco Martínez, 1632, pp. 13-14.

[54] Beltrán de Fromont, teniente de mayordomo, y Guillem Punçon, repostero de camas, eran algunos de los pocos sirvientes a los que se les permitía interactuar con la reina. Carlos les envió a Fromont y Punçon instrucciones de obedecer las ór-denes recibidas del marqués de Denia, «como sy yo mysmo en persona vos lo man-dase.» ADM legajo 246 (caja 4), núm. 25. Carlos a Beltrán de Fromont y Guillem Punçon, 28 de abril de 1519.

[55] AGS CSR 56-1, Regulaciones de Fernando e Isabel para los monteros de Es-pinosa, 19 de septiembre de 1495. AGS CSR 17-5/380, El marqués de Denia a Ochoa de Landa para los monteros, 15 de febrero de 1525.

[56] AGS Estado 5-305, El marqués de Denia a Chièvres, 12 de junio de 1519.

[57] AGS Estado 5-311, El marqués de Denia a Carlos, 6 de abril de 1518. Cuan-do Juana volvió a recordar el tema, Denia le dijo que todos los grandes habían hui-do de la provincia debido a la peste. AGS Estado 6-5, El marqués de Denia a Car-los, 6 de julio de 1519.

derle[58]. Informado del deseo de Juana de visitar el convento vecino, Carlos estuvo de acuerdo en que ella debía permanecer en el
palacio real[59]. El rey, sin embargo, insistió en que el forzado con-
finamiento de Juana no debía ser un obstáculo para sus obligaciones religiosas. Como Juana se negaba a escuchar misa en sus
cámaras[60], después de una confrontación de sus voluntades que
duró tres meses, el marqués permitió de mala gana a la reina que
entrara en un corredor exterior para ese propósito[61]. Juana había
ganado una pequeña victoria dentro de los límites de su palacio.

La entrada de la peste en Tordesillas en agosto de 1518, y nuevamente en mayo de 1519, obligó a que Carlos y Denia formularan unos planes para que Juana evacuara el pueblo. Temiendo
que la reina pudiera negarse a abandonar Tordesillas, Carlos y
Denia desarrollaron unos métodos muy elaborados para evitar tener que recurrir a la coacción física. Ante todo, el rey recomendó
que Denia vigilara rigurosamente el pueblo y el palacio para prevenir la propagación de la enfermedad. Carlos ordenó a Denia
que, si Juana tuviera que trasladarse y quisiera llevarse el cadáver
de su marido, construyera una copia del ataúd, ya que él esperaba enviar pronto el cuerpo de Felipe a Granada[62]. Como otra estrategia para vencer la potencial resistencia de Juana, Carlos pidió al marqués que le recalcara el peligro que entrañaba la plaga
para la salud de Catalina. Por otra parte, Carlos ordenó a Denia
que, si la reina deseaba viajar a Valladolid, Medina del Campo u
otra ciudad principal, le informara a ella que la pestilencia había
dejado aquellos lugares despoblados. El rey, además, aconsejó al
marqués que preparara a Juana para el traslado, diciéndole que

---

[58] AGS Estado 5-311, 302, 346 y 337, El marqués de Denia a Carlos, sin fecha
[6 de abril de 1518], 27 de mayo de 1519, 26 de abril de 1519 y 26 de septiembre
de 1519.
[59] AGS Estado 5-294, Carlos al marqués de Denia, 19 de abril [1518]. ADM
caja 4 (legajo 246), núm. 16, Carlos al marqués de Denia, 12 de junio de 1518.
[60] AGS Estado 5-299, El marqués de Denia a Carlos, 22 de junio [1518].
[61] AGS Estado 5-315, El marqués de Denia a Carlos, 13 de septiembre de 1518.
[62] AHN Osuna 2116, n.° 4, Carlos al marqués de Denia, 24 de agosto de 1518.
Denia, no obstante, argumentó que una imitación del ataúd era más arriesgada que
necesaria, especialmente si Juana quería verlo abierto. AGS Estado 5-346, El marqués de Denia a Carlos, 26 de abril de 1519.

las personas contagiadas por la plaga morían en dos días. Para hacer la historia más convincente, Denia tenía que ordenar a los clérigos que se pasearan con unas cruces al costado del palacio real varias veces al día, como si llevaran muertos a enterrar[63]. Aun cuando Denia temía que sacar a Juana de Todesillas requeriría violencia[64], el rey autorizó tales medidas sólo como último recurso[65]. A la inversa, Carlos no sólo permitió, sino que ordenó al marqués que encerrara a Juana en un mundo ficcional.

Denia rápidamente cumplió con la mayoría de las órdenes del rey. En el caso de que la peste realmente requiriera que Juana abandonara Tordesillas, el marqués reunió información acerca de los pueblos cercanos con casas apropiadas para su «recogimiento»[66]. Cuando Carlos recomendó que Juana viajara a Arévalo, Denia observó que la reina no aceptaría ese destino, debido a su fortaleza y al anterior encierro de su abuela allí. Sin embargo, se ofreció a engañar a la reina llevándola a Arévalo y afirmando que era algún otro pueblo[67]. Cuando Juana expresó el deseo de ir a Valladolid, Denia le explicó que no podía, porque esa ciudad estaba infestada de la plaga[68]. Varios meses después, la reina reiteró su deseo de visitar Valladolid. Denia le informó que la mortalidad en la ciudad vecina permanecía alta, y aseguró a Carlos, «aunque estuviera sana le diría que morían»[69].

Mientras reunía información acerca de otros lugares, el mar-

---

[63] ADM caja 4 (legajo 246), n.º 20, Carlos al marqués de Denia, 30 de octubre de 1518.

[64] AGS Estado 5-308, El marqués de Denia a Carlos, 10 de agosto [1518]. AGS Estado 5-346, El marqués de Denia a Carlos, 26 de abril de 1519.

[65] AHN Osuna 2116, n.º 4, Carlos al marqués de Denia, 24 de agosto de 1518, copiado en BN ms. 2058, fol. 164. ADM caja 4 (legajo 246), n.º 19, Carlos al marqués de Denia, 2 de octubre de 1518. AGS Estado 5-300, El marqués de Denia a Carlos, 12 de mayo de 1519.

[66] AGS Estado 5-315, El marqués de Denia a Carlos, 13 de septiembre de 1518. AGS Estado 5, núm. 324, El marqués a Carlos, 4 de noviembre de 1518. En una carta posterior recomendando una reducción del personal de Juana, Carlos se refirió a la reina como «yndispuesta e rrecogida», AGS CSR 56-931, Carlos al marqués de Denia, 11 de septiembre de 1523.

[67] AGS Estado 5-300, El marqués de Denia a Carlos, 12 de mayo de 1519.

[68] AGS Estado 5-301, El marqués de Denia a Carlos, sin fecha [mayo de 1519]. Para las instrucciones de Carlos sobre este tema, véase «Apéndice II».

[69] AGS Estado 6-5, El marqués de Denia a Carlos, 6 de julio de 1519.

qués trabajaba continuamente para prevenir la propagación de la plaga en Tordesillas. Cerró todas las entradas de la ciudad excepto dos, donde puso unos *monteros* para prohibir que los comerciantes y viajeros que venían de áreas infectadas entraran en la ciudad[70]. Cuando algunos individuos de la localidad murieron a causa de la peste, el marqués, en un desesperado esfuerzo por prevenir más contagio, ordenó que sus casas fueran cerradas herméticamente y que sus familias fueran expulsadas de Tordesillas[71]. Lamentando esa política —que implicaba el uso de fuerza, o *premia*— el marqués declaró que él personalmente había compensado a algunos de los pobres arrojados de sus casas[72]. La expulsión de estos súbditos, combinada con otros esfuerzos de Denia, permitió a Juana quedarse en Tordesillas y ayudó a asegurar su aislamiento.

Las representaciones de la peste abarcaban sólo un aspecto del mundo ficcional que Carlos y Denia crearon para Juana. Inicialmente, cuando Juana preguntaba por «el príncipe», o Carlos, Denia le explicaba que se había ido a Aragón «porque en aquel reyno se ofrecyeron algunos escándalos, los cuales vuestra alteza, con su presencya, a remedyado», y no a recibir la confirmación como rey[73]. Siguiendo una sugerencia de Carlos[74], en otoño de 1519, Denia informó a Juana que el emperador Maximiliano había abdicado el título imperial a favor del hijo de Juana y se había retirado a un monasterio, como si con ello nutriera el *recogimiento* paralelo de Juana. El marqués incluso apremió a Juana a

---

[70] AGS Estado 5-308, El marqués de Denia a Carlos, 10 de agosto de 1518. AGS CSR 16-5/460, El marqués de Denia a Ochoa de Landa, 4 de septiembre de 1518. AGS CSR 18-2/81, El marqués de Denia a Ochoa de Landa, 1 de febrero de 1519.

[71] AGS Estado 5-312, El marqués de Denia a Carlos, 29 de octubre de 1518.

[72] AGS Estado 5-322, El marqués de Denia a Carlos, 19 de septiembre de 1519. AGS Estado 5-336 y 337, El marqués de Denia a Carlos, 26 de septiembre de 1519. De acuerdo con los deseos de Denia, Carlos dio las gracias al pueblo por su cooperación. AGS Estado 5-286, El marqués de Denia a Carlos, 20 de abril de 1519. Archivo Provincial de Valladolid, Sección Histórica 265, n.º 63, Carlos al pueblo de Tordesillas, 5 de mayo de 1519.

[73] AGS Estado 5-311, El marqués de Denia a Carlos, 6 de abril de 1518.

[74] ADM caja 4 (leg. 246), n.º 29, Carlos al marqués de Denia, 15 de septiembre de 1519.

que escribiera a los ya fallecidos Maximiliano y Fernando, actos que habrían atestiguado su «locura»[75]. En vez de aceptar semejante trampa, en ambos casos Juana pidió a Denia que escribiera en su nombre[76]. Cuando Juana preguntó por su hijo menor, Fernando, Denia le dijo que se había marchado a Flandes y que probablemente se casaría con una hija del rey de Francia[77]. Fuera que el marqués se arrepintiera de engañar a Juana o no, en dos ocasiones le pidió a Carlos que destruyera las cartas hológrafas que relataban tales intercambios con la reina, para eliminar la evidencia de sus esfuerzos por desorientar a Juana e incluso, tal vez, a Carlos[78]. Para impedir que Juana recibiera información contradictoria o buscara aliados, el marqués y el rey estuvieron de acuerdo en que ningún servidor, excepto Denia, podía hablar con ella[79].

Aunque Denia ejercía un control directo sobre las damas y los guardias de Juana, le fue imposible evitar que otros oficiales de la casa se comunicaran con la reina. Cuando la hija de Juana, Catalina, sufrió los efectos de la «sarna», el marqués se vio obligado a admitir al médico de Juana, Nicolás de Soto, para que tratara a la infanta. En tales circunstancias, Denia no pudo impedir que Soto hablara con la reina[80]. Juana, además, violó los círculos de seguridad de Denia al llamar a su *despensero mayor*, Fernando de Arzeo (un oficial más tarde implicado en la sublevación de los Comuneros[81]), tantas veces, que el marqués admitió que no siempre podía evitar el contacto entre Juana y Arzeo[82]. Finalmente, en oc-

---

[75] AGS Estado 5, fols. 340 y 341, El marqués de Denia a Carlos, sin fecha [octubre de 1519].

[76] AGS Estado 5-287, El marqués de Denia a Carlos, sin fecha [mayo de 1520].

[77] AGS Estado 5-343 y 344, El marqués de Denia a Carlos, sin fecha [finales de 1519].

[78] AGS Estado 5-301, El marqués de Denia a Carlos, sin fecha [mayo de 1519]. AGS Estado 5, fols. 343 y 344, El marqués de Denia a Carlos, sin fecha [finales de 1519].

[79] ADM caja 4 (leg. 246), n.º 27, Carlos al marqués de Denia, 5 de julio de 1519. RAH Salazar A-50, fol. 22, Carlos al marqués de Denia, 14 de enero de 1520.

[80] AGS Estado 6-5, El marqués de Denia a Carlos, 6 de julio [1519].

[81] AGSCSR 56-546, «Información de servicios de otros oficiales de la Reyna...», sin fecha [1521].

[82] AGS Estado 6-5, El marqués de Denia a Carlos, 6 de julio [1519].

tubre de 1519, la reina se negó a comer hasta que Denia le permitiera hablar con su tesorero, Ochoa de Landa. Las drásticas tácticas de Juana no le dejaron al marqués otra alternativa que poner al día a Ochoa acerca del mundo ficcional de Juana y admitir que entrara en su cámara. Para comprobar las afirmaciones de su gobernador, la reina le hizo preguntas a Ochoa acerca del paradero de su padre. El tesorero confirmó la versión de Denia de los acontecimientos y declaró que el rey Fernando se había marchado a Málaga[83]. A pesar de la colaboración de Ochoa, Juana parecía cuestionar aspectos del encierro ficcional que Denia y Carlos crearon para ella. Afirmando que Juana «dize palabras para levantar las pyedras», el marqués también solicitó y recibió una cifra real para minimizar el riesgo de que los oponentes de Carlos interceptaran su correspondencia[84].

Es probable que Denia haya enfatizado los peligros de su contacto con Juana, por lo menos parcialmente, para animar a que Carlos recompensara su dedicado servicio[85]. Como gobernador de la casa de la reina, el marqués se beneficiaba de su acceso privilegiado al rey. Además de su salario como gobernador, Denia recibía una subvención anual discrecional de 300.000 mrs. para

---

[83] AGS Estado 5-323, El marqués de Denia a Carlos, sin fecha [octubre de 1519].

[84] AGS Estado 5-340 y 341, El marqués de Denia a Carlos, sin fecha [octubre de 1519]. RAH Salazar A-50, fol. 22, Carlos al marqués de Denia, 14 de enero de 1520.

[85] Entre otras posiciones, el marqués solicitó el obispado de Burgos para su hijo, don Diego, y el puesto de *maestresala* de Catalina para su sobrino, Hernando de Tovar. AGS Estado 5-330, El marqués de Denia a Carlos, sin fecha [noviembre de 1518]. AGS Estado 6-10, El cardenal Adriano a Carlos, 7 de junio de 1519. Las frecuentes referencias en la correspondencia de Denia a su pariente Alonso de Cabeças y al secretario Pedro de Aranz, que trabajaron como sus mensajeros personales, sugiere que Denia manejaba verbalmente la mayoría de las solicitudes de patrocinio. AGS Estado 5-298, El marqués de Denia a Chièvres, 7 de abril de 1518. AGS Estado 5-303, El marqués de Denia a Chièvres, 27 de mayo de 1518. Mientras cultivaba clientes leales, el marqués también buscó mayor autoridad sobre las tropas reales comandadas por su hermano, don Hernando de Sandoval — solicitando permiso para traslados, despidos y nombramientos a su voluntad, todo lo cual Carlos se lo denegó. AGS Estado 5-326 y 327, Memorial del marqués de Denia, sin fecha [noviembre de 1518]. ADM caja 4 (legajo 246), núm. 24, Carlos al marqués de Denia, 3 de abril de 1519.

los gastos de la casa en Tordesillas[86], 225.230 mrs. debidos por impuestos a sus tierras en 1519 y 5.375.000 mrs. en impuestos generales votados en La Coruña al año siguiente[87]. El marqués también consiguió incluso seguir recibiendo 100.000 mrs. al año como consejero real[88]. No obstante estas remuneraciones, Denia informó a Carlos que sus obligaciones como gobernador requerían gastos que, a pesar de todo, excedían sus ingresos[89]. Las cartas que escribía ostensiblemente sobre Juana, le daban a Denia frecuentes oportunidades para animar a Carlos a recompensar su lealtad.

Molesto por las sublevaciones populares por toda Castilla en 1520, Denia recomendó que Carlos actuase para sofocar la naciente rebelión de los Comuneros. Ante todo, el marqués sugirió que Carlos incentivase a los grandes a que se alejaran de las ciudades y pueblos rebeldes y actuaran como intermediarios. Los rebeldes reconocerían, entonces, su aislamiento y la capacidad de los poderosos para castigarlos en nombre del emperador. En segundo lugar, el marqués pidió a Carlos que publicara cualquier acuerdo con el rey de Inglaterra —una alianza que Denia siempre había fomentado— para ganar apoyo entre los castellanos[90]. Un pacto para que Carlos se casara con María Tudor, otra de las nietas de la reina Isabel, prometería los futuros herederos solicitados

---

[86] AGS Estado 5-334, Carlos al marqués de Denia, 20 de noviembre de 1518.

[87] ADM caja 4 (legajo 246), núm. 29, Carlos al marqués de Denia, 15 de septiembre de 1519. Como los impuestos votados en la Coruña nunca fueron pagados, el marqués solicitó esos mismos fondos provenientes de sus rentas ordinarias para la dote de su hija, doña Magdalena. AGS PR 5:293, El marqués de Denia a Carlos, 25 de enero de 1522.

[88] AGS Estado 5-315, El marqués de Denia a Carlos, 13 de septiembre de 1518. El marqués también pidió a Chièvres que apoyara sus derechos a continuar recibiendo un salario por servir en el Consejo Real. AGS Estado 6-132, El marqués de Denia a de Chièvres, 8 de enero de 1519. Aunque Carlos inicialmente afirmó que el salario de Denia como gobernador incluía los 100.000 mrs. que había pedido, Carlos dio órdenes que pagaran al marqués unos 100.000 mrs. adicionales al año después de la tercera visita del emperador a Tordesillas. AGS Estado 5-334, Carlos al marqués de Denia, 20 de noviembre de 1518. ADM caja 4 (leg. 246), n.ᵒˢ 32, 33 y 42, Carlos a sus Contadores Mayores, 4 de abril de 1520 y 24 de agosto de 1520.

[89] BN ms. 1778, fol. 42v-43v, El marqués de Denia a Carlos, 6 de julio de 1520.

[90] AGS Estado 5-300, El marqués de Denia a Carlos, 12 de mayo de 1519.

en las Cortes de 1518 y desviaría la atención de Juana[91]. Y por último, Denia advirtió a Carlos de los deseos de los rebeldes de llevarse a Juana de Tordesillas a otro pueblo, donde ellos podían consultar con ella[92]. El marqués se dio cuenta de que el alboroto político amenazaba con hacer explotar el mundo ficticio de Juana.

Semanas más tarde, Denia informó a Carlos que las ciudades rebeldes habían votado trasladar a Juana de Tordesillas a Toledo. Según Denia, la situación amenazaba no sólo a Carlos sino también a su corona, ya que los rebeldes podrían persuadir a la reina a que cometiese «algún error que fuese peor que todo.» Refiriéndose a la doble identidad del rey, Denia lamentaba la falta de «acatamiento y verguença de vuestra magestad como a su corona». El marqués animó a Carlos a que regresase a Castilla para pacificar la situación inmediatamente después de recibir la corona imperial. Además, Denia le aseguró a Carlos que Dios lo había escogido para gobernar «en tan tierna hedad tantos reynos y señoríos», y que «las grandes cosas no se pueden tener ni conserbar sino con grandes trabajos». El marqués servía a los Denia y a los Austrias, si no a Juana.[93]

DECEPCIONES COMUNERAS

Denia había pronosticado correctamente rebeliones por toda Castilla. La partida de Carlos de La Coruña el 20 de mayo de 1520, después de pedir un gran impuesto extraordinario, fue el catalizador. El nombramiento que hizo el nuevo emperador de un extranjero, Adriano de Utrecht, para que gobernara Castilla en su ausencia violaba su juramento de reservar los oficios para los nativos y provocó aún más cólera. Presentándose como una *Santa*

---

[91] El Conde de Benavente, por otra parte, indujo a los Comuneros para que su demanda más importante fuera el matrimonio de Carlos con doña Isabel, infanta de Portugal. Arquivo Nacional da Torre do Tombo, Lisboa, Corpo Cronológico Parte I, Maço 26, n.° 69, El embajador João Rodriguez al rey Manuel, 19 de septiembre de 1520.

[92] BN ms. 1778, fol. 42v-43v, El marqués de Denia a Carlos, 6 de julio de 1520.

[93] BN ms. 1778, fol. 44-45v, El marqués de Denia a Carlos, 27 de julio de 1520.

Junta, los representantes de determinadas ciudades y pueblos se unieron para defender los intereses de sus reinos corporativos[94]. Considerando a la reina Juana, como a sus reinos, víctima de la rapacidad flamenca, los Comuneros defendían sus derechos como soberana. Juana, mientras que usó a los Comuneros para expulsar a su gobernador y a sus *dueñas* del palacio real, encontró cada vez mas difícil identificar los intereses de los rebeldes con los de ella. Finalmente, la reina decepcionó a los Comuneros al apoyar los derechos de su familia. Los rebeldes, por su parte, demostraron ser no más honestos que Denia.

Preocupados de que los Comuneros afirmaban actuar en nombre de Juana, el presidente y varios miembros del Consejo Real fueron a Tordesillas en agosto de 1520. Presentaron a Juana un decreto que condenaba a los rebeldes y le pidieron que lo firmase. Sin embargo, Juana, que finalmente recibió la confirmación de la muerte de su padre, usó la ocasión para criticar al marqués de Denia por engañarla. Una vez informada correctamente acerca del estado de sus reinos, Juana pidió a los consejeros que volviesen otro día. En una segunda reunión privada de seis horas, la reina y los consejeros se pusieron de acuerdo en que los consejeros viajarían a Valladolid, consultarían a sus colegas y prepararían diferentes disposiciones para que Juana las firmase. No obstante, antes de que los consejeros reales pudiesen regresar a Tordesillas, el pueblo se alzó contra ellos y convocó a los capitanes de los Comuneros[95].

El 29 de agosto de 1520, los capitanes de los Comuneros llegaron a Tordesillas con el objetivo declarado de jurar lealtad a la reina. Ciertos miembros de la casa de Juana dieron la bienvenida a los rebeldes, y los *monteros* de la reina dejaron de combatir a los intrusos[96]. Desde un corredor del palacio que daba a la plaza

---

[94] José Antonio MARAVALL, *Las Comunidades de Castilla: Una primera revolución moderna*, Madrid, Alianza Editorial, 1984, orig. 1963, pp. 101-103, 107-127. Haciéndose eco de las Cortes de 1518, estos rebeldes demandaban oficios y beneficios para los nativos de Castilla y se oponían a la salida de dinero.

[95] Prudencio DE SANDOVAL, *Historia de la Vida y Hechos del Emperador Carlos V*, VI, xxv-xxvi, fols. 271-278.

[96] Drásticamente superados en número, los *monteros* tampoco tenían la artillería, ya que las fuerzas de los Comuneros se habían apoderado de ella en Medina del Campo. Denia después atribuyó la inmovilidad de los guardias a la avanzada edad

donde se reunieron sus tropas, Juana saludó a los capitanes y «manifestamente paresció mandarles subir a donde su alteza estaba»[97]. Juan de Padilla, el líder toledano e hijo del capitán general de Castilla de la reina Isabel, se dirigió a Juana de rodillas. Le explicó que los capitanes de los Comuneros habían venido a besar las manos de Su Majestad y a informarle de los «grandes males y escándalos y daños que estos reynos avían rescibido e rescibían a cabsa de la mala governación» desde la muerte de Fernando. Dándoles las gracias a los capitanes por sus atenciones, la reina estuvo de acuerdo en que ellos debían servirla y castigar a los malhechores en sus reinos, y expresó cierto grado de interés que los rebeldes publicaron como una aprobación milagrosa[98]. En una reunión similar tres días mas tarde, Padilla declaró su respeto por el «poderoso, ilustre» hijo de Juana[99], mientras pedía a la reina que les otorgase a ellos «favor y autoridad». Una vez más, Juana afirmó su deseo de que los Comuneros se reuniesen con ella en Tordesillas[100]. Haciendo circular copias hechas ante notario de sus intercambios con la reina, los entusiastas capitanes de los Comuneros convocaron a los representantes oficiales de las ciudades y pueblos. Bajo la autoridad de Juana, tenían la esperanza de reunir unas Cortes capaces de reparar los despojos de los Austrias.

Los primeros informes desde Tordesillas proclamaron eufóricamente la capacidad de Juana para gobernar. Según Padilla y sus asociados, los servidores y las damas de Juana les informaron que

---

de su capitán, Gil de Baracaldo. AGS Estado 8, fol. 165, Creencia del Marqués de Denia con don Hernando de Tovar, diciembre de 1521.

[97] AGS PR 4:72, «Escritura de cierta plática que pasaron los capitanes del exército e gente de las cibdades de Toledo e Segovia e villa de Madrid con la reyna doña Juana n[uest]ra señora e su alteza con ellos en la villa de Tordesillas», 29 de agosto de 1520.

[98] AGS PR 4:72, «Escritura de cierta plática que pasaron los capitanes del exército e gente de las cibdades de Toledo e Segovia e villa de Madrid con la reyna doña Juana n[uest]ra señora e su alteza con ellos en la villa de Tordesillas», 29 de agosto de 1520.

[99] Prudencio DE SANDOVAL, *Historia de la vida y hechos del Emperador Carlos V*, VI, xxvi, p. 279.

[100] AGS PR 4:73, «La abtoridad que su alteza dió a la junta sobre lo que Juan de Padilla le dixo», 1 de septiembre de 1520.

nadie (excepto los gobernadores de Juana) había visto a la reina en los últimos siete años[101]. Los acompañantes de Juana alegaron aún más, que Juana era tan capaz de reinar «como lo estava la reyna doña Ysabel, su madre»[102]. Más alla de tales afirmaciones, los oficiales reales que favorecían a los Comuneros difamaron a Felipe, a Fernando y a Carlos al declarar:

> Que su alteza ha sydo agraviada y detenida por fuerca catorce años en aquel castillo como si no estuviera en sí, haviendo estado siempre en buen seso y tan prudente como lo fue en el principio de su matrimonio[103].

Con la intención de evaluar tales rumores acerca de la salud de Juana, el embajador portugués informó que la reina demostraba importantes signos de cordura: comía y se vestía debidamente, llevaba ropas nuevas y vivía en habitaciones limpias y bien amuebladas[104]. Los Comuneros, sin embargo, querían más de Juana.

La autodenominada «Santa Junta y Cortes», que estaba constituida por representantes de trece ciudades y villas castellanas, llegó a Tordesillas el 19 de septiembre de 1520. En menos de cinco días, la Junta expulsó a los Denia del palacio de Juana[105] y obtuvo una audiencia pública con la reina. Entre otros Comuneros, el doctor Alonso de Zúñiga de Salamanca cayó de rodillas, le pidió a Juana la mano y le suplicó que reclamara su derecho hereditario a gobernar. Dirigiéndose a la reina durante un largo tiempo, Zúñiga acusó a los extranjeros, «que vuestra alteza mejor

---

[101] AGRB Gachard 614, fol. 140, Capitanes de los Comuneros a la Junta de Ávila, 30 de agosto de 1520.

[102] AGS PR 2-1-14/26, El cardenal Adriano a Lope Hurtado de Mendoza, 4 de septiembre de 1520. AGS PR 2-1-20/43, El cardenal Adriano a Carlos, 14 de septiembre de 1520.

[103] AGS Patronato Real 2-1-18/38, El cardenal Adriano a Carlos, 4 de septiembre de 1520.

[104] Arquivo Nacional da Torre do Tombo, Lisboa, Corpo Cronológico Parte I, Maço 26, n.º 69, El embajador João Rodriguez al rey Manuel, 19 de septiembre de 1520.

[105] AGS PR 2-1-21, El cardenal Adriano a Carlos, 23 de septiembre de 1520. AGRB Gachard 614, fol. 149-150, Junta de Tordesillas, 6 de octubre de 1520.

conosce que nadie», de saquear sus reinos. El doctor imploró a Juana que «se esfuerca para regir e governar e mandar sus reynos, pues no ay en el mundo quien se lo viede ni ynpida»[106]. En respuesta, Juana hizo hincapié en sus obligaciones familiares. Mientras alentaba a los Comuneros a castigar cualquier tipo de delito cometido en sus reinos, Juana aclaró que se abstendría de actuar sólo para llorar la muerte de su padre y para proteger a sus hijos. Prometiendo tomar las medidas que pudiera, Juana ordenó a los Comuneros que nombrasen a cuatro representantes que podían reunirse con ella cuando fuese necesario[107].

El desinterés de Juana en proporcionar el apoyo adecuado al programa de los Comuneros hizo que los rebeldes fuesen cada vez más escépticos acerca de su cordura. Ya hacia el 26 de septiembre los Comuneros aludieron a la «falta de salud» de Juana, detallaron su curación como una de sus metas principales y ordenaron procesiones por su bienestar en todas las ciudades que estaban bajo su control[108]. Afirmando que los malos espíritus atormentaban a la reina, los rebeldes reclutaron a unos sacerdotes para que la exorcizaran. Posteriormente, a petición de Juana, echaron de su casa a las servidoras que constituían el primer círculo de seguridad de Denia[109]. Sin embargo, aun cuando los Comuneros cumplieron con las demandas de Juana, ella se negaba persistentemente a firmar los documentos que denunciaban a su hijo y a sus colaboradores.

---

[106] AGS PR 4:75, «Lo que pasaron con la Reyna, nuestra señora, los de la Junta quando le fueron a besar la mano», 24 de septiembre de 1520. Impreso como «Testimonio de lo que la Junta trató con la reyna en Tordesillas, y ella ordenó y mandó» en Prudencio DE SANDOVAL, *Historia de la vida y hechos de Carlos V*, VI, xxx, fols. 283-286. Una versión similar de la reunión existe en la BL, Egerton ms. 2059, fol. 60-54v.

[107] AGS PR 4:75, «Lo que pasaron con la Reyna Nra. S. los de la Junta quando le fueron a besar la mano», 24 de septiembre de 1520.

[108] AGRB Gachard 614, fol. 146, Comunidades de Castilla, 26 de septiembre de 1520.

[109] AGS PR 2-1/253, Memorial para el emperador por un testigo ocular [Fray Luis de León], sin fecha [septiembre de 1520]. AGS PR 2-1-30, El cardenal Adriano a Carlos, 13 de noviembre de 1520. Arquivo Nacional da Torre do Tombo, Corpo Cronológico Parte I, Maço 26, n.º 85, El embajador João Rodriguez al rey Manuel, 28 de octubre de 1520.

Las diferencias entre Juana y los Comuneros habían llegado a ser inconfundibles. Entre sus metas principales, los rebeldes tenían la esperanza de desbancar al gobernador Adriano de Utrecht y castigar a los consejeros reales cómplices de Carlos. En defensa de Adriano de Utrecht, Juana hizo referencias a que el Cardenal «aunque hera estrangero, hera buen ombre, de muy buenos deseos y vida»[110]. Con respecto al Consejo Real, Juana insistía en consultar con todos sus miembros antes de firmar cualquier acta del gobierno[111]. En un intento por disuadir a Juana de convocar al Consejo Real, los Comuneros afirmaron que su presidente, Antonio de Fonseca, quería trasladar a la reina a una fortaleza más fuerte y separarla de su hija, Catalina[112]. Cuando Juana siguió mostrándose incrédula, los Comuneros culparon a los consejeros, entre otros, de aconsejar muy mal a su hijo y de destruir sus reinos. Determinada a reunirse con el Consejo Real, Juana replicó:

Que los del Consejo eran del tiempo del Rey Católico [y] no podía ser que fuesen malos; a lo menos, algunos avía que heran buenos, y que por esto quería hablar y comunicar con ellos, porque heran personas esperimentadas y sabían la forma de la buena governación del tiempo de los Reyes Católicos[113].

Al intentar convocar al Consejo Real, Juana mostraba su rechazo a la demanda exclusiva de las potenciales Cortes a representar a sus reinos. En realidad, las actitudes de la reina hacia el cardenal Adriano y el Consejo Real demuestran que no estaba de acuerdo con dos de las metas básicas de los Comuneros.

Incapaces de atraer a los consejeros reales hacia Tordesillas, los Comuneros emplearon tácticas cada vez más desesperadas

---

[110] AGS PR 2-1/253, Anónimo [Fray Francisco de León] al cardenal Adriano, sin fecha [noviembre de 1520], transcrito en Gustav BERGENROTH, *Supplement to State Papers...*, doc. 67.
[111] AGS PR 2-1-20/43, El cardenal Adriano a Carlos, 14 de septiembre de 1520. Arquivo Nacional da Torre do Tombo, Corpo Cronológico Parte I, Maço 26, n.º 85, João Rodriguez al rey Manuel, 28 de octubre de 1520.
[112] AGS PR 2-1-18/38, El cardenal Adriano a Carlos, 4 de septiembre de 1520.
[113] AGS PR 2-1/253, Anónimo [Fray Francisco de León] al cardenal Adriano, sin fecha [noviembre de 1520].

para inducir a la reina a que les proporcionara un apoyo por escrito. En efecto, Adriano de Utrecht advirtió a Carlos repetidas veces que una sola firma de Juana le haría perder Castilla[114]. A comienzos de diciembre, dos noches antes de que las tropas reales reconquistaran Tordesillas, los rebeldes supuestamente amenazaron con no darles de comer ni a Juana ni a Catalina hasta que la reina firmase las órdenes para que el condestable y otros grandes disolviesen sus tropas[115]. Aún más, los Comuneros inventaron ficciones que superaban a aquellas de Carlos y Denia. Una vez rodeada por las tropas leales a Carlos, la Junta le dio a Juana pluma y tinta, afirmando que sólo su firma prevendría que el emperador quemara el pueblo y que la enviara a la fortaleza de Benavente[116]. Lejos de dejarse persuadir, Juana ordenó que las puertas del pueblo fuesen abiertas y dio la bienvenida a los grandes a Tordesillas[117]. Con su hija, Catalina, de la mano, la reina esperó a los grandes en el patio de su palacio, donde les habló «con mucho seso»[118].

El aparente apoyo de Juana a la causa imperial acompañaba su progresiva decepción con los Comuneros, particularmente después que Juan de Padilla abandonó Tordesillas el 11 de octubre. La reina había usado a los Comuneros para liberarse de los sirvientes no queridos —en particular, Denia, y sus *dueñas*— y para conseguir mayor contacto con sus súbditos. Aunque Juana había obtenido momentáneamente estas metas, nunca se desvió de su reconocida intención de apoyar a sus hijos, incluyendo a Carlos V. Cuando los Comuneros informaron a Juana que su hijo se hacía llamar rey y que ponía en peligro sus reinos, la reina defendió su derecho al título real y declaró: «Que no la rebolbiese

[114] AGS PR 2-1-25, 32 y 38, El cardenal Adriano a Carlos, 21 de octubre de 1520, 17 de noviembre de 1520 y 6 de diciembre de 1520.
[115] AGS PR 2-1/253, Anónimo [Fray Francisco de León] al cardenal Adriano, sin fecha [noviembre de 1520].
[116] AGS Estado 7, fol. 222, Lope Hurtado a Carlos, 16 de diciembre de 1520. AGS PR 2-1-45, El cardenal Adriano a Carlos, 20 de diciembre de 1520.
[117] AGS PR 2-36/55, Lope Hurtado de Mendoza a Carlos, 10 de diciembre de 1520.
[118] Archivo del Monasterio de Guadalupe (AMG) leg. 5, n.º 1503, El prior del Monasterio de Mejorada al prior de Nuestra Señora de Guadalupe, 13 de diciembre de 1520. Según esta fuente, la Reina y su hija se refugiaron en el patio de los tiros mientras murieron 160 grandes y probablemente más Comuneros en la toma de la villa.

nadi[e] con su hijo, que todo lo que tenía era suyo»[119]. Al observar que Juana defendía a su hijo y que impedía que los Comuneros hablasen en contra de él, Adriano de Utrecht recordó a Carlos «el singular amor» que la reina «siempre ha mostrado a su persona y successión»[120]. La relación de Juana con los Comuneros terminó en una mutua desilusión.

DENIA CONTRA ENRÍQUEZ

Aunque inicialmente simpatizaba con los motivos de queja de los Comuneros, la reina Juana, junto a la mayoría de los grandes de Castilla, seguía siendo en última instancia fiel a los intereses patrimoniales[121]. La moderación de Juana ante la «Santa Junta», combinada con las oportunas concesiones de Carlos a los principales nobles, cambiaron el rumbo de la rebelión de los Comuneros. A finales de octubre, Carlos había reforzado su ejército y su reputación en Castilla cuando nombró al condestable, don Íñigo Fernández de Velasco, y al almirante, don Fadrique Enríquez de Cabrera, cogobernadores del reino junto con el cardenal Adriano[122]. El almirante de Castilla y el marqués de Denia estuvieron entre los grandes leales a Carlos que entraron en Tordesillas el 4 de diciembre de 1520[123]. Aunque muchos nobles seguían incómodos con la sucesión borgoñona, con el tiempo se aliaron con Carlos para defender los privilegios tradicionales de sus familias.

---

[119] AGS PR 2-36/55, Lope Hurtado de Mendoza a Carlos, 10 de diciembre de 1520.

[120] AGS PR 2-1-45, Adriano de Utrecht a Carlos, 20 de diciembre de 1520.

[121] Juan Ignacio GUTIÉRREZ NIETO, *Las comunidades como movimiento antiseñorial*, Barcelona, Editorial Planeta, 1973, pp. 314-322.

[122] Cuando los Comuneros criticaron al condestable de Castilla, Juana declaró que su casa siempre había sido muy leal a la corona, y que don Íñigo Fernández de Velasco actuaba como sus antecesores. De esta manera, ella reafirmó su fe en las tradiciones gubernamentales y en la continuidad familiar. AGS PR 2-1/253, Anónimo [Fray Francisco de León] al cardenal Adriano, sin fecha [noviembre de 1520].

[123] AGS PR 1-96/60, El almirante de Castilla y el conde de Benavente a Carlos, 4 de diciembre de 1520. AGS PR 1-106/242, El conde de Haro a Carlos, 5 de diciembre de 1520. AGS PR 2-36/53, Lope Hurtado a Carlos, 6 de diciembre de 1520. AGS PR 2-36/55, Lope Hurtado a Carlos, 10 de diciembre de 1520.

En vez de oponerse a la sucesión de los Austrias, los grandes volvieron a competir y a discutir entre ellos. Pronto surgieron conflictos entre Denia y Enríquez. Sus desacuerdos revelaban no sólo una competición por los botines de la victoria sino también verdaderas diferencias filosóficas. Intensamente leal a Carlos, al marqués le ofendía el prolongado apoyo del almirante a la reina y su libre acceso a ella. Para mayor consternación de Denia, Juana llamaba a menudo al almirante y hablaba con él cada vez durante horas. Denia acusó al almirante de intentar «otra resurrección de Lázaro» mediante la curación de la reina, un asunto que, él creía, no debía ni siquiera recibir consideración sin las órdenes de Carlos[124]. Igualmente molesto por las acciones de Denia, Enríquez declaró que el marqués trataba a los sirvientes de Juana con demasiada severidad, y que intentó castigarlos sin recurrir a la justicia[125].

Con el mismo espíritu, Enríquez advirtió a Carlos acerca de los peligros de tomar excesivas represalias contra los Comuneros y sus aliados. Basándose en una concepción corporativa de los reinos de Juana, el almirante recurrió a metáforas muy usadas para discutir sobre el bienestar de ellos:

Y si alguno dixere que para el remedio convienen las armas, no es buen consejo que el rey con sus manos ponga fuego en su casa, ni es sabio el físico que podiendo curar con medecinas livianas y blandas cura con rigurosas, que sana la enfermedad queda el cuerpo aparejado a mayores dolencias. Su al es el físico y al doliente conviene que tome el remedio que es venir a estar entre ellos, haziendo mercedes a los que sirvieron a sus padres y a él, enamorándolos con palabras y obras, mostrándoles que es verdadero español, como he dicho, tornarlos a renobar en su propio amor, porque los estados que con amor se sostienen duran y los que con rigor perecen[126].

---

[124] AGRB Gachard 614, fol. 186, El marqués de Denia a Carlos, 21 de febrero de 1521.
[125] AGS PR 1-96/42, Instrucciones del almirante de Castilla a Angelo de Bursa, 26 de enero de 1521.
[126] BL Additional ms. 8219, fol. 11-14v, Instrucciones del almirante de Castilla a Angelo de Bursa, sin fecha. El cardenal Adriano utilizó un lenguaje similar cuando solicitó un perdón general para Valladolid, afirmando que «toda medicina se ha

El almirante extendió la discusión acerca de la «salud» de la persona de Juana hasta la condición de los reinos, abogando por amor y clemencia. Enríquez continuaba creyendo en un reino corporativo unificado, mientras que Denia defendía los intereses dinásticos de los Austrias. Carlos, por su parte, seguía desconfiado de una concepción corporativa que los Comuneros habían usado para desafiar su autoridad. En vez de aceptar el consejo del almirante, el emperador se puso inicialmente del lado del marqués de Denia, quien favorecía el uso de una medicina fuerte contra los rebeldes [127].

Con o sin el favor imperial, Enríquez intentó superar a Denia. Desde Worms, Carlos envió órdenes en su nombre y en el de Juana a los gobernadores para que actuaran contra los Comuneros laicos de cualquier estado, declarándolos «rebeldes aleves e traydores ynfieles e desleales a nos e a nuestra corona». Tales individuos, que habían actuado no sólo contra unas personas reales sino también contra la dignidad real, debían perder la vida, sus oficios y su propiedad [128]. Como los que eran inequívocamente culpables incluían al *despensero mayor* de Juana, el almirante escogió a su *maestresala,* Gaspar de Villaroel, para ese puesto [129]. Sin embargo Denia, que quería nombrar a su propio candidato, se negó a admitir a Villaroel y esgrimió un decreto real que le otorgaba autoridad para los nombramientos de la casa [130]. Mientras que Enríquez quería que la casa de Juana representase sus reinos, Denia la consideraba el dominio de su familia. Encontrándose «en mitad del fuego», el cardenal Adriano lamentaba la animosidad, que nadie podía aliviar, entre Denia y Enríquez [131].

En marzo, el desacuerdo había aumentado. Denia culpó a Enríquez de dejar en libertad a algunos de los peores Comuneros que

---

de tomar» para «la cura desta enfermedad», aunque, «ninguna cura ni salud habría firme ni segura sin la muy presta venida y real presencia de vuestra magestad». AGS PR 2-1-79, El cardenal Adriano a Carlos, 9 de abril de 1521.

[127] AGS PR 2-1-51, El cardenal Adriano a Carlos, 16 de enero de 1521.

[128] AGRB Gachard 614, Carlos a los gobernadores de Castilla, 17 de diciembre de 1520.

[129] AGS PR 1-96/97, El almirante de Castilla a Carlos, 23 de diciembre de 1520.

[130] AGS PR 2-1-68, El cardenal Adriano a Carlos, 21 de febrero de 1521.

[131] AGS PR 2-1-69, El cardenal Adriano a Carlos, 23 de febrero de 1521.

estaban en la cárcel[132]. Al mismo tiempo, Enríquez acusó a Denia de impedirle vender las joyas de la reina para conseguir el dinero necesario para pagar a las tropas leales[133]. A medida que el almirante preparaba su desplazamiento hacia el norte en busca del ejército rebelde, advirtió a Carlos que la gente de Tordesillas y los miembros de la casa de Juana odiaban tanto al marqués, que parecía peligroso dejar a Denia allí solo[134]. Consciente de la hostilidad local, Denia quería transportar a la reina a Arévalo. Seguro de que esta mudanza requeriría el uso de la fuerza *(premia)*, el marqués afirmaba que la reina Isabel «así le servió y trató a la Reyna, nuestra señora, su hija», y que los individuos en la condición de Juana realmente querían semejante castigo[135]. Aunque el cardenal Adriano había favorecido desde hacía tiempo tal mudanza, el condestable finalmente aconsejó contra ello[136]. No dispuesto a sancionar el uso de la fuerza, Carlos permaneció callado y Juana se quedó en Tordesillas.

La disputa entre Enríquez y Denia no distrajo a ninguno de los dos de dedicarse a los intereses familiares. Afirmando que había sacrificado sus propiedades en la rebelión, el marqués le aconsejó a Carlos que recompensara a los leales con la riqueza confiscada a los culpables. Denia también quería que el emperador nombrase a su sobrino, Hernando de Tovar, como capitán de los *monteros* de la reina en Tordesillas, afirmando que el actual capitán había demostrado ser demasiado viejo para combatir a los Comuneros[137]. Tampoco dudó el almirante de recordarle a Carlos que él había sufrido grandes pérdidas en la recuperación de Tordesillas, cuando puso a su esposa, la condesa propietaria

---

[132] AGRB Gachard 614, fol. 189, El marqués de Denia a Carlos, 16 de marzo de 1521. AGRB Gachard 614, fol. 194, El marqués de Denia a Carlos, 14 de abril de 1521.

[133] AGS PR 1-96/77, Instrucciones del almirante a Angelo de Bursa, 28 de marzo de 1521.

[134] AGS PR 1-96/24, Instrucciones del almirante a Angelo de Bursa, 16 de marzo de 1521. AGS PR 1-96/46, Instrucciones del almirante a Angelo de Bursa, 16 de marzo de 1521.

[135] AGS PR 4-48, El marqués de Denia a Carlos [descifrado], sin fecha [enero de 1521].

[136] AGS PR 2-1-85 y 2-1-87, El cardenal Adriano a Carlos, 8 de agosto de 1521. AGS Estado 27-235, El condestable a Carlos, 8 de diciembre de 1521.

[137] AGS Estado 8-165, Instrucciones del marqués de Denia a don Hernando de Tovar, diciembre de 1521.

de Modica, y a su hacienda en peligro. A cambio, Enríquez pidió específicamente los bienes confiscados a determinados Comuneros para dos de sus hermanos, un juro de 12.000 mrs para sí mismo y oficios para varios de sus allegados[138]. Cuando pasaron unos meses sin una respuesta de Carlos, el almirante ordenó a su embajador que preguntara acerca de la salud del emperador, sugiriendo irónicamente que debía estar enfermo[139].

La competición entre Denia y Enríquez se extendió a las habitaciones de las mujeres en el palacio real. Como una Enríquez casada con un Denia, la marquesa se encontró en una posicion particularmente difícil. Inicialmente, el almirante pidió a Carlos que enviara a doña Francisca de regreso a Tordesillas[140]. Sin embargo, una vez que la marquesa había vuelto, el almirante informó que ella trataba a Catalina con tanta severidad que él anticipaba un desastre[141]. En particular, temía que la infanta sería obligada «a meterse monja o desesperarse»[142]. Como conservaba su correspondencia personal con la condesa de Modica, Catalina era una amenaza a los esfuerzos de los Denia por recuperar su monopolio en cuanto a la información sobre la reina. Según Catalina, la marquesa procuró impedir que ella intercambiase cartas o recibiese visitas[143]. En su propia defensa, doña Francisca afirmaba que ella había perdido autoridad sobre Catalina, ya que la reina sólo permitía a Juana Cortés, Leonor Gómez, «y a otras dos o tres que son de la opinión destas» que entraran en la habitación donde dormía la infanta[144]. Los Denia sospechaban que Leonor

---

[138] AGS Estado 5-276, Instrucciones del almirante a Angelo de Bursa, 23 de mayo de 1521.

[139] AGS PR 1-96/140, Instrucciones del almirante a Angelo de Bursa, 27 de agosto de 1521.

[140] AGS PR 1-96/24, Instrucciones del almirante a Angelo de Bursa, 16 de marzo de 1521.

[141] AGS PR 1-96/52, Instrucciones del almirante a Angelo de Bursa, 21 de junio de 1521.

[142] AGS PR 1-96/105, Instrucciones del almirante a Sancho Núñez de Legoa, 5 de julio de 1521.

[143] AGS Estado 8-122, Catalina a Carlos, 19 de agosto de 1521.

[144] AGS Estado 8-164, Minutas de las cartas del marqués de Denia a Carlos, 28 de julio y 5 de agosto de 1521. AGS Estado 8-114, La marquesa de Denia a Carlos, 30 de julio de 1521.

Gómez, su marido, Diego de Ribera, y sus hijas, que también servían a Juana, apoyaban a los Comuneros[145]. Por razones similares, los Denia atormentaron al confesor de Juana, fray Juan de Ávila, a pesar de las súplicas de Catalina y del cardenal Adriano, hasta que Carlos despidió al fraile con una modesta pensión[146]. Poco a poco, los Denia recuperaron su autoridad en la casa de Juana.

En enero de 1525 Enríquez y Denia disfrutaron de un último enfrentamiento en Tordesillas. La partida de la infanta Catalina ese mes para casarse con el nuevo rey de Portugal representaba un triunfo para el marqués, quien le había insistido a Carlos que mantuviese relaciones cercanas con la familia real de Portugal, especialmente después de la muerte del primer marido de Leonor, el rey Manuel[147]. Temiendo la reacción de Juana ante la partida de la infanta, Carlos envió al almirante y a la condesa de Modica a que la consolaran. En una carta autógrafa escrita desde Tordesillas el 2 de enero, Enríquez hizo una parodia del estilo epistolar de Denia. Informó que discutió «harto sustanciales cosas» con la reina, mientras una delegación portuguesa se llevaba a la infanta, quien supuestamente se desmayó por la tristeza de dejar a su madre. Para proteger a Carlos, Enríquez informó que le comunicó a la reina que el emperador no sabía nada de la

---

[145] AGS Estado 8-165, Instrucciones del marqués de Denia a don Hernando de Tovar, diciembre de 1521.

[146] El franciscano Juan de Ávila, en Tordesillas desde 1509, no se debe confundir con el místico más famoso, Juan de Ávila (1502-1569), el cual empezó sus estudios en Salamanca en 1516. *Archivo Biográfico de España, Portugal y Iberoamérica*, Víctor HERRERO MEDIAVILLA (ed.), Munich, Saur, 1995, p. 90. AGS Estado 8-192, Fray Juan de Ávila a Carlos, 19 de agosto de 1521. AGS Estado 8-125, Catalina a Carlos, 26 de enero de 1521. AGS PR 2-1-93, El cardenal Adriano a Carlos, 18 de septiembre de 1521. AGS Estado 5-101, Juan de Ávila a Carlos, 27 de septiembre de 1521. ADM caja 4 (leg. 246), n.º 53, Carlos al marqués de Denia, 16 de septiembre de 1523.

[147] ADM caja 4 (leg. 246), n.º 43, Carlos al marqués de Denia, 22 de septiembre de 1520. AGS PR 5:293, El marqués de Denia a Carlos, 25 de enero de 1522. Los Austrias necesitaban otro matrimonio portugués, y el confesor del emperador, Francisco García de Loaisa, en consecuencia, encontró que Catalina estaba libre de obligaciones con el marqués de Brandenburgo y el duque de Sajonia. AGS Estado 12-241, El marqués de Denia a Carlos, 15 de junio de 1524. AGS Estado 8-143, Fray García de Loaisa a Carlos, 15 de julio [1524].

boda de su hermana —un hecho que Juana se negaba a creer[148]. Diez días más tarde el almirante regresó a su metáfora favorita en una carta hológrafa a Carlos desde Medina de Rioseco. El restablecimiento del emperador de una fiebre le permitió a Enríquez evocar el lugar común de la analogía entre el rey y sus reinos:

Aquí me an escryto que vuestra majestad va mejorando, y porque los desórdenes en la convalesencia son más peligrosos qu[e] en la dolencia, suplyco a vuestra majestad que se guarde.

Indirectamente aludiendo a la rebelión de los Comuneros, Enríquez le advirtió a Carlos que las heridas del reino aún no se habían curado por completo. Tampoco el almirante había dejado de oponerse al marqués. Según Enríquez, a la reina le disgustaban tanto los Denia, que sufría más con escucharlos que lo que había sufrido con la partida de la infanta. El almirante declaró que había encontrado a la reina totalmente racional en su oposición a los Denia, aunque «tan desconcertada como vuestra alteza ha visto» en otros asuntos[149]. Centrando su resentimiento en Denia, Enríquez finalmente aceptó la sucesión de los Austrias. El firme apoyo de Juana a su hijo había dejado al almirante —y a los Comuneros— poca elección.

LA EXPANSIÓN DE LOS AUSTRIAS, EL CRECIMIENTO DE LOS DENIA

La negación de Juana a sancionar el programa de los Comuneros en 1520 le permitió a Carlos restablecer su autoridad en Castilla, y los Denia también reafirmaron el control de Tordesillas. De esta manera, al apoyar la sucesión de Carlos, Juana, sin quererlo, facilitó el ascenso de los Denia. Después de 1525 los Denia prosperaron al lado de los Austrias. Su alianza, diseñada para regir a la reina, sirvió a los objetivos expansionistas de ambas familias.

---

[148] AGS Estado 13-270, El almirante a Carlos, 2 de enero de 1525.
[149] AGS Estado 13-14, El almirante a Carlos, 15 de enero de 1525.

Castilla perdió una infanta en 1525, pero ganó una emperatriz en 1526, cuando Carlos se casó con su prima portuguesa, Isabel. Esta alianza, recibida en Castilla con mucho entusiasmo, acompañó otra medida diseñada para asegurar el control del emperador sobre sus posesiones ibéricas. Antes de partir de Granada en 1527, Carlos ordenó al marqués de Denia que llevara el cadáver de su padre, Felipe, a esa ciudad, donde se unió a los restos de Fernando e Isabel[150]. Aunque Juana parece que nunca descubrió este hecho, Carlos había cumplido con la misión de su madre desde hacía veinte años. De esta manera, Carlos intentó legitimar el pasado de los Austrias y garantizar el futuro de éstos en España. Al año siguiente, la emperatriz dio a luz a un hijo, el futuro Felipe II. En 1529, Carlos la dejó como regente de España y envió a Denia instrucciones de obedecer los mandamientos de su mujer «como los de mi misma persona»[151]. Isabel tuvo una hija, María, al año siguiente. En 1532 sus hijos tenían la edad suficiente para viajar a Tordesillas y visitar a su abuela.

La reina continuó favoreciendo los intereses de sus descendientes. En febrero de 1532, Juana fue anfitriona de la emperatriz, Felipe y María durante su permanencia de ocho días en Tordesillas. Según el marqués de Denia, Juana recibió a la emperatriz y a sus hijos con mucha alegría, tratándolos de una manera ejemplar, majestuosa, «a como lo hiciera la reyna, nuestra señora, su madre» durante toda su estancia[152]. Sin embargo, el marqués aseguró a Carlos que, aunque Juana tenía «tan buena disposición» como la reina Isabel, «no abría ningún cuerdo que suplicase a su alteza que entendiese en otra cosa más de lo que pertenece a muger»[153]. Mientras el emperador luchaba por defender Italia y Alemania contra los turcos, Juana supuestamente se dedicó a contar sus oraciones en unos

---

[150] AGS Estado II-i-157, El marqués de Denia a Carlos, 8 de noviembre de 1526.

[151] ADM caja 4 (leg. 246), n.° 82, Carlos al marqués de Denia, 28 de julio de 1529.

[152] AGS Estado 24-291, El marqués de Denia a Carlos, 20 de febrero de 1532.

[153] AGS Estado 24-290, El marqués de Denia a Carlos, 20 de marzo de 1532.

rosarios que había hecho con sus propias manos[154]. Para reforzar estas plegarias, la reina pidió y recibió dos crucifijos de oro[155].

Algunos historiadores anteriores han asumido que Juana permaneció como «una prisionera de Tordesillas» después de la rebelión de los Comuneros[156]. Fuentes inéditas revelan, de hecho, que la reina realmente abandonó Tordesillas durante el curso de una epidemia. Aunque el marqués continuó insistiendo en que semejante traslado requeriría la fuerza[157], Juana montó pacíficamente sobre una mula, en dirección este, al lado del río Duero, desde Tordesillas a Geria y luego a Tudela del Duero a comienzos de 1534. Cuando Carlos envió a don Juan de Zúñiga, el *ayo* o gobernador del futuro Felipe II y miembro del Consejo de Castilla, a Tudela, el marqués de Denia insistió en que Zúñiga visitase a Juana en nombre de su hijo. Después de esta entrevista, en la que la reina impresionó a Zúñiga, Denia envió a Carlos un reproche sorprendentemente fuerte por no visitar a Juana en persona: «Paréceme que todos devemos de servir y tener a su alteza como enferma, y vuestra magestad la deve tratar y bisitar como a madre y sana»[158]. Aunque Carlos no visitó a Juana en 1534, es posible que él haya seguido los consejos del marqués concediéndole un cierto respeto. Cuando Juana empezó a sufrir problemas digestivos más tarde durante ese año, según una fuente, el emperador le permitió dictar su última voluntad[159]. Después que Juana

---

[154] AGS Estado 22-122, El marqués de Denia a Carlos, 10 de mayo de 1531. Los documentos de la casa de Juana incluyen sumarios de los beneficios de las «cuentas benditas» en Sión e Inglaterra. AGS CSR 12-19/609, 610, 611, «Memorial de lo que se gana en rezar las cuentas de ynglaterra», 1530.

[155] AGS CSR 18-5/351, El marqués de Denia a Ochoa de Landa, 1 de junio de 1531. AGS Estado 22-254, El marqués de Denia a Carlos, 27 de junio de 1531.

[156] Prudencio DE SANDOVAL, *Historia de la Vida y Hechos del Emperador Carlos V,* I, xxvii, p. 79. Jan BRANS, *De Gevangene van Tordesillas,* Leuven, Davidsfonds, 1962. Para una visión particularmente desolada del supuesto cautiverio de Juana, véase Townsend MILLER, *The Castles and the Crown,* 347-348.

[157] AGS Estado 27-161, El marqués de Denia al emperador, 12 de mayo de 1533.

[158] AGS Estado 36-243, El marqués de Denia a Carlos, 20 de febrero de 1534.

[159] El acto de dictar un testamento requería una mente que estuviera en su sano juicio, lo cual potencialmente explica porqué el documento en cuestión, si en algún momento existió, ya no consta en el Archivo General de Simancas. AGS Estado 29-196, El marqués de Denia a Carlos, 12 de abril de 1534. *El Emperador Carlos V y*

se recuperó, la peste llegó a Tudela y la reina se fue a Mojados, donde permaneció su casa hasta que la pestilencia desapareció de Tordesillas[160]. La emperatriz Isabel ayudó a Carlos a satisfacer sus obligaciones con la anciana reina. Después que Juana regresó a Tordesillas, la emperatriz dio a luz a una segunda hija, bautizada Juana en honor a su abuela. Dándole la hora buena a Isabel, el marqués de Denia le informó acerca de la alegría de la reina[161]. Cuando don Bernardo de Sandoval y Rojas murió a comienzos de 1536, la emperatriz nombró a la marquesa y a su hijo, don Luis, el nuevo marqués, gobernadores de la casa de Juana durante la ausencia del emperador[162]. Don Luis también recibió 300.000 mrs. anuales y el mando de la capitanía de su padre[163]. La continuidad familiar había triunfado.

Aprovechándose de su alianza con el emperador, don Bernardo de Sandoval y Rojas había dejado en buena situación a sus descendientes. Ya en el momento de su muerte, el marqués había colocado en el servicio real a su hermano (don Hernando), a cada uno de sus seis hijos (don Luis, don Francisco, don Enrique, don Hernando, don Diego y don Cristóbal), a tres hijas (doña Ana, doña Magdalena, y doña Margarita), y a un sobrino (don Hernando de Tovar)[164]. Don Luis, don Enrique y su hermano, don Hernando, viajaron con el emperador como caballeros y embaja-

---

Su Corte según las cartas de don Martín de Salinas, Embajador del infante don Fernando (1522-1539), Madrid, Real Academia de la Historia, 1903-1905, p. 565.

[160] AGS CMC 1a época 1544, «Provança de Alonso de Ribera», 20 de agosto de 1555.

[161] Al pedirle a Isabel que le enviara noticias acerca de su salud y de la de Carlos mientras éste emprendía la conquista de Túnez, Denia le dijo que el bienestar de toda la Cristiandad dependía de ellos. AGS Estado 32-69, El marqués de Denia a Isabel, 8 de julio de 1535, transcrito en *Corpus Documental de Carlos V,* Manuel FERNÁNDEZ ÁLVAREZ (ed.), II, pp. 433-434.

[162] AGS CSR 24-26/310, Borrador de la cédula de la emperatriz a la marquesa de Denia y el marqués don Luis, sin fecha [comienzos de 1536].

[163] AGS Estado 35-29, Carlos a la emperatriz Isabel, 5 de marzo de 1536. AGS GA 8-103, «Memorial de las cosas que tocan a la casa de la reyna, n.s.», [1536].

[164] AGS CSR 17-2/7-9, Nómina del marqués de Denia, [1522]. AGS Estado 13, fol. 275, El marqués de Denia a Carlos, 25 de octubre de 1525. AGS CSR 18-1/3, Nómina firmada por la emperatriz Isabel, 20 de julio de 1528.

dores[165], mientras que don Diego y don Cristóbal se convirtieron en capellanes reales, y con el tiempo fueron elevados a deán de Jaén y arzobispo de Sevilla respectivamente[166]. Ya en 1534, el marqués había puesto a sus tres hijas y a tres nueras, doña Isabel de Quiñones, doña Catalina de Zúñiga y doña Isabel de Orence, en las cámaras de la reina Juana[167]. No sorprendentemente, las cartas de Denia al rey continuamente pedían mercedes para los miembros de su familia en expansión.

Mientras que regía ostensiblemente a la reina, el marqués supervisó una serie de brillantes matrimonios. Con la asistencia financiera del emperador, Denia casó a su hija, doña Magdalena, con el conde de Castro[168]. El marqués, entonces, con mucho tacto emparejó a su hijo, don Luis, con doña Catalina de Zúñiga, hija del conde de Miranda, quien dirigía la casa de la emperatriz Isabel y que pronto entró en el consejo real[169]. El segundo hijo de Denia, don Francisco Gómez de Sandoval y Rojas, el conde de Lerma, se casó con doña Isabel de Borja, hija de otro favorito imperial, el marqués de Lombay, Francisco de Borja. Como cónyuge para don Enrique, Denia escogió a Isabel de Quiñones, hermana del conde de Luna[170].

---

[165] AGS Estado 21-335, Minutas de la carta de Carlos al marqués de Denia, 31 de julio de 1530. Llevando recomendaciones tanto del marqués como del almirante, don Hernando de Rojas se unió a Carlos en Bruselas en enero de 1531. AGS Estado 20-134, El almirante a Carlos, 12 de noviembre de 1530. Estado 20-135, El marqués de Denia a Carlos, 14 de noviembre de 1530. AGS Estado 22-292, Minutas de cartas del rey, 27 de enero de 1531.

[166] Denia había solicitado el obispado de Burgos y el arzobispado de Tarragona para sus hijos eclesiásticos. Aunque don Diego había perdido el favor real por su pobre comportamiento, don Cristóbal llegó a ser uno de los capellanes de Juana. AGS GA 8-102, «Memorial de la casa de la reyna n.s.», [1536]. AGS Estado 24-291, El marqués de Denia a Carlos, 20 de febrero de 1532. AGS Estado 26-84, El marqués de Denia a Carlos, 15 de enero de 1533. Alonso LÓPEZ DE HARO, *Nobiliario Genealógico de los Reyes y Títulos de España,* Madrid, Luis Sánchez, 1622, I, pp. 164-165.

[167] AGS CSR 18-3/221, «Sumario de todos los oficiales de la casa de la reyna...», [1534].

[168] AGS CSR 12-5/62, El marqués de Denia a Andrés Martínez de Ondarça, 21 de junio [1533?].

[169] AGS Estado 38-199, El marqués de Denia (don Luis) a la emperatriz Isabel, 4 de julio de 1536.

[170] AGS Estado 22-254, El marqués de Denia a Carlos, 27 de junio de 1531. En 1532, cuando ambas, doña Catalina de Zúñiga e Isabel de Quiñones estaban em-

La política matrimonial del marqués y sus continuas peticiones de favores reforzaron los lazos familiares entre las diferentes casas reales. La marquesa de Denia defendió los intereses familiares con similar dedicación. A comienzos de 1523, cuando Adriano de Utrecht abandonó España para asumir el papado, la marquesa le solicitó mercedes especiales. En primer lugar, solicitó un breve papal que les permitiría a ella, sus hijas, nueras y nietas ganar indulgencias rezando ante sus altares sin ir a la iglesia. En segundo lugar, doña Francisca pidió permiso papal para que su hijo, don Hernando, *comendador* de la orden militar de Calatrava, no tuviera que recitar los trescientos *pater nosters* diarios que su orden requería. Por último, la piadosa marquesa deseaba un breve que le permitiría retirar un alma del purgatorio por cada misa que ella dedicase a ese propósito[171]. Cuando doña Francisca murió en 1538, Carlos otorgó a don Luis solamente el título de gobernador, con un salario anual de 925.000 mrs. —200.000 mrs. menos de lo que habían recibido juntos él y su madre—. Los restantes 200.000 mrs. fueron a la hija de doña Francisca, doña Ana, una *beata* de quien la emperatriz se había hecho amiga, para aumentar los 60.000 mrs. que ella ya recibía como una de las damas de Juana[172].

Otras familias que deseaban conservar su presencia en la casa real tuvieron que cooperar con los Denia. Cuando el marqués sospechó que tenían tendencias comuneras, Leonor de Alarcón y Diego de Ribera aseguraron puestos para sus hijos y se retiraron[173]. Denia también puso reparos a Ochoa de Landa, un primo del almirante de Castilla y tesorero de la reina, afirmando que él

---

barazadas, el marqués solicitó permiso para que don Enrique y don Luis las visitaran en Tordesillas. AGS Estado 24-242, El marqués de Denia a Carlos, 8 de octubre [1532].

[171] AGS CSR 24-30/387 y 388, La marquesa de Denia al papa Adriano, sin fecha [1523].

[172] AGS Estado 24-20, La marquesa de Denia a la emperatriz Isabel, 14 de noviembre de 1532. ADM caja 4 (leg. 246), n.º 85, Carlos al marqués de Denia (don Luis), 18 de septiembre de 1538.

[173] Un informe del personal de la casa de finales de la década de 1520 tiene apuntadas a María y a Francisca de Ribera, así como a doña Catalina de Alarcón, a su hija doña Beatriz, y a su hermana, doña Fermina, entre la compañía femenina de Juana. AGS CSR 24-72/901 a 912, «Relación del tiempo que cada un criado de la reyna nra. sa. sirve a su. al....», sin fecha. Además del puesto de su padre, Alonso de

pagaba muy poco para el sustento de la casa[174]. Cuando Ochoa perdió el trabajo, su esposa, doña Isabel de Albornoz, supuestamente perdió la razón[175]. Algo arrepentido, Denia pidió al emperador que ayudase a Ochoa a pagar sus deudas[176]. Cuando Ochoa y doña Isabel murieron al año siguiente[177], el marqués se esforzó para asegurar la tesorería para su hijo, Luis de Landa[178]. Aunque Luis era demasiado joven para ejercer ese oficio, Denia aplicó el principio de que los hijos debían heredar los puestos de sus padres por encima de otros intereses.

Ejerciendo el oficio anterior de su padre, en abril de 1536 el nuevo marqués de Denia informó a la emperatriz que había ocultado la noticia de la muerte de don Bernardino a la reina. Promoviendo ostensiblemente el «servicio y asosiego» de Juana, don Luis simplemente le contó que su padre estaba enfermo[179]. Continuando la política de su padre del engaño, el nuevo marqués se negó a proporcionar a la reina información que podía animarla a gobernarse a ella misma, su casa o incluso sus reinos. Encargados de regir a la reina, los Denia lucharon por controlar su casa con el objeto de aumentar su influencia e importancia en sus reinos. Los intereses de los Denia se extienden por la mayoría de las fuentes de información sobre la reina Juana y su enfermedad, ficticia o real.

Ribera consiguió un oficio para su mujer, doña Marina de Vargas, entre las damas de la reina. AGS CSR 18-3/221, «Sumario de todos los oficiales de la casa de la reyna...», [1534].

[174] AGS Estado 14-28, El marqués de Denia a Carlos, 22 de abril de 1526. AGS CSR 12-2/16, El almirante a Ochoa de Landa, 12 de marzo de 1522.

[175] La documentación sobre este interesante caso se puede encontrar en AGS CSR 12-19/566-567, «Recebta del clérigo de Contrasta para el mal de mi muger», AGS CSR 12-19/567, «Para la tentación diabólica», y AGS CSR 24-38/510, «Lo que la comadre syente del mal desta señora...».

[176] AGS Estado 20-103, El marqués de Denia a Carlos, 2 de octubre de 1530.

[177] AGS CSR 12-19/568-570, «Reçebta e regimiento del Doctor de Valladolid», abril de 1531. AGS CSR 24-40/510, El marqués de Denia a la emperatriz Isabel, 21 de mayo de 1531. AGS CSR 25-13/457 a 460, Gastos hechos en las exequias de Ochoa de Landa, junio de 1531.

[178] AGS CSR 12-5/78, El marqués de Denia a Andrés Martínez de Ordança, 11 de junio de 1531.

[179] AGS Estado 36-211, El marqués de Denia (don Luis) a la emperatriz Isabel, 9 de abril de 1536.

La reina Juana se resistió al ascenso de los Denia con tanta tenacidad como defendió el encumbramiento de sus propios hijos. Durante la rebelión de los Comuneros, se liberó del control de los Denia y defendió acérrimamente a su hijo, Carlos V. Sin el apoyo de Juana en 1520, Carlos podía haber perdido el título real que había reclamado en 1516. Sin embargo, Juana había aprobado a los Austrias, y no a los rebeldes, como legítimos representantes de sus reinos corporativos. En lugar de un monarca personal, ella dio a Castilla y a León una familia gobernante. A pesar de la oposición de Juana a sus gobernadores, los Denia creían que sus intereses eran completamente compatibles con los de los Austrias. Regir la casa, como el reino, se convirtió en una empresa familiar.

A medida que Carlos establecía a los miembros de su familia en Castilla, su madre se convertía en un punto cada vez menos central para la disensión. La alianza del emperador con los Denia, por otra parte, podía haber cualificado a sus descendientes para regir a otros miembros problemáticos de la familia real[180]. Algo paradójicamente, la incapacidad de la reina Juana para gobernar en su propio nombre también ofreció a muchas mujeres de los Austrias importantes papeles políticos. Entre las primeras de estas mujeres, la emperatriz Isabel sirvió como regente de España y enseñó a sus hijos a respetar a su abuela. El sentido de solidaridad familiar que Juana mostró durante la rebelión de los Comuneros se convertiría en algo emblemático para las mujeres de los Austrias en los años posteriores[181].

---

[180] En 1568 el conde de Lerma, y otros cuatro nobles de confianza, encabezados por Ruy Gómez de Silva, juraron proteger a don Carlos, hijo de Felipe II, según las órdenes del rey, recluyendo al príncipe en su habitación e impidiéndole que se comunicase con forasteros. IVDJ 38, Juramento de don Francisco de Rojas y Sandoval, conde de Lerma, 25 de enero de 1568. Geoffrey Parker amablemente me proporcionó esta referencia. Sobre el nombramiento del hijo de Denia, véase Geoffrey PARKER, *Felipe II*, p. 128.

[181] En la corte de Felipe III la emperatriz María, Margarita de Austria y Margarita de la Cruz se encontrarían con problemas con el descendiente de Denia, el duque de Lerma. Magdalena S. SÁNCHEZ, *The Empress, The Queen, and the Nun: Women and Power at the Court of Felipe III of Spain,* Baltimore, The Johns Hopkins University Press, 1998.

Capítulo 6

POLÍTICAS DE POSESIÓN
Y DE SALVACIÓN

La extensión de la dominación austríaca por la mayor parte de Europa hacía la tarea de gobernar demasiado grande para un único soberano y requería una evolución hacia una monarquía española menos individual, más dinástica. Tanto la reina Juana como su casa de Tordesillas facilitaron esta transformación. Al mantener los derechos de sus descendientes, Juana les confió Castilla, Aragón y Granada. Sin embargo, no consintió la autoridad de los Denia en su espacio doméstico. Desde el punto de vista de la reina, servidores no bienvenidos intervinieron en aspectos íntimos de su vida. Los sirvientes, por otra parte, afirmaban que Juana les impedía llevar a cabo sus trabajos. En la evolución de una monarquía personal hacia una más corporativa, lo que principalmente le estorbó a Juana fue su negación a ser gobernada.

Los amargos conflictos de Juana con ciertos acompañantes contrastaban con los encuentros agradables de la reina con su descendencia. Aunque recogida en Tordesillas, la reina se alegraba con las visitas de los miembros de su familia en expansión: la emperatriz Isabel, Carlos V, el futuro Felipe II y su primera esposa, María Manuel, María y Maximiliano de Bohemia, y Juana de Austria —interrogándolos sobre los acontecimientos en sus reinos. La reina recibió a estos miembros de la familia y sus regalos dentro de un mundo privado que ella quería regir.

Los sirvientes, sin embargo, frustraron los intentos de Juana de controlar sus posesiones íntimas al aceptar una forma de reinado más patrimonial, menos individual. Aunque la reina delegaba la autoridad real en miembros de su familia, las pretensiones de su propio personal la ofendían profundamente. Ella no confiaba en los oficiales de la casa la protección de sus pertenencias ni la supervisón de sus prácticas religiosas. Más bien, los acusó de robar sus bienes e impedir sus ejercicios espirituales. La «locura» de Juana, o su incapacidad para gobernarse a sí misma, su casa y sus reinos, surge más claramente en estos conflictos con sus sirvientes.

LAS POSESIONES DE UNA REINA

Las pertenencias de Juana, anotadas en un inventario de más de seiscientos folios, hecho después de su muerte, se hallaban en el centro de un conflicto entre las concepciones individuales y corporativas de la monarquía. El *camarero* de Juana, Alonso de Ribera, compiló este inventario, que realmente era una historia de las posesiones de la reina desde 1509 hasta 1556, con el objeto de liberar a él y a su familia de la responsabilidad de los bienes distribuidos entre los parientes de Juana. Alonso de Ribera se consideraba a sí mismo y a su padre y antecesor, Diego de Ribera, encargados de las posesiones de Juana, como parte del patrimonio real. El *camarero,* en consecuencia, intentó registrar la información acerca de todos los artículos que habían entrado y salido de las habitaciones de la reina. Para este fin, Ribera formuló secciones de «cargo» y «data» para cada tipo de artículo (monedas, joyas, sedas, brocados, retablos, ornamentos, copas, abrigos, guantes, toallas, tapices, bolsas, perfumes, etc.), aproximadamente desde los de valor más alto hasta los de más bajo[1].

La opinión de Juana sobre sus propias posesiones entraba en conflicto con la de los Ribera. Como veremos, la reina apreciaba muchísimo sus pertenencias y demandaba tener autoridad exclusiva sobre ellas. Entre otros objetos, Juana tal vez consideraba las

---

[1] Biblioteca del Palacio Real, microfilm 79 [Cámara de Seguridad II/3283], «Inventario de Doña Juana», sin fecha [1565]. Copias anteriores del mismo inventario se pueden encontrar en AGS CMC 1.ª época 1213 y 1544.

joyas de la reina Isabel, de Felipe «el Hermoso», de Margarita de Austria, de los diplomáticos, e incluso de la ciudad de Amberes, como representaciones de algunas de sus relaciones más importantes. Ciertos cinturones y lazos que ella guardaba podían, de la misma manera, haber conmemorado ocasiones significativas. Los ciento dieciséis libros de la reina, las veintiocho piezas de altar, los cincuenta y cinco rosarios y varios relicarios le proporcionaban sitios para la reflexión personal y espiritual. También apreciaba mucho los retratos de su madre Isabel y su hermana, Catalina de Aragón[2].

La colección de la reina, establecida principalmente antes de 1507, creció poco después de 1512, cuando los miembros de la familia real empezaron «incursiones» periódicas a ella. Disgustada por la desaparición de sus pertenencias, Juana culpó a los oficiales de la casa antes que a sus propios parientes. De esta forma surgieron tensiones entre Juana y muchos de sus sirvientes, cuyas funciones dentro de la casa dependían de una concepción corporativa del patrimonio real que Juana no aceptaría. Los conflictos entre la reina y sus supuestos servidores, registrados ya en 1497, escalaron después de 1518.

Las actitudes de los sirvientes hacia las posesiones de Juana muchas veces revelaban una falta de lealtad personal hacia ella. Con el fin de negar tener responsabilidad sobre los objetos perdidos o destruidos, los *camareros* de Juana recogieron testimonios, los cuales también ilustraban la relación cada vez más conflictiva de la reina con su personal. En 1524 el *camarero* Diego de Ribera reunió a cinco miembros de la casa para que contestaran a nueve preguntas, para la «provanza e perpetua rememoria» de los acontecimientos en las cámaras de Juana durante los veintiocho años anteriores. De los cinco testigos, García del Campo y Hernando de Helin se identificaron como *reposteros de cámara* de Juana, Hernando de Mena y Lucas de Atienza se denominaron *hombres de la cámara de la reyna*, y Rodrigo de Ratya, el único testigo que no podía firmar su testimonio, era simple-

---

[2] Sobre las memorias íntimas contenidas en objetos personales, véase Orest RANUM, «Les refuges de l'intimité», *Histoire de la vie privée*, Philippe ARIÈS y Georges DUBY (eds.), Paris, Seuil, 1986, III, pp. 210-265.

mente llamado *criado de la reyna*. Después de hacer los solemnes juramentos de proporcionar información verdadera, todos los testigos afirmaban que el *camarero* le había suplicado muchas veces a la reina que le permitiese anotar los artículos de los que ella se desembolsaba, pero Juana nunca accedió a documentar tales transacciones. Según Rodrigo de Ratya, en una ocasión, Ribera llegó tan lejos como llamar al *escribano de cámara* de Juana. Como era característico de ella, Juana despidió al escribano, declarando que *ella* lo llamaría cuando fuese necesario. Hernando de Mena recordaba que en Bruselas Juana había mantenido las llaves de los cofres y los baúles en su recámara desde 1497, abriéndolos y cerrándolos como le placía. Cuando Ribera se quejó de que esa práctica le impedía tener un informe sobre las posesiones de Juana, la archiduquesa supuestamente replicó: «¿Quién os ha de tomar la quenta sino yo?» Mientras que Ribera concebía su trabajo como el cumplimiento de las demandas de un oficio, la archiduquesa insistía en que él la servía a ella personalmente. Incluso antes de que se convirtiera en reina o «enferma», Juana se resistía a los intentos de los sirvientes de darle órdenes acerca de cómo debía manejar los negocios. En otras palabras, desafió sus esfuerzos de gobernarla a ella y a sus posesiones[3].

El deseo de Juana de controlar a sus sirvientes y sus cosas produjo aún más conflictos. Los testigos que presentó Diego de Ribera estaban de acuerdo en que el *camarero* confió algunas de las propiedades de Juana a las acompañantes de ella, Marina Ruiz y Violante de Albión, a comienzos del siglo XVI. Hernando de Helin incluso arriesgó la opinión de que Ribera había actuado apropiadamente, dado que estas damas servían a la reina Isabel. Pero Juana, que buscaba una lealtad exclusivamente personal entre sus servidores, ordenó a las damas con sus bienes, entre otras cosas, que regresasen a Castilla cuando ella marchó para los Países Bajos en marzo de 1504. Aunque Ruiz y Albión dejaron los baúles de Juana en su posesión, la princesa encontró que faltaban ciertas joyas. Al enviar a un mensajero para que preguntara si las damas habían visto o encontrado los artículos que habían desapare-

---

[3] AGS CMC 1.ª época 1544, «Provança de Diego de Ribera», 27 de abril de 1524.

cido, Juana ofendió profundamente a estas antiguas sirvientas, las cuales afirmaban «que su alteza las hacía ladronas.» Ribera se sintió igualmente herido cuando Juana le ordenó que embarcase sus baúles, pero se negó a firmar los recibos de los bienes que ella había distribuido y consumido en Castilla. Originalmente nombrado por la reina Isabel, Ribera a lo mejor también sentía más lealtad a ella que a Juana. De todas formas, el *camarero* se enfadó tanto que se quedó en el puerto de Laredo cuando Juana y sus restantes sirvientes embarcaron para Flandes [véanse páginas 135 y 136]. Ribera se volvió a unir a la casa de Juana en Bruselas, más de un año después de ese incidente.

Juana parece haber tenido en estima a otros sirvientes más que al *camarero*. Lucas de Atienza informaba que la reina le había pedido guardar sus posesiones más personales cuando ellos partieron desde Laredo en 1504, y le ordenó que siempre las tuviese separadas de sus otras pertenencias. Entre estos efectos íntimos, Atienza apuntó un cofre que contenía joyas de oro, y que Juana nunca abrió en presencia de Ribera. García del Campo, que había visto a Juana llevando oro en misas públicas, informó que salvó su caja para guardar cartas y su tocador de un incendio en Ocaña (cerca de Toledo), y que encontró joyas que había perdido en Bruselas y Gante. Si bien el *repostero* no mencionó ninguna recompensa recibida por sus actos heroicos, sí advirtió que Juana le dio a otro sirviente un jubón de terciopelo en retribución por recuperar una joya que una vez había perdido en el parque de Bruselas. Aun siendo capaz de realizar un gesto magnánimo, Juana era más proclive a sospechar de sus sirvientes que a confiar en ellos. Mientras viajaba por tierra desde la costa inglesa hacia el Castillo de Windsor en 1506, Rodrigo de Ratya notó que algunos de los cofres de Juana se golpeaban entre sí y que al caerse se abrieron. Al encontrar un baúl abierto, cargado de monedas y barras de oro, el *criado* lo llevó ante Juana, que inicialmente lo acusó de haber abierto el cofre. Pero, tras verificar por completo su contenido, la confianza de la reina en Ratya aumentó.

Entre sus sirvientes personales, Juana especialmente favoreció al zapatero Tomás de Valencia en los años posteriores a la muerte de Felipe. El zapatero correspondía a Juana con una lealtad similar. En particular, Valencia recordaba que el rey Fernando había ordenado que se abrieran los baúles de su hija y que se hiciera un inventario de su contenido en 1512. En esa ocasión, el zapatero recordaba que él no deseaba renunciar a unos borzeguíes forrados en martas que le había dado la reina[4]. Valencia comprendía que Juana no quería que la administración de la casa regulase o recuperase sus regalos a sirvientes leales. Consciente de la confianza que había entre la reina y Valencia, el marqués de Denia impuso su autoridad sobre el zapatero. Cuando la reina obtuvo sesenta ducados (22.500 mrs.) en 1519, ella le entregó el dinero directamente a Valencia. Interviniendo desde detrás de los bastidores, el siempre vigilante marqués ordenó a Valencia que sacrificase la mitad del total que Juana le había dado. De esta manera, Denia socavó el modesto esfuerzo de Juana por recompensar a un sirviente que era leal a ella y no exclusivamente a él o a Carlos[5].

A diferencia de Tomás de Valencia, para consternación de Juana, la mayoría de los sirvientes y parientes de la reina tomaron indicaciones de Carlos V para gobernarla. A finales de 1524, el emperador había ordenado que los baúles de Juana fuesen retirados secretamente de sus habitaciones y abiertos en su presencia. Después de seleccionar el oro, las perlas, la plata, y las piedras preciosas de los cofres, el emperador supuestamente ordenó fundir los objetos de oro «que le pareció que heran antiguas e no se usaban», y repartió los bienes restantes con su hermana menor, Catalina. Posteriormente, al sospechar que cierto cofre había sido quitado y reemplazado, Juana ordenó a Alonso de Ribera que lo abriese delante de ella. Incapaz de evitar esta tarea, el *camarero* abrió la tapa del baúl para descubrir sólo un viejo paño y unos ladrillos. El *camarero,* entonces, fingió sorpresa: «¡O perdido yo, que an robado quanto deste cofre abía!» Sin impresionarse, Juana respondió: «¡Jesús, Ribera! ¡Qué poco ánimo tenéys, que por mi salbación yo juré por vos!» Según el *hombre de cámara* Juan

---

[4] AGS CMC 1.ª época 1544, «Provança de Alonso de Ribera», 20 de agosto de 1555.

[5] AGS Estado 5, fol. 323, El marqués de Denia a Carlos, sin fecha [octubre de 1519]. AGS CMC 1.ª época 1544, «Provança de Alonso de Ribera», 20 de agosto de 1555.

de Arganda, la reina expresó alivio cuando se enteró de que los bienes desaparecidos habían servido a su hijo. Sobre todo, parecía temer que los sirvientes indignos le robaran sus posesiones. Siguiendo el ejemplo del emperador, la emperatriz Isabel y el príncipe Felipe se llevaron pertenencias de Juana en 1532, 1534, 1536, 1548 y 1552 [6]. En estas ocasiones, sin embargo, es posible que se haya culpado a los sirvientes por los artículos que la reina descubrió que faltaban.

El testimonio que reunió Alonso de Ribera en 1555 también sugería que algunos de los sirvientes de Juana interpretaban su trabajo como el de encontrar maneras ingeniosas para engañarla. Dado que Juana había prohibido que nadie registrara el dinero y otros bienes que ella recibía, un escribano se instaló a las puertas de su habitación, donde, sin el conocimiento de la reina, intentó apuntar todos los artículos que entraran en la habitación. Otro sirviente, Juan de Arganda, recordaba que Juana había ordenado que unos baúles con sus posesiones fueran quemados en 1534, y lamentaba que la vigilancia de la reina había hecho imposible que él salvara más de uno o dos cofres de ropa y calzado. Arganda claramente concebía como su deber el de desobedecer las órdenes de Juana. Cuando el *montero* Juanes de Solares también intentó salvar un baúl, informó que la reina lo observaba desde un balcón superior, tiró un ladrillo al *montero*, y exigió que Solares devolviera sus pertenencias al fuego. Otro sirviente, Gerónimo de Medina recordaba haber oído por casualidad a Denia preguntarle a Juana porqué había ordenado que se quemaran sus posesiones. Según Medina, la reina respondió que no necesitaría llevarlos con ella. Incluso el gobernador de Juana no conseguía explicarse las razones de tal destrucción.

---

[6] Ciertos artículos aparentemente llamaron la atención de la emperatriz Isabel durante su primera visita a Tordesillas. El marqués de Denia envió al Camarero Alonso de Ribera para que llevara estos bienes a la emperatriz junto con una cédula que le pidió que firmase por ellos. Consciente que la medida burocrática podría ofender, el marqués pidió a Isabel que perdonase tales «nonadas.» AGS Estado 12-38, El marqués de Denia a la emperatriz, 23 de febrero de 1531. Juan de Arganda informó que Felipe había ordenado que se sacara más plata y oro de los baúles de la reina cuando él regresó a España en 1552. AGS CMC 1.ª época 1544, «Provança de Alonso de Ribera», 20 de agosto de 1555.

Otros sirvientes informaron que la reina ordenaba de una forma regular que su indumentaria se quemara o sumergiera en agua durante tanto tiempo que quedaba arruinada. Quemar la ropa podía haber sido una manera de impedir la propagación de la peste[7], o incluso de apaciguar a un Dios enfadado. ¿Pero por qué ordenaría Juana de una forma habitual que sus posesiones se destruyeran? Esa acción sólo tiene sentido en vista de la extrema animosidad entre Juana y sus acompañantes. La madre de Juana y de sus hermanos, la reina Isabel, les había enseñado a distribuir artículos de sus propias ropas entre los sirvientes leales[8]. Sin embargo Juana, en vez de dar artículos caros a los sirvientes que ella consideraba indignos, aparentemente destruía sus propios calzados y ropa. Gastar indumentaria usada de esta manera tal vez le permitía asegurar un contacto frecuente —y un negocio regular— con sirvientes leales como el zapatero Tomás de Valencia.

Ya sea intencionadamente o no, desde su lecho de muerte Juana dio la vuelta a la tortilla, como se dice, con respecto a sus servidores menos preferidos. Según la tradición de la casa, la reina todavía mantenía sus más finas posesiones, incluyendo joyas de oro, piedras preciosas, monedas valiosas, dos bandejas de plata, y tres copas de plata, en un baúl de tamaño medio hecho en Flandes[9]. La lavandera, Catalina Redonda, una viuda que pasaba sus días y noches al lado de la reina, recogía el pesado cofre en cualquier momento que Juana lo quisiera. Según Redonda, la reina guardaba la llave del baúl y le ordenaba a la lavandera que se diese la vuelta mientras ella lo abría. Dándole la espalda a la caja, Catalina sólo podía entrever bultos atados de tela blanca y una piedra que parecía ser un diamante montado en oro con una manija esmaltada en oro. Catalina afirmaba que había visto por última vez el cofre cuando Juana lo pidió, cerca del día de San Miguel en 1554, y que usó la barra de oro con «una cosa redonda»

---

[7] El marqués de Denia también creía correctamente que las telas podían transmitir la plaga. AGS Estado 36-245, El marqués de Denia a Carlos, 29 de mayo de 1534.

[8] Véase Capítulo I, p. 56.

[9] AGS CMC, 1.ª época 1544, «La fe del Marqués de Denia sobre el cofre para el Sr. Camarero», 11 de agosto de 1555.

en uno de los extremos para adornarse después de lavarse[10]. Ocho días antes de que la reina muriese, el marqués de Denia ordenó a Alonso de Ribera y a otros individuos que acompañasen a Catalina Redonda cuando entrara en la habitación de Juana. En uno de los baúles, Catalina buscó y encontró una llave para el cofre legendario. La lavandera guió a sus compañeros hacia el tesoro y, al llegar a un cierto punto, exclamó, «¡Ay cuitada de mí! ¡No está aquí el cofre!».

Los sirvientes nunca encontraron el baúl que contenía las posesiones más preciadas de Juana. Intentando recuperar el cofre, Ribera y Denia obtuvieron cartas de un nuncio papal excomulgando a cualquiera que ocultase información sobre ello[11]. Aunque los testigos se presentaron rápidamente, ninguno de ellos recuperó el baúl desaparecido. ¿Había tirado Juana sus bienes antes de su muerte o había engañado, de alguna manera, a los mismos acompañantes que durante años habían intentado engañarla a ella? En última instancia, Juana y sus posesiones evadieron el control de los sirvientes.

«A BESARLE LAS MANOS A LA REYNA, NUESTRA SEÑORA»

El apego de Juana a sus posesiones reflejaba una negativa a permitir a sus sirvientes que interviniesen en las relaciones dinásticas que muchos de estos objetos representaban. Aunque la reina parecía hostil hacia muchos miembros de su casa, se volvía sorprendentemente afable en presencia de su familia. Semejantes actitudes tan diferentes hacia los sirvientes y los parientes implicaban algo más que impulsos caprichosos o esquizofrénicos. Mientras que honraba las distinciones entre los estados, la reina respondía a muy diferentes tratos por parte de la casa y de su fa-

---

[10] En vez de retratar a una reclusa descuidada, la lavandera pintó a una reina a la que le precupaba su apariencia. Una dama de la nobleza que había sido testigo de la escena desde lejos, doña Francisca de Alba, pensó que ella había visto una pieza luminosa de oro más o menos de la forma de un real y del largo de una palma de la mano. Extrañamente, ningún testigo identificó el objeto como un espejo.

[11] AGS CMC, 1.ª época 1544, don Leonardo Marino a los clérigos de Tordesillas, 4 de julio de 1555.

milia. Si bien muchos oficiales de la casa mostraban una falta de respeto a Juana, sus descendientes profesaban reverencia a la reina. Poco podía imaginar Juana que los sirvientes que la menospreciaban de tal manera permitían a los Austrias que honrasen su dignidad real. En otras palabras, dadas las actitudes profundamente diferentes de sus sirvientes y sus descendientes, Juana aparentemente no logró comprender hasta qué punto ellos eran cómplices. Aunque rechazase a acompañantes molestas, la reina buscaba un contacto mayor con sus descendientes.

Los tres hijos legítimos del emperador —Felipe, María y Juana— aprendieron a ejercer autoridad en nombre de su abuela como regentes de España. Durante su primera regencia, desde 1543 hasta 1548, el príncipe Felipe informó acerca de la salud de Juana y resolvió una disputa entre el marqués de Denia y la justicia de Tordesillas[12]. Cuando el emperador llamó a Felipe a Flandes, desde 1548 hasta 1552, su hija, María, e inicialmente su marido, Maximiliano de Hungría, sirvieron como regentes españoles y frecuentemente visitaron Tordesillas[13]. Por último, cuando Felipe se fue a Inglaterra para casarse con María Tudor en 1554, su hermana menor, Juana de Austria, princesa de Portugal, gobernó España. Felipe, María, Maximiliano y Juana, todos empezaron sus regencias con visitas a la reina propietaria en Tordesillas, oficialmente «a besar las reales manos de su alteza». Aunque Carlos explícitamente nombró a sus hijos gobernadores, ninguno de ellos pasó por alto la necesidad de la aprobación de Juana. De la misma manera, ellos tomaban el permiso formal de la reina antes de salir de España. De las dieciséis visitas registradas en Tordesillas hechas por miembros de la familia real desde 1535 hasta la

---

[12] Decidiendo a favor del marqués, Felipe otorgó a Tordesillas jurisdicción independiente y habilitó al marqués para escoger a su *corregidor*. AGS Estado 76-28 y 29, Carlos a Felipe, 19 de octubre de 1548. AGS Estado 76-173 a 176, Juan Vázquez a Felipe, 4 de diciembre de 1548. AGS Estado 76-159, El marqués de Denia a Felipe, 18 de diciembre de 1548. Felipe tambien informó a Carlos sobre los ataques de enfermedad de Juana. AGS Estado 69-37, Minutas de cartas de Felipe a Carlos, 5 de mayo de 1545. AGS Estado 75-270 (2), Felipe al marqués de Denia, 1 de enero de 1548.

[13] A finales de 1550, Maximiliano regresó a Alemania, y María se quedó en España como la única regenta. AHN Nobleza, Frías 22/105, Maximiliano y María en nombre de Carlos para el Conde de Oropesa, 28 de octubre de 1550.

muerte de Juana en 1555, detalles específicos sólo se conservaron en dos casos. Estos casos, comentados en los párrafos siguientes, proporcionan excepcionales visiones de una reina simpática.

El príncipe Felipe, comprometido con la infanta María Manuel (hija de Juan III de Portugal y de Catalina, la hija menor de Juana) en 1543, visitó Tordesillas para pedir la bendición de Juana antes de conocer a su prometida. Acompañado por el cardenal Juan Tavera, el almirante de Castilla, otros nobles y un bufón de la corte, el príncipe encontró a su abuela vestida de una forma modesta «con una ropa de buriel redonda que llegaba al suelo y unas mangas a manera de ropa de fraile benito»[14]. Ella llevaba un tocado flamenco debajo de un velo del mismo paño buriel atado por debajo de su barbilla. Según Alonso Enríquez, el príncipe se arrodilló frente a Juana y le pidió su mano para besársela. Supuestamente negándose a extenderla, «porque nunca la da a nadye», la reina le pidió a Felipe que se levantase dos o tres veces. Como una muestra de respeto, Juana entonces ordenó sillas para el príncipe, el cardenal y el almirante. Sin permitirle a su nieto que se quitase el sombrero cuando hablaba (otro signo de reverencia a ella), Juana empezó a arrancarle información. Después de pedir noticias acerca de Carlos V, la reina preguntó a dónde iba el príncipe, y si él tenía planes de casarse. Cuando Felipe explicó que él iba a conocer a su prometida en Salamanca, su bufón agregó que la princesa era muy hermosa. Mirando a Felipe, Juana se rió: «Más que burlado os hallaréis, desque la veáis, si no os pareçe hermosa». Después de seguir conversando, Felipe se despidió de su abuela, prometiendo regresar a Tordesillas con su esposa.

Según el mismo cronista, después de su boda, Felipe y María Manuel pararon en Tordesillas para ver a la reina, y «desque le huvieron besado las manos», continuaron hacia Valladolid[15]. ¿Había realmente permitido Juana a sus nietos que le besaran la mano? Tal concesión estaría en conflicto con la afirmación ante-

---

[14] Alonso ENRÍQUEZ DE GUZMÁN, *Libro de la Vida y Costumbres,* Hayward KENISTON (ed.), Madrid, Biblioteca de Autores Españoles, 1960, p. 242. Estoy agradecida a Fernando Jesús Bouza Álvarez por orientarme hacia esta fuente.

[15] Alonso ENRÍQUEZ DE GUZMÁN, *Libro de la Vida y Costumbres*, pp. 241-244.

rior del cronista de que la reina nunca permitía tal gesto. Sin embargo, la expresión, usada en un sentido figurativo, puede haber significado rendir respeto a la reina, sin especificar el acto concreto de homenaje implicado. Era importante para Felipe y su esposa ofrecer tal gesto, y tal vez igualmente importante para Juana rechazarlo. Semejantes visitas mantenían a Juana informada sobre los acontecimientos en sus reinos y le permitían comentar los asuntos políticos, aunque su naturaleza esporádica demostraba que la monarquía ya no dependía de una única persona física. La agencia real, limitada a la mano de Juana en 1520, cuando los consejeros afirmaban que una firma de la reina podría salvar o destruir a Castilla, ahora se extendía entre sus descendientes.

Durante sus regencias, María y Maximiliano también rindieron oficialmente sus respetos a la reina Juana. Habiéndose enterado de que Juana disfrutaba de tal contacto, el segundo hijo de la reina, Fernando, le pidió a Maximiliano que recordase a Juana su afecto filial. El 17 de julio de 1550, María y Maximiliano partieron de Valladolid para una visita a Tordesillas, adonde llegaron por la tarde. La reina, habiendo aplazado su cena, dio la bienvenida a la pareja «con mucha alegría y contentamiento». Después de expresar públicamente su placer y preguntar a sus nietos sobre su viaje, Juana les permitió que se retiraran. Al día siguiente, María llevó retratos de sus propias hijas y del archiduque Carlos para compartirlos con su abuela. Estudiando las imágenes con gran interés, Juana le preguntó a María el nombre y la edad de cada uno de los parientes retratados, «con otras particularidades y donayres». Después de llamar a Maximiliano, que había planeado ver a la reina esa tarde, Juana entabló con la pareja dos horas de conversación, «preguntándoles infinitas cosas» y «quexándose de que no le avían traydo a mostrar la princesa Ana [su hija, nacida en octubre de 1549, que sería madre del futuro Felipe III]». Los soberanos explicaron que habían dejado a Ana para protegerla del calor del verano[16].

Cuando Juana era tratada con respeto, respondía con la misma moneda. Después que el grupo real había salido de la habi-

---

[16] AGRB Gachard 615 [sin foliar], El licenciado Gámiz a Fernando, 4 de agosto de 1550.

tación de Juana, Maximiliano regresó para verla, acompañado solamente por el Licenciado Gámiz, el secretario de Maximiliano, quien relató estos hechos al segundo hijo de Juana, Fernando. Maximiliano contó a la reina que Fernando a menudo le había ordenado que visitara y sirviera a Juana, lamentando que él no podía ir a verla en persona. Entonces, como una prueba de la devoción de Fernando, Maximiliano obsequió a la reina una cruz de oro que su hijo le había enviado, y pedía que ella la adorase mientras rezaba por sus hijos. Al examinar el objeto, que originalmente perteneció al emperador Maximiliano, Juana comentó que ella había visto piezas similares en Flandes que habían pertenecido a Carlos el Temerario. Poniendo de relieve que este crucifijo en particular provenía de la Casa de Austria, Maximiliano lo dató hacia 1451, el año grabado en su estuche. Después de estudiar estos detalles, la reina exclamó: «Por buena verdad que mi hijo me ha hecho muy gran placer en acordarse de mí y enbiar me una pieça tan señalada y tan devota». Aunque complacida con la cruz, Juana se preocupaba del lugar dónde guardarla. Cuando Maximiliano sugirió que Juana la colgase de una tela en su habitación, la reina afirmó que el riesgo de robo requería una mayor seguridad, dado que muchas de sus otras pertenencias habían desaparecido[17]. Con delicadeza, Maximiliano cambió de tema.

El corregente hizo hincapié en que él sólo había empezado a cumplir las órdenes de su padre para satisfacer los deseos de Juana. Habiendo comprendido que Juana quería su propio dinero, Maximiliano había ordenado al licenciado que le trajese 400 ducados de oro (150.000 mrs.), que él puso en su regazo[18]. Juana,

---

[17] AGRB Gachard 615 [sin foliar], El licenciado Gámiz a Fernando, 4 de agosto de 1550.

[18] La reina frecuentemente solicitaba, y en ocasiones recibía, fondos entregados directamente a ella, desestimando la estructura regular de la casa. El tesorero Ochoa de Landa entregó 32.000 mrs «en las manos reales de su alteza» en enero de 1529, y depositó unos 200 ducados o 75.000 mrs adicionales «en sus reales manos» nueve meses más tarde. AGS CSR 18-2/82, El marqués de Denia a Ochoa de Landa, 9 de enero de 1529. AGS CSR 18-2/85, El marqués de Denia a Ochoa de Landa, 3 de septiembre de 1529. En 1536 la reina recibió «en sus manos» 300 ducados de oro de la asignación total de la casa de 400 ducados para gastos extraordinarios. AGS Estado 40-79, La marquesa y el marqués de Denia a Carlos, 27 de marzo de 1537. AGS CSR 25-51/149, Consulta con el emperador, marzo de 1537.

agradecida por este gesto, no obstante, especificó que ella quería dinero de su propia hacienda y que no aceptaría ninguno de la de Fernando. Aparentemente, ella valoraba el acceso directo a su estado más que el dinero en sí. Maximiliano, por eso, le aseguró que los ducados venían de su propio patrimonio. Expresando gran placer, Juana continuó interrogando a Maximiliano sobre Fernando y su familia. Cuando el corregente intentó marcharse, Juana le dijo que regresara y recordó que transmitiera su gratitud a Fernando, al tiempo que solicitó favores para determinados sirvientes. Gámiz, por otra parte, informó a Fernando que Juana se había referido a él en tres ocasiones como «my hijo», un término que ella supuestamente nunca utilizaba para Carlos[19].

Juana aparentemente intentaba obtener la ayuda de sus parientes en su continua lucha contra ciertos sirvientes. A este efecto, el locuaz informante de Fernando reveló que el miedo de Juana al robo se intensificó en la víspera de la partida de los regentes de Tordesillas. Aunque Juana convocó a Gámiz a las dos de la mañana, él sólo pudo atenderla después de que Maximiliano hubiera escuchado misa y se hubiera ido esa mañana. Gámiz encontró a la reina de setenta y un años estrechando fuertemente su nueva cruz. Visiblemente angustiada, Juana le pidió a Gámiz que guardase el crucifijo hasta que ella encontrara un cofre seguro, «porque si me hurtassen alguna piedra o pieca della, yo sentiría grandísima pena». Gámiz sugirió que Juana confiase el objeto o a su *camarero* Alonso de Ribera o al marqués de Denia, pero la reina afirmaba que «ya le avían llevado otras muchas joyas de gran valor, dexándole los cofres vacíos». Finalmente, Juana prometió que haría hacer un cofre en menos de treinta días, y Gámiz aceptó su crucifijo. Temeroso de tener la imagen, Gámiz lo dejó en secreto con el tesorero de Juana y se dio prisa para obtener la apro-

---

[19] AGRB Gachard 615 [sin foliar], El licenciado [Gámiz] a Fernando, 4 de agosto de 1550. De hecho, la actitud de Juana hacia su hijo mayor sigue siendo difícil de averiguar. Aunque las memorias de Carlos hacían constar varias visitas «para besar las manos de la reina, su madre» la lacónica fórmula daba a conocer muy poco sobre la relación entre ellos. *Corpus Documental de Carlos V*, Manuel FERNÁNDEZ ÁLVAREZ (ed.), tomo IV, Apéndice: Las Memorias del Emperador, pp. 487, 491, 503.

bación de Maximiliano por estas acciones[20]. En agosto María y
Maximiliano informaron al emperador de su reciente viaje para
ver a la reina, «a visitar y besarle las manos», y le recomendaron
una lista de las peticiones que hizo Juana para Carlos[21].

Las relaciones de Alonso Enríquez y del licenciado Gámiz
proporcionan visiones del substancial y afectuoso intercambio
que podía suponer «besarle las manos a la reina, nuestra señora».
En la segunda relación, al darle a Juana una cruz de parte de su
segundo hijo, Maximiliano demostraba que los objetos materiales
podían expresar y reforzar los lazos familiares. El miedo de Juana a que sus propios servidores le robaran el crucifijo y su conse-
cuente negación a confiárselo, revela que culpaba a estos sirvientes por las anteriores incautaciones de sus posesiones que sus
descendientes habían autorizado. Consciente del miedo de Juana
a perder la cruz, Gámiz finalmente no logró respetar su voluntad.
Al dejar el crucifijo con el tesorero de Juana, Gámiz engañaba a
la reina y confirmaba un patrón general de eludir su autoridad
por lealtad a los Austrias reinantes.

¿UNA REINA POSEÍDA?

Ofendida por la interferencia de los sirvientes con su patrimonio material, Juana especialmente rechazaba las incursiones en
su vida espiritual. Mientras que Juana veía su salvación como un
tema personal, los miembros de su casa consideraban las prácticas piadosas como una parte indispensable de gobernar a la reina. Tal vez lo más frustrante para Juana fue que los sirvientes leales a la causa de los Austrias se negaban a reconocer los signos de
su salud espiritual (o mental).

Al vigilar escrupulosamente sus objetos devotos, desde rosarios a retablos y cruces, Juana indudablemente se consideraba
una católica piadosa. Cuando un relámpago alcanzó su palacio en
1550, la reina se defendió haciendo la señal de la cruz y cantando

---

[20] AGRB Gachard 615 [sin foliar], El licenciado [Gámiz] a Fernando, 4 de
agosto de 1550.
[21] AGS Estado 81-43, María y Maximiliano a Carlos, 4 de agosto de 1550.

«Christus vincit, Christus regnat, Christus me defenda»[22]. Le aseguró al asustado marqués de Denia (don Luis de Sandoval y Rojas desde 1536), que su *Agnus Dei* —una reliquia con poder contra tormentas, fuegos, relámpagos, pestes e incursiones demoníacas— los protegería[23]. A pesar de semejantes incidentes, como veremos, algunos de los sirvientes y parientes de Juana tenían sus dudas sobre la religiosidad de la reina.

Los libros anotados en el inventario de Juana también sugieren un conocimiento de su parte de una piedad interior, contemplativa, asociada a la *Devotio Moderna* y popular entre las élites de comienzos del siglo XVI. Los 116 volúmenes de Juana, incluyendo veintinueve libros de horas, doce libros de canciones y siete misales, consistían de forma abrumadora en obras de devoción. Su hija, Catalina, se llevó unos cuantos de los tratados espirituales de Juana para Portugal en 1525. Entre los tratados que ponían de relieve la identificación personal con los sufrimientos de Cristo, es posible que la reina de forma deliberada le haya prestado a su hija el *Espejo de la Cruz* de Domenico Cavalca, la *Imitatio Christi* de Thomás A. Kempis, atribuido a Jean Gerson en ese momento, y la *Vita Christi Cartuxano* de Ludolfo de Sajonia, traducida por Ambrosio Montesino. La reina conservó, hasta el final de su vida, la mayoría de sus libros de oraciones y varios tratados devocionales (*Lucero de la vida cristiana* de Pedro Jiménez de Prejano, *Vida cristiana* de Hernando de Talavera, *Flos sanctorum* de Jacobus de Voragine y *Loor de virtudes* de

---

[22] Para una discusión sobre el lema *Christus vincit, Christus regnat, Christus imperat* véase Ernst H. KANTOROWICZ, *Laudes Regiae: A Study in Liturgical Acclamations and Mediaeval Ruler Worship*, Berkeley, University of California Press, 1946, pp. 1-3, 180-183. Los arreglos de Juana a la tercera frase parecen ser particularmente significativos.

[23] Sebastián DE COVARRUBIAS OROZCO, «Agnusdéi», *Tesoro de la Lengua Castellana o Española*, Felipe C.R. MALDONADO (ed.), Madrid, Editorial Castalia, 1995, p. 25. Los relámpagos supuestamente cobraron diez vidas en Tordesillas. Cuando la tormenta empezó el 23 de junio de 1550, el marqués de Denia fue a la habitación de Juana y encendió velas sagradas. Mientras estaba ahí, un relámpago entró en las vigas y pasó a través del suelo hacia la habitación de abajo, donde el *camarero* Ribera estaba tendido sufriendo de la gota. El *camarero* y dos mujeres con él momentáneamente perdieron la razón, sin embargo Juana permaneció tranquila. AGRB Gachard 615 [sin numerar], El licenciado [Gámiz] a Fernando, 9 de julio de 1550.

Alonso de Zamora)[24]. Fuera que Juana buscara o no el contacto directo con Dios, sin mediación, que se predicaba en muchos de estos textos, la propagación de los credos protestantes después de 1520 hacía a semejante piedad interior cada vez más sospechosa. A Juana no se le había dejado, y no se le dejaría, interpretar la pasión de Cristo a su voluntad.

Una serie de confesores, empezando con su tutor de la infancia, Andrés de Miranda, había guiado el desarrollo religioso de Juana. El obispo de Málaga, don Diego Ramírez de Villaescusa, sucedió a Miranda en 1497, abandonó a Juana en 1508 y sirvió como obispo de Cuenca antes y después de negarse a apoyar a Carlos durante la rebelión de los Comuneros[25]. Como el confesor oficial de Juana después de 1509, fray Tomás de Matienzo, residía con su padre, el tutor de Catalina, fray Juan de Ávila atendía las necesidades espirituales de la reina hasta que el marqués de Denia lo despidió en 1523[26]. El confesor o capellán mayor, además de sus obligaciones con la reina, oficialmente supervisaba al sacristán (encargado de las ceremonias anuales), a doce capellanes, a dos o tres *reposteros de capilla*, y a siete *moços de capilla* que residían en Tordesillas[27]. A veces, sin embargo, este personal parecía insuficiente para poder gobernar la religiosidad de la reina. En ciertos momentos críticos, los sirvientes de Juana apelaron

---

[24] AGS CMC 1.ª época 1213, Inventario de Juana, 1555.

[25] Sara T. NALLE, *God in La Mancha: Religious Reform and the People of Cuenca, 1500-1650*, Baltimore, The Johns Hopkins University Press, 1992, pp. 22-30.

[26] ADM (leg. 246), caja 4, n.º 53, Carlos al marqués de Denia, 16 de septiembre de 1523. En ese momento, fray Juan de Ávila regresó a su monasterio, San Francisco de Ávila, que había sido uno de los primeros en abrazar las reformas monásticas. José GARCÍA ORO, *Cisneros y la Reforma del Clero Español en tiempo de los Reyes Católicos*, Madrid, CSIC, 1977, p. 175.

[27] AGS CSR 14-6/435-436, Nómina del rey Fernando, 3 de abril de 1509. AGS CSR 17-2/7-9, Nómina del marqués de Denia, sin fecha [1522]. CSR 56-931 a 936, Carlos al marqués de Denia, 11 de septiembre de 1523. AGS Estado 26-134, «Relación de todas maneras de oficios e oficiales e otros gastos de la casa real de la reyna Doña Ysabel... y de la casa de la Reyna Doña Juana», sin fecha [1533]. El marqués de Denia cada vez más llenaba estos oficios con miembros de su propia familia, así como con los descendientes de otros acompañantes de Juana. AGS CSR 24-26/278, Asiento de capellán para Fernando, hijo del Dotor Santa Cara, médico, sin fecha [después de 1524]. AGS Estado 18-165, Consulta tocante a particulares, 1534. AGS Guerra Antigua 8-102, «Memorial de la casa de la reyna», 1536.

a personal espiritual exterior. Los clérigos habían entrado en las habitaciones de Juana para exorcizarla en 1516 y 1520 [ver páginas 190 y 224], aunque sus esfuerzos produjeron pocos efectos[28]. Para empeorar las cosas aún más, desde el despido del franciscano Juan de Ávila, Juana había vivido sin un confesor, y, en consecuencia, sin confesarse. La situación le molestaba en particular a la emperatriz Isabel[29]. ¿Pero era la reina realmente responsable de sus actos y, por lo tanto, capaz de pecar? Cuando el Consejo Real discutió el tema en 1532, algunos miembros aludieron a que si se permitía a Juana que se confesara «se podría presumir que está en otra dispusición de la que tiene». En otras palabras, sugerían que la responsabilidad de los propios pecados presuponía algún grado de cordura. Sin embargo, el marqués de Denia discrepaba, y consideraba la necesidad de Juana de confesarse como un signo de enfermedad y no de salud. No dispuesto a aceptar a otro confesor residente, don Bernardino de Sandoval y Rojas recomendó que Carlos enviase a un fraile dominico (probablemente más una preferencia de Denia que de Juana) para que visitase a la reina, le sacara una confesión específica, y regresara a su monasterio[30].

En consecuencia, el emperador envió a una sucesión de frailes para confesar a Juana. Todos fracasaron. El primero en albergar esperanzas, fray Tomás de Verlanga, se encontró con Juana en Tudela del Duero [véase página 235] en 1534. Aunque él esperó durante toda la Semana Santa que la reina lo llamara, una enfermedad de estómago supuestamente le impidió a Juana ver a Verlanga[31]. Cuando al año siguiente Juana tuvo fiebre, Denia temió por su vida, y pidió a Carlos que enviara a fray Bartolomé de Saavedra, un antiguo compañero del primer instructor y confesor de

---

[28] AGS Estado 3-113, Creencia de Doña María de Ulloa, sin fecha [1516]. AGS PR 2-1/253, Anónimo [Fray Francisco de León] para el Cardenal Adriano, sin fecha [noviembre de 1520].

[29] AGS Estado 12-38, El marqués de Denia a la emperatriz Isabel, 23 de febrero [1532?]. AGS Estado 12-39, El marqués de Denia a la emperatriz Isabel, 23 de febrero [1531?].

[30] AGS Estado 24-290, El marqués de Denia a Carlos, 20 de marzo de 1532.

[31] AGS Estado 29-196, El marqués de Denia a Carlos, 12 de abril de 1534. AGS Estado 29-180, El marqués de Denia a Carlos, 22 de abril de 1534.

Juana, fray Andrés. Sin embargo, la reina se recuperó antes de que Saavedra llegara a verla[32]. En noviembre de 1538, el emperador ordenó a fray Pedro Romero de Ulloa, un cartujo que había confesado a la reina después de la muerte de su marido, que visitara a Juana otra vez[33]. En vez de darle a Romero una audiencia, la reina expresó satisfacción de que él residiera cerca, y prometió llamarlo si necesitaba sus servicios[34]. Observando que Juana muchas veces declaraba que tenía ganas de confesarse, el marqués atribuía su posterior incapacidad a interferencias satánicas[35].

A finales de 1551 el príncipe Felipe visitó a Juana en compañía de otro confesor potencial, el jesuita Francisco de Borja, anteriormente duque de Gandía y marqués de Lombay. Un favorito desde hacía tiempo de los Austrias, Borja había sido paje de la hija de Juana, Catalina, en Tordesillas antes de entrar en la Compañía de Jesús[36]. Borja mantenía importantes vínculos con la casa de Tordesillas. Su hija mayor, Isabel, se casó con el conde de Lerma, don Francisco Gómez de Sandoval y Rojas, en 1548, y empezó a recibir salarios como una de las dueñas que atendían a Juana en 1552[37]. De esta manera, Borja, quien más adelante se convirtió en el tercer general de la Orden de los Jesuitas y fue canonizado póstumamente, podía visitar simultáneamente a su fa-

---

[32] AGS Estado 36-214, El marqués de Denia a Nicolás de Sosa, 7 de mayo de 1535.

[33] AGS Estado 42-145/1, Carlos al marqués de Denia, 6 de noviembre de 1538.

[34] BNM ms. 1778, fol. 70v-71v y RAH Salazar G-23, fol. 74v-75r, El marqués de Denia a Carlos, 25 de noviembre de 1538.

[35] AGS Estado 24-292, El marqués de Denia a Carlos, 24 de abril de 1532.

[36] En 1528, Borja entró al servicio de la emperatriz Isabel, y pronto se casó con una de sus acompañantes favoritas. Nombrando a su primer hijo como el emperador, Borja y su esposa escogieron al príncipe Felipe de tres años de edad como padrino. Cuando la emperatriz Isabel murió en 1539, Borja y Felipe acompañaron su cadáver desde Toledo hasta Granada —una experiencia que supuestamente inspiró al primero a tomar votos religiosos—. Él, no obstante, siguió sirviendo a la familia real como virrey de Cataluña, y posteriormente como *mayordomo* de la hija del emperador, María, encargado de regir su casa y su propiedad. Archivo Ducal de Alburquerque (desde ahora en adelante ADA) caja 49, IV, leg. 5B, núms. 23 y 24, Cédulas del Emperador, 22 de abril de 1543.

[37] ADM (leg. 246), caja 4, n.° 107, Carlos a doña Isabel de Borja, 27 de diciembre de 1551.

milia y a la reina en Tordesillas[38]. Al regresar para ver a la reina después que Felipe la dejara, en 1552 el jesuita persuadió a Juana a que repitiera la confesión general de fe y que aceptara la absolución. Satisfechos con tales progresos, el marqués de Denia y el príncipe Felipe albergaron la esperanza de que Borja, con el tiempo, conseguiría más éxitos con Juana[39].

También en 1552, Borja empezó a escribir el tratado espiritual, «Instrucción para el buen gobierno de un señor en sus Estados», dedicado a su hijo mayor, pero también, juzgando por su contenido, dirigido al emperador. Basándose en el *De Regimine Principum* atribuido a Santo Tomás, Borja hacía resaltar la necesidad de que un soberano dominara sus pasiones y su casa antes de gobernar a su pueblo. También sugería que un soberano incapaz de gobernar debe de haber ofendido a Dios. A través de una extensa referencia alegórica al rey bíblico David, Borja explicaba que David necesitaba vencer a Goliat (el diablo), superar a Saúl (las pasiones), pasar por en la casa de Judas (confesión), y tomar la fortaleza de Sión (contemplación) antes de entrar en la ciudad de Dios. En pocas palabras, el jesuita recomendaba un autorregimiento riguroso a cualquier soberano que buscara su salvación[40].

Cuando Juana de Austria, princesa de Portugal, empezó su regencia en 1554, tanto ella como Felipe solicitaron que Francisco de Borja se reuniese con ella en Tordesillas[41]. Antes de que la

---

[38] Durante una visita a su hija, Isabel, Borja supuestamente habló sobre las vanidades mundanas mientras la familia comía. Cuando un hueso en su comida arrancó uno de los dientes de Isabel, el jesuita comentó que la condesa parecía bastante fea sin el diente. Alzando sus ojos hacia el cielo, Borja entonces reemplazó el diente, advirtiendo a su hija que no se caería otra vez. Después de la muerte de Isabel, el diente que Borja había tocado supuestamente seguía intacto, mientras que los otros estaban podridos. *Sanctus Franciscus Borgia Quartus Gandiae Dux et Societatis Jesu Praepositus Generalis Tertius,* Roma, Monumenta Historica Societatis Jesu, 1894, I, pp. 625-626.

[39] AGS Estado 89-344, El marqués de Denia al príncipe Felipe, 9 de mayo de 1552.

[40] San Francisco DE BORJA, «Instrucción para el buen gobierno de un señor en sus estados», en *Tratados Espirituales,* Cándido DE DALMASES (ed.), Barcelona, Juan Flors, 1964, pp. 165-219.

[41] Marcel BATAILLON, «Jeanne d'Autriche, Princesse de Portugal», p. 267. Sobre Borja y Juana de Austria, véase Cándido DE DALMASES, *El Padre Francisco de Borja,* pp. 118-121.

princesa llegara a Tordesillas, Borja resumió sus esfuerzos de arrancarle una confesión específica a la reina. En cuatro cartas dirigidas a Felipe, Borja detallaba las tres sesiones que había pasado con la reina Juana en mayo de 1554 y otra antes de su muerte, el 12 de abril de 1555. Esta correspondencia retrata el impacto personal del conflicto confesional en los miembros de la familia real. También revela la buena disposición de la reina de discutir con Borja en sus propios términos, como un intento de aumentar el control sobre su casa. Las cartas de Borja, junto con las de otro sacerdote, exponen los esfuerzos y el fracaso final de Juana de condenar las prácticas religiosas de sus *dueñas*.

El jesuita informó posteriormente a Felipe que, durante su primera reunión con Juana, a comienzos de mayo de 1554, él puso de relieve la obligación de la familia real de combatir la propagación de las herejías protestantes mostrándose como ejemplos de la piedad católica. Después de describir el deseo de Felipe de servir y satisfacer a la reina, Borja informaba haber suplicado a Juana que considerara los esfuerzos de su nieto de recuperar Inglaterra para la Iglesia a través de su matrimonio con la sobrina de Juana, María Tudor. En particular, Borja amonestaba a Juana por su negligencia devocional, porque los ingleses dirían «pues su alteza vivía como ellos sin misas y sin ymágenes y sin sacramentos, que también podrían ellos hacer lo mismo, pues en las cosas de la fe católica lo que es lícito a uno es lícito a todos». El jesuita imploró a Juana —ahora de setenta y cuatro años— que rectificara el pasado y desahogara su conciencia real a través de la confesión. Borja informaba a Felipe que Juana le había escuchado «con mucha atención». Juana afirmaba que, aunque ella solía confesarse, comulgar, escuchar misa, y tener imágenes, sus sirvientas ahora le impedían tales prácticas devotas:

A los principios cuando rezava le quitavan el libro de los manos y le reñían y se burlavan de su oración y a las imágenes que tenía, que eran un Santo Domingo y un San Francisco y San Pedro y San Pablo, [e]scupían, y en la calderilla del agua bendita hacían muchas suciedades. Cuando decían misa, poníanse desacatadas delante del sacerdote, volviendo el missal y mandándole que no dixese sino lo que ellas quisiesen. Por lo cual avisa que guarden el sacramento en las iglesias porque andan trás él, y también an trabajado muchas veces de le quitar las reliquias y crucifixo que agora trae consigo.

Aferrándose enérgicamente a la cruz que Fernando le había enviado, la reina procuraba acusar a sus *dueñas*, presuntamente incluyendo entre ellas a la hija de Borja, de traficar con el diablo[42]. Aunque desde una posición de desventaja, Juana hábilmente solicitó la ayuda de Borja contra sus acompañantes. Cuando el jesuita expresó dudas de que las damas de Juana hubieran cometido tales actos malvados, la reina le siguió la corriente. Ella dijo que él podía muy bien tener razón, porque sus enemigos afirmaban ser almas muertas y también habían molestado a la princesa Juana durante su última visita. Según la reina, los espíritus mostraron mucho desprecio e hicieron muchos conjuros, como si fuesen brujas.

La conversación inicial de Juana con Borja duró más de una hora, y durante ese tiempo ella habló «muy a propósito, sin salir de la materia», según Borja. Aunque Juana maldijo una o dos veces, cuidadosamente evitaba la blasfemia, asegurándole al sacerdote que sus palabras no estaban dirigidas a Dios. Le dejó claro que Borja debía informar a Felipe lo que ella le había dicho de sus servidores, para que «confiesen y hagan como cristianos». Una vez que sus sirvientes se habían ido, Juana insistió en que ella también se confesaría y comulgaría[43]. Borja sólo podía responder que el Santo Oficio de la Inquisición detendría a sus damas, porque su alteza había informado un caso de herejía, el cual necesitaba ser resuelto de una manera u otra. Con algún éxito, la reina parecía que había dirigido las sospechas de Borja hacia sus acompañantes.

Sin embargo el jesuita mantenía sus dudas acerca de la salud espiritual de Juana. «¿Creía [su alteza] los artículos de la fé con

---

[42] AGS Estado 109-331, Francisco de Borja a Felipe, sin fecha [comienzos de mayo de 1554].

[43] Sin el conocimiento del jesuita, Juana había hecho un acuerdo comparable para convencer a los Comuneros que ocuparon el palacio real que despidiesen a sus damas hacía más de treinta años. Véase Capítulo V, página 224.

todo lo que la iglesia católica manda?» le preguntó. Apenas consciente de las alternativas protestantes al catolicismo, Juana declaró: «¿Pues no lo avía de creer? Sí, ¡por cierto que lo creo!» No obstante, Borja persistió: «¿Creía que el Hijo de Dios vino al mundo por nos redemir y nació y murió y resucitó y subió a los cielos, y si creía vivir y morir en esta fe católica?» «Sí», respondió Juana, agregando que ella quería confesarse y comulgar si sólo se quitaba su «impedimiento» [*i.e.* sus *dueñas*]. Dado que eran las seis de la tarde y la reina no había comido aún su almuerzo del mediodía, Borja trató de concluir la sesión. Juana estaba de acuerdo en que el sacerdote debía informar a Felipe y regresar con la respuesta a sus quejas sobre las damas, pero parecía ansiosa de prolongar la entrevista. Como de costumbre, ella solicitó información sobre sus descendientes, preguntándole a Borja cuándo volvería Felipe de Inglaterra y cuándo la visitaría la princesa Juana[44]. Finalmente, Borja presentó a su compañero, el doctor Torres, quien traía un mensaje a Juana de parte de la reina Catalina de Portugal, la menor de los seis hijos de Juana y su antigua compañera en Tordesillas. Entre otros temas, Juana y Torres hablaron de la muerte del príncipe portugués, Juan[45]. La afectuosa consideración de Juana hacia los miembros de su familia contrastaba con el juicio condenatorio de sus servidoras.

Con el objeto de evaluar las quejas de Juana, Borja y Felipe adoptaron la práctica establecida de engañarla. Los intercambios entre Borja y Felipe en 1554 se parecían a aquéllos entre Carlos y el marqués de Denia en 1518-1520, con la diferencia de que la ortodoxia religiosa ahora tenía prioridad sobre la expansión dinástica. Reflexionando sobre su reunión con la reina a comienzos de mayo de 1554, el jesuita declaró que conocía muy pocos remedios para la «flaqueza de juicio» de Juana, «por estar ya tan arraigada esta dispusición en su alteza»[46]. Aunque Borja

---

[44] El jesuita no mencionó cómo manejó las preguntas de la reina.
[45] ARSI Epp. NN. 57, n.º 70, Francisco de Borja a Ignatius de Loyola, sin fecha.
[46] La transcripción que RODRÍGUEZ VILLA publicó en *La Reina Doña Juana* terminaba en este punto. Los historiadores no parecen haber tomado en consideración lo que quedaba del documento.

encontraba «bien claro» que los atormentadores de Juana «no son sus criados, antes son sus enemigos», él propuso un experimento «para que más claramente se pueda juzgar». Después de consultar al marqués de Denia, Borja sugirió que se mantuviese a las damas fuera de la habitación de Juana durante varios días. Según Borja, el procedimiento le permitiría determinar si la reina experimentaba una «ilusión del demonio en la imaginación» o si ella «realmente con los ojos corporales ve esas figuras de personas que el enemigo toma para aflixir y persuadir a su alteza». Por lo tanto Borja, al sospechar interferencias satánicas, propuso averiguar su naturaleza. Felipe aprobó este plan: a la reina se le debería decir que la Inquisición había encarcelado a sus damas, y que no debía verlas otra vez «hasta que otra cosa paresca». Felipe pensaba que con estas tácticas tal vez «se pueda averiguar lo cierto deste negocio». El jesuita también sugería que se nombrara a un comisario o inquisidor para examinar a las damas de Juana, «lo qual se hace en el nombre del Santo Oficio por ser la cosa que más a de temer». Felipe respondió que estaría bien decirle a Juana que se había nombrado a un inquisidor, pero que sería mejor no compartir el asunto con el inquisidor o cualquier otra persona «hasta ver el efecto» de la eliminación de las damas[47].

Para Borja, regir a la reina requería medidas urgentes que facilitaran su salvación. Contra la herejía que Juana había representado, el sacerdote recomendó armas adicionales: cruces e imágenes en todas sus habitaciones, misas diarias y lecturas del Evangelio, agua bendita y exorcismos. Felipe aprobó todas menos las dos últimas medidas, las que él sentía que no deberían preceder el experimento con las damas. El jesuita pensaba que era particularmente importante que su alteza hiciera «protesta de morir y vivir en la fe católica y que renuncia a Satanás con todas sus obras y se santigüe y diga el nombre de Jesús y tome devoción con él», todos los días si fuera posible. Borja también insistía en que Juana debía confesarse, especialmente «si por acaso alguna

---

[47] AGS Estado 109-331, Francisco de Borja a Felipe, sin fecha [comienzos de mayo de 1554].

vez a condescendido o obedecido en alguna de las ilusiones»[48]. El jesuita sospechaba que Juana tenía contactos con Lucifer, lo que le exigía que ella confesara. Borja anotó que la reina, después de admitir lo que había hecho, podía regresar a la fe católica. A medida que los días de Juana llegaban a su fin, el jesuita pensaba que ella podía comer y vestirse como le apeteciera, pero que no debía ser complacida en asuntos que tocasen la salud de su alma. Dado que la curación de la reina tenía que ser «más obra de Dios que de hombres», Borja también recomendaba que se hicieran oraciones por ella en monasterios e iglesias en todo el reino. El jesuita propuso, además, misas especiales y peregrinaciones, lo que Felipe dejó a su voluntad. Borja pensaba que, con la necesaria discreción, se podían buscar individuos con poderes sobre los espíritus malignos para combatir las ilusiones que daban a Juana tales problemas, «porque quitado este impedimento o se confesaría o diría la causa porque lo dexa». Felipe solicitó que, si Juana aún afirmara ver a las damas después de que hubieran sido despedidas, el sacerdote recomendara a las personas apropiadas para tratar a la reina.

Borja, como Denia, se convirtió en el intermediario entre Juana, sus sirvientes y su familia. En una carta del 10 de mayo, el jesuita informó a Felipe que las damas de Juana habían recibido órdenes de dejar de servir a su alteza. Si la reina preguntase por las criadas, se les había ordenado a los otros sirvientes que respondieran que se decía públicamente que las mujeres habían sido detenidas o encarceladas. Hecho esto, el jesuita entró en la habitación de Juana para comunicarle la respuesta de su nieto. Le expresó las condolencias de Felipe por las molestias con sus servidoras y afirmó que las mujeres habían sido arrestadas, «mostrando yo en ello mucho encarecimiento y vendiendo este servicio a su alteza lo mejor que supe». Borja, entonces, le recordó a Juana su parte del trato: Dado que sus servidoras habían sido eliminadas, ella debía revelar «en lo exterior el ánimo

---

[48] La distinción aquí es entre la reina como una bruja y como estando embrujada. Satanás podía haber poseído a Juana, incluso si el contacto de ella con él había sido involuntario. Una mujer loca por definición carecía de agencia y auto-control. Ella estaba literalmente «fuera del libre albedrío».

católico interior que tiene». Juana declaró que Borja justamente había pedido exactamente lo que ella quería hacer. El jesuita suplicó a Juana que declarase con frecuencia sus intenciones de vivir y morir en la fe católica, lo cual ella afirmaba que había hecho durante su visita anterior. Liberada de sus servidoras, Juana incluso escuchó misa y aceptó agua bendita en todos sus aposentos[49].

No obstante, Borja continuaba sospechando interferencias satánicas. Cuando informó a Juana que podía haber sido excomulgada por dejar de confesarse durante tanto tiempo o por tener contacto con brujas, Borja aconsejó a la reina que se absolviese de esta censura con la mayor cautela. Después de recordarle al jesuita que él la había absuelto hace dos años, Juana aceptó todavía otra absolución. La reina satisfizo aún más a Borja al recitarle del Evangelio de San Juan y de San Marcos. Habiendo demostrado su piedad, Juana recordó a Borja su disgusto de sus servidoras. Al preguntarle a Borja si el regreso de las damas se estaba discutiendo, Juana insistió en que tal medida no tendría ningún fin bueno. Borja sólo podía responder que otro padre, fray Luis de la Cruz, había sido nombrado para tratar el tema. Después de contestar a sus preguntas sobre fray Luis, el jesuita dejó a la reina[50].

Mientras que Juana intentaba demostrar su piedad, el informe de Borja del 10 de mayo sugería que las servidoras continuaban provocándola. Después de entrar en el corredor donde ella escuchaba misa, Borja informó que Juana observó unas cortinas nuevas en el altar, se sintió ofendida y exigió su eliminación. El jesuita describió la nueva cubierta del altar como «un pañito de oro con el misterio de la adoración de los Reyes Magos», al que encontró «conviniente para la decencia del altar». Después de intentar mantener el nuevo paño durante dos horas, el jesuita la quitó sólo cuando Juana se negó a comer. Aunque Borja no encontraba ninguna objeción a la tela del altar, la reina claramente rechazaba un cambio hecho sin haberla consultado y puede ha-

---

[49] AGS Estado 109-330, Francisco de Borja a Felipe, 10 de mayo de 1554.
[50] AGS Estado 109-330, Francisco de Borja a Felipe, 10 de mayo de 1554.

ber interpretado las figuras de los tres reyes como astrólogos[51]. Mientras que los herejes de Juana llevaban atuendos islámicos, el jesuita buscaba protestantes. En un intento adicional para desacreditar a Juana, sus servidoras informaron a Borja que la reina había rechazado una vez velas benditas, «deciendo que hedían»[52]. Le informaron, por otra parte, que Juana cerraba sus ojos durante la misa cuando se alzaba la Eucaristía, sugiriendo una aversión al Sacramento. Sin embargo, cuando Borja le envió a la reina velas que habían sido bendecidas, ella las aceptó sin quejarse. Además, cuando un capellán se acercó a Juana en el punto culminante de la misa, la reina lo vio y le indicó que se pusiese a un lado. Según Borja, pruebas posteriores confirmaban las primeras dos. A pesar de las afirmaciones de ciertas acompañantes, no se podía demostrar que la reina fuera una aliada de Satanás.

Incapaz de condenar a Juana por traficar con el diablo, el jesuita encontró igualmente imposible admitir evidencias del buen sentido de la reina. Desestimando los argumentos de Juana, Borja le escribió a Felipe el 10 de mayo:

Me a dicho que después que las dueñas están presas no a visto ninguna de aquellas figuras que se le presentavan. No paresce que agora se puede juzgar otra cosa de lo que otras veces se a pensado y es por esto ymaginaciones y flaqueza de cabeza, todo lo qual procede de la raíz principal de la enfermedad que a tantos años que su alteza tiene[53].

---

[51] El siguiente pasaje de la *Reprobación de las supersticiones y hechicerías* (1530) de Pedro CIRUELO puede explicar por qué Juana rechazó el nuevo paño para el altar: «Vinieron los magos a ierusalem para adorar a nuestro señor Jesu christo rezien nacido: guidos por la estrella. Etc. Aquella arte en tiempos passados se exercitó en nuestra España: que es de la misma constelación que la Persia: mayormente en Toledo y en Salamanca. Mas ya por la gracia de Dios y con la diligencia de los príncipes y prelados cathólicos está desterrada de todas las principales ciudades de España: avnque no del todo por la mucha astucia y malicia del diablo que siempre anda por cegar y engañar a los hombres.» Pedro CIRUELO, *Reprobación de las supersticiones y hechizerías,* Alva V. EBERSOLE (ed.), Valencia, Artes Gráficas Soler, 1978, pp. 9, 48. Una imagen de los reyes magos como falsos conversos se habría entendido como deshonrar el altar.

[52] AGS Estado 109-252, Francisco de Borja a Felipe, 17 de mayo de 1554.

[53] AGS Estado 109-330, Francisco de Borja a Felipe, 10 de mayo de 1554.

En vez de un juicio, Borja, Denia y Felipe habían diseñado una manera segura de exonerar a las acompañantes de Juana. Estas damas, Borja declaró, podían volver a entrar en las habitaciones reales después que llegara otro sacerdote, fray Luis de la Cruz. De la manera más amable posible, «para que lo vuelva a recibir con paciencia», Juana debía ser informada de la inocencia de ellas. Tal vez deliberadamente, Borja y Felipe se engañaron a sí mismos más que a la reina.

A diferencia de Borja y Felipe, Juana seguía convencida de que sus acompañantes femeninas eran sus enemigas. Algunos días después de la segunda carta de Borja, fray Luis de la Cruz visitó a Juana, quien lo animó inmediatamente a que disciplinara a sus damas. Según fray Luis:

> Entré a visitar a la reina, nuestra señora, y preguntóme si tenía a buen recabdo las dueñas y encargóme mucho las castigase con gran rigor. Y para este fin dixo su alteza mil cosas que en deservicio suyo avían cometido, y que le avían impedido el uso de los sacramentos y las devociones de las horas y rosario y misa y agua bendita. Y que la tenían chusmada —esta palabra decía su alteza muchas veces—[54].

Invirtiendo la versión de Juana de causa y efecto, fray Luis defendía a las servidoras. Argumentaba él que la licencia y la osadía de las sirvientes venía de ver que su alteza no recibía los sacramentos ni tomaba las medidas que la religión ordenaba para el tipo de dificultades que ella experimentaba. Una vez más, Juana insistía que las damas le habían impedido llevar a cabo tales prácticas. En tono santurrón, Juana declaró:

> Confío que no será como hasta aquí que me las quitan [a las dueñas] y luego a tres días tornan a soltarlas, y así no puede la persona [real] hazer lo que conviene a su alma.

A pesar de los mejores esfuerzos de la reina, fray Luis continuaba estando al lado de las servidoras que la habían ofendido:

---

[54] AGS Estado 109-253, Luis de la Cruz a Felipe, 15 de mayo de 1554.

Somos los que el emperador y el príncipe, nuestros señores, tienen aquí para servir a vuestra alteza y tractar de su descanso... Pero como vuestra alteza no se ayuda, haciendo de su parte lo que [nuestr]a cathólica y christiana reina y señora nuestra deve, ¿cómo sus criados la podemos servir ni dar contentamiento, pues así lo estorva?

La reina le respondió fríamente:

Por cierto, padre, no tenéis razón en ahincar tanto en eso. Haze vos lo que devéis e el príncipe, dezís, que os mandó, que es castigar muy bien a esas deformes y sin verguenza[s], que lo demás déxame el cargo, que yo lo haré.

Durante la mayor parte de la reunión, Juana criticó a las sirvientes anteriores, mientras que el fraile usó «todos los medios humanos y divinos» para dar vuelta al argumento contra ella[55].

En un segundo encuentro con fray Luis de la Cruz dos horas después de la primera, Juana refinó sus tácticas. Cuando él le suplicó «con grande instancia», ella recitó los sagrados misterios de Jesucristo y la fe católica. Según el fraile, Juana procedió a decir cosas extrañas que revelaban su indisposición:

Me contó una largísima historia de cómo un gato de algalia avía comido a la Infanta de Navarra y a la reina doña Isabel, nuestra señora, y avía mordido al Rey Católico, nuestro señor, y otras muchas cosas de esta calidad. Y que este gato tan malo ya lo avían traido las dueñas y estaba muy cerca de su cámara para hazerle el mismo mal y daño que ellas solían. Y gustaba tanto su alteza de contarme estas historias que me mandaba sentar y poner a mi plazer, diciendo que era muy servida de mi venida.

Juana aparentemente se complacía con el efecto dramático de su historia. Al deleitarse con una audiencia, ella parece haber retratado una batalla entre el bien y el mal, en la cual el diablo toma-

---

[55] AGS Estado 109-253, Luis de la Cruz a Felipe, 15 de mayo de 1554.

ba la forma de un gato, atacando a sus predecesores[56]. Aunque con la eliminación de sus servidoras habían cesado las aflicciones de la reina, ella sentía que las damas seguían siendo una amenaza. Ambos sacerdotes confirmaron la impresión de Juana de que sus servidoras podían regresar. En consecuencia, la reina buscó la ayuda de los padres contra las personas malvadas que ella creía que acechaban fuera de su habitación.

Fray Luis expresó dificultades para formular una respuesta a Felipe. Al considerar todo «muy atentamente y medido por las reglas de la filosofía natural y moral y de sagrada escriptura y teología», puso de relieve, ante todo, su lealtad a Felipe. El fraile encontró a Juana «tan fuera de ser reducida a la observancia de los sacramentos» que declaró que la capacidad de ella para recibirlos era «imposible y dado caso». Tampoco ningún cristiano, declaró, le administraría los sacramentos a Juana sin el temor de que fueran profanados. Algo contradictoriamente, luego afirmó que el tema de la condición espiritual de Juana alteraba y despertaba los juicios de los hombres, «que en este artículo, como en los demás, son tan diversos como son sus rostros». La verdad era, el fraile declaró, que su alteza era tan sincera e inocente de dolor y culpa que ella debía ser envidiada más que compadecida. Con la aprobación de Denia y Borja, fray Luis de la Cruz regresó a su monasterio después del 15 de mayo de 1554.

Aunque las acompañantes que Juana odiaba regresaron a su cámara, la muerte pronto y de forma irreversible liberó a la reina de su compañía. A comienzos de marzo de 1555, el marqués de Denia

---

[56] Ciruelo había advertido a sus lectores sobre Satanás en la forma de felino. Según su tratado, el diablo podía aparecer «en figura de perro, o de gato, o lobo, o león, o gallo, o de otro animal bruto». Pedro CIRUELO, *Reprouación de las supersticiones y hechizerías*, 49. El historiador Carlo Ginzburg hace referencia a numerosas instancias en las que se creía que las mujeres se habían transformado a sí mismas o a otros en gatos. Véase Carlo GINZBURG, *The Night Battles*, John y Anne Tedeschi (trads.), London, Routledge & Kegan Paul, 1983, pp. 86, 89, 99, 106, 142. Las formas de animales también eran apropiadas para las visiones apocalípticas de las reinas. La historiadora Peggy Liss cita a la madre de Juana, Isabel, al final de su vida, pidiéndole al arcángel Miguel que reciba y defienda su alma «de aquella bestia cruel e antigua serpiente que entonces me querrá tragar». Según Liss, la bestia y la serpiente representaban al Anticristo y al Diablo de la Revelación de San Juan el Evangelista (capítulo 13). Peggy K. LISS, *Isabel la Católica*, p. 333.

personalmente viajó a Valladolid para informar a la princesa Juana que la salud de su abuela había tomado un giro dramático hacia lo peor[57]. Después de visitar a la reina dos veces en persona, la regenta llamó a Francisco de Borja y a Domingo de Soto, un famoso teólogo dominico, para que ayudaran a su abuela a alcanzar una muerte piadosa[58]. Habiéndole administrado la extremaunción antes del fin de Juana, Borja describió «la merced que nuestro señor hizo a su alteza en su enfermedad por averle dado, al parecer de los que nos hallamos presentes, muy diferente sentido en las cosas de Dios del que hasta allí se avía conocido en su alteza»[59]. Según el jesuita, Juana pronunció las particularmente edificantes últimas palabras, «Jesu Christo crucificado sea conmigo»[60]. La muerte de la reina el Viernes Santo, cuando su sufrimiento podía recordar la Pasión del Salvador, parecía algo especialmente propicio. Las batallas de Juana con sus servidoras, que reflejaban la mutua negación a ser gobernadas, habían finalmente llegado a su término.

LA CASA NUNCA MUERE

La paz final de la reina con Dios dejó a sus sirvientes reclamando la conservación de sus oficios y salarios. En 1554 Felipe había dejado instrucciones para que la casa de Juana continuase funcionando si Juana muriese antes que él o el emperador regresaran a España. En el caso de la muerte de Juana, Felipe ordenó al marqués de Denia que «mantuviese y preservase y ordenase que la casa, los sirvientes y las damas siguieran en el servicio y el lugar donde ellos están y estaban» hasta que Carlos y Felipe hiciesen otras provisiones para ellos[61]. Después de la muerte de Jua-

---

[57] AGS Estado 109-324, El marqués de Denia a Carlos, 17 de marzo de 1555.
[58] Sobre la muerte a comienzos de la España Moderna, véase Fernando MARTÍNEZ GIL, *Muerte y sociedad en la España de los Austrias,* Madrid, Siglo XXI, 1993.
[59] AGS Estado 109-263, Francisco de Borja a Carlos, 19 de mayo de 1555.
[60] AGS Estado 109-263, Francisco de Borja a Carlos, 19 de mayo de 1555.
[61] AGS CJH 27-221, El príncipe Felipe al marqués de Denia, 10 de abril de 1554. AGS CSR 24-33/243, El príncipe Felipe al marqués de Denia, copia sin fecha [abril de 1554].

na, Denia imploró a Felipe que confirmase estas órdenes, recordándole que la casa no podía continuar sin dineros. Aunque los mejores contables habían estado trabajando para mantener la casa, ellos no podían proporcionar mucho a sus miembros, quienes, según afirmaba el marqués, se estaban yendo todos los días. Denia sugería que la pobreza podía obligar a los anteriores servidores de Juana a trabajar fuera de la casa real[62], poniendo en peligro su continuidad corporativa. Mientras suplicaba a Felipe que confirmara sus instrucciones anteriores, el marqués envió al contador Juan Pérez de Arizpe para que pidiera al emperador que organizara la manera de pagar a los sirvientes. Para prevenir que todos los sirvientes de Juana embarcasen en persona para Bruselas, Arizpe también llevaba cartas en las que se presentaban sus peticiones[63].

La capilla real, si no otra cosa, justificaba la continuidad de la casa de Juana en Tordesillas mientras su cadáver permaneciera allí[64]. Como durante la vida de la reina, sus capellanes cantaban las horas durante Cuaresma, eregían un monumento para Semana Santa y contrataban predicadores para Adviento. Incluso continuaron recibiendo la ofrenda anual de la reina de 375 mrs. en el día de San Sebastián[65]. Dado que la reina asiduamente había celebrado el día de Todos Los Santos durante su vida, la princesa Juana destinó 12.500 mrs. para ese propósito todos los años en que el cuerpo de su abuela siguiera en el Monasterio Real de Santa Clara[66].

Mientras que se había comprometido a mantener la casa de Juana, que él y Felipe heredarían como reyes propietarios, el emperador intentó limitar sus costes. En consecuencia, el secretario real Francisco de Eraso compiló una lista de los sirvientes ante-

---

[62] AGS Estado 109-260, El marqués a Felipe, sin fecha [1555].

[63] AGS Estado 109-259, El marqués de Denia a Carlos, 26 de mayo de 1555. Los folios 259 hasta 269 del Estado 109 en Simancas incluyen varias demandas de fondos después de la muerte de Juana.

[64] AGS CSR 34-8/278 a 276, Felipe a Luis de Landa, 16 de febrero de 1560.

[65] AGS CSR 19-17/1704, El marqués de Denia a Luis de Landa, 15 de abril de 1555.

[66] AGS CSR 66-212, La princesa Juana al mayordomo y contadores mayores, 8 de noviembre de 1556.

riores de Juana, incluyendo sus quitaciones, raciones, ayudas de costa, fechas de entrada a la casa y derechos a favores (normalmente por pobreza o por lealtad). El secretario, entonces, ajustó y estandarizó los salarios anuales de casi todos los 204 sirvientes apuntados, mientras aseguraba los pagos continuos a los parientes y herederos de cuarenta y un empleados fallecidos[67]. Viendo sus ingresos reducidos, muchos de los anteriores sirvientes de Juana se quejaron, y el asunto quedó sin resolver durante años. Por su parte, el marqués le recordó a Felipe II que Dios lo consideraba responsable de recompensar a los sirvientes de la reina, y sugirió que el tema podría incluso impactar en la salvación de Juana[68]. Intercediendo en nombre de los Denia, la princesa Juana argumentó que el emperador debía recompensar y mantener su lealtad[69].

A pesar de sus quejas sobre la reducción de salarios, los miembros de la casa de Juana obtuvieron importantes beneficios extraordinarios después de su muerte. En primer lugar, el emperador prometió a ellos y a sus parientes acceso privilegiado a futuros oficios. En segundo lugar, los sirvientes de la reina que afirmaban haber quedado en la pobreza obtuvieron prioridad en la distribución de diez mil ducados de una reserva especial en Simancas, para beneficiar el alma de Juana[70]. Los miembros de la casa de Juana también recibieron muchas de las posesiones de la reina. Antes de salir de España en 1554, Felipe había prometido al marqués de Denia dos de los anillos más valiosos de Juana, la cruz de oro que Fernando le había enviado, y quince mil ducados que estaban supuestamente en posesión de Juana. Dado que al final no se encontró casi ninguna moneda entre las pertenencias de la reina, el marqués tuvo que aceptar una colección de anillos, imágenes, sedas, ornamentos, retablos, reliquias, tapices,

---

[67] BNM ms. 670, fols. 160-177, «Los officiales y mugeres, capellanes y criados de la casa de la reina, nuestra señora, questa en gloria aya [sic]...» .
[68] AGRB Gachard 614, fol. 367, El marqués de Denia al rey Felipe, 10 de febrero de 1556.
[69] AGS Estado 109-262, La princesa Juana a Carlos, 31 de mayo de 1557.
[70] AGS PR 29:17, «Cuaderno de la distribución de 10 Vs que el Emperador mandó dar para bien del ánima de su madre...», 10 de septiembre de 1555.
[71] AGS CMC 1.ª época 1213, Cargo y data de Diego y Alonso de Ribera, 1555.

libros, rosarios, vasos, juegos, calzados, espejos, peines, broches, carpetas y cajas cuyo valor era un poco menor. También se apropió del *Agnus Dei* que los había protegido a él y a Juana de los relámpagos en 1550. Dirigiendo esta distribución de las posesiones de la reina, la princesa Juana heredó los artículos que nadie más reclamaba, incluyendo ornamentos litúrgicos y ropas modestas[71]. Ella autorizó al *camarero* Ribera que se deshiciera de los objetos viejos y rotos que quedaban en las habitaciones de Juana como él quisiera[72], y otorgó al sacristán Pedro de Ayala los cálices y la platería de la reina para que continuara usándolos en su capilla[73]. Tomando en consideración la continuidad corporativa, los sucesores de Juana finalmente distribuirían entre ellos mismos a los sirvientes de la reina, cargados con las posesiones que quedaban de ella.

MEMORIA Y AUTORIDAD: EXEQUIAS PARA LA REINA

Al informar a los oficiales municipales la muerte de la reina Juana, la princesa Juana de Austria solicitó funerales para su abuela por toda España. En algunas ciudades, los oficiales locales fueron más allá de las instrucciones de la princesa Juana y también declararon un período de luto, en que se prohibieron los banquetes y los bailes, hasta la celebración de los honores fúnebres[74]. La princesa Juana personalmente atendía tales servicios en el espacioso Monasterio de San Benito de Valladolid. Durante las vísperas del 26 de mayo de 1555, los prelados, los grandes y los caballeros en la ciudad acompañaron al hijo de Felipe, don Carlos, a los miembros del Consejo Real y a las órdenes monásticas desde el palacio real hasta San Benito. Al abandonar el monaste-

---

[72] AGS CC 366-45, «Fé de las cosas viejas e quebradas que quedan en la camara de su. al.», 1557.

[73] AGS PR 29:17, «Cuaderno de la distribución de 10 V ds que el Emperador mandó dar para bien del ánima de su madre...», 10 de septiembre de 1555.

[74] En Sevilla, por otra parte, los maestros carpinteros construyeron una tumba gigante para conmemorar a la reina. Biblioteca Colombina, Sevilla, ms. 59-1-3, fol. 148-188, «Exequias de la Reyna, nra. señora, doña Juana, madre del emperador don Carlos V, celebradas en esta muy noble y muy leal ciudad de Sevilla», 1555.

rio al unísono, la justicia municipal, los consejeros, y las órdenes religiosas dirigieron una procesión diferente con cruces, blasones, y un pendón extendido hacia el suelo. Al día siguiente, un padre benedictino (Vadrillo) pronunció el sermón conmemorativo sobre el tema «Temer a Dios, honrar a los Reyes»[75]. Otras ciudades y pueblos informaron a la princesa Juana que ellos habían celebrado rituales similares para recordar a la reina[76].

El informe más detallado que se conserva sobre las exequias de Juana describe las realizadas en Bruselas el 16 y 17 de septiembre de 1555. Estos honores, que Felipe, en Inglaterra en ese momento, solicitó que se aplazasen para que él pudiera asistir a ellos, tuvieron lugar en la iglesia de Santa Gúdula, donde Juana había sido proclamada reina de Castilla después de los funerales de su madre en 1505. Felipe, que se convertiría en el rey de España en el momento de la abdicación de su padre un mes más tarde, encabezó una procesión de luto de toda la ciudad desde el Palacio de Coudenberg hasta Santa Gúdula, detrás de un caballo con una silla de montar de mujer que llevaba la corona. Aunque Felipe cumplió la parte del papel ceremonial que correspondía al sucesor de Juana, no fue proclamado como tal. Por lo tanto Felipe actuó como un miembro de la dinastía de los Austrias y no como el sucesor directo o inmediato de su abuela. En vez de simbolizar la transferencia del poder de un soberano a otro, las exequias de Juana en Bruselas representaban su continuidad entre los descendientes de la reina.

El sermón fúnebre en Santa Gúdula, que pronunció el fraile dominico Anthoine Hamet el 17 de septiembre, describía a Juana como un vínculo entre sus ilustres padres y su numerosa descendencia. Hamet destacó el papel de la reina como esposa y madre. La muerte de su marido en la flor de la juventud, según Hamet, milagrosamente convenció a Juana de la naturaleza efí-

[75] Chancillería de Valladolid, Libro de Acuerdo 2, fol. 132-135, «Discurso de lo que se hizo en esta real audiençia quando fallesció la majestad de la reyna doña Juana...» abril-mayo de 1555.

[76] AGS Guerra Antigua 56-86, La ciudad de Gibraltar a la princesa Juana, 20 de mayo de 1555. AGS Estado 108-138 y 109-157, La princesa Juana a Carlos, sin fechas [junio de 1555].

mera de las cosas terrenales. Después de la muerte de Felipe, Hamet declaró, la reina se retiró del mundo como una viuda casta, que aspiraba al reino celestial y dejaba sus posesiones mundanas a Carlos V. De esta manera, Juana compartía «la dignidad real» conferida sobre ella «por la providencia de Dios para administrar el gobierno del mundo y para ejecutar la providencia divina.» Entre los numerosos descendientes de la reina, Hamet elogiaba en particular a sus hijas, Leonor, reina de Francia, como «princesa y reina de la paz» y María de Hungría, regente de los Países Bajos, por su «valentía, sabiduría, prudencia y magnanimidad viril». El dominico también describió a los nietos de Juana, Felipe y Maximiliano, como «el apoyo y la esperanza de la cristiandad para su defensa y exaltación». Haciendo varias alusiones al impacto del protestantismo, Hamet repetidamente hizo resaltar que las exequias de Juana demostraban la creencia en «la resurrección universal de la carne» y la eficacia de la oración para salvar las almas de los difuntos. Tales rituales hacían que la muerte piadosa de Juana fuera una victoria para la causa católica[77].

El arzobispo de Sassari, don Martín de Ayala, pronunció un sermón fúnebre parecido en honor de la reina Juana, en su catedral en la isla de Cerdeña. Como Hamet, Ayala elogió el humilde retiro de Juana de los deseos mundanos después de la muerte de su marido:

> Menospreciando el reyno del mundo y toda manera de ornamento del siglo y pompa real, por amor de nuestro señor, Jesu Christo, se vestió en vida del hábito de San Francisco del qual en la muerte se havía mandado vestir su madre, entendiendo por ordinario en ayunos, oraciones y limosnas.

Por lo tanto, Ayala caracterizó el *recogimiento* de Juana como una extensión de las prácticas piadosas de su madre, la reina Isabel. Dedicando una atención particular a los descendientes de Juana, el arzobispo destacó que Dios los había escogido para gobernar

---

[77] Instituto Valencia de Don Juan (desde ahora en adelante IVDJ), libro 26-II-10, fols. 128v-134v, Exequias para la reina Juana en Bruselas, 16-17 de septiembre de 1555.

la mayor parte de Europa y para mantener la Iglesia Católica. Elogiando a Juana, Ayala declaró:

Así a esta señora se deve, después de Dios, todo el beneficio y refección que la christiandad ha gustado de su fruto. De manera que con gran razón podemos aplicar a esta señora la alabanza que da la sancta escriptura a la muger fuerte y varonil, diziéndole, 'Muchas hijas han congregado riquezas de toda manera y principalmente las mayores que la posessión de tal prole, pero tú has hecho ventaja a todas'.

Juana, que se había sacrificado tanto por sus hijos, hubiera agradecido tal elegía[78].

HACIA GRANADA POR FIN

La muerte de Juana resolvió unos cuantos problemas políticos para los Austrias. En particular, prometía una correspondencia mayor entre los derechos titulares y la autoridad práctica que lo que había sido posible bajo una reina que no gobernaba. En mayo de 1555, Ruy Gómez de Silva, el *sommelier de corps* de Felipe, le escribió al secretario Eraso respecto a la muerte de la reina:

Aunque nos dará pena por lo que toca a la carne, para lo demás muchas cosas a asegurado en lo que toca a la sucesión de Nápoles y otras cosas de que sospechávamos que el Rey de Romanos quería aver[79].

Aunque Carlos había nombrado a Felipe rey de Nápoles antes de su matrimonio con María Tudor, el envejecido emperador posteriormente recordó que el título pertenecía a su propia ma-

---

[78] *Sermón hecho por el illustrísimo y reverendísimo señor Arçobispo de Saçer en su yglesia metropolitana, en las honrras de la Sereníssima y cathólica reyna Doña Juana, madre del Emperador y Rey, nro. señor*, Valencia. Casa de Antón Sanahuja, 1556.

[79] AGRB Gachard 614, fol. 357, Ruy Gómez de Silva a Francisco de Eraso, 15 de mayo de 1555.

dre[80]. Mientras eliminaba esta incertidumbre sobre Nápoles, la muerte de Juana también le permitió a Carlos renunciar a sus otros títulos y posesiones a favor de su hijo, Felipe, y de su hermano, Fernando.

Además, la muerte de Juana oficialmente completó la transición hacia la dinastía de los Austrias en España. Carlos V había encargado monumentos fúnebres para sus padres ya en 1519. Las efigies, diseñadas por Bartolomé Ordóñez, llegaron a Granada veinte años más tarde. Sin embargo, estas esculturas no podían aparecer al lado de las de Isabel y Fernando en la capilla real mientras Juana siguiera viva. Las vistosas figuras renacentistas, por lo tanto, fueron a parar al Hospital Real de Granada. Mientras tanto, los cadáveres de la reina Isabel, el príncipe Miguel, el rey Fernando, el rey Felipe I, la emperatriz Isabel, la princesa María Manuel, y los hermanos de Felipe II que murieron siendo niños, Fernando y Juan, se acumulaban en la cripta debajo del monumento de los Reyes Católicos. El cuerpo de Juana permaneció en el monasterio real de Santa Clara en Tordesillas hasta que Felipe II hizo espacio en la capilla de Granada al ordenar que los cuerpos de su madre, su mujer y sus hermanos fueran transferidos a El Escorial[81]. La inclusión de Juana en la Capilla Real en Granada llenaría el vacío dinástico entre la reina Isabel, el rey Fernando y el nieto que nunca conocieron.

El monasterio y palacio real, San Lorenzo de El Escorial, constituía uno de los proyectos más famosos de Felipe II como rey. Atento a cada detalle en San Lorenzo, Felipe hizo provisiones típicamente meticulosas para el mausoleo real. Excluyendo a sus abuelos, Felipe y Juana, este notable monumento presentaba a Carlos V, a la manera de David en el tratado espiritual de Borja, como el fundador de una nueva dinastía. Como Borja había es-

---

[80] AGS PR 42-19, «Registro original del protesto que el rey don Felipe II hizo sobre la reservación del derecho de la reina doña Juana, su abuela, al reino de Nápoles», 6 de mayo de 1555.

[81] Antonio GALLEGO BURIN, *La Capilla Real de Granada,* Granada, Paulino Ventura Traveset, 1931, pp. 70, 76, 85, 199. Véase también Duque DE T'SERCLAES, «Traslación de cuerpos reales de Granada a San Lorenzo de El Escorial y de Valladolid a Granada: Siete cartas inéditas del rey D. Felipe II», *Boletín de la Real Academia de la Historia* LX: i, enero 1912, pp. 5-24.

crito: «Aunque David no había construido el templo del Señor, fue, no obstante, ordenado y construido del oro y las riquezas que David había dejado»[82]. Por tanto Felipe, muchas veces comparado con el hijo de David, Salomón, imaginaba a su padre como el fundador de una nueva dinastía en España. Juana seguía siendo una figura problemática —no aliada por completo ni a sus padres ni a sus descendientes—.

Felipe II esperaba que el cuerpo de su abuela encontrara el descanso final al lado de los restos de su marido. El rey inicialmente ordenó a los grandes y a los prelados que trasladaran el cuerpo de Juana a la capilla real de Granada en la primavera de 1568, pero entonces retrasó el acto debido al calor del verano que se aproximaba[83]. Finalmente, en el otoño de 1573, Felipe mandó al duque de Infantado y al obispo de Salamanca que transportaran el cadáver de su abuela a El Escorial[84]. En instrucciones escritas por su secretario, el rey ordenó al presidente del Consejo Real que supervisara el traslado del cuerpo de Juana de Santa Clara. Luego sugirió que un *alcalde* de la Chancillería de Valladolid acompañase el cadáver a El Escorial. Desde San Lorenzo, otros oficiales escoltarían el cuerpo de Juana hasta Granada[85].

Depositado en la Capilla Real de Granada en 1574, el cadáver de Juana permanecía separado de su escultura fúnebre, la que se encontraba, aparentemente olvidada, en el Hospital Real de la misma ciudad. En 1591, sin embargo, Felipe II ordenó a ciertos oficiales que buscaran en el Hospital Real las efigies de Juana y su marido, Felipe. Después de restaurar las esculturas —reparando específicamente cuatro de los dedos de Felipe, dos de los de Juana, y la cabeza del santo patrono de Juana, Juan el Bautista— estos oficiales rediseñaron la Capilla Real para acomodar estas efigies al lado de las de los padres de Juana. Las imágenes fúnebres

---

[82] Francisco de Borja, «Instrucción para el buen gobierno», p. 209.

[83] AHN Nobleza, Frías 24/61, Felipe al conde de Oropesa, 21 de abril de 1568. AHN Nobleza, Frías 24/62, Felipe al conde de Oropesa, 5 de mayo de 1568.

[84] AHN Osuna 1976-27 (1), Felipe al duque de Infantado, 5 de octubre de 1573.

[85] IVDJ Envío 7 (II), Instrucciones para el traslado y transporte de cuerpos reales, 12 de abril de 1573. Estoy agradecida a Juliet Glass por proporcionarme una copia de este documento.

de Felipe y Juana se unieron a sus restos mortales en la Capilla Real doce años más tarde[86].

La efigie de Juana, restaurada y colocada junto a las de sus padres en 1603, conserva pocos trazos de los prolongados conflictos de la reina con sus sirvientes. La figura recostada, llevando serenamente la corona y el cetro, parece completamente capaz de gobernarse a sí misma, su casa y sus reinos. Los cachorros moldeados a sus pies sugieren una tranquilidad doméstica de la que Juana misma rara vez, si acaso alguna, disfrutó. Casi cincuenta años después de su muerte, Juana recuperó la dignidad real, separada durante mucho tiempo de su persona física. Su cuerpo, no obstante, permanecía lejos de los restos de los descendientes de los Austrias, cuya sucesión ella había asegurado.

---

[86] BNM ms. 18.654, n.º 42, «Provisión de los sepulcros de don Felipe... y doña Juana a la capilla de los Reyes Católicos», 15 de diciembre de 1591.

CONCLUSIONES

En 1502 Juana «la Loca» llevó la primera reliquia de Santa Leocadia desde la abadía benedictina de San Gislen, en las afueras de Mons, hasta su ciudad natal, Toledo. Según Miguel Hernández (1591), Juana donó el hueso original, «como preciosíssimo don», a la Catedral de Toledo. Quizás recibiendo noticia de los demás restos de la santa a través de Juana, el nieto de la reina, Felipe II, y el jesuita, Francisco de Borja, posteriormente enviaron a Hernández a Mons y patrocinaron la repatriación de los otros huesos de Leocadia. La recepción completa de las reliquias en Toledo —finalmente lograda, después de varios intentos que habían fracasado, en 1587— presentaba un arco triunfal en el que estaban representados cuatro reyes: Alfonso VI, quien recuperó Toledo del poder de los musulmanes; Fernando III, quien fundó la Catedral de Toledo; Felipe II, quien hizo restaurar los últimos restos; y Felipe I, quien recibió reconocimiento por traer la primera reliquia de la santa. Al asociar a Felipe II con su tocayo, los festejos públicos en 1587 eludieron el papel histórico de Juana. La historia de los restos de Leocadia, escrita por un religioso consciente del protagonismo de la reina Juana, atestigua la temprana y deliberada deformación de los hechos históricos relacionados con ella[1].

Con frecuencia dejada fuera de la historia, Juana «la Loca» ha habitado durante mucho tiempo el reino de la leyenda. ¿Entonces, por qué intentar la recuperación de sus circunstancias históricas? ¿Por qué cambiar a una heroína romántica por una reina

---

[1] Miguel HERNÁNDEZ, *Vida, Martyrio y Traslación de la gloriosa Virgen y Martyr Santa Leocadia*, fols. 73v, 224-224v.

que nunca gobernó? O, en otras palabras: ¿En qué sentido el estudio de una «reina loca» mejora nuestro entendimiento de la historia española y europea? Sugerimos que la experiencia histórica de Juana —hasta el punto que los textos, documentos y otros vestigios de su tiempo la conservan— contribuye en tres áreas de interés historiográfico y metodológico. En primer lugar, nuestra investigación examina transformaciones en el concepto de la autoridad monárquica y relaciones entre personas reales en el apogeo del imperio español. En segundo lugar, ofrece una investigación práctica de la naturaleza de la soberanía femenina en la Europa del Renacimiento. Finalmente, ilumina los peligros de aplicar los valores de una época a otra.

Investigaciones anteriores han examinado la teoría de los dos cuerpos del rey como un recurso legalista y un principio ceremonial. En la transición española hacia el reinado de los Austrias, argumentamos, la idea de una doble persona real guió las confirmaciones y resistencias a la autoridad real. La separación de Juana de los reinos de Castilla y Aragón empezó con su matrimonio de 1496 con Felipe el Hermoso, cuyos poderosos consejeros limitaron los recursos financieros de Juana y el control sobre sus propios sirvientes. Aunque algo normal para una consorte en el extranjero, el aislamiento político de Juana continuó cuando ella se convirtió en reina propietaria de Castilla. Después de la muerte de Isabel la Católica en 1504, Felipe utilizó su autoridad personal sobre Juana para reclamar la posesión de Castilla, León y Granada. Después de la muerte de Felipe en 1506, el padre de Juana afirmó su propio derecho a dirigir a la joven viuda y sus reinos. Como Felipe, Fernando adoptó la idea de los territorios corporativos vinculados a un individuo real para justificar el gobierno de las tierras y súbditos de Juana como su deber personal. En 1518, el hijo de Juana, Carlos, intentó hacer lo mismo, dando énfasis a sus obligaciones filiales hacia la reina y, por lo tanto, a sus reinos.

Sin embargo, la teoría de los dos cuerpos del rey, que abarcaba los territorios corporativos sujetos a un «rey natural», también podía justificar la resistencia a la autoridad. Como hemos visto, en 1520 los delegados de trece ciudades y villas se declararon a sí mismos una «Santa Junta», que representaba el reino corporativo de Castilla, e intentaron «librar» a la persona de su reina. Aunque inicialmente impresionada por las declaraciones de los Comuneros, Juana, al final, rechazó su programa. Por una parte, la reina identificaba sus reinos con el Consejo Real y los grandes nobles tanto como con las supuestas Cortes. Por otra parte, concebía sus reinos en términos dinásticos. Al no apoyar a los Comuneros, Juana afirmó la superioridad de los intereses corporativos de los Austrias. Por lo tanto, sancionó la separación de facto entre sus derechos titulares y la verdadera autoridad. Nominalmente, la reina gobernaba Nápoles, Sicilia, España y las Américas. En la práctica, ella ni siquiera podía controlar a sus sirvientes. Esta alienación, reconocidamente excepcional, de la autoridad de un soberano propietario ilustra notablemente la separación potencial y, por lo tanto, la existencia, de las personas corporativas e individuales de los monarcas en la España de los primeros Austrias.

El concepto de los dos cuerpos de un soberano, que tiene su origen en un reinado centrado en Cristo, mantenía importantes dimensiones sagradas en la Castilla y el Aragón del siglo XVI. Las entradas reales, los juramentos en las Cortes, descritos como coronaciones y sacramentos [2], la expresión de la religiosidad en público, los ritos funerarios, e incluso las comidas formales, mostraban el aspecto sacralizado de la persona real. Los dos cuerpos del soberano proporcionan un marco intelectual para interpretar no sólo estos acontecimientos sino también el comportamiento de una «reina loca». Según las creencias predominantes, un monarca que era considerado no apto para gobernar debe de haber ofendido a Dios. La unión fundamental entre Juana y sus reinos, además, significaba que los pecados de uno podían afectar la salvación del otro. Por lo tanto, los contemporáneos de Juana invocaban la voluntad divina, no sólo para explicar sino también para justificar que la separaran del gobierno. Que Juana no podía o no quería reinar facilitó un cambio hacia una autoridad real más corporativa y familiar, menos territorial o individual, en la España de los primeros Austrias. El tratamiento que recibía la reina de manos de sus parientes, servidores y súbditos tiene sentido en tér-

---

[2] Gerónimo DE BLANCAS, *Coronaciones de los sereníssimos reyes de Aragón. I Diarii di Marino Sanuto,* XXV, p. 426.

minos de la doble persona real. Lejos de ser una víctima pasiva, algunas veces Juana misma intentaba resaltar su cuerpo coporativo, dinástico, y esconder su ser personal, femenino. La incapacidad de Juana para regirse a sí misma, su casa y sus reinos proporciona una visión más profunda de los desafíos con los que se enfrentaban las reinas del siglo XVI. La afirmación de que los parientes de Juana le impedían que gobernase «porque ella era una mujer» parece ser demasiado simple. Sugerimos, más bien, que un cuerpo femenino como «cabeza del reino» provocaba miedo e inestabilidad, a menos que estuviera equilibrado o supervisado por una apropiada autoridad masculina[3]. La madre de Juana, Isabel, evitó este problema al casarse con Fernando, el heredero varón más cercano al trono de Castilla. Aunque Juana intentó alianzas similares, su marido, su padre, y su hijo sucesivamente incrementaron su autoridad a costa de ella. Otras mujeres de la casa de Austria que ejercieron autoridad —incluyendo a la emperatriz Isabel, a María de Hungría y a la princesa Juana— sólo reinaron como regentes, nombradas por reyes varones y responsables ante ellos. Los derechos propietarios y la independencia potencial de la reina Juana animaron a los parientes ambiciosos a gobernarla. Controlando tanto a Juana como a su casa, los sucesivos soberanos afirmaron su autoridad sobre la reina y sus reinos.

En 1939 el sociólogo alemán Norbert Elias afirmó que el estudio de los actores históricos muchas veces descansaba sobre suposiciones individualistas contemporáneas. Según Elias, una comprensión más completa de los individuos del pasado requería un análisis de sus papeles sociales y su mutua dependencia. Elias argumentaba que la posición de rey coartaba incluso al más «absoluto» de los monarcas, el cual, por necesidad, se sometía a una elaborada etiqueta, usada para controlar a su corte y, por extensión, a sus reinos. Por lo tanto, Elias desafió a los historiadores de

---

[3] Como se ha afirmado en el Capítulo III, muchos contemporáneos compartían el punto de vista de Desiderius Erasmus, quien consideraba a la mujer como «un animal estúpido», aunque necesario para complementar la razón masculina. Desiderius Erasmus, *The Praise of Folly,* London, Oxford University Press, 1945, p. 23. Ian MACLEAN, *The Renaissance Notion of Woman.*

períodos anteriores a que superaran su sujeción postiluminista al individuo autónomo[4].

La aplicación de valores modernos a sociedades premodernas que Elias refutaba también ha dificultado los intentos por recuperar la experiencia histórica de la reina Juana. A partir del siglo XIX, los historiadores han tendido a interpretar los acontecimientos en la vida de Juana, en gran parte, según los intereses de sus propias épocas. Encabezados por Antonio Rodríguez Villa, los historiadores influidos por el romanticismo, fascinados por el amor, la muerte, el duelo y la locura, pasaron por alto los motivos políticos del famoso apego de Juana al cadáver de su marido[5]. Ansiosos por identificar las raíces de una «nación española» en el pasado, eruditos tales como Michel Prawdin retrataron a la reina como una figura nacional e ignoraron las evidencias de sus importantes compromisos dinásticos y familiares[6]. La deferencia de la reina a su padre y su negación a apoyar a los Comuneros contra su hijo también pueden parecer irracionales desde una perspectiva moderna[7]. En última instancia, los esfuerzos para persuadir a Juana a que confesase una relación con Satanás antes de su muerte revelan enfermedades del siglo XVI poco adaptables a los diagnósticos del siglo XX[8]. No sostenemos que los contemporáneos de Juana la considerasen «cuerda», sino más bien que retrataron su «locura» según intereses políticos cambiantes. La locura, como el género, demostró ser un concepto flexible en el terreno de la soberanía.

Este estudio puede decepcionar a lectores ansiosos por des-

---

[4] Norbert ELIAS, *The Court Society,* Edmund Jephcott (trad.), Oxford, Basil Blackwell, 1983, orig. 1939, pp. 3-4, 16. Agradecemos a Tonio Andrade el habernos proporcionado esta referencia.

[5] Antonio RODRÍGUEZ VILLA, *La Reina Doña Juana la Loca,* esp. 410-411. Véase también Emilia PARDO BAZÁN, *Hombres y Mujeres de Antaño (Semblanzas),* Barcelona, López editor, 18--?, pp. 119-141.

[6] Michel PRAWDIN, *Juana la loca.*

[7] Joseph PÉREZ, *La Révolution des 'Comunidades' de Castille (1521-1521),* pp. 197-200.

[8] Antonio VALLEJO NÁJERA, «La patografía de Aragón y de Castilla», en Nicomedes Sanz y Ruiz de la Peña, *Doña Juana I de Castilla, la reina que enloqueció de amor,* esp. pp. 252-258. Ludwig PFANDL, *Juana la loca,* esp. pp. 106-111. Miguel Ángel ZALAMA, *Vida Cotidiana y Arte en el Palacio de la Reina Juana,* pp. 540-546. Vallejo Nájera, Pfandl y Zalama han afirmado que Juana tenía esquizofrenia.

cubrir «si Juana estaba o no *realmente* loca». La tarea se complica por el hecho de que los autores renacentistas, desde Desiderius Erasmus hasta Sebastian Brant y Pedro Mártir de Anglería, negaban la «locura» de la locura en sí — describiendo a la locura como una evasión de las convenciones sociales y las responsabilidades políticas necesaria, piadosa e incluso razonable[9]. ¿Buscó Juana semejante evasión? La documentación histórica proporciona poca, si alguna, información sobre la psique individual de la reina. En cambio ilumina el apego de Juana a los miembros de su familia, los conflictos con sus sirvientes y sus preocupaciones religiosas[10]. Una «falta de salud» hipotéticamente impidió que Juana se rigiera a sí misma, su casa y sus reinos. Las fuentes nos han obligado a considerar la «locura» de Juana tanto un producto como una causa de conflicto con los servidores que supuestamente la servían. La falta de respeto de los sirvientes por la reina aseguraba que ella no ejercería la autoridad real. Por otra parte, los servidores pueden haberse negado a tratar a Juana como a una reina, precisamente porque ella no se comportaba como tal. Los ejemplos del comportamiento no regios de Juana comentados en los capítulos anteriores incluyen el jurar y el recurrir a la violencia física. Pero, incluso si Juana blasfemaba, lanzaba una barra de metal, tiraba un ladrillo o blandía una escoba, sus contemporáneos parecían mucho más preocupados por las maneras no convencionales de la reina de comer, dormir, vestirse y rendir culto. No obstante, incluso cuando la reina comía, dormía, se vestía, oraba y hablaba según las convenciones sociales, ejercía poca autoridad sobre su casa.

¿Cuándo realmente chocaba el comportamiento de la reina? En noviembre de 1510, el rey Fernando visitó a su hija en compañía de varios grandes y embajadores. Todos se escandalizaron por la humilde ropa y el entorno de la reina, que no estaba pre-

---

[9] Desiderius ERASMUS, *The Praise of Folly*, pp. 94, 114, 118, 120-124. Sebastian BRANT, *The Ship of Fools,* Edwin H. Zeydel (trad.), New York, Columbia University Press, 1944. *Epistolario de Pedro Mártir*, X: Epist. 516.

[10] En parte, nuestra forma de enfocar estas fuentes se basa en el reciente uso de documentos inquisitoriales con el objeto de revelar conflictos sociales más grandes y no sólo casos de herejía (o demencia). Jaime CONTRERAS, *Soto contra Riquelmes: Regidores, inquisidores y criptojudíos,* Madrid, Anaya y M. Muchnik, 1992.

parada para recibirlos[11]. En estos momentos, Juana parecía entender que sus prácticas ascéticas, como el ayuno, las vigilias y la seclusión, no eran apropiadas para una reina propietaria[12]. Sin embargo, los parientes y sirvientes de Juana, a pesar de grandes esfuerzos, y aun violencia, llamada *cuerda* o *premia*, nunca vencieron el *recogimiento* de la reina. En 1523, por lo tanto, el propio rey Carlos se refería a su madre como «yndispuesta e rrecogida»[13]. De modo que nos sorprende muy poco que el príncipe Felipe y otros nobles encontraran a la reina vestida «a manera de ropa de fraile benito», tapando su cuerpo personal femenino, en 1543[14]. Tampoco nos parece fuera de lugar el comentario del arzobispo de Sassari, don Martín de Ayala, de que la Reina «se vestió en vida del hábito de San Francisco del qual en la muerte se havía mandado vestir su madre»[15]. La piedad de Juana, tomada de las prácticas devotas de las anteriores duquesas de Borgoña, fue más allá que la de su madre. Mientras que la reina Isabel basaba su soberanía sacralizada en su exhibición exterior tanto como en su devoción interior, la reclusión devota de Juana la convertía en la primera de una sucesión de Austrias españoles inaccesibles, incluso invisibles[16].

Sin duda la inaccesibilidad voluntaria y obligada de Juana demostró ser su mayor desventaja como reina. El aislamiento de la reina durante gran parte de su vida la ha hecho frustrantemente escurridiza para los historiadores. Nosotros hemos encontrado la

---

[11] Prudencio DE SANDOVAL, *Historia de la Vida y Hechos del Emperador Carlos V,* I, xxxv, p. 38. Antonio RODRÍGUEZ VILLA, *La Reina doña Juana la Loca,* pp. 245-246.

[12] En otras ocasiones, como delante de los Comuneros, la reina sabía presentarse para representar a sus reinos. Para un paralelo contemporáneo, véase George E. MARCUS, «On Eccentricity», en *Ethnography through Thick & Thin,* Princeton, Princeton University Press, 1998, pp. 161-177. Agradecemos esta referencia a Patricia Seed.

[13] AGS CSR 56-931 a 936, El rey Carlos para la casa de su madre, 11 de septiembre de 1523.

[14] Alonso ENRÍQUEZ DE GUZMÁN, *Libro de la Vida y Costumbres,* p. 242.

[15] *Sermón hecho por el illustríssimo y reverendíssimo señor Arçobispo de Saçer...*

[16] J.H. Elliott ha destacado una tendencia a aislar al monarca español por medio de ceremonias cortesanas que le daban acceso sólo a unos pocos aristócratas y que, por lo tanto, aseguraban su aislamiento. J. H. ELLIOTT, «The Court of the Spanish Habsburgs: A Peculiar Institution?» *Spain and Its World, 1500-1700,* New Haven, Yale University Press, 1989, esp. pp. 148-149, 154, 160-161.

persona pública e inmortal de Juana infinitamente más accesible que su enigmático ser personal. Al colocar a la persona individual de Juana dentro de la casa que la rodeaba, hemos intentado evitar la invención de una Juana personal, cuando las evidencias están ausentes o son engañosas. En cambio, precisamente por la tendencia de Juana a esconder su persona física, hemos descubierto una serie de hechos que sí apuntan hacia una nueva visión de la reina. Son menos románticos, menos escandalosos, y, por lo tanto, creemos que están más de acuerdo con el verdadero momento y el verdadero personaje histórico. En vez de combatir la reclusión voluntaria y forzada de la reina, hemos optado por reconocerla.

Pero, ¿cómo podía una reina en reclusión cuidar de sus reinos? Juana puede haber encontrado una respuesta en la práctica del *recogimiento*. De hecho, el manual ascético más popular del siglo XVI, el *Abecedario Espiritual* de Francisco de Osuna, se refería a Juana como a una *recogida* ejemplar[17]. En este sentido, los ayunos, las vigilias y la soledad de la reina pueden haber implicado no sólo prácticas devotas sino también estrategias para asegurar específicas demandas personales y políticas. Más allá del personaje corporativo de la reina, detectamos el desarrollo de un proceso de recogimiento, paso a paso, a lo largo de 76 años. Localizamos los puntos clave de ese proceso en los contactos de la reina con las franciscanas de Bruselas y Brujas, los cartujos de Burgos y las clarisas de Tordesillas, y también con sus confesores, Andrés de Miranda, Pedro Romero de Ulloa y Juan de Ávila, quienes le permitieron dedicarse a su propia piedad discreta y ais-

---

[17] Osuna escribió: «Lo octavo que este exercicio recoge es los sentidos del hombre a lo interior del coracón donde está la gloria de la hija del rey q[ue] es el ánima cathólica; y assí muy bien se puede comparar el hombre recogido al erizo q[ue] todo se reduze assí mesmo y se retrae dentro en sí no curando de lo de fuera...» Francisco DE OSUNA, *Abecedario Espiritual,* Burgos, Juan de Junta, 1544, III, p. 56v. Los sirvientes de Juana hubieran agradecido la comparación de Osuna de «la hija del rey» con un puerco espín. El tercer volumen de Osuna, publicado por primera vez en 1527, parece haber sido escrito durante la vida del rey Fernando, dado que la primera hija de Carlos V había nacido en 1530. La dedicatoria de la versión de 1527 al marqués de Villena, quien conocía bien a Juana, también indicaba que el marqués había «amado» y «apropriado» el libro antes de su publicación.

lada. Hemos visto que las inclinaciones pías de Juana, que se intensificaron después de la muerte de su madre en 1504 y de su marido en 1506, inicialmente se desarrollaron en los Países Bajos.

Como una joven duquesa de Borgoña, Juana estableció importantes relaciones con las franciscanas observantes. Sabemos que ella pasó por lo menos dos días en 1499 en el convento de *Grises Soeurs*, o hermanas franciscanas, de Bruselas[18]. En 1501, por otra parte, descubrimos que Juana obtuvo una bula papal para reformar ese mismo convento, el cual posteriormente se convirtió en una casa de clarisas pobres. En esta bula, Alejandro VI autorizó un monasterio de clarisas «bajo una regular observancia y en perpetua clausura... según nos fue humildemente suplicado, tanto por parte de la amada hija en Cristo, la ilustre Juana, princesa de Asturias, gran archiduquesa de Austria y duquesa de Borgoña, como por parte de la priora y las anteriormente citadas [hermanas]»[19]. Sin embargo, como en el caso del traslado del hueso de Santa Leocadia, posteriormente se borró el papel de Juana. Los informes franciscanos publicados desde 1501 excluyen por completo a la archiduquesa y casi no mencionan la bula que ella consiguió[20]. Tampoco hacen referencia a que Juana y sus damas hicieron varias visitas al claustro de las clarisas descalzas

---

[18] ADN Lille B 3457, n.° 120863, Gastos de la casa de Juana, 26 de junio de 1499; n.° 120865, Gastos de la casa de Juana, 30 de junio de 1499.

[19] Stads Archief Brussel n.° VIII, fol. 350v-353v, «Copie vander bullen vander clausuren vanden Graubben Zusteren», 4 de septiembre de 1501 [copia contemporánea]. ASV Archivum Arcis, Arm. I-XVIII 4173, fol. 138v-142, Alejandro VI para el Convento de Bethlehem, 4 de septiembre de 1501 [copia del siglo XVII].

[20] La única historia que menciona esta bula no hace ninguna referencia a Juana. Alexandre HENNE y Alphonse WAUTERS, *Histoire de la Ville de Bruxelles*, IV, p. 161. La mayoría de las historias de los Franciscanos reconocen al padre Theodore de Munster la reforma de las clarisas de Bruselas. Henrici SEDULII, «Chronicon Werthense», en David DE KOK (ed.), *Collectanea Franciscana* XVI-XVII, 1946-1947, orig. 1620, p. 66. J. GOYENS, «Passage de soeurs grises de Bruxelles à l'Ordre de Sainte Claire», *Archivum Franciscanum Historicum* 36, 1943, pp. 227-234. Heribert R. ROGGEN, *De Clarissenorde in de Nederlanden*, Sint-Truiden, Instituut voor Franciscaanse Geschiedenis, 1995, pp. 195-199. Aunque la dominación de España por parte de los borgoñones y de los Austrias parecía una amenaza mayor en vida de Juana, la posterior oposición al reinado español puede haber disuadido a las clarisas de Bruselas de reconocer a su patrona.

en las afueras de Brujas a comienzos de 1501[21]. Fuera que buscaba un modelo para reformar el convento de Bruselas o que simplemente disfrutaba de una excursión devota, la archiduquesa
demostró una consideración particular a las franciscanas observantes.

Aunque atraída por el franciscanismo, Juana no dejaba de
acordarse de su antiguo maestro y confesor, el dominico Andrés
de Miranda, en el monasterio de San Pablo de Burgos. En 1501
el papa le concedió a Juana las cabezas y reliquias de un grupo es-
pecífico de santas, las once mil mártires vírgenes encabezadas por
Santa Úrsula, con el permiso de otorgarlas a las iglesias e individuos de su elección[22]. No es de sorprender que once de estas cabezas fueron al Monasterio de San Pablo, donde fueron colgadas
el 20 de julio de 1506 —otro hecho histórico que parece haber
desaparecido con el mismo monasterio—. Por indulgencia papal,
los individuos que visitaron San Pablo en esta ocasión, incluyendo a Juana y a Felipe, obtuvieron un completo perdón de todos
sus pecados[23].

Aunque consistente con las normas reales en estas instancias,
la religiosidad de Juana se intensificó durante ciertos momentos
cruciales de su vida. ¿Pudo la reina Isabel haber previsto la inclinación contemplativa de su hija al considerar que Juana tal vez estaría en una situación de «no poder o no querer» gobernar?[24] En

---

[21] «Le maistre a paiet pour le louaige de sept chariotz que l'on a prins a plu-
sieurs foix lesquels ont mene ma dite dame et aucune de ses filles au cloistres des
pied deschaulx lez ceste ville.» ADN Lille B 3459, núm. 121091, Gastos de la casa
de Juana, 17 de abril de 1501.

[22] AGS PR 27-58, «Auténtica de las reliquias de los mártires que se trajeron de
Roma para la Princesa Doña Juana con facultad para poderlas colocar en iglesias»,
27 de octubre de 1500. Las once mil vírgenes recibieron martirio en Colonia en 238
o 452. Jacobus DE VORAGINE, *The Golden Legend*, William Granger Ryan (trad.),
Princeton, 1993, II, pp. 256-260.

[23] AHN Clero - Secular-Regular, carpeta 193, n.º 3, «Indulgencia plenaria para
todas las personas que se hallaron presentes a la collocación de las cabeças de las
virgines en este convento», 20 de julio de 1506. El consejero real Lorenzo GALÍN-
DEZ DE CARVAJAL afirmó que doce cabezas fueron colgadas en San Pablo en esa ocasión. Lorenzo GALÍNDEZ DE CARVAJAL, «Anales Breves del reinado de los Reyes Católicos», *Crónicas de los Reyes de Castilla,* III, p. 556.

[24] AGI PR 56:18, Carta patente de la reyna de gloriosa memoria, 23 de noviembre de 1504.

todo caso, Juana primero demandó soledad cuando recibió los informes sobre la condición moribunda de su madre en 1504 y permaneció retirada durante meses después de la muerte de Isabel[25]. Su rechazo de toda compañía, menos la de las mujeres más humildes, también se remonta a ese período[26]. Después de la muerte de Felipe, Juana una vez más rehuyó a los consejeros reales y delegados municipales que pedían una reunión con ella[27]. Por otro lado, tras el subsiguiente nacimiento de su sexto hijo, Juana sí recibió al compañero franciscano de Francisco Jiménez de Cisneros, fray Francisco Ruíz, quien escribió: «Siempre [la Reina] me muestra mucho amor. Parésceme que está mejor que nunca»[28]. De forma parecida, una vez instalada de Tordesillas, la reina dió una limosna de cien mil mrs. a dos religiosos que la visitaron del Real Monasterio de Guadalupe, un convento conocido por su «mucha observancia y recogimiento».[29] Incluso en momentos de reclusión, Juana recibió a sirvientes conocidos por su santidad.

Por otra parte, el alboroto político, que intensificó las presiones para la visibilidad real, también aumentó el deseo contrario de Juana de un retiro piadoso. Finalmente, la reina puede haber dirigido la atención a su marido fallecido en un intento de reconciliar sus intereses dinásticos con los devotos. Los cartujos que acompañaron a Juana con el féretro de Felipe en 1506 y 1507 a lo mejor la ayudaron a armonizar las contrarias demandas del retiro ascético y la exhibición real. Aunque rara vez capaz de ejercer una liberalidad monárquica, la reina hizo abundantes regalos a

---

[25] GÓMEZ DE FUENSALIDA, *Correspondencia*, pp. 312-313, 327.

[26] GÓMEZ DE FUENSALIDA, *Correspondencia*, pp. 297-301.

[27] BN ms. 18761, n.º 26, «Noticia de lo que al presidente y oidores del consejo real les pasó con la reina Doña Juana en Burgos», 26 de septiembre de 1506. AMS, Actas Capitulares, caja 29, carpeta 121, fols. 6 y 7, Los procuradores de Cortes al Cabildo de Sevilla, 18 de diciembre de 1506.

[28] RAH Salazar A-12, fol. 130, Fray Francisco Ruiz al secretario Miguel Pérez de Almazán, 9 de marzo de 1507, transcrito en RODRÍGUEZ VILLA, *La Reina Juana*, 464-465.

[29] AGS CSR 53:13, Nómina de Mosen Ferrer, 25 de junio de 1512. AMG Códices 87, «Tabla de los bienhechores desta sancta casa y monasterio», fol. 5. AMG leg. 5, n.º 9, El rey Fernando en nombre de la reina Juana a sus aposentadores, 30 de junio de 1514.

los cartujos de Miraflores. Según los documentos del monasterio, Juana donó ropa, cortinas y paños, que los monjes usaron para hacer ornamentos, además de dos lujosas alfombras[30]. También proporcionó al vicario, García del Corral, un plato de plata dorada que le había prometido desde Gante y fondos para convertir el plato en una lámpara. La reina misma incluso hizo un boceto del emblema que deseaba que se grabara en la lámpara[31]. Cuando Juana quitó el ataúd de Felipe de Miraflores, su prior, fray Pedro Romero de Ulloa, y otros monjes la acompañaron hacia el sur, à los pequeños pueblos de Torquemada, y después a Hornillos. Juana mantuvo a estos frailes junto a los anteriores capellanes de Felipe, mientras pagaba «la cera que ha de arder do[nde] estuviere el cuerpo del rey, nuestro señor, que aya santa gloria»[32].

Al dirigir la atención hacia el cadáver de su difunto cónyuge, Juana hacía público su estatus como rey de Castilla, León y Granada para así asegurar la herencia de su hijo mayor, Carlos. Las notorias peregrinaciones nocturnas de la reina le permitieron combinar las demandas públicas de exhibición real con su deseo personal de aislamiento. En conformidad con la regla de los cartujos que la acompañaban, hemos notado que Juana excluía a mujeres no reales de la presencia de los monjes. En vez de estar dominada por celos necrofílicos, hemos visto que la reina simplemente respetaba las normas de los cartujos. Una vez que el fraile Pedro Romero y sus seguidores regresaron a su monasterio de Miraflores (Burgos), Juana no tuvo problema para depositar los restos mortales de Felipe entre las clarisas de Tordesillas.

[30] Francisco TARÍN Y JUANEDA, *La Real Cartuja de Miraflores*, Burgos, Hijos de Santiago Rodríguez, 1896, p. 178. Agradecemos esta referencia a Santiago Cantera Montenegro.
[31] TARÍN Y JUANEDA, *La Real Cartuja de Miraflores*, p. 178-179. El platero real Antón López de Carrión afirmó haber gastado 18.392 mrs en otra lámpara de plata y oro que Juana había donado al Monasterio de Miraflores. AGS CSR 55-59, «Pliego de Carrión, Platero», 5 de marzo de 1508. El inventario post-mortem de Juana tenía apuntados dos libros de dibujo. AGS CMC 1.ª época 1213, El inventario de la reina Juana, 1555.
[32] AGS CSR 14-1/8, La reina Juana a Ochoa de Landa, 19 de diciembre de 1506. AGS CSR 14-1/10, 14-1/13, 14-2/81, 14-2/83, y Colección de Autógrafos n.º 101 [anteriormente Estado Castilla I-ii-475], La reina Juana a Ochoa de Landa, 30 de diciembre de 1506, 4 de marzo de 1507, 5 de abril de 1507, 22 de mayo de 1507

De hecho, Juana ejerció cierta influencia sobre la abadesa y las monjas del Real Monasterio de Santa Clara. Hemos visto que hacía donaciones para fiestas señaladas e influía en las obras de la capilla mayor. Igualmente cabe subrayar que mantenía cierto número de frailes del Monasterio de San Francisco de Ávila en Santa Clara, donde rezaron por el ánima de Felipe desde 1509 hasta 1523[33]. Con el guardián del mismo monasterio, fray Juan de Ávila[34], y su compañero, antes de 1514 el número de los monjes de San Francisco de Ávila en Tordesillas llegó hasta ocho, más de una tercera parte de los 23 monjes pertenecientes al monasterio de Ávila, si juzgamos por su composición en 1494[35].

¿Qué tipo de vida practicaban esos franciscanos? Gracias al insigne historiador José García Oro, sabemos que en 1494 los frailes de San Francisco de Ávila solicitaron el permiso de sus vicarios general y provincial (el mismo Francisco Jiménez de Cisneros), para reformarse bajo la observancia[36]. La introducción de la reforma en su mismo monasterio, aun antes que llegase Juan de Ávila, indica que la dirección espiritual de Juana estaba en manos de un fraile *recogido,* o, por lo menos, observante, hasta 1523. También sabemos que el claustro del convento de San Francisco de Ávila se hizo a expensas del mismo obispo de Ávila, fray Francisco Ruiz, a quien la reina siempre mostraba «mucho amor.» La relación de Juana con el pequeño y devoto monasterio de Ávila

---

y 15 de julio de 1507. Fray Pedro Romero recibió unos 35.175 mrs adicionales para gastos incurridos en el servicio del difunto rey. AGS Estado I-ii-476, La reina Juana a Ochoa de Landa, 18 de julio de 1507.

[33] AGS CSR 53-5, 15-1/24 y 70, Mosén Ferrer a Ochoa de Landa, 16 de mayo de 1509, 12 de junio y 10 de noviembre de 1511. AGS CSR 53-15, Mosén Ferrer al bachiller Torisco, vecino de Tordesillas, 29 de enero de 1513; CSR 24-1/42 y 24-6/95, El rey Fernando sobre los gastos de la iglesia y Memorial sobre el servicio de la capilla, 4 de agosto de 1514 y sin fecha [1524].

[34] Sobre fray Juan de Ávila, véase Manuel DE CASTRO, «Confesores franciscanos en la corte de los Reyes Católicos», *Archivo Ibero Americano* 34, 1974, pp. 55-126, esp. 102-107.

[35] AHN, Universidades 1224F, f. 105r, Carta de los religiosos del convento de Ávila al Vicario General para pasar a la observancia, 29 de julio de 1494, transcrito en José GARCÍA ORO, *Cisneros y la Reforma del Clero Español en tiempo de los Reyes Católicos,* Madrid, CSIC, 1977, p. 175.

[36] AHN, Universidades 1224F, f. 105r, Carta de los religiosos del convento de Ávila al Vicario General para pasar a la observancia, 29 de julio de 1494.

quizás empezara el 10 de abril de 1503, cuando la reina Isabel la Católica, estando Juana en su corte, dio una limosna de 15.000 mrs al guardián de San Francisco de Ávila, «para ayuda a los gastos del capítulo general [en realidad, provincial], que se hiso e celebró en el dicho monasterio»[37]. Los franciscanos de Ávila siguieron siendo importantes para los descendientes de Juana. Los sucesores de Juan de Ávila como guardianes del monasterio incluían a personajes tan ilustres como fray Antonio de Guevara, obispo de Mondoñedo, fray Juan de Zumárraga, arzobispo de México, fray Francisco Guerro, obispo de Cádiz, fray Sebastián de Arcualo, confesor de las Descalzas Reales de la Corte, obispo de Mondoñedo y Osma, y fray Antonio Cardona, arzobispo de Valencia[38]. En especial, fray Antonio de Guevara, cronista y consejero real, dedicó su libro, *Marco Aurelio con el Relox de Príncipes*, que Juana también poseía, al emperador Carlos V. Al hablar de la herencia materna supuestamente del emperador Marco Aurelio, Guevara resaltó a una noble señora que guardó su castidad. Según un epíteto que parece inventar el franciscano, «quiso más ser casta y estar quarenta y seys años encerrada, que no ser libre y casarse con el rey de Trinacria». Curiosamente, nos parece como si aludiera a Juana[39].

El posible *recogimiento* de la reina Juana igualmente explicaría la creciente preocupación acerca de su salud espiritual entre otros miembros de la familia real. Tanto la despedida del confesor fray Juan de Ávila como la negativa de la reina a confesarse coinciden con la pérdida del prestigio oficial del recogimiento, debido a sus supuestos vínculos con el movimiento herético de los alumbrados[40]. Por lo tanto, entendemos que a partir de 1525 los descendientes de Juana se preocupasen por unas prácticas que la propia reina consideraba devotas desde hacía tiempo.

---

[37] *Cuentas de Gonzalo de Baeza*, II, p. 582, citado en J. MESEGUER FERNÁNDEZ, «Franciscanismo de Isabel la Católica», *Archivo Ibero Americano,* 19, enero-junio 1959, pp. 1-43.

[38] Leonardo HERRERO, «El sepulcro de los padres de Santa Teresa en la iglesia del ex-convento de San Francisco de Ávila», *Boletín de la Real Academia de Historia,* 71, 1917, pp. 534-535.

[39] Antonio DE GUEVARA, *Relox de Príncipes,* p. 87.

[40] Bernardino LLORCA, *La Inquisición española y los alumbrados (1509-1667),* Salamanca, Universidad Pontificia, 1980, pp. 53-54, 104-105.

Esperamos que tales datos —recogidos a lo largo de nuestro estudio— sirvan para orientar futuras investigaciones sobre la religiosidad de la reina y sus familiares. Detectamos la tensión entre la austeridad real y la magnificencia que se inicia con Juana a lo largo de los siglos XVI y XVII. Aunque las problemáticas constitucionales y de género nos ayudan a aproximarnos a la reina, sólo logramos entrar en su casa, abarcar sus conflictos internos, y acceder a la persona real a través de su *recogimiento*.

El retiro espiritual, por problemático que sea en una reina propietaria, puede haber ayudado a Juana a reconciliar compromisos con sus padres, su marido y los descendientes de ellos. Reacia a ser una heroína y no dispuesta a convertirse en una víctima, la reina luchó por mantener los derechos de sus hijos en Castilla y Aragón. A favor de esos descendientes, renunció a sus propios derechos a ejercer la autoridad real a cambio de una vida retirada y contemplativa. Este sacrificio comprendía el esfuerzo más importante, y el menos reconocido, de Juana de regirse a sí misma y, por lo tanto, de dirigir sus reinos. Gobernada durante mucho tiempo por los miembros de su casa, la «Reina Loca» mostraba poca inclinación a la vida pública normalmente asociada con la autoridad real. Dotada de capacidades excepcionales y cargada de restricciones poco comunes, Juana pone a prueba los supuestos que gobiernan nuestra perspectiva del pasado.

FUENTES DE ARCHIVOS
Y MANUSCRITOS CONSULTADOS

FUENTES DE ARCHIVOS Y MANUSCRITOS CONSULTADOS

ACA   Archivo de la Corona de Aragón (Barcelona)
             Cancillería Reg. 3537, 3546, 3569, 3573, 3577,
             3614, 3584, 3896, 3897, 3908, 3909, 3912, 3973,
             4011, 4012
             Cancillería, Cartas Reales, Fer. II, caja 1, 2, 3, 4
             Cancillería, Pergamino 355, Carlos I
ACT   Archivo de la Catedral de Toledo
             Actas Capitulares 3
ACV   Archivo de la Real Chancillería de Valladolid
             Libros de Acuerdo 1, 2
ADA   Archivo del Duque de Alburquerque, varios 29, 32;
             legajo 1; cajas 2, 7, 46, 49
ADM   Archivo Ducal de Medinaceli: Sección histórica,
             legajos 246, 256-258, 263, 266, 270, 282-284,
             341, 342, 347-348; cajas 22-24, 40-41
ADN Lille   Archives du Département du Nord à Lille
             B 368, 369, 432, 433, 435, 458 (Museé 122), 857,
             1287, 2364, 2156-2196, 2204, 2228, 2364, 3380,
             3382, 3454-3463, 3507, 17782, 17791, 17795,
             17799, 17802, 17822, 17823, 17825, 17876,
             18825, 18826, 18846, 19262, 20156, 20160
AGI   Archivo General de las Indias
             Casa de Contratación 4674, 5009, 5103, 5873
             Indiferente General 418
AGRB   Archives Générales du Royaume à Bruxelles
   Audience   Papiers d'État et d'Audience 13, 14, 22, 34, 73,
             1082
   CC   Chambre des Comptes 7218, 7220, 15733f,

	1575 1b, 15760b, 15765b, 15773b, 16606-7, 16611-12, 16617, 30705
Gachard	Papiers Gachard 611-615
Mss Div	Manuscrits Divers 1678, 1726
AGS	Archivo General de Simancas
CC	Cámara de Castilla, Cédulas: libros 3, 7-8, 11-12, 16-18; Memoriales: leg. 353; Personas: leg. 2, 6-10, 15, 24, 26; Pueblos: leg. 9, 20
CJH	Consejo y Juntas de Hacienda 2, 11, 27-29
CMC	Contaduría Mayor de Cuentas, 1.ª época, 42, 267, 1213, 1544
CR	Consejo Real 616, Exp. 2
CSR	Casa y Sitios Reales, Obras y Bosques 7-20, 24-25, 43, 46-49, 51, 53-61, 65-66, 95-98, 396
E	Estado, Castilla 1-18, 20-33, 35-36, 38, 40, 44-46, 50, 53-54, 60-61, 64-65, 69-70, 72-73, 75-77, 81, 108-113, 496
GA	Guerra Antigua 2, 7, 8, 56, 57
PR	Patronato Real 1-5, 13, 27, 29, 41-43, 50, 52, 54, 56, 69, 70
QC	Quitaciones de Corte: legajos 27, 35
RGS	Registro General de Sello: XII.1506; I.1507; IV.1520
AHMB	Arxiu Historiç Municipal, Barcelona
CC	Consell de Cent: Sèrie II, reg. 44; Sèrie VI, reg. 42-44; Sèrie VII, reg. 1; Sèrie IX, Subsèrie A, c. 6-7
AHN	Archivo Histórico Nacional
Clero	Secular-Regular leg. 982-986, 988, 994, 998, 1001, 1002; carpeta 192, 193
Osuna	Papeles de Osuna: leg. 326, 420, 1523, 1860, 1954, 1976, 1982, 2116
Universidades	legs. 712-714, 741, 757
AHN, Nobleza	Archivo Histórico Nacional, Sección Nobleza Frías 17, 18, 21, 22, 24, 62, 91, 180, 181, 258
AHPV	Archivo Histórico Provincial de Valladolid Protocolos 4396-4401; Sección Histórica 242, 265
AHTJ	Archivo Histórico de la Provincia de Toledo de la Compañía de Jesús (Alcalá de Henares): I-2; IV-1
AMB	Archivo Municipal de Burgos Sección Histórica 312-317, 3027

AMC	Archivo Municipal de Córdoba: caja 3, 7, 15, 17
AMG	Archivo del Real Monasterio de Guadalupe
	(Cáceres) Códices 87; leg. 4, 5, 42
AML	Archivo Municipal de León, leg. 15
AMS	Archivo Municipal de Sevilla
	Actas Capitulares caja 29, carpetas 119, 121
AMT	Archivo Municipal de Toledo: Alacena 2, leg. 2;
	Archivo Secreto caja 1, leg. 1-2; caja 5, leg. 6;
	caja 7, leg. 1; caja 8, leg. 1
AMP	Archivo Municipal de Palencia: Emb. 27
AMV	Archivo Municipal de Valladolid: Actas 2
AMZ	Archivo Municipal de Zaragoza
	Serie Facticia 20, 27, 121
ANTT	Arquivo Nacional da Torre do Tombo (Lisboa)
	Corpo Cronológico, Parte I, Maço 3, 5, 26; Gaveta Antiga 17, Maço 2
APZ	Archivo Provincial de Zaragoza
Híjar	Casa Ducal de Híjar, Sala I, leg. 17, 19, 33, 34, 93, 116, 186, 197; Sala IV, leg. 37
ARSI	Archivum Societatis Iesu, Roma: Epist. Ext. 25, Epist., NN. 57, NN. 65 (I)
ASF	Archivio di Stato di Firenze. Otto di Pratica. Legazioni e Commissarie, Reg. 11
ASG	Archivio di Stato di Genova. Archivio Segreto 2793, 2707B, 2707C, 2718
ASCT	Archivo de Santa Clara de Tordesillas: caja 30
ASMa	Archivio di Stato di Mantova. Archivio Gonzaga. Busta 583, 585
ASMo	Archivio di Stato di Modena: Cancelleria Ducale. Ambasiatore. Spagna. Busta 1
ASV	Archivio Segreto Vaticano
	A.A.Arm I-XVIII, nos. 4167, 4172, 4173, 4179, 4197, 4205, 6129, 6154, 6185
	Minutae Brevium: Arm. 39, tomo 22-25
	Reg. Vat. 833, 837
ASVe	Archivio di Stato di Venezia: Misc. Ducali e atti diplomatici, Busta 21, 20bis, 47; Senato Secreto, Reg. 39-40
AVM	Archivo de la Villa de Madrid: Sección 2, leg. 311, 393, 397, 447; Sección 3, leg. 64
BFZ	Biblioteca Francisco de Zabálburu, Madrid

	Altamira 12, 17, 18, 114, 119, 222, 241, 245-246
	Miró 23-24
IVDJ	Instituto Valencia de Don Juan, Madrid 38, «Don Carlos pliego»; ms. 26-II-10
PRO	Public Record Office, Londres: E 30
RAH	Real Academia de la Historia, Madrid Colección de Salazar y Castro A-8, 9, 11, 12, 50; N-34, 43, 44
RAGent	Rijksarchief, Gantes: Nos. 892, 900
SABrussel	Archief van de Stad Brussel: No. VIII, X
SAGent	Stadsarchief, Gantes: Chartres no. 796

MANUSCRITOS CONSULTADOS

Berlín
Staatliche Museen. Kupferstichkabinett
    ms. 78 D 5

Bruselas
Bibliothèque Royale Albert I/Koninklijke Bibliotheek Albert I
    mss. 3749, 7376-7, 9126, 10329-65, 10898-10952, 14517-14521,
    21551-21569; II 240, 569; III 1087

El Escorial
Real Biblioteca de El Escorial
    mss. A. IV. 15, Z.II.1

Jerez de la Frontera
Catedral de Jerez, ms. 043

Londres
British Library
    Ad. ms. 8219, 9926, 9929, 17280, 18851, 18852, 28572
    Eg. ms. 307, 442, 489, 544, 1875, 2059
    Harley ms. 3569

Madrid
Biblioteca Fundación Lázaro Galdiano
    ms. 386

Biblioteca Nacional (BN Madrid)
ms. res. 226; ms. 1253, 1759, 1778, 2058, 2803, 2993, 6170, 17475,
18654, 18691, 18697, 18761, 19699
Biblioteca del Palacio Real
ms. II/3283 [microfilm 79]

Nueva York
Hispanic Society of America
B 1484; B 2861

París
Bibliothèque Nationale (BN Paris)
Manuscrits Espagnols 143, 144, 200, 318; Moreau 409, 417

Roma
Biblioteca Apostolica Vaticana (BAV)
Codices Urbinates Latini 1007, 1198, 1258, 1569
Codici Capponiani 73.VII, 73.VIII

Sevilla
Biblioteca Colombina
ms. 59-1-3, fol. 148-188

Valladolid
Biblioteca de Santa Cruz
Incunable 343

Venecia
Biblioteca Nazionale Marciana
ms. It. VII, 1108; ms. It. VII, 1129

Washington, D.C.
Library of Congress
John Boyd Thacher Collection 1435, 1437

BIBLIOGRAFÍA SELECTA

FUENTES PRIMARIAS IMPRESAS

ABARCA, Pedro. *Los Anales Históricos de los Reyes de Aragón*. Salamanca: Lucas Pérez, 1684, tomos I y II.

AGUSTÍN, San. *Obras Completas*. Victorino Capánaga (ed.), Madrid: Biblioteca de Autores Cristianos, 1969, 1971, 1995, tomos I, III, XL y XLI.

AYALA, Martín de. *Sermón hecho por el illustrissimo y reverendissimo señor Arçobispo de Saçer en su yglesia metropolitana, en las honrras de la Serenissima y Catholica Reyna Doña Juana madre del Emperador y Rey, Nro. Señor*. Valencia: Casa de Antón Sanahuja, 1556.

AZPILCUETA NAVARRO, Martín de. *Manual de confessores y penitentes*. Valladolid: Francisco Fernández de Córdova, 1570.

BERNÁLDEZ, Andrés. *Memorias del Reinado de los Reyes Católicos*. Manuel Gómez-Moreno y Juan de Mata Carriazo (eds.), Madrid, 1962.

BLANCAS, Gerónimo de. *Comentarios de las Cosas de Aragón*. Manuel Hernández (trad.), Zaragoza: Imprenta del Hospicio, 1878.

— *Coronaciones de los serenissimos reyes de Aragón*. Zaragoza: Diego Dormer, 1641.

— *Modo de proceder en las Cortes de Aragón*. Zaragoza: Diego Dormer, 1641.

Blijde Inkomst vier Vlaams-Bourgondische Gedichten. G. De Groote (ed.), Amsterdam: Wereldbibliotheek, 1950.

BOETHIUS. *The Consolation of Philosophy*. Richard Green (trad.), New York: Macmillan Publishing Company, 1962.

— *La consolación de la filosofía*. Madrid: Sarpe, 1985.

Calendar of Letters, Despatches, and State Papers Relating to the Negotiations Between England and Spain. G. A. Bergenroth (ed.), London: Longmans, Green, Reader y Dyer, 1868.

Cartas del Cardenal Fray Francisco Jiménez de Cisneros dirigidas a Don Diego López de Ayala. Pascual de Gayangos y Vicente de la Fuente (eds.), Madrid: Imprenta del colegio de sordo-mudos y de ciegos, 1867.

Cartas de San Jerónimo. Edición Bilingüe. Daniel Ruiz Bueno (ed.), Madrid: Biblioteca de Autores Cristianos, 1962.

La Casa de Isabel la Católica. Antonio de la Torre (ed.), Madrid: Selecciones Gráficas, 1954.

Cartas de los Secretarios del Cardenal D. Fr. Francisco Jiménez de Cisneros, Vicente de la Fuente (ed.), Madrid: Viuda e hijo de D. Eusebio Aguado, 1875-1876, tomos I y II.

CAVALCA, Domenico. *Espejo de la Cruz.* Alfonso de Palencia (trad.), Sevilla: Antón Martínez, 1486.

CICERÓN, Marco Tulio. *Letters to Atticus.* Shackleton Bailey (ed.), Cambridge: University Press, 1970.

CIRUELO, Pedro. *Reprobación de las supersticiones y hechizerias.* Alva V. Ebersole (ed.), Valencia: Artes Gráficas Soler, 1978.

Colección de documentos inéditos para la historia de España. Tomo VIII. Miguel Salvá y Pedro Sainz de Baranda (eds.), Madrid: Imprenta de la viuda de Calero, 1846.

Collection des voyages des souverains des Pays-Bas. Louis Prosper Gachard (ed.), Bruxelles: F. Hayez, 1876.

Coplas fechas sobre el casamiento de la hija del rey de España. Burgos: Friedrich Biel, 1496.

CÓRDOBA, Fray Martín de. *Jardín de las nobles donzellas.* c. 1542.

— *Jardín de Nobles Doncellas.* Madrid: Joyas Bibliográficas, 1953.

Corpus Documental de Carlos V. Manuel Fernández Álvarez (ed.), Salamanca: Ediciones Universidad de Salamanca, 1973-1981, tomos I-V.

Cortes de los Antiguos Reinos de León y Castilla. La Real Academia de la Historia (ed.), Madrid: Sucesores de Rivadeneyra, 1882, tomo IV.

Crónicas de los Reyes de Castilla. Don Cayetano Rosell (ed.), Madrid: Rivadeneyra, 1878. Biblioteca de Autores Españoles, tomo III.

Cuentas de Gonzalo de Baeza Tesorero de Isabel la Católica. Antonio de la Torre y E. A. de la Torre (eds.), Madrid: Consejo Superior de Investigaciones Científicas [de aquí adelante CSIC], 1955, tomos I y II.

Datos Documentales para la Historia del Arte Español: Inventarios Reales. José Ferrándis (ed.), Madrid: CSIC, 1943, tomo III.

«Die Depeschen des Venetianischen Botschafters Vincenzo Quirino». Constantin von Höfler (ed.), *Archiv für Osterreichische Gestchicte* 66 (1885).

I Diarii di Marino Sanuto (1496-1533). Dall'Autografo Marciano Ital. Cl.

VII. Codd. 419-477. Venezia: Deputazione Veneta di Sotria Patri, 1879-1902. Vol. I-LVIII.

Dits die excellente cronike van Vlanderen. William Vorsterman (ed.), Antwerp, 1531.

Documentos sobre Relaciones Internacionales de los Reyes Católicos. Antonio de la Torre (ed.), Barcelona: CSIC, 1966, tomo VI.

EIXIMENIS, Francesc. *Carro de las donas.* Valladolid: Juan de Villaquiran, 1542.

— *Lo Libre de les Dones.* Barcelona: Curial Edicions Catalanes, 1981, tomos I y II.

— *Com usar bé de beure e menjar: Normes morals contingudes en el "Terç del Crestia."* Jorge J.E. Gracia (ed.), Barcelona: Curial, 1983.

— *Regiment de la Cosa Pública.* M. Sanchís Guarner (ed.), València: Artes Gráficas Soler, 1972, orig. 1499.

ENRÍQUEZ DE GUZMÁN, Alonso. *Libro de la Vida y Costumbres.* Hayward Keniston (ed.), Madrid: Biblioteca de Autores Españoles 126, 1960.

ERASMO, Desiderio. *Obras Escojidas.* Lorenzo Riber (trad. y ed.), Madrid: Aguilar, 1956.

— *The Praise of Folly.* Hoyt Hopewell Hudson (trad.), Princeton: Princeton University Press, 1941.

FERNÁNDEZ DE OVIEDO, Gonçalo. *Libro de la Cámara Real del Prínçipe Don Juan e Offiçios de su Casa e Serviçio Ordinario.* Madrid: Sociedad de Bibliófilos Españoles, 1870.

— *Batallas y Quinquagenas.* Salamanca: Ediciones de la Diputación de Salamanca, 1989.

Flos Sanctorum: La vida de nuestro señor Jesu Christo y de su santissima madre, y de los otros santos según la orden de sus fiestas. Alcalá de Henares: Casa de Andrés de Angulo, 1572.

Fontes Documentales de S. Ignatio de Loyola. Monumenta Historica Societatis Iesu, Vol. 115. Romae: Institutum Historicum Societatis Iesu, 1977.

GARCÍA DE CASTROJERIZ, Fray Juan. *Glosa Castellana al "Regimiento de Príncipes" de Egidio Romano.* Juan Beneyto Pérez (ed.), Madrid: Instituto de Estudios Políticos, 1947, tomos I-III.

GERSON, Jean. *Tratado de contemptu mundi... del menosprecio de todas las vanidades del mundo.* Sevilla: Compañeros Alemanes, 1496.

GIRÓN, Pedro. *Crónica del Emperador Carlos V.* Madrid: CSIC, 1964.

GÓMEZ DE FUENSALIDA, Gutierre. *Correspondencia.* Publicada por el duque de Berwick y de Alba. Madrid, 1907.

GUEVARA, Antonio de. *Relox de príncipes*. Emilio Blanco (ed.), Madrid: ABL Editor, 1994.

«Die Handschriften der K.K. Hofbibliothek in Wien». *Interesse der Geschichte* ... J. Chmel (ed.), 1841, tomo II, pp. 554-655.

Historia crítica y documentada de las Comunidades de Castilla. Manuel Danvila y Collado (ed.), Madrid: Tipografía de la viuda e hijos de M. Tello, 1897-1900, tomos 35-40.

HUARTE DE SAN JUAN, Juan. *Examen de ingenios para las ciencias*. Esteban Torre (ed.), Madrid: Editora Nacional, 1976, orig. 1575.

JEROME, Saint. *Select Letters*. F.A. Wright (trad.), London: William Heinemann, 1963.

JIMÉNEZ DE PREJANO, Pedro. *Luzero de la vida Christiana*. Burgos: Fadrique Biel, 1495.

KEMPIS, Thomás À. *The Imitation of Christ*. Leo Sherley-Price (trad.), Middlesex, England: Penguin Books, 1973.

LALAING, Antoine de. «Voyage de Philippe le Beau en Espagne». *Collection des voyages des souverains des pays-bas*. M. Gachard (ed.), tomo I. Bruxelles: F. Hayez, 1876.

LEONARDO DE ARGENSOLA, Bartholomé. *Primera Parte de los Anales de Aragon que Prosigue los del Secretario Geronimo Çurita desde el año 1516...* Zaragoza: Ivan de Lanaia, 1630.

«El Libro de los Doze Sabios o Tractado de la Nobleza y Lealtad [Ca. 1237]». John K. Walsh (ed.), *Anejos del Boletín de la Real Academia Española*. Anejo XXIX. Madrid, 1975.

MAQUIAVELO, Nicolás. *El Príncipe*. Francisco Javier Alcántara (trad.), Barcelona: Planeta, 1992.

MANRIQUE, GÓMEZ. *Regimiento de Príncipes y Otras Obras*. Augusto Cortina (ed.), Buenos Aires: Espasa-Calpe, 1947, orig. c. 1478.

MARCUELLO, Pedro. *Cancionero*. José Manuel Blecua (ed.), Zaragoza: Institución Fernando el Católico, 1987 (orig. 1502).

— *Rimado de la Conquista de Granada*. Edición facsímil íntegra del manuscrito 604 (1339) XIV-D-14 de la biblioteca del Museo Condé, castillo de Chantilly. Madrid: Edilan, 1995.

MARIANA, Juan de. *Del Rey y de la Institución Real*. Madrid: Biblioteca de Autores Españoles, 1950, tomo XXXI, 463-576.

MARINEO SÍCULO, Lucio. *Cosas memorables de España*. Alcalá de Henares: Casa de Miguel de Eguía, 1530.

— *Sumario de la clarisima vida y heroycos hechos de los cathólicos reyes don Fernando y doña Ysabel*. Toledo: Casa de Juan de Ayala, 1546.

MEXÍA, Pedro. *Historia del Emperador Carlos V*. Madrid: Espasa Calpe, 1945.

— *Relación de las Comunidades de Castilla*. Barcelona: Muñoz Moya y Montraveta, 1985.

— *Silva de varia lección*. Antonio Castro (ed.), Madrid: Ediciones Cátedra, 1989.

MOLINET, Jean. *Chroniques*. Georges Doutrepont y Omer Jodogne (eds.), Bruxelles: Palais des Académies, 1937, tomo III.

MONTESINO, Ambrosio. *Vita Christi Cartuxano Romançado*. Alcalá de Henares, 1502-1503, tomos I-III.

MÁRTIR DE ANGLERÍA, Pedro. *Epistolario*. José López de Toro (trad.), *Documentos inéditos para la historia de España,* tomos IX-XII. Madrid: Imprenta Góngora, S.L., 1953.

MUÑOZ, Andrés. *Viaje de Felipe Segundo a Inglaterra*. Madrid: Sucesores de Rivadeneyra, 1877.

Opera inedite di Francesco Guicciardini, ambasciatore a Ferdinando il Cattolico, 1512-1513. Giuseppe Canestrini (ed.), Firenze: Presso M. Cellini, 1864, tomo VI, pp. 271-295.

ORTIZ, Alonso. *Diálogo sobre la educación del Principe Don Juan, Hijo de los Reyes Católicos*. Giovanni María Bertini (trad.), Madrid: Studia Humanitatis, 1983.

OSUNA, Francisco de. *Norte de los Estados*. Burgos: Juan de Junta, 1550.

— *Tercer Abecedario Espiritual*. Burgos: Juan de Junta, 1544.

PADILLA, Lorenzo de. «Crónica de Felipe I». *Colección de Documentos Inéditos para la Historia de España*. Tomo VIII. Miguel Salvá y Pedro Sainz de Baranda (eds.), Madrid: Imprenta de la viuda de Calero, 1846.

PERE III (Pedro IV). «Ordenacions... sobre lo regiment de tots los officials de la sua cort», en *Colección de Documentos Inéditos del Archivo General de la Corona de Aragón*. Próspero de Bofanull y Mascaró (ed.), Barcelona: Monfort, 1850, tomo V.

POITIERS, Alienor de. «Les Honneurs de la Cour». *Mémoires sur l'ancienne chevalerie*. La Curne de Sainte-Palaye (ed.), Paris: Girard, 1826, tomo II, pp. 143-219.

PULGAR, Fernando de. *Crónica de los Reyes Católicos*. Juan de Mata Carriazo (ed.), Madrid: Espasa-Calpe, 1943, tomos I y II.

PUYS, Remy du. «La tryumphante et solemnelle entrée faicte sur le nouvel et joyeux advenement de tres hault, tres puissant, et tres excellent prince Monsieru Charles, prince des Hespaignes.en sa ville de Bruges, l'an 1515, 18eme jour de april apres pasques». Paris: Gilles de Gourmont, 1515.

RAYSSIUS, Arnoldus. *Hierogazophylacium Belgicum sive Thesaurus Sacrum Reliquiarum Belgii*. Colonna: Gerardum Pinchon, 1628.

Relazioni degli Ambasciatori Veneti al Senato. Eugenio Albèri (ed.), Firenze: Tipografia All'Insegna di Clio, 1839, tomo I.

RIBADENEYRA, Pedro de. *Vida del P. Francisco de Borja.* Madrid: P. Madrigal, 1592.

SALINAS, MARTÍN DE. *El Emperador Carlos V y su Corte.* Madrid: Real Academia de la Historia, 1903-5.

SALISBURY, Juan de. *Policratus.* Miguel Ángel Ladero (ed.), Madrid: Editora Nacional, 1984.

SANDOVAL, Prudencio de. *Historia de la vida y hechos del Emperador Carlos V.* Pamplona: Casa de Bartholome Paris Mercader Librero, 1618.

— *Historia de la Vida y Hechos del Emperador Carlos V.* Tomos I-III. Madrid: Biblioteca de Autores Españoles, 1955, orig. 1604 and 1606.

SANTA CRUZ, Alonso de. *Crónica de los Reyes Católicos.* Juan de Mata Carriazo (ed.), Tomos I y II. Sevilla: Escuela de Estudios Hispano-Americanos, 1951.

SEPÚLVEDA, Juan Ginés de. *Obras Completas: Historia de Carlos V.* E. Rodríguez Peregrina (trad. y ed.), Pozoblanco, Córdoba: Ayuntamiento, 1995. Tomos I y II.

Siete Partidas del rey Alfonso el Sabio, Las. Madrid: Imprenta Real, 1807.

TALAVERA, Hernando de. *Breve y muy provechosa doctrina cristiana.* Granada: Juan Pegnitzer y Meinardo Ungut, c. 1496.

TORRE, Alfonso de la. «Visión Delectable de la Filosofía y Artes Liberales, Metafísica y Filosofía Moral». *Curiosidades Bibliográficas.* Adolfo de Castro (ed.), Madrid: Biblioteca de Autores Españoles XXXVI, 1950, pp. 339-402.

VALLEJO, Juan de. *Memorial de la Vida de Fray Francisco Jiménez de Cisneros.* Antonio de la Torre y del Cerro (ed.), Madrid: Bailly-Bailliere, 1913.

Viajes de extranjeros por España y Portugal. García Mercadal, J. (ed.), Madrid: Aguilar, 1952.

VILLENA, Enrique de. *Obras Completas.* Madrid: Turner Libros, 1994.

VITAL, Laurent. *Relation du premier voyage de Charles-Quint en Espagne.* Gachard and Piot (eds.), Bruxelles: F. Hayez, 1881.

—*Relación del primer viaje de Carlos V a España.* Bernabe Herrero (trad.), Madrid: Estades, 1958.

VORAGINE, Jacobus de. *The Golden Legend.* Ginger Ryan and Helmut Ripperger (trad.), New York: Longmans, Green & Co., 1941.

ZAMORA, Alonso de. *Flor de virtudes. Tratado de varias sentencias y doc-*

trinas de la Sagrada Escriptura, y de otros sabios antiguos. Lisboa: Antonio Alvarez, 1601.

— *Loor de virtudes nuevamente impresso.* Alcalá de Henares: Miguel de Eguía, 1525.

ZÚÑIGA, Francisco de. *Crónica Burlesca del Emperador Carlos V.* José Antonio Sánchez Paso (ed.), Salamanca: Universidad de Salamanca, 1989.

ZURITA, Jerónimo. *Historia del Rey Don Hernando el Católico: De las Empresas y Ligas de Italia.* Ángel Canellas López (ed.), Zaragoza: Departamento de Cultura y Educación, 1989-1996, tomos I-V.

ESTUDIOS CONSULTADOS

ALCALÁ, Ángel y SANZ, Jacobo. *Vida y Muerte del Príncipe don Juan.* Valladolid: Junta de Castilla y León, 1999.

ALENDA Y MIRA, Don Jenaro. *Relaciones de Solemnidades y Fiestas Públicas de España.* Madrid: Sucesores de Rivadeneyra, 1903.

ALTAYÓ, Isabel y NOGUÉS, Paloma. *Juana I: La reina cautiva.* Madrid: Silex, 1985.

ANDRÉS MARTÍN, Melquíades (ed.), *Los Recogidos: Nueva Visión de la Mística Española (1500-1700).* Madrid: Fundación Universitaria Española, 1976.

ARAM, Bethany. «Juana "the Mad's" Signature: The Problem of Invoking Royal Authority, 1505-1507». *The Sixteenth Century Journal* XXIX/2, 1998, pp. 333-361.

— «Juana "the Mad," The Clares, and the Carthusians: Revising a Necrophilic Legend in Early Habsburg Spain». *The Archive for Reformation Research.* (En prensa.)

ARCO, Ricardo del. *Fernando el Católico: Artífice de la España Imperial.* Zaragoza: Editorial Heraldo de Aragón, 1939.

— «Cortes Aragonesas de los Reyes Catolicos». *Revista de Archivos, Bibliotecas y Museos* LX, núm. 1, 1954, pp. 77-103.

ARNADE, Peter. *Realms of Ritual: Burgundian Ceremony and Civic Life in Late Medieval Ghent.* Ithaca: Cornell University Press, 1996.

ARMSTRONG, C.A.J. *England, France and Burgundy in the Fifteenth Century.* London: The Hambledon Press, 1983.

AXTON, Marie. *The Queen's Two Bodies: Drama and the Elizabethan Succession.* London: Royal Historical Society, 1977.

AZCONA, Tarsicio de. *Isabel la Católica: Estudio crítico de su vida y su reinado.* Madrid: Biblioteca de Autores Cristianos, 1964.

BARRIO GONZALO, Maximiliano. «El Archivo de la Casa Ducal de Alburquerque: Panorama General de sus Fondos Documentales». *Universidad de Valladolid. Separata de Investigaciones Históricas* 8, 1988, pp. 309-313.

BATAILLON, Marcel. *Érasme et L'Espagne*. Genève: Librairie Droz, 1991.

BATES, Catherine. *The Rhetoric of Courtship in Elizabethan Language and Literature*. Cambridge: Cambridge University Press, 1992.

BEECHER, Donald A. y CIAVOLELLA, Massimo (eds.), *Eros and Anteros: The Medical Traditions of Love in the Renaissance*. Toronto: Dovehouse Editions, 1992.

BELENGUER, Ernst. *Fernando el Católico*. Barcelona: Ediciones Península, 1999.

BENEYTO PÉREZ, Juan. «Magisterio político de Fernando el Católico». *Instituto de Estudios Políticos*, 1944, pp. 451-473.

BENÍTEZ DE LUGO, Antonio. «Doña Juana la loca, más tiranizada que demente». *Revista de España* 100 (10 y 29 octubre 1885), pp. 378-403, 536-571.

BERGENROTH, G.A. «Jeanne la Folle». *Revue de Belgique I,* Bruxelles, 1869, pp. 81-112.

BERMEJO CABRERO, José Luis. «Amor y temor al Rey: Evolución Histórica de un Tópico Político». *Revista de Estudios Políticos* 192, nov.-dic. 1973, pp. 107-127.

— *Los oficiales del concejo en León y Castilla. De los orígenes al Ordenamiento de Alcalá*. Madrid: Gráficas Cóndor, 1973.

— *Máximas, principios y símbolos políticos (una aproximación histórica)*. Madrid: Centro de Estudios Constitucionales, 1986.

BERNIS, Carmen. *Trajes y Modas en la España de los Reyes Católicos*. Madrid: Instituto Diego Velázquez, 1978.

BERRIOT-SALVADORE, Evelyne. *Un Corps, Un Destin: La Femme dans la Médecine de la Renaissance*. Paris: Honoré Champion Éditeur, 1993.

BERRY, Philippa. *Of Chastity and Power: Elizabethan Literature and the Unmarried Queen*. New York: Routledge, 1989.

BERTELLI, Sergio. *Il corpo del re. Sacralità del potere nell'Europa medievale e moderna*. Firenze: Ponte Alle Grazie, 1990.

BLOCKMANS, Wim. «The devotion of a lonely duchess». *Margaret of York, Simon Marmion, and the Visons of Tondal*. Thomas Kren (ed.), Malibu, CA: J. Paul Getty Museum, 1992, pp. 29-46.

— «Le dialogue imaginaire entre princes et sujets: les joyeuses Entrées en Brabant en 1494 et en 1496». *Fêtes et cérémonies aux XIVe-XVIe siècles. Publication du Centre Européen d'Études Bourguignonnes (XIVe-XVIe siècles)* 34, Neuchâtel, 1994, pp. 37-53.

— «La joyeuse entrée de Jeanne de Castille à Bruxelles en 1496». *Diálogos Hispánicos* 16, España y Holanda, 1995, pp. 27-42.

BOUREAU, Alain. *Le simple corps du roi: L'Impossible sacralité des souverains Français, XVe-XVIIIe Siècle.* Paris: Les Éditions de Paris, 1988.

— y Sergio INGERFLOM, Claudio (dirs.), *La Royauté sacrée dans le monde chrétien.* Paris: École des Hautes Études en Sciences Sociales, 1992.

BOUZA ÁLVAREZ, Fernando. *Locos, Enanos y Hombres de Placer en la Corte de los Austrias.* Madrid: Ediciones Temas de Hoy, 1991.

BOUWER, J. *Johanna de Waanzinnige: Een Tragische Leven in Een Bewogen Tijd.* Amsterdam: J.M. Meulenhoff, 1958, orig. 1940.

BRANDI, Karl. *The Emperor Charles V.* C.V. Wedgwood (trad.), London: Jonathan Cape, 1963.

BRANS, Jan. *De Gevangene Van Tordesillas.* Leuven: Davidsfonds, 1962.

BULLÓN Y FERNÁNDEZ, Eloy. *El concepto de la soberanía en la escuela jurídica española del siglo XVI.* Madrid: Librería General de Victoriano Suárez, Rivadeneyra, 1936.

CARO BAROJA, Julio. *Las formas complejas de la vida religiosa: Religión, sociedad y carácter en la España de los siglos XVI y XVII.* Madrid: Akal Editor, 1978.

CARON, Marie Thérèse. *La Noblesse dans le Duche de Bourgogne, 1315-1477.* Lille: Presses Universitaires, 1987.

CARRERAS PANCHÓN, Antonio. *La Peste y Los Médicos en la España del Renacimiento.* Salamanca: Universidad de Salamanca, 1976.

CARRETERO ZAMORA, Juan M. «Algunas consideraciones sobre las Actas de las Cortes de Madrid de 1510», *Cuadernos de Historia Moderna* 12, 1991, pp. 13-45.

— *Cortes, monarquía, ciudades. Las cortes de Castilla a comienzos de la época moderna (1476-1515).* Madrid: Siglo Veintiuno, 1988.

CARTELLIERI, Otto. *The Court of Burgundy: Studies in the History of Civilization.* New York: Haskell House Publishers, 1970.

CASADO ALONSO, Hilario. «Oligaquía urbana, comerico internacional y poder real: Burgos a fines de la Edad Media». *Realidad e imágenes del poder: España a fines de la Edad Media.* Adeline Rucquoi (ed.), Valladolid: Ámbito, 1988.

CASALS I MARTÍNEZ, Àngel. *Emperor i Principat: Catalunya i les seves relacions amb l'imperi de Carles V (1516-1543).* Universitat de Barcelona, Tesis Doctoral, 1995.

CASTRO, Manuel de. «Bibliografía de Conventos Españoles de Franciscanos y Clarisas, siglos XIII-XVI». *Trabajos de la Asociación Española de Bibliografía,* Madrid, 1998, II, pp. 231-264.

CÁTEDRA, Pedro M. _Dos estudios sobre el sermón en la España medieval._ Barcelona: Universidad Autónoma de Barcelona, 1981.

CAUCHIES, Jean Marie. «L'Archiduc Philippe d'Autriche dit le Beau (1478-1506)». _Handelingen van de Koninklijke Kring voor Oudheikunde, Lettern en Kunst van Mechelen._ Mechelen, 1992, pp. 46-55.

— «Die burgundischen Niedes laude unter Erzherzog Philipp dem Shônem (1494-1506), ein doppelter Integrationsprozess». _Europa 1500, Integration prozesse im Widerstreit._ F. Seibt y W. Iberhard (eds.), Stuttgart, 1987.

— «Filps de Schone en Johanna van Castilie in de Kering van de Wereldgeschiedenis». En prensa.

— (ed.), _A la cour de Bourgogne: Le Duc, Son Entourage, Son Train._ Turnhout, Belgique: Brepols, 1998.

— «La signification politique des entrées princières dans les Pays-Bas: Maximilien d'Autriche et Philippe le Beau». _Fêtes et cérémonies aux XIVe-XVIe siècles. Publication du Centre Européen d'Études Bourguignonnes (XIVe-XVIe siècles)_ 34, Neuchâtel, 1994, pp. 19-35.

— «Voyage d'Espagne et domaine princier; les operations financiéres de Philippe le Beau dans les Pays-Bas (1505-1506)». _Recueil de travaux d'histoire médiévale offert à M. le Professeur Henri Dubois._ Philippe Contamine et al (eds.), Paris: Université de Paris-Sorbonne, 1993, pp. 217-244.

CAZAUX, Yves. _María de Borgoña: Testigo de una gran empresa en los orígenes de las nacionalidades europeas._ María Luisa Pérez Torres (trad.), Madrid: Espasa-Calpe, 1972.

CEPEDA ADÁN, José. _En Torno al Concepto del Estado en los Reyes Católicos._ Madrid: CSIC, 1956.

CIRAC ESTOPAÑÁN, Sebastián. _Los procesos de hechicerías en la Inquisición de Castilla la Nueva (Tribunales de Toledo y Cuenca)._ Madrid: CSIC, 1942.

CLANCHY, Michael. T. _From Memory to Written Record: England, 1066-1307._ Cambridge: Harvard University Press, 1979.

CLAVERO, Bartolomé. _Mayorazgo: Propiedad Feudal en Castilla (1369-1836)._ Madrid: Siglo Veintiuno Editores, 1974.

CEDILLO, el Conde de. _El Cardenal Cisneros: Gobernador del Reino._ Madrid: Real Academia de la Historia, 1921.

CERRO BEX, Victoriano del. «Itinerario seguido por Felipe el Hermoso en sus dos viajes a España». _Chronica Nova,_ Granada, 1973.

CLEMENCÍN, Diego. _Elógio de la Reina Católica Doña Isabel._ Madrid: Imprenta de Sancha, 1820.

COMAS ROS, María. *Juan López de Lazarraga y El Monasterio de Bidau-rreta*. Barcelona: Ediciones Descartes, 1936.

Congreso de Historia de la Corona de Aragón, V. Fernando el Católico: Pensamiento Político, Política Internacional y Religiosa. Zaragoza: Institución Fernando el Católico, 1956.

CORONA, Carlos E. *Fernando el Católico, Maximiliano y la Regencia de Castilla (1508-1515)*. Sevilla: Facultad de Filosofía y Letras, 1961.

COSTA GOMES, Rita. *A Corte dos Reis de Portugal no final da idade Mé-dia*. Linda-a-Velha: Difusão Editorial, 1995.

— «A Realeza: Símbolos e Cerimonial». *A Génese do Estado Moderno no Portugal Tardo-Medievo*. Lisboa: Universidade Autónoma Edito-ra, 1999, 201-213.

DALMASES, Cándido de. *El Padre Francisco de Borja*. Madrid: Bibliote-ca de Autores Cristianos, 1983.

DÉNNIS, Amarie. *Seek the Darkness: The Story of Juana la Loca*. Madrid: Sucesores de Rivadeneyra, 1969.

DÉZERT, G. Desdevises du. *La Reine Jeanne la Folle d'après l'étude his-torique de D. Antonio Rodriguez Villa*. Toulouse: Imprimerie et Li-brairie Édouard Privat, 1892.

DÍAZ MARTÍN, Luis Vicente. «Los inicios de la política internacional de Castilla (1360-1410)». *Realidad e imágenes del poder: España a fines de la Edad Media*. Adeline Rucquoi (ed.), Valladolid: Ámbito, 1988.

DOMÍNGUEZ CASAS, Rafael. *Arte y Etiqueta de los Reyes Católicos: Ar-tistas, Residencias, Jardines y Bosques*. Madrid: Editorial Alpuerto, 1993.

— «Ceremonia y simbología Hispano-inglesa, desde la justa real cele-brada en el Palacio de Westminster en el año 1501 en honor de Ca-talina de Aragón, hasta la boda de Felipe II con María Tudor». *Bo-letín de la Real Academia de Bellas Artes de San Fernando* 79, 1994, pp. 197-228.

DOORSLAER, G. van. «La chapelle musicale de Philippe le Beau». *Revue Belge d'archéologie et d'histoire de l'art* 4, 1934, pp. 21-57.

DOUSSINAGUE, José M. *Un proceso por Envenenamiento: La muerte de Felipe el Hermoso*. Madrid: Espasa-Calpe, 1947.

DUQUENNE, Xavier. *Le Parc de Bruxelles*. Bruxelles: CFC Editions, 1993.

ELIAS, Norbert. *La Sociedad Cortesana*. México, D.F: Fondo de Cultu-ra Económica, 1982.

ELÍAS DE TEJADA, Francisco. *Las doctrinas políticas en la Cataluña Me-dieval*. Barcelona: Ayma, 1950.

FAGEL, Raymond. «Juana y Cornelia. Flamencos en la corte de Juana la

Loca en Tordesillas». *El Tratado de Tordesillas y su Época: Congreso Internacional de Historia.* Luis Ribot (ed.), Valladolid: Sociedad V Centenario, 1994, III, pp. 1855-1866.

— *De Hispano-Vlaamse Wereld: de contacten tussen Spanjaarden en Nederlanders, 1496-1555.* Brussel: Archives et Bibliothèques de Belgique, 1996.

FERDINANDY, Miguel de. *El Emperador Carlos V: Semblanza de un Hombre.* Salbador Giner (trad.), Rio Piedras, Puerto Rico: Editorial Universitaria, 1964.

FERNÁNDEZ, Félix Sagredo. *La Cartuja de Miraflores.* León: Editorial Everest, 1973.

FERNÁNDEZ ALBALADEJO, Pablo. *Fragmentos de Monarquía.* Madrid: Alianza, 1992.

FERNÁNDEZ ÁLVAREZ, Manuel. *Juana la loca, 1479-1555.* Palencia: Diputación Provincial, 1994.

FEROS, Antonio. *The King's Favorite, The Duke of Lerma: Power, Wealth and Court Culture in the Reign of Philip III of Spain, 1598-1621.* The Johns Hopkins University: Tesis doctoral, 1994.

— *Kingship and Favoritism in the Spain of Philip III, 1598-1621.* Cambridge: Cambridge University Press, 2000.

FOUCAULT, Michel. *Histoire de la folie à l'âge classique.* Paris: Gallimard, 1972.

FUENTES, Carlos. *Terra Nostra.* México: Editorial Joaquín Mortiz, 1975.

GACHARD, Louis-Prosper. «Les derniers moments de Jeanne la Folle». Extrait des *Bulletins de l'Académie des sciences,* 2me série, t. 29. Bruxelles: M. Hayez, 1870.

— «Jeanne la Folle et Charles Quint», première parte. Extrait des *Bulletins de l'Académie royale de Belgique,* tome XXIV, no 6. Bruxelles: M. Hayez, 1870.

— «Jeanne la Folle et Charles-Quint», deuxième parte. Extrait des *Bulletins de l'Académie royale de Belgique,* tome XXXIII, no. 1. Bruxelles: M. Hayez, 1872.

— «Jeanne la Folle défendue contre l'imputation d'hérésie». Extrait des *Bulletins de l'Académie royale de Belgique,* 2ème série, tome XXVII, no. 6. Bruxelles: M. Hayez, 1869.

— «Jeanne al Folle et François de Borja». Extrait des *Bulletins de l'Académie des sciences,* 2ème série, t. 29. Bruxelles: M. Hayez, 1870.

— «Sur Jeanne la folle et les documents concernant cette princesse». Extrait des *Bulletins de l'Académie royale de Belgique,* 2ème série, tome XXVII, no. 3. Bruxelles: M. Hayez, 1869.

— «Sur Jeanne la Folle et la publication de M. Bergenroth». Extrait des *Bulletins de l'Académie royale de Belgique*, 2ème série, tome XXVIII, nos. 9 et 10. Bruxelles: M. Hayez, 1869.

GALLEGO BURIN, Antonio. *La Capilla Real de Granada*. Granada: Paulino Ventura Traveset, 1931.

GARCÍA CÁRCEL, Ricardo. «Las Cortes de 1519 en Barcelona, una opción revolucionaria frustrada». *Homenaje al Dr. D. Juan Reglà Campistol*. Valencia: Universidad de Valencia, 1975.

— *Herejía y Sociedad en el Siglo XVI: La Inquisición en Valencia 1530-1609*. Barcelona: Ediciones 62, 1980.

GARCÍA GALLO, Alfonso. *Historia del Derecho Español*. Madrid, 1943. Tomo I.

GARCÍA ORO, José. *El Cardenal Cisneros: Vida y empresas*. Madrid: Biblioteca de Autores Cristianos, 1992.

— *Cisneros y la Reforma del Clero Español en tiempo de los Reyes Católicos*. Madrid: CSIC, 1977.

GARCÍA CARRAFFA, Alberto y Arturo. *Heráldico y Genealógico de Apellidos Españoles y Americanos*. Madrid: Hauser y Menet, 1959, tomo 80.

GARCÍA DE VALDEAVELLANO, Luis. *Curso de Historia de las Instituciones Españolas de los orígines al final de la Edad Media*. Madrid: Alianza, 1982, orig. 1968.

GERBET, Marie Claude. *La Nobleza en la Corona de Castilla: Sus estructuras sociales en Extremadura (1454-1516)*. María Concepción Quintanilla Raso (trad.), Salamanca: Institución Cultural «El Brocense», 1989.

GIBERT, Rafael. «La Sucesión al Trono en la Monarquía Española». *Recueils de la Société Jean Bodin* XXI, 1969, pp. 447-546.

GIESEY, Ralph E. *Cérémonial et Puissance Souveraine: France, XVe-XVIIe siècles*. Paris: Armand Colin, 1987.

— «Inaugural Aspects of French Royal Ceremonials». *Coronations: Medieval & Early Modern Monarchic Ritual*. János M. Bak (ed.), Berkeley: University of California Press, 1989.

— «The Juristic Basis of Dynastic Right to the French Throne». *Transactions of the American Philosophical Society* 51:5 1961: 3-48.

— *The Royal Funeral Ceremony in Renaissance France*. Genève: Librairie E. Droz, 1960.

— «Rules of Inheritance and Strategies of Mobility». *The American Historical Review* 82: 2, April 1977, pp. 271-289.

GIMÉNEZ FERNÁNDEZ, Manuel. *Bartolomé de las Casas*. Tomo I: *Delegado de Cisneros para la Reformación de las Indias (1516-1517)*, Tomo

II: *Capellán de S.M. Carlos I, Poblador de Cumana (1517-1523)*. Madrid: CSIC, 1984.

GINZBURG, Carlo. *Ecstasies: Deciphering the Witches' Sabbath*. Raymond Rosenthal (trad.), London: Hutchinson Radius, 1990.

— *The Night Battles: Witchcraft & Agrarian Cults in the Sixteenth & Seventeenth Centuries*. John and Anne Tedeschi (trad.), London: Routledge & Kegan Paul, 1983.

GONZÁLEZ DURO, Enrique. *Historia de la Locura en España*. Madrid: Ediciones Temas de Hoy, 1994.

GONZÁLEZ HERRERA, Eusebio. *Tragedia de la Reina Juana*. Tordesillas: Gráficas Andrés Martín, 1992.

GORDON, Colin. «Histoire de la folie: an unknown book by Michel Foucault». *Rewriting the history of madness: Studies in Foucault's "Histoire de la folie"*. Arthur Still and Irving Velody (eds.), New York: Routledge, 1992.

GOYENS, J. «Passage de soeurs grises de Bruxelles à l'Ordre de Sainte Claire». *Archivum Franciscanum Historicum*, XXXVI, 1943.

GRAHAM, Thomas F. *Medieval Minds: Mental Health in the Middle Ages*. London: George Allen & Unwin Ltd, 1967.

GRASOTTI, Hilda. «La ira regia en León y Castilla». *Cuadernos de Historia de España* 41-42, 1965, pp. 5-135.

GRIFFIN, Clive. *The Crombergers of Sevilla: The History of a Printing and Merchant Dynasty*. Oxford: Clarendon Press, 1988.

GUENÉE, Bernard. «Les entrées royales françaises de 1328 a 1515». *Politique et histoire au Moyen Age*. Paris: CNRS, 1968.

HÄBLER, Konrad. *Die Streit Ferdinands des Katholischen und Philipp I um die Regierung von Castilien 1504-1506*. Dresden: Tesis doctoral, 1882.

HALE, John. *The Civilization of Europe in the Renaissance*. New York: Simon & Schuster, 1993.

HALICZER, Stephen. *The Comuneros of Castile: The Forging of a Revolution, 1475-1521*. Madison: The University of Wisconsin Press, 1981.

— *Los Comuneros de Castilla: La forja de una revolución*. Valladolid: Universidad de Valladolid, 1987.

HARSGOR, Mikhaël. «L'essor des bâtards nobles au XVe siècle». *Revue Historique* 253, 1975, pp. 319-354.

HERMANN, M. *Forschungen zur deutschen Theatergeschichte des Mittelalters und der Renaissance*. Berlin, 1914, pp. 367-409.

HÖFLER, Constantin von. «Antoine de Lalaing, Seigneur de Montigny, Vicenzo Quirino und don Diego de Guevara als Berichterstatter uuber Kônig Philipp I in den jahren 1505, 1506». *Sbb Akad Wein* 104, 1883, pp. 433-510.

— *Donna Juana, Königin von Leon, Castilien und Granada.* Wien, 1885.

HOFMANN, Christina. *Das Spanische Hofzeremoniell von 1500-1700.* Frankfurt: Peter Lang, 1985.

HUGENHOLTZ, F.W.N. «Filips de Schone en Maximilianns twede regenischap 1493-1515». *Algemene geschiedenus der Nederlanden.* Utrecht-Antwerpen, 1952.

HULST, Henri d'. *Le Mariage de Philippe le Beau avec Jeanne de Castille à Lierre le 20 Octobre 1496.* Anvers: Imprimeries Generales Lloyd Anversois, 1958.

JACKSON, Stanley W. *Melancholia and Depression: From Hippocratic to Modern Times.* New Haven: Yale University Press, 1986.

JAEGER, C. Stephen. «L'amour des rois: Structure sociale d'une forme de sensibilité aristocratique». *Annales E.S.C.,* 1991, pp. 547-571.

JEAN, Mireille. *La Chambre des Comptes de Lille: L'institution et Les Hommes (1477-1667).* Paris: École des Chartes, 1992.

JORDAN, Annemarie. *The Development of Catherine of Austria's Collection in the Queen's Household: Its Character and Cost.* Brown University, Tesis doctoral, 1994.

JUVYNS, Marie-Jeanne. *Le couvent des Riches-Claires à Bruxelles.* Malines: Sint-Franciskusdrukkerij, 1967.

KAGAN, Richard L. *Lucrecia's Dreams: Politics and Prophecy in Sixteenth-Century Spain.* Berkeley: University of California Press, 1990.

— *Los sueños de Lucrecia.* Madrid: Editorial Nerea, 1991.

KANTOROWICZ, Ernst Hartwig. *The King's Two Bodies.* Princeton: Princeton University Press, 1957.

KENISTON, Hayward. *Francisco de los Cobos: Secretary of the Emperor Charles V.* Pittsburgh: University of Pittsburgh Press, 1960.

KLIBANSKY, Raymond; PANOFSKY, Erwin; and Saxl, Fritz. *Saturno y la melancolía: Estudios de historia de la filosofía de la naturaleza, la religión y el arte.* María Luisa Balseiro (trad.), Madrid: Alianza, 1991, orig. 1964.

KOHLER, Alfred. «La doble boda de 1496/97: Planeamiento, ejecución y consecuencias dinásticas». *Reyes y Mecenas: Los Reyes Católicos, Maximiliano I, y los inicios de la casa de Austria en España.* Toledo: Ministerio de Cultura, 1992, 253-272.

LADERO QUESADA, Miguel Ángel. «La Hacienda Real de Castilla en 1504. Rentas y Gastos de la corona al morir Isabel I». *Hispania 16,* 1976: 311-329.

— «El proyecto político de los Reyes Católicos». *Reyes y Mecenas: Los*

Reyes Católicos, Maximiliano I, y los inicios de la casa de Austria en España. Toledo: Ministerio de Cultura, 1992, pp. 79-100.

LAFUENTE, Modesto. *Historia General de España.* Barcelona: Montaner y Simón, 1879. Tomo II.

LAGOMARSINO, Paul David. *Court Factions and the Formulation of Spanish Policy towards the Netherlands (1559-67).* Cambridge University: Tesis doctoral, 1973.

LARREGLA, Santiago. «El médico de guardia de Da Juana la Loca». *Yatros,* 1957-1958, pp. 1-16.

LEVIN, Carole. *"The heart and Stomach of a King": Elizabeth I and the Politics of Sex and Power.* Philadelphia: University of Pennsylvania Press, 1994.

LINEHAN, Peter. *History and the Historians of Medieval Spain.* Oxford: Clarendon Press, 1993.

LISÓN TOLOSANA, Carmelo. *La imagen del Rey: Monarquía, realeza y poder ritual en la Casa de los Austrias.* Madrid: Espasa-Calpe, 1991.

LISS, Peggy K. *Isabel the Queen: Life and Times.* New York y Oxford: Oxford University Press, 1992.

— *Isabel la Católica: Su Vida y Su Tiempo.* Javier Sánchez García-Gutiérrez (trad.), Madrid: Editorial Nerea, 1998.

LLANOS Y TORRIGLIA, Félix de. *Una consejera de Estado: Doña Beatriz Galindo "La Latina."* Madrid: Editorial Reus, 1920.

— *En el Hogar de los Reyes Católicos y Cosas de sus Tiempos.* Madrid: Ediciones Fax, 1953.

— «No tan aína: Suposición histórica». *Ateneo* II: xvii, Mayo 1907, pp. 395-406.

— «Sobre la fuga frustrada de doña Juana la Loca». *Boletín de la Real Academia de la Historia* CII, 1933, pp. 97-114.

LÓPEZ DE HARO, Alonso. *Nobiliario Genealógico de los Reyes y Títulos de España.* Madrid: Luis Sánchez, 1622.

MACKAY, Angus. «Ritual and Propaganda in Fifteenth-Century Castile». *Past & Present* 107, May 1985, pp. 3-43.

MACDONALD, Michael. *Mystical Bedlam: Madness, anxiety, and healing in seventeenth-century England.* Cambridge: Cambridge University Press, 1981.

MACLEAN, Ian. *The Renaissance Notion of Woman.* Cambridge: Cambridge University Press, 1980.

MARAVALL, José Antonio. *Estudios de Historia del Pensamiento Español.* Madrid: Ediciones Cultura Hispánica, 1973 y 1984, tomos I y II.

MARCOS MARTÍN, Alberto. «Los estudios de demografía histórica en Castilla la Vieja y León (siglos XIV-XIX). Problemas y resultados».

Demografía histórica en España. Vicente Pérez Moreda y David-Sven Reher (eds.), Madrid: Fundación José Ortega y Gasset, 1988.

MARTÍNEZ GIL, Fernando. *Muerte y Sociedad en la España de los Austrias.* Madrid: Siglo Veintiuno Editores, 1993.

MARTÍNEZ MILLÁN, José (dir.), *La Corte de Carlos V.* Madrid: Sociedad Estatal para la Conmemoración de los Centenarios de Felilpe II y Carlos V, 2000, tomos I-V.

MAYER, Ernesto. *El antiguo derecho de obligaciones español según sus rasgos fundamentales.* Barcelona: Librería Bosch, 1926.

— *Historia de las Instituciones Sociales y Políticas de España y Portugal durante los siglos V a XIV.* Madrid: Anuario de Historia del Derecho Español, 1925, tomo I.

MAYER, Rita Maria. *Die politischen Beziehungen König Maximilians I zu Philipp dem Schönen und den Niederlanden 1493-1506.* Graz: Tesis doctoral, 1969.

MCKENDRICK, Melveena. *Woman and Society in the Spanish Drama of the Golden Age: A Study of the Mujer Varonil.* Cambridge: Cambridge University Press, 1974.

MENÉNDEZ PIDAL, Ramón. «The Significance of the Reign of Isabella the Catholic, According to her Contemporaries». *Spain in the 15th Century.* Roger Highfield (ed.), London: The MacMillan Press, 1972, pp. 380-404.

MERRIMAN, Roger B. *The Rise of the Spanish Empire in the Old World and in the New.* New York: The Macmillan Co., 1936, Vols. II and III.

MIDELFORT, H.C. Erik. *A History of Madness in Sixteenth-Century Germany.* Stanford: Stanford University Press, 1999.

— *Mad Princes of Renaissance Germany.* Charlottesville: University Press of Virginia, 1994.

MILLER, Townsend. *The Castles and the Crown, Spain: 1451-1555.* New York: Coward-McCann, 1963.

MUÑOZ, Ángela y GRAÑA, María del Mar. *Religiosidad Femenina: Expectativas y Realidades (ss. 8-18).* Madrid: Asociación Cultural Al-Mudayna, 1991.

NADER, Helen. «Habsburg Ceremony in Spain: The Reality of the Myth». *Historical Reflections/Reflexions Historiques* 15:1, 1988, pp. 293-309.

— *The Mendoza Family in the Spanish Renaissance, 1350-1550.* New Brunswick, NJ: Rutgers University Press, 1979.

NIETO SORIA, José Manuel. *Ceremonias de la realeza: Propaganda y legitimación en la Castilla Trastámara.* Madrid: Editorial Nerea, 1993.

— *Fundamentos ideológicos del poder real en Castilla, siglos* XIII *al* XVI, Madrid: Eudema, 1988.

— (dir.), *Orígenes de la Monarquía Hispánica: Propaganda y legitimación (ca. 1400-1520).* Madrid: Dykinson, 1999.

NOREÑA, Carlos G. *Juan Luis Vives and the Emotions.* Carbondale: Southern Illinois University Press, 1989.

NORTON, Frederick J. *La Imprenta en España, 1501-1520.* Julián Martín Abad (ed.), Madrid: Ollero & Ramos, 1997.

ONGHENA, M.J. *De Iconografie van Phlips de Schone.* Brussel: Paleis der Academiën, 1959.

— *Le Palais de Bruxelles: Huit Siécles d'Art et d'Histoire.* Arlette Smolar-Meynart, et al. Bruxelles: Crédit Communal, 1991.

PARAVICINI, Werner. «The Court of the Dukes of Burgundy: A Model for Europe?» *Princes, Patronage & the Nobility: The Court at the Beginning of the Modern Age c. 1450-1650.* Ronald G. Asch and Adolf M. Birke (eds.), London: Oxford University Press, 1991, 69-102.

— «"Ordonnances de l'Hôtel" und "Escroes des gaiges". Wege zu einer prosopographischen Erforschung des burgundische Staats im fünfzehnten Jahrhundert». *Medieval Lives and the Historian: Studies in Medieval Prosopography.* Neithard Bulst and Jean-Philippe Genet (eds.), Kalamazoo, MI: Medieval Institute Publications, 1986.

PARKER, Geoffrey. *Felipe II.* Segunda edición revisada. Madrid: Alianza Editorial, 1993.

— *La Gran Estrategia de Felipe II.* Madrid, Alianza, 1998.

PARSONS, John Carmi. *The Court and Household of Eleanor of Castile in 1290.* Toronto: Pontifical Institute of Medieval Studies, 1977.

— (ed.), *Medieval Queenship.* Nueva York: St. Martin's Press, 1993.

PAZ Y ESPESO, Julián. «Casa de Doña Juana la Loca en Tordesillas». *Revista de Archivos, Bibliotecas y Museos* LXI, 2 (1955).

PÉREZ VILLANUEVA, Joaquín y ESCANDELL BONET, Bartolomé. *Historia de la Inquisición en España y América. El conocimiento científico y el proceso histórico de la Institución (1478-1834).* Madrid: Biblioteca de Autores Cristianos, 1984, tomo I.

PÉREZ-BUSTAMANTE, Rogelio y CALDERÓN ORTEGA, José Manuel. *Felipe I 1506.* Palencia: Editorial Olmeda, 1995.

PETITJEAN, Bernadette. *Les Conseillers de Philippe le Beau (1495-1506) d'après les comptes de la recette générale des finances. Essai de prosopographie.* Louvain: Memoire de Licenciature, 1991.

PENELLA, Manuel A. *Juana la loca.* Madrid: Amigos de la Historia, Editions Ferni Genéve, 1975.

— «La Reina Juana no estaba loca». *Grandes Enigmas Históricos Espa-*

ñoles. Madrid: Amigos de la Historia. Editions Ferni Genéve, 1979.

PÉREZ, Joseph. «El desconocido reinado de Felipe I El Hermoso y de Juana I La Loca». *Torre de los Lujanes,* 39 June 1999, pp. 135-146.

— *La Révolution des "Comunidades" de Castille (1520-1521).* Bordeaux: Féret & Fils, 1970.

— *La Revolución de las Comunidades de Castilla (1520-1521).* Juan José Faci Lacasta (trad.), Madrid: Siglo XXI de España Editores, 1977.

PFANDL, Ludwig. *Juana la Loca: Su vida, su tiempo, su culpa.* Felipe Villaverde (trad.), Madrid: Espasa Calpe, 1943.

PRAST, Antonio. «El Castillo de la Mota, de Medina del Campo. Intento de "huída" de doña Juana la Loca». *Boletín de la Real Academia de la Historia* CI, 1932, pp. 508-522.

— *Sobre la fuga frustrada de Doña Juana la Loca: A propósito de unos comentarios con fotografías...* Madrid: Imp. S.P.N., 1933.

PRAWDIN, Michael. *Juana la Loca.* Barcelona: Editorial Juventud, 1953.

— *The Mad Queen of Spain.* Eden and Cedar Paul (trad.), of *Johanna die Wahrsinnige, Habsburgs Weg zum Weltreich.* London: George Allen and Unwin Ltd., 1938.

PRESCOTT, William H. *History of the Reign of Ferdinand and Isabella, the Catholic.* Boston: Charles Little & James Brown, 1837.

— *The History of the Reign of the Emperor Charles the Fifth.* William Robertson (ed.), Philadelphia: J.B. Lippincott Company, 1845.

PHILLIPS, Carla Rahn. «Spanish Merchants and the Wool Trade in the Sixteenth Century.« *Sixteenth Century Journal* XIV, n.° 3, 1983, pp. 259-282.

PHILLIPS, William D. «Local Integration and Long-Distance Ties: The Castilian Community in Sixteenth-Century Bruges». *Sixteenth Century Journal* XVII, n.° 1, 1986, pp. 33-49.

PIRENNE, Henri. «Une crise industriele au XVIe siècle: La draperie urbaine et la "nouvelle draperie" en Flandre». *Histoire économique de l'Occident médiéval.* Bruges, 1951, pp. 621-643.

PRODI, Paolo. *Il sacramento del potere. It giuramento politico nella storia costituzionale dell'Occidente.* Bologna: Società editrice il Mulino, 1992.

RANUM, Orest. «Les refuges de l'intimité». *Histoire de la vie privée.* Philippe Ariès and Georges Duby (eds.), Paris: Seuil, 1986. III, pp. 210-265.

REDONDO, Augustín. *Antonio de Guevara (1480?-1545) et l'Espagne de Son Temps.* Genève: Librairie Droz, 1976.

REIFFENBERG, Baron de. *Histoire de l'ordre de la Toison d'Or.* Bruxelles: Fonderie et Imprimerie Normales, 1830.

REILLY, Bernard F. *The Kingdom of León-Castilla under Queen Urraca, 1109-1126.* Princeton: Princeton University Press, 1982.

— *Revolution Reassessed: Revisions in the History of Tudor Government and Administration.* Christopher Coleman and David Starkey (eds.), Oxford: Clarendon Press, 1986.

REYDELLET, Marc. *La Royauté dans la littérature latine de Sidoine Apollinaire à Isidore de Séville.* Rome: École française de Rome, 1981.

RIERA, Juan. *Cirujanos, Urólogos y Algebristas del Renacimiento y Barroco.* Valladolid: Universidad de Valladolid, 1990.

RODRÍGUEZ-SALGADO, M. J. *The Changing Face of Empire: Charles V, Philip II and Habsburg Authority, 1551-1559.* Cambridge: Cambridge University Press, 1988.

RODRÍGUEZ VALENCIA, Vicente. *Isabel la Católica en la opinión de Españoles y Extranjeros.* Valladolid: Instituto Isabel la Católica de Historia Eclesiástica, 1970, tomos I y III.

RODRÍGUEZ VILLA, Antonio. *Bosquejo Biográfico de la Reina Doña Juana.* Madrid: Aribau, 1874.

— *La Reina Doña Juana la Loca: Estudio Histórico.* Madrid: Librería de M. Murillo, 1892.

— «Observaciones y documentos relativos a la Reina Doña Juana». *Revista de Archivos, Bibliotecas y Museos,* 15 noviembre 1873, pp. 321-325.

— «Observaciones y documentos relativos a la Reina Doña Juana, conclusión». *Revista de Archivos, Bibliotecas y Museos,* 30 noviembre 1873, pp. 337-340.

ROELKER, Nancy Llyman. *Queen of Navarre: Jeanne d'Albret, 1528-1572.* Cambridge: Harvard University Press, 1968.

ROGEN, H. *De Clarissenorde in de Nederlande (Instrumenta Franciscana).* Sint-Truiden, 1995.

ROS, Père Fidèle de. *Un Maitre de Sainte Thérèse: Le Père François d'Osuna.* Paris: Gabriel Beauchesne, 1936.

ROSEN, George. *Madness in Society: Chapters in the Historical Sociology of Mental Illness.* London: Routledge & Kegan Paul, 1968.

ROUND, Nicolas. *The Greatest Man Uncrowned: A Study of the Fall of Don Alvaro de Luna.* London: Tamesis Books Limited, 1986.

RUBIN, Miri. *Corpus Christi: The Eucharist in Late Medieval Culture.* Cambridge: Cambridge University Press, 1991.

RUIZ, Teófilo F. «Unsacred Monarchy: The Kings of Castile in the Late Middle Ages». *Rites of Power: Symbolism, Ritual, and Politics Since the Middle Ages*. Sean Wilentz (ed.), Philadelphia: University of Pennsylvania Press, 1985, pp. 109-144.

RUMEU DE ARMAS, Antonio. *Itinerario de los Reyes Católicos: 1474-1516.* Madrid: CSIC, 1974.

SACRISTÁN, María Cristina. *Locura e Inquisición en Nueva España, 1571-1760.* México: Fondo de Cultura Económica, 1992.

SAENGER, Paul Henry. *The Education of Burgundian Princes, 1435-1490.* The University of Chicago: PhD Dissertation, 1972.

SAHLINS, Peter. *Boundaries: The Making of France and Spain in the Pyrenees.* Berkeley: University of California Press, 1989.

SÁNCHEZ, Magdalena S. *The Empress, The Queen, and the Nun: Women and Power at the Court of Philip III of Spain.* Baltimore: The Johns Hopkins University Press, 1998.

— «Melancholy and Female Illness: Habsburg Women and Politics at the Court of Philip III». *Journal of Women's History* 8: 2, Summer 1996, pp. 81-102.

— «Pious and Political Images of a Habsburg Woman at the Court of Philip III (1598-1621)». *Spanish Women in the Golden Age: Images and Realities.* Magdalena S. Sánchez and Alain Saint-Saëns (eds.), Westport, CT: Greenwood Press, 1996.

SÁNCHEZ CANTÓN, Francisco Javier. *Libros, Tapices y Cuadros que Coleccionó Isabel la Católica.* Madrid: CSIC, 1950.

— *Los Retratos de los Reyes de España.* Barcelona: Ediciones Omega, 1948.

Sanctus Franciscus Borgia Quartus Gandiae Dux et Societatis Jesu Praepositus Generalis Tertius. Roma: Monumenta Historica Societatis Jesu, 1894-1911, V vols.

SANZ Y RUIZ DE LA PEÑA, Nicomedes. *Doña Juana I de Castilla en su palacio de Tordesillas.* Madrid: Ediciones de Conferencias y Ensayos, s.f.

— *Doña Juana I de Castilla, la reina que enloqueció de amor.* Madrid: Biblioteca Nueva, 1942.

SAWYER, P.H. y Wood, I.N. (dirs.), *Early Medieval Kingship.* Leeds: University of Leeds, 1977.

SCHOLZ WILLIAMS, Gerhild. *Defining Dominion: The Discourses of Magic and Witchcraft in Early Modern France and Germany.* Ann Arbor: University of Michigan Press, 1995.

SCHRAMM, Percy E. *Las Insignias de la Realeza en la Edad Media Española.* Luis Vázquez de Parga (trad.), Madrid: Instituto de Estudios Políticos, 1960.

SEAVER, Henry Latimer. *The Great Revolt in Castile: A Study of the Co-*

munero Movement of 1520-1521. London: Constable & Co., 1928.

SERRANO Y SANZ, Manuel. Apuntes para una biblioteca de escritoras españolas. Madrid: Sucesores de Rivadeneyra, 1903-1905.

SIRAISI, Nancy G. Medieval & Early Renaissance Medicine: An Introduction to Knowledge and Practice. Chicago: University of Chicago Press, 1990.

SOBRÉ, Judith Berg. Behind the Altar Table: The Development of the Painted Retable in Spain, 1350-1500. Columbia: University of Missouri Press, 1989.

SOMMÉ, Monique. «Les délegations de pouvoir a la duchesse de Bourgogne». Les Princes et le pouvoir au Moyen Age. Paris: Sorbonne, 1993, pp. 285-301.

— «Les déplacementes d'Isabelle de Portugal et la circulation dans les Pays Bas bourguignons au milieu du XVe siècle». Revue du Nord, 1970, pp. 183-197.

— Isabelle de Portugal, Duchesse de Bourgogne, Une Femme au Pouvoir au Quinzieme Siècle. Lille: Tesis doctoral del Estado, 1995.

— Isabelle de Portugal, Duchesse de Bourgogne, Une Femme au Pouvoir au Quinzieme Siècle. Villeneuve d'Ascq: Presses Universitaires du Septentrion, 1998.

— «La jeunesse de Charles le Téméraire d'après les comptes de la cour de Bourgogne». Revue du Nord LXIV, nos. 254-255, juillet-décembre 1982, pp. 731-750.

SUÁREZ FERNÁNDEZ, Luis. Política Internacional de Isabel la Católica: Estudio y Documentos. Valladolid: Universidad de Valladolid, 1971-2, tomos IV (1494-1496) y V (1497-1499).

SZASZ, Thomas S. The Manufacture of Madness: A Comparative Study of the Inquisition and the Mental Health Movement. New York: Harper and Row, 1970.

TENTLER, Thomas N. Sin and Confession on the Eve of the Reformation. Princeton: Princeton University Press, 1977.

THOMPSON, I.A.A. «The Nobility in Spain, 1600-1800». The European Nobilities in the Seventeenth and Eighteenth Centuries. H. M. Scott (ed.), London: Longman, 1995.

TORRE, Antonio de la. «Maestros de los hijos de los Reyes Católicos». Hispania 1956, n.º 63, 1956, pp. 256-266.

TOUSSAERT, Jacques. Le sentiment religieux en Flandre à la fin du Moyen-Age. Paris: Librairie Plon, 1963.

URQUIJO URQUIJO, María Jesús. «Archivo General de Simancas, Casa y Sitios Reales: Casa de la Reina Juana en Tordesillas». Boletín de Archivos 2, 1978, pp. 201-208.

VAL VALDIVIESO, María Isabel del. «Ascenso social y lucha por el poder en las ciudades castellanas del siglo XV». *En la España Medieval* 17, Editorial Complutense, 1994, pp. 157-184.

— «La política exterior de la monarquia castellano-aragonesa en la época de los Reyes Católicos». *Investigaciones Históricas,* Universidad de Valladolid, 1996, pp. 11-27.

— «The Urban Oligarchy's affairs in the government of Castilian towns in the late Middle Ages». *Shaping Urban Identity in Late Medieval Europe.* Marc Boone & Peter Stabel (eds.), Louvain: Garant, 2000, pp. 255-267.

— «La herencia del trono». *Isabel la Católica y la política.* Julio Valdeón Baruque (ed.), Valladolid, Instituto de Historia Simancas, 2001, pp. 15-49.

VALLEJO-NÁJERA, Juan Antonio. *Locos egregios.* Madrid: Editorial Dossat, 1981.

VAN DEUSEN, Nancy Elena. *Recogimiento for Women and Girls in Colonial Lima: An Institutional and Cultural Practice.* University of Illinois: Tesis doctoral, 1995.

— *Between the Sacred and the Worldly: Recogimiento in Colonial Lima* Stanford: Stanford University Press, 2002.

VARELA, Javier. *La muerte del rey: El ceremonial funerario de la monarquía española, 1500-1885.* Madrid: Turner, 1990.

VEGA, Jesusa. «Impresores y libros en el orígen del renacimiento en España». *Reyes y Mecenas: Los Reyes Católicos, Maximiliano I, y los inicios de la casa de Austria en España.* Toledo: Electa, 1992, pp. 199-232.

VICENS VIVES, Jaime. «The Economy of Ferdinand and Isabella's Reign». *Spain in the 15th Century.* Roger Highfield (ed.), London: The MacMillan Press, 1972, pp. 248-275.

— *Fernando el Católico, Príncipe de Aragón, Rey de Sicilia, 1458-1478.* Madrid: CSIC, 1952.

— *Historia Crítica de la Vida y Reinado de Fernando II de Aragón.* Zaragoza: Institución «Fernando el Católico», Diputacion Provincial, 1962, tomo I (hasta 1482).

WACK, Mary Frances. *Lovesickness in the Middle Ages; The Viaticum and Its Commentaries.* Philadelphia: University of Pennsylvania Press, 1990.

WALKER BYNUM, Caroline. *Holy Feast and Holy Fast: The Religious Significance of Food to Medieval Women.* Berkeley: University of California Press, 1987.

WEIGHTMAN, Christine. *Margaret of York: Duchess of Burgundy, 1446-1503.* New York: St. Martin's Press, 1989.

WILLARD, Charity Cannon. «The Concept of True Nobility at the Burgundian Court». *Studies in the Renaissance* 14, 1967, pp. 33-48.

WITTKOWER, Rudolf and Margot. *Born Under Saturn. The Character and Conduct of Artists: A Documented History from Antiquity to the French Revolution.* New York: W. W. Norton & Company, 1963.

— *Nacidos bajo el signo de Saturno: El carácter y la conducta de los artistas.* Madrid, Cátedra, 1982.

Women and Sovereignty. Louise Olga Fradenburg (ed.), Edinburg: Edinburg University Press, 1992.

YARZA, Joaquín. «El arte de los Países Bajos en la España de los Reyes Católicos». *Reyes y Mecenas: Los Reyes Católicos, Maximiliano I, y los inicios de la casa de Austria en España.* Toledo: Electa, 1992, pp. 133-150.

YNDURÁIN, Domingo. *Humanismo y Renacimiento en España.* Madrid: Ediciones Cátedra, 1994.

ZALAMA, Miguel Ángel. «Doña Juana "la loca" con el cortejo fúnebre de su esposo por tierras de Palencia». *Actas del III Congreso de Historia de Palencia,* Palencia, 1996, IV, pp. 551-553.

— *Vida Cotidiana y Arte en el Palacio de la Reina Juana I en Tordesillas.* Valladolid: Universidad de Valladolid, 2000.

— y DOMÍNGUEZ CASAS, Rafael. «Jacob Van Laethem, Pintor de Felipe "el hermoso" y Carlos V: Precisiones sobre su obra». *Boletín del Seminario de Estudios de Arte y Arqueología* LXI, 1995, pp. 347-358.

ZILBOORG, Gregory. *The Medical Man and the Witch During the Renaissance.* New York: Cooper Square Publishers, 1969, orig. 1935.

CRONOLOGÍA

6 noviembre 1479	Nacimiento de Juana en Toledo
22 agosto 1496	Juana sale de Laredo
20 octubre 1496	Boda de Juana y Felipe en Lier
4 octubre 1497	Muerte del príncipe Juan, heredero de los Reyes Católicos
15 noviembre 1498	Nacimiento de Leonor (futura reina de Portugal y Francia) en Bruselas
24 febrero 1500	Nacimiento de Carlos (futuro Emperador Carlos V) en Gante
20 julio 1500	Muerte del príncipe Miguel, heredero de los Reyes Católicos
16 julio 1501	Nacimiento de Isabel (futura reina de Dinamarca) en Bruselas
4 setiembre 1501	El Papa Alejandro VI autoriza la reforma de las franciscanas de Bruselas
4 noviembre 1501	Juana y Felipe salen de Bruselas hacia Castilla a través de Francia
22 mayo 1502	Las Cortes de Castilla confirman a Juana como sucesora de su madre
27 octubre 1502	Las Cortes de Aragón confirman a Juana como sucesora de su padre
28 febrero 1503	Felipe vuelve a Flandes por Francia, en guerra con España
10 marzo 1503	Nacimiento de Fernando (futuro Emperador) en Alcalá de Henares
15 mayo 1504	Juana desembarca en la costa de Flandes
26 noviembre 1504	Muerte de la Reina Isabel
23 enero 1505	Las Cortes de Castilla nombran a Fernando como gobernador para su hija

15 setiembre 1505	Nacimiento de María (futura reina de Hungría) en Bruselas
19 octubre 1505	Fernando contrata matrimonio con Germaine de Foix
24 noviembre 1505	Fernando y Felipe establecen el tratado de Salamanca
12 febrero 1506	Juana firma el tratado de Windsor
27 abril 1506	Juana y Felipe desembarcan en La Coruña
27 junio 1506	Fernando y Felipe establecen el tratado de Villafáfila
25 setiembre 1506	Muerte del rey Felipe
18 diciembre 1506	Juana revoca las mercedes de Felipe
14 enero 1507	Nacimiento de Catalina (futura reina de Portugal) en Torquemada
28 agosto 1507	Juana y Fernando se reúnen en Tórtoles
16 febrero 1509	Juana se instala en Tordesillas
23 enero 1516	Muerte del Rey Femando
4-11 noviembre 1517	Leonor y Carlos visitan Tordesillas por primera vez
29 agosto 1520	Llegada de los Comuneros a Tordesillas
4 diciembre 1520	Los grandes vuelven a tomar Tordesillas
2 enero 1525	Catalina sale de Tordesillas para Portugal
10-19 febrero 1532	La emperatriz Isabel, el príncipe Felipe, la infanta María en Tordesillas
8-25 agosto 1532	La emperatriz Isabel, el príncipe Felipe, la infanta María en Tordesillas
febrero-abril 1534	Estancia de Juana y su casa en Tudela del Duero
diciembre 1536	Carlos V se reúne con su familia en Tordesillas
18-25 marzo 1537	Carlos V se reúne con la emperatriz en Tordesillas
2-4 noviembre 1543	El príncipe Felipe en Tordesillas
19-20 octubre 1548	María y Maximiliano, reyes de Bohemia, en Tordesillas
17-18 julio 1550	María y Maximiliano en Tordesillas

mayo 1554	Francisco de Borja se reúne tres veces con la reina en Tordesillas
12 abril 1555	Muerte de la reina Juana

APÉNDICES

APÉNDICE I. ITINERARIO DE JUANA Y SU CASA, 1496-1506[1]

10 sept 1496-13 sept 1496, *Ramua* [*Middelburg*]; AGS CMC 1ª
época 267
18 sept 1496-23 sept 1496, *Vergas* [*Bergen-op-Zoom*]; AGS CMC
1ª época 267
24 sept 1496-10 oct 1496, *Anvers* [*Amberes*]; AGS CMC 1ª época 267
17 oct 1496-30 oct 1496, *Lira* [*Lier*]; AGS CMC 1ª época 267
9 nov 1496-14 nov 1496, *Anvers*; AGS CMC 1ª época 267
2 dic 1496, *Peute, Anvers*; ADN Lille ADN B 3454, núm. 120567
3 dic 1496, *Anvers, Malines* [*Malinas*]; ADN Lille B 3454, núm.
120569
4 dic 1496-7 dic 1496, *Malines*; ADN Lille B 3454, núm. 120570,
AGS CMC 1ª época 267
31 dic 1496-24 feb 1497, *Bruxelles* [*Bruselas*]; ADN Lille B 3454,
núm. 120576, B 3455, núms. 126039, 120640, 120642-
120654, 120657
16 mar 1497-18 mar 1497, *Gand* [*Gante*]; ADN Lille B 3455,
núms. 120658, 120659
29 mar 1497-31 mayo 1497, *Bruges* [*Brujas*]; ADN Lille B 3455,
núms. 120660-120661, 120663-120669, AGRB Audience 13,
330a, ADN Lille B 3455, núm. 120670
5 jun 1497, *Anvers*; ADN Lille B 3455, núm. 120671
6 jun 1497, *Malines, Bruxelles*; ADN Lille B 3455, núms. 120672-
120673

---

[1] Fecha, lugar según el original [equivalente castellano]; fuente.

11 jun 1497-12 enero 1498, *Bruxelles*; ADN Lille B 3455, núms. 120674, 120676-120678, 120681, 120684-120686, B 3379, núm. 113579

26 mar 1498-17 mayo 1498, *Bruges*; ADN Lille B 3379, núm. 113579, AGRB Audience 14, núm. 337, ADN Lille B 3379, núm. 113579, AGRB Audience 14, 351, ADN Lille B 3456, núm. 120742, B 3379, núm. 113579, B 3456, núm. 120743-120747

27 mayo 1498-5 mayo 1499, *Bruxelles*; ADN Lille B 3456, núms. 120748-120749, B 3379, núm. 113579, B 3457, núms. 120803-120804, 120807, AGRB Audience 14, núm. 338, ADN Lille B 3457, núms. 120805-120806, 120808-120815, 120817-120843, 120846, AGRB Audience 14, núms. 352 y 339, ADN Lille B 3457, núms. 120780, 120849-120850

9 mayo 1499, *Ville de Vins en Haynaut*; ADN Lille B 3457, núm. 120785

10-15 mayo 1499, *Bruxelles*; ADN Lille B 3457, núms. 120851 y 120854

1 jun 1499, *Gand*, ADN Lille B 2169, fol. 127

22 jun-5 sept 1499, *Bruxelles*; ADN Lille B 3457, núms. 120861, 120863-120865, ADN Lille B 3379, núm. 113579

29 oct 1499-24 feb 1500, *Gand*; ADN Lille B 3379, núm. 113579; ADN Lille B 3459, núm. 121052

3 marzo 1500, *Écloo, Bruges*; ADN Lille B 3459, núm. 121055

5 marzo 1500, *Bruges*; ADN Lille B 3459, núm. 121058

6 marzo-15 abril 1500, *Gand*; ADN Lille B 3379, núm. 113579

30 abril 1500, *Bruges*; ADN Lille B 3457, núm. 120866

mayo 1500, *Zeelande [Zelanda]*; ADN Lille B 2169, f. 123v-124

30 jun 1500-25 enero 1501, *Bruxelles*; ADN Lille B 3457, núm. 120867, B 3459, núms. 121138-121141, B 3457, núms. 120868-120871, B 3459, núm. 121142, B 2169, f. 112v, B 3459, núm. 121042

1-24 feb 1501, *Gand*; ADN Lille B 3459, núms. 121943-121051, 121053

4 mar-13 mayo 1501, *Bruges*; ADN Lille B 3459, núms. 121056-121057, 121059-121114

15 mayo 1501, *Ardembourg, Écloo*; ADN Lille B 3459, núm. 121115

19-31 mayo 1501, *Gand*; ADN Lille B 3459, núms. 121116-121124

15 jun-3 nov 15010615, *Bruxelles*; ADN Lille B 3379, núm. 113579, B 3459, núms. 121125-121137, 121143-121198

4 nov 1501, *Bruxelles, Notre Dame de Haulx*; ADN Lille B 3459, núm. 121199

5 nov 1501, *Notre Dame de Haulx, Soingnies*; ADN Lille B 3459, núm. 121200

6 nov 1501, *Soingnies, Mons*; ADN Lille B 3459, núms. 121201-121202

7-8 nov 1501, *Mons*; ADN Lille B 3459, núms. 121203-121205

9 nov 1501, *Quiévrain, Valenciennes*; AGRB Audience 14, núm. 340

12 nov 1501, *Valenciennes, Cambray*; ADN Lille B 3459, núm. 121206

16 nov 1501, *Saint Martin, Saint Quentin*; ADN Lille B 3459, núm. 121207

17 nov 1501, *Saint Quentin, Hem*; ADN Lille B 3459, núm. 121208

26 nov 1501, *Paris*; ADN Lille B 3459, núm. 121209

1 dic 1501, *Estampes, Engerville la Gaste*; ADN Lille B 3459, núm. 121210

3 dic 1501, *Artenay, Orleans*; ADN Lille B 3459, núm. 121211

6 feb 1501, *Notre Dame de Clery, Saint Laurens de Eaulx*; ADN Lille B 3459, núm. 121212

8-15 dic 1501, *Blois*; ADN Lille B 3459, núms. 121213-121218, B 3379, núm. 113579

19 dic 1501, *Tours*; ADN Lille B 3459, núm. 121219

27 dic 1501, *Melle, Annoy [Aulnay]*; ADN Lille B 3459, núms. 121220-121221

28 dic 1501, *Annoy, Beauvais*; ADN Lille B 3459, núm. 121222

9 enero 1502, *Saint Sevrin de Gantoy, Cadillac*; ADN Lille B 3460, núm. 121263

10 enero 1502, *Cadillac, Langhon*; ADN Lille B 3460, núm. 121264

14 enero 1502, *Rocquefort, Mont de Marchant*; ADN Lille B 3460, núms. 121265-121266

20 enero 1502, *Tartas, Lesperon*; ADN Lille B 3460, núm. 121267

21 enero 1502, *Lesperon, Mayen*; ADN Lille B 3460, núm. 121268

22 enero 1502, *Mayen, Saint Vincent, Bayona*; ADN Lille B 3460, núm.121269

23-25 enero 1502, *Bayonne*; ADN Lille B 3460, núm. 121270, B 3379, núm. 113579

26 enero 1502, *Bayonne, Fontarabie [Fuenterrabia]*; ADN Lille B 3460, núm. 121271

27-28 enero 1502, *Fontarabie*; ADN Lille B 3460, núms. 121272-121273

5 feb 1502, *Vitoria*; ADN Lille B 3379, núm. 113579

16 feb 1502, *Burgos*; ADN Lille B 3379, núm. 113579

28 feb 1502, *Gappeson [Cabezón de los Campos]*, AGRB Audience 14, núm. 341

3 marzo 1502, *Valladolid*; ADN Lille B 3379, núm. 113579

22 marzo-16 abril 1502, *Madrid*; ADN Lille B 3379, núm. 113579

30 abril 1502, *Olías*; AGRB Audience 14, núm. 342

5 mayo-29 agosto 1502, *Toledo*; ADN Lille B 3379, núm. 113579, AGRB Audience 14, núms . 353, 343-344, 355-356, ADN Lille B 3460, núm. 121274-121287

30 agosto-1 sept 1502, *Remserrez [Aranjuez]*; ADN Lille B 3460, núms. 121288-.121291

1 sept 1502, *Remserrez, Ocquaisne [Ocaña]*; ADN Lille B 3460, núms.121292-121293

2-15 sept 1502, *Ocquaisne, Raingue*; ADN Lille B 3460, núm. 121294-121308, B 3379, núm. 113579

16 sept 15020916, *Sison [Chinchón], Organde [Arganda]*; ADN Lille B 3460, núm. 121309

17 sept 1502, *Organde, Alcalla [Alcalá de Henares]*; ADN Lille B 3460, núm. 121310

18-27 sept 1502, *Alcalla*; ADN Lille B 3460, núms. 121311-121325

30 sept 1502, *Alcalla, Reisges [Abadía de Reges]*; ADN Lille B 3460, núm. 121326

1 oct 1502 *Reisges, Madricq [Madrid]*; ADN Lille B 3460, núm. 121327

2-5 oct 1502, *Madricq*; ADN Lille B 3460, núm. 121328-121332

6 oct 1502, *Madricq, Reisges*; ADN Lille B 3460, núm. 121333
7 oct 1502, *Reisges, Alcalla*; ADN Lille B 3460, núm. 121334
12-13 oct 1502, *Sidrac [Jadraque]*; ADN Lille B 3460, núms. 121335-121338
16 oct 1502, *Sigüenza*; ADN Lille B 3379, núm. 113579
19 oct 1502, *Herize [Ariza], Alteca [Ateca]*; ADN Lille B 3460, núms. 121339-121340
20 oct 1502, *Alteca, Kalatent [Calatayud]*; ADN Lille B 3460, núms. 121341-121342
21 oct 1502, *Kalatent*; ADN Lille B 3460, núm. 121343
24 oct 1502, *Almoingue [La Muela], Almolla [Almunia]*; ADN Lille B 3460, núm. 121344
25 oct 1502, *Almolla, Chasteau lez Saragosse [Zaragoza]*; ADN Lille B 3460, núms. 121345-121346
26 dic 1502, *Chasteau lez Saragosse, ville de Saragosse*; ADN Lille B 3460, núm. 121347
27 oct-23 nov 1502, *Saragosse*; ADN Lille B 3460, núms. 121348-121363, 121365-121369
24 nov 1502, *Saragosse, Almolla [Almunia]*; ADN Lille B 3460, núms. 121370-121371
25 nov 1502, *Almolla*; ADN Lille B 3460, núms. 121372-121373
26 nov 1502, *Almolla, l'Almoingue [La Muela]*; ADN Lille B 3460, núm. 121374
27 nov 1502, *Almoingue*; ADN Lille B 3460, núm. 121375
1 dic 1502, *Orte, Arcques [Arcos de Jalón]*, ADN Lille B 3460, núms. 121376- 121377
2 dic 1502, *Foncaliente [Fuencaliente], Sigüenza*; ADN Lille B 3460, núms. 121378-121379
3 dic 1502, *Sigüenza, Bourghe la Haie*; ADN Lille B 3460, núm. 121380
6 dic 1502, *Heres [Henares], Hovera [Alovera]*; ADN Lille B 3460, núms. 121381-121382
7 dic 1502, *Hovera, Alkalla [Alcalá de Henares]*; ADN Lille B 3460, núm. 121383
9 dic 1502, *Reisges [Abadía de Reges], Madrid*; ADN Lille B 3460, núms. 121384-121385
10 dic 1502-15 enero 1503, *Madrid*; ADN Lille B 3460, núms. 121386-121410, 121450-121457, B 3379, núm. 113579

16 enero 1503, *Reisges [Abadía de Reges], Touraghon [Torrejón de Ardoz]*, ADN Lille B 3461, núm. 121458

17 enero 1503, *Torreghon, Alcalá*; ADN Lille B 3461, núm. 121459

18 enero-7 junio 1503, *Alcalá*; ADN Lille B 3461, núms. 121411, 121461-121464, B 3379, núm. 113579, AGRB Audience 14, núm. 345, Audience 13, 336p

14 agosto 1503, *Segovia*; ADN Lille B 3379, núm. 113579

12 sept 1503-13 feb 1504, *Medina del Campo*; ADN Lille B 3379, núm. 113579, AGRB Audience 14, núms. 346-347, ADN Lille B 3461, núms. 121466-121479

1 marzo 1504, *Medina del Campo, Tordesillas*; ADN Lille B 3461, núm. 121482

6 marzo 1504, *Laredo*; ADN Lille B 3461, núm. 121484

11 marzo 1504, *Trespadams, Medine del Pomar [Medina de Pomar]*, ADN Lille B 3461, núm. 121483

20 marzo-25 abril 1504, *Laredo*, ADN Lille B 3379, núm. 113579, B 3461, núms. 121485-121490

15 mayo 1504, *Blankenburg*; AGRB Fonds Gachard 611

3 jun 1504-7 nov 1505, *Bruxelles*; ADN Lille B 3379, núm. 113579, AGRB Audience 14, núms. 348 y 349, Audience 13, núm. 310, ADN Lille B 3.462, núms. 121515-121533, 121536, 121551, 121557-121560, 121562-121568, 121571-121583

9 nov 1505, *Waasmunstre*; ADN Lille B 3.462, núm. 121584

10 nov 1505, *Waasmunstre, Calvere*; ADN Lille B 3.462, núm. 121585

11 nov 1505, *Calvere*; ADN Lille B 3.462, núm. 121586

14 nov 1505-12 enero 1506, *Middelburg*, ADN Lille B 3.462, núm. 121587-121603, B 3.463, núm. 121661,B 3.379, núm. 113579

12 enero 1506, *En Mer*; ADN Lille B 3463, núm. 121662

21 enero 1506, *Dorchester, Blancfort [Blandford]*, ADN Lille B 3463, núm. 121663

22 enero 1506, *Blancfort, Salesbury [Salisbury]*; ADN Lille B 3463, núm. 121664

24 enero 1506, *Salesbury, Haneton*; ADN Lille B 3463, núm. 121665

28 enero 1506, *Haneton, Wincestre [Winchester]*; ADN Lille B 3463, núm. 121666

17 mayo 1506, *Galice [Galicia]*; AGRB Fonds Gachard 611

8 junio 1506 *Orance [Orense] en Galice*; ADN Lille B 3463, núm. 121701

9 julio 1506, *Benavente*; AGRB Fonds Gachard 611

23 sept 1506, *Burgos*; ADN Lille B 3463, núm. 121704

12-18 dic 1506, *Maison de la Vega*; AGRB Audience 14, núms. 357-362

22-23 dic 1506, *Torquemada*; AGRB Audience 14, núm. 363-364

APÉNDICE II. CARTAS INÉDITAS DEL REY CARLOS AL MARQUÉS
DE DENIA

Documento 1.
El Rey Carlos al marqués de Denia, Zaragoza, 30 octubre 1518.
Archivo Ducal de Medinaceli (ADM), Archivo Histórico, legajo
246 (caja 4), núm. 20:

El Rey. Marqués primo. Vi vuestra letra de deziocho de otubre y a me dado congoxa saber q[ue] aya comencado la pestilencia en esa villa de Tordesyllas, gr[aci]as a n[uest]ro señor por ello.
Q[ui]siera q[ue] me escriviérades los lugares q[ue] al presente ay
sanas en esa comarca y a q[ua]l dellos os parezca q[ue] devrades
llevar a la Reyna, mi señora, porq[ue] aunq[ue] los días pasados
me lo escrivist[ei]s después se pueden av[er] dañado los q[ue]
entonces estavan buenos como ha f[ec]ho esa villa y porq[ue] syn
saber esto de acá no se os podría mandar lo q[ue] se hiziese, acor-
dé de mandar despachar este correo pa[ra] q[ue] con el me es-
criváys v[uest]ro parecer pues entre tanto q[ue] mandáys adrecar
lo q[ue] es menester pa[ra] la p[ar]tida de su alteza avrá lugar de
yr y bolv[er] y de vos enbiar a mandar lo q[ue] se haga. Por ende
yo vos mando y encargo q[ue] luego vos informéys muy bien de
todos los lugar[e]s q[ue] están sanos en esa comarca asy de rea-
lengo como de señorío e abadengos e ob[is]padías a donde a vos
os pareciere q[ue] pueda estar su alteza y me enbiéys la relación
dellos con v[uest]ro parecer a [qua]l sera mejor yr, y venga ente-
ra relación de todos los q[ue] están sanos y d[e] los q[ue] están
cerca de aquellos dañados, porque como el mal handa por todas
p[ar]tes se tenga respecto a q[ue] sy se dañare el lugar donde fue-

re se pueda pasar a otro y asy mysmo d[e] la dispusyción q[ue]
cada uno d[e]llos tiene asy pa[ra] el aposento de su alteza como
pa[ra] los q[ue] con ella va[n] y d[e] la dispusyción q[ue] tiene[n] los q[ue] están cerca dellos pa[ra] se poder asy mysmo pasar dellos su alteza porq[ue] sy entrare pestilencia en el q[ue]
agora se pasa y sepayes a qual se podría pasar y q[u]anta distancia ay de uno a otro. Y entre tanto continuad en poner en esa villa la m[e]jor guarda y recabdo q[ue] ser pueda como sé q[ue] lo
hazéys y especialmente tened mucho cuydado q[ue] las casas de
palacio estén muy guardadas, q[ue] no entre en ellas ninguna
p[er]sona de q[ui]en se tenga sospecha q[ue] ha estado donde ha
avido mal. Y ansy mismo poned recabdo bastante en las casas de
la villa en q[ue] ha avido pestilencia y en las p[er]sonas dellas
y en otras qual[e]s quier q[ue] de aq[uí] ad[e]lante tocare la
d[ic]ha pestilencia por man[er]a q[ue] no aya lugar de infecio-
narse ni dañarse de cabsa dellas, q[ue] esp[er]ança tengo en
n[uest]ro señor [que] dará la salud q[ue] avemos menester
pa[ra] q[ue] su alteza pueda reposar y estar ay; y pareciénd[o]os a
vos q[ue] la villa va en mejoría y q[ue] con el buen recabdo q[ue]
vos pusyér[e]des la casa de su alteza se podía pres[er]var. S[er]á
bien q[ue] asy mysmo me lo aviséys, y en caso que la d[ic]ha villa se vaya más dañado y que ay peligro en la salud de su al[teza]
y de la infante my hermana, me escrievides *la manera q[ue] os pareçe se puede tener para q[ue] la reyna my señora de su voluntad
salga para se yr a otro lugar* y será bien q[ue] en el d[ic]ho caso
desde luego ge lo començéys a dezir por los mejores térmynos
que os parezca y *entre las otras cosas q[ue] vos allá ternéys pensado acá parece que aprovechará mucho q[ue] hagáys que está mala
de pestilencia alguna desas mugeres o otras personas de casa de su
alteza que con ella más trata y que la infante my hermana por ser
tan pequeña y de tan poca hedad corre mucho peligro en su salud y
a todos los médicos les parece que convyene sacarla de ay porque
tengo por çierto que q[ui]ere tanto a la d[ic]ha infante q[ue] por la
salud della y por yr donde ella fuere querrá salir y asy mysmo la
avéys de dezir como la villa de Valla[doli]d y Medina del Campo y
otros lugares prinçipales que a vos os pareçiere donde ella toviere
inclinaçión de se yr que están muy dañados de pestilencia y casi despoblados y porque su alteza es temerosa de la muerte, especialmen-*

te de pestilencia, avéys le de dezir que en las d[ic]has villas y en otros lugares que le dixerdes la pestilençia es tan cruda que los heridos mueren en dos días y en más breve t[iem]po y para esto será bien que fingidamente hagáys que los clérigos pasen por delante palacio con su cruz o algunas vezes al día so color que llevan a alguno a enterrar, y que las mugeres y otras personas q[ue] conversan con su alteza le digan lo suso d[ic]ho porq[ue] le pongan temor en la estada ay. Ved lo todo y guiad lo como de v[uest]ra mucha prudençia se espera y con este correo me hazed saber muy p[ar]ticularmente todo lo q[ue] en lo uno y en lo otro os pareçiere. A las otras cosas q[ue] escrivéis no vos mando agora responder. Quedarán pa[ra] con el p[ri]m[er]o. De Caragoça a 30 días del mes de otubre de q[ui]ny[ent]os e diez e ocho años. Yo el Rey [autógrafo]. Por mandado del Rey, Francisco de Covos [autógrafo]».

Documento 2.
El Rey Carlos al marqués de Denia, Barcelona, 15 setiembre 1519.
ADM, Archivo Histórico, legajo 246 (caja 4), núm. 29:

El Rey. Marqués primo. Vi v[uest]ra letra de 29 de agosto y agradézc[o]os y tengo en servicio lo q[ue] dezís sobre lo del ynperio que me paresçe muy bien que en todo mostráis la voluntad y afeción que tenéis a me servir. Espero en N[uest]ro Señor que todo sucederá en mucho servicio suyo, q[ue] para esto lo he deseado y lo quiero.

Está bien lo q[ue] dexistes a la Católica reyna, mi señora, sobre my eleción y si todavía os paresciere que es ynconveniente que su alteza sepa el fallescimiento del Enperador, my señor, aunque acá paresce que no hablándole en esto devéis dezir que su magestad que aya gloria me dexó todo su estado y se retraxo a un monasterio porque yo de todo pudiese mejor gozar. Y myrad q[ue] en la carta que yo escreví a su alteza dize que su magestad es fallescido pero bien creo que no la leerá como las otras que no ha querido ver.

Holgado he mucho de saber q[ue] la yll[ustrísi]ma ynfante, mi hermana, está buena. Plega a n[uest]ro señor siempre sea asy. Dar le eys mis encomiendas.

Lo q[ue] dezís en lo de[l] asiento del th[esore]ro Ochoa d[e] Landa, tengo por cierto y asy se creyó sienpre q[ue] vos no queríades syno q[ue] la reyna, my señora, fuese bien servida.

En lo de las libranças, yo he mandado a los contadores q[ue] de aquí adelante libren en buena p[ar]t[e], y asy lo harán.

Para lo del quarto que se cayó en esa casa, he mandado librar en el año venidero los q[ui]ni[ent]os ducados que os paresce que son menester porque en este año no ay donde se libre. Devéis procurar allá con el th[esore]ro Ochoa d[e] Landa o con otros unos amigos q[ue] hagan algund socorro para que se comience la obra entretanto que se cobra el dinero, y si fuere menester dar algund ynterese, hágase porque por falta dello la obra no se dexe de hazer. Vos allá lo proveed lo mejor que pudieres.

Gracias a N[uest]ro Señor q[ue] da salud a esa villa de Tordesillas. Plega a Él lo continúe. A vos os agradezco el cuydado y diligencia q[ue] ponéis en la guarda de la villa. Así vos ruego y encargo lo hagáis. Y en lo que toca a la villa yo tengo voluntad de les haser m[erce]d, que es mucha razón como vos lo dezís.

En lo de Anastasia, aviendo consideración a los serviçios q[ue] ha hecho a la reyna, mi señora, yo he por bien de hazer m[erce]d al hijo de su marido del oficio de repostero de camas que él tenía por que se consuma el que tiene de repostero de capilla y que éste sea obligado de dar al hijo de Anastasia la demasía q[ue] ay del un oficio al otro como a vos hos paresce, y porque el albalá del asyento va syn ninguna condición, como veréis, hazed tomar allá la seguridad que convenga para q[ue] en cada un año le acuda con los mrs q[ue] monta más el oficio q[ue] agora sele da q[ue] el q[ue] él tenía.

En lo q[ue] me enbiáis a suplicar q[ue] vos haga m[erce]d de lo q[ue] cabe a pagar a v[uest]ras t[ie]rras del servicio, puesto q[ue] por ser esto cosa de tanta consequencia y q[ue] muchos o todos lo demandan, lo he tenido por dificultoso. Aviendo consideración a lo q[ue] avéis servido y servéis, he mandado despachar una cédula para quel thesorero Vargas vos dé 225.230 mrs. que monta el d[ic]ho servicio en este año de q[ue] yo vos hago m[erce]d.

En lo de los vestidos de la reyna, mi señora, es bien que se hagan y pues segund dize Gileson ay está un hermano del pellijero de

la reyna q[ue] los sabe hazer como él, será bien q[ue] los haga, e sy
la reyna, mi s[eño]ra, preguntare por él, podéis le dezir que es ydo
a Flandes con licencia y que presto bolverá. Después desta escrita
receví v[uest]ra letra de 9 de setienbre y ha me dado mucha pena
saber q[ue] el mal aya pasado adelante y que esa villa está tan da-
ñada. Plega a N[uest]ro Señor de lo remediar como es menester.
Visto lo q[ue] me escrevís d[e] la manera q[ue] están Olmedo y
Arévalo me paresce bien q[ue] la yda de su al[teza] sea a Toro y
asy mando despachar para ello todo lo q[ue] enbáys a pedir.
Ruég[o]os mucho q[ue] siendo tal la nescesydad q[ue] convenga sa-
car a su alteza q[ue] por la horden q[ue] vos he escrito lo pongáis
luego en obra con aquella buena manera e discreción q[ue] veis
q[ue] conviene como de vos lo espero y porque muchas vezes os
he escrito lo q[ue] me paresce que se deve haser en ese caso [a]
aquello me remyto, y aunq[ue] es de calidad que no se puede quitar cuydado dello, no lo tengo de pensar q[ue] en lo q[ue] convenga ha de aver ninguna falta, porq[ue] sé con la voluntad e
amor q[ue] hazéis todo lo q[ue] a my servicio cumple.
Vi lo q[ue] venía escrito de v[uest]ra mano y ha me paresci-
do muy bien todo lo que en ello proveístes y lo q[ue] tenéis pensado y *sin duda como dezís lo que más conviene es escusar q[ue] no*
hable ninguno a su al[teza] demás de lo que allá para este efeto vos
ocurrirá. Parésceme q[ue] será bién que quando su alteza demande
por alguno se le diga que fue herido de pestilencia y que lo llevaron
fuera de la villa. De todo por my servicio tened el cuydado q[ue]
de vos confío y hazerme eys synpre saber lo q[ue] suçediere. De
Barcelona a quinze dias de set[iembr]e de q[ui]ni[ent]os e diez e
nueve años. Yo el Rey [autógrafo]. Por mandado de su magestad,
Francisco de los Covos [autógrafo].

Documento 3.
El Rey Carlos al marqués de Denia, Malinas, 22 setiembre 1520.
ADM, Archivo Histórico, legajo 246 (caja 4), núm. 43:

El Rey. Marq[ué]s primo. Con la posta que partió a 18 del
presente os escriví como avía reçebido v[uest]ra letra de 5 del
d[ic]ho mes. Lo que a ella ay q[ue] responder es q[ue] no os po-

dría significar quanto me ha penado saber lo q[ue] me escrevís q[ue] ha pasado co[n] la Católica reyna, mi s[eño]ra, después q[ue] algunos de sus criados e los desa villa la quisieron hablar e hablaron, porque según la yndispusición de su al[teza] no avía podido s[er] sin averle dado mucho enojo e fatiga, q[ue] es para my el mayor trabajo de todos. Pluguiese a Dios q[ue] su alteza tuviese tanta salud que pudiese entender en mandar e governar esos reynos e los demás q[ue] tengo, q[ue] como otras vezes os he escripto, no podría yo aver mayor buena ventura. E ser como es esto de su al[teza] en esos reynos tan público e notorio a todos dan bien a entender los fines que trahen los q[ue] yntentan e quieren esas novedades. Plazerá a Dios q[ue] lo remedie como a su serv[ic]io e bien desos reynos cumple, q[ue] yo espero con su ayuda ser allá tan presto q[ue] el remedio no tenga mucha dilación. Pa[ra] entre tanto he mandado proveher lo q[ue] avéys visto por lo q[ue] con Lope Hurtado os escriví y agora escrivo al muy re[veren]do car[den]al e a los otros n[uest]ros visoreyes q[ue] luego entiendan con toda diligencia en la provisión q[ue] a esto toca conforme a lo q[ue] les tengo escripto o como a ellos mejor pareçiere. Lo q[ue] vos por s[er]v[ci]o de su alteza e mío aveys de trabajar e procurar es de sosteneros e conservaros ay lo mejor q[ue] pudiéredes pa[ra] q[ue] su alteza sea servida e no reciba los enojos q[ue] creemos hasta aquí avrá reçibido con los desacatos desas gentes ni en su servi[ci]o se haga novedad contra lo q[ue] yo dexé hordenado e mandado. Y en caso q[ue] no os dieren lugar de estar con su al[teza] e así os sea forcado de la dexar, dexando encomendado su s[er]vi[ci]o a quién vierdes q[ue] mejor lo hará veniros eys donde estuvieren los n[uest]ros visoreyes e governadores para residir y estar en v[uest]ro oficio juntamente con los otros del n[uest]ro consejo de la guerra, q[ue] nos escrevimos cerca desto al muy re[veren]do car[den]al para q[ue] ydo vos, vos reciba e haga toda la ho[n]rra, favor e buen tratami[ent]o q[ue] v[uest]ros s[er]vi[ci]os merecen. Todo lo q[ue] dezís de lo q[ue] ha pasado después desas novedades me parece q[ue] lo avéys fecho muy bien e como se esperava de v[uest]ra bondad, lealtad e prudencia. Y vos lo agradezco mucho e te[n]go en s[er]vi[ci]o. Yo lo terné bien en memoria para os lo gratificar e remunerar como vos lo merecéys. A lo demás no ay por agora q[ue] responder, sino q[ue] quisiera, pues tenéys cifra, q[ue] por ella me escriviérades más particularmente quien ha sido los criados de su alteza q[ue] an andado en esto, e q[ue] otras personas de las q[ue] en Tordesillas estavan, y así mismo quien son los del consejo de acá y de allí q[ue] no tienen secreto, y enderecan los negocios más a sus propios yntereses e de sus parientes q[ue] no a mi s[er]vi[ci]o. Y hazer me eys saber de la salud de su alteza, e de la ill[ustrísi]ma ynfante, my muy cara e muy amada h[erman]a, a quien daréys mis encomiendas. De Malinas a 22 de setienbre de 520. Yo el Rey [autógrafo]. Por mandado de su mag[es]t[ad] Fran[cis]co de los Covos [autógrafo].

ÍNDICE TEMÁTICO, GEOGRÁFICO
Y ONOMÁSTICO